Ewa Stachniak

Cesarzowa nocy

Historia Katarzyny Wielkiej

tłumaczenie autoryzowane
z języka angielskiego
Nina Dzierżawska

między_
słowami

Tytuł oryginału
The Empress of the Night

Projekt okładki
Magda Kuc

Fotografia na pierwszej stronie okładki
Copyright © Lee Avision/Arcangel Images

Opieka redakcyjna
Julita Cisowska
Aleksandra Kamińska
Ewa Polańska

Opracowanie tekstu i przygotowanie do druku
Pracownia 12A

ISBN 978-83-240-2598-5 (oprawa twarda)
ISBN 978-83-240-2599-2 (oprawa broszurowa)

Między Słowami
30-105 Kraków, ul. Kościuszki 37
E-mail: promocja@miedzy.slowami.pl
Wydanie I, Kraków 2014

Społeczny Instytut Wydawniczy Znak Sp. z o.o.
30-105 Kraków, ul. Kościuszki 37
Dział sprzedaży: tel. 12 61 99 569
Druk: Abedik

Pamięci mojej matki

Nieustannie panowała nad sobą, i w tym właśnie
przejawiała się wielkość jej charakteru,
nie ma bowiem nic trudniejszego.

Jacques Casanova de Seingalt o Katarzynie Wielkiej

I padniesz, nie inaczej niż
Opadną z drzew uwiędłe liście,
I umrzesz, nie inaczej niż
Ostatni z twoich niewolników.

Gawriił Dierżawin

NAJWAŻNIEJSZE POSTACIE

caryca Katarzyna II, wcześniej wielka księżna Katarzyna Aleksiejewna, urodzona jako Zofia Fryderyka Augusta Anhalt-Zerbst
ojciec: Krystian August Anhalt-Zerbst
matka: Joanna Holstein-Gottorp

RODZINA KATARZYNY II

car Piotr III, mąż Katarzyny, wcześniej wielki książę Piotr Fiodorowicz, urodzony jako Karol Piotr Ulryk, książę Holstein-Gottorp
caryca Elżbieta, ciotka Piotra III i córka Piotra Wielkiego

dzieci
wielki książę Paweł Piotrowicz (ożeniony z wielką księżną Marią Fiodorowną)
wielka księżna Anna Piotrowna (córka Stanisława Poniatowskiego)
hrabia Aleksiej Bobriński (owoc miłości z Grigorijem Orłowem)

wnuki
wielki książę Aleksander Pawłowicz (ożeniony z wielką księżną Elżbietą Aleksiejewną)

wielki książę Konstanty Pawłowicz (ożeniony z wielką księżną Anną Fiodorowną)
wielka księżna Aleksandra Pawłowna (mająca się zaręczyć z Gustawem Adolfem, królem Szwecji)
wielka księżna Helena Pawłowna
wielka księżna Maria Pawłowna
wielka księżna Olga Pawłowna
wielki książę Mikołaj Pawłowicz

KOCHANKOWIE/FAWORYCI KATARZYNY II

Siergiej Sałtykow
Stanisław Poniatowski, późniejszy król Polski
Grigorij Orłow
Aleksander Wasilczykow
Grigorij Potiomkin (Grisza, Griszeńka)
Aleksander Łanski (Saszeńka)
Aleksander Matwiejewicz Mamonow (Czerwony Kubrak)
Płaton Aleksandrowicz Zubow (Le Noiraud)

ŚWITA KATARZYNY II

Warwara Nikołajewna Malikina, służąca i powiernica; Daria (także Darieńka), jej córka
Wiszka (Maria Sawiszna Pierekusichina), powiernica Katarzyny
Queenie (Anna Stiepanowna Protasowa), powiernica Katarzyny
Zachar Iwanowicz Zotow, osobisty pokojowiec Katarzyny
doktor Rogerson, nadworny medyk

DWORZANIE KATARZYNY II

hrabia Aleksiej Orłow
hrabia Nikita Iwanowicz Panin
książę Lew Naryszkin
hrabia Aleksander Andriejewicz Biezborodko, najpierw jej sekretarz, a następnie minister
Adrian Mosiejewicz Gribowski, ostatni sekretarz Katarzyny
hrabia Morkow
książę Adam Czartoryski, gość rosyjskiego dworu, bliski przyjaciel Aleksandra Pawłowicza
Walerian Zubow, żołnierz/dworzanin, brat jej ostatniego faworyta
hrabia Cobenzl, ambasador Austrii
książę Repnin, były ambasador Rosji w Polsce, generał-gubernator nowo nabytych prowincji zachodnich po ostatnim rozbiorze Polski, ojciec naturalny Adama Czartoryskiego
Aleksandra Branicka (Saszeńka), siostrzenica Potiomkina
księżna Katarzyna (Katia) Daszkowa, przyjaciółka Katarzyny

PRZECIWNICY POLITYCZNI KATARZYNY II

Jemieljan Pugaczow, przywódca powstania chłopsko-kozackiego w latach 1773–1775
Tadeusz Kościuszko, uwięziony przywódca polskiego powstania w 1794

Ubrana jest w suknię ze srebrnego brokatu. Złoty płaszcz oblamowany gronostajem i srebrnymi chwostami okrywa jej stopy. Oczy ma zamknięte, policzki uróżowane, wargi lekko rozchylone. W wielkiej galerii Pałacu Zimowego, oświetlona rzędami grubych woskowych świec, na podwyższeniu, pod baldachimem z czarnego aksamitu spoczywa cesarska trumna. Dworzanie tłumią szloch. Pogrążeni w żalu poddani czekają na swą kolej, by móc ucałować dłoń zmarłej monarchini. Carska gwardia stoi na baczność. Chór intonuje Wieczną pamięć. *Popi w czarnych szatach haftowanych srebrem śpiewają modlitwy za zmarłych. Powietrze jest gęste od chmur wonnego kadzidła.*

Tłumy gromadzą się przed Pałacem Zimowym, wzdłuż Nabrzeża, na ulicach i mostach. To czas opłakiwania, kiedy dusza zmarłego zwleka jeszcze z odejściem, oczekując na przebaczenie za grzechy i zbierając siły przed drogą na tamten świat. Pradawny rosyjski zwyczaj każe, by jeść wtedy specjalne potrawy, więc uliczni sprzedawcy służą naleśnikami, plackami rybnymi i kisielem z mąki owsianej. Wódkę sprzedaje się na szklanki dla pokrzepienia ducha.

Jest jednak coś niepokojącego, co przebija się przez szlochy i pieśni żałobne. Ciało ukochanej carycy Rosji, Katarzyny, Imperatorowej

Wszechrusi, leży wystawione na widok publiczny, lecz żaden dworzanin, minister ani dostojnik kościelny nie wygłasza mów pochwalnych, nie sławi długich lat dobrobytu i wspaniałych zwycięstw jej niezrównanych rządów. Poeci także milczą. Żadne ody, elegie ani treny nie opiewają rozpaczy osieroconych poddanych Katarzyny.

W monastyrze Aleksandra Newskiego otoczony przez całą carską rodzinę Jego Wysokość car Paweł I, prawowity dziedzic krwi Romanowów, rozkazuje mnichom przynieść trumnę ojca, spoczywającego w bezimiennym grobie. Dwoje rosyjskich monarchów wspólnie odbędzie ostatnią ziemską wędrówkę.

Dawne długi muszą zostać spłacone, dawne grzechy – ukarane.

Trzydzieści cztery chwalebne lata panowania Katarzyny zostały wymazane jednym gestem ręki syna. Jak można pojąć, że nastały takie czasy?

CZĘŚĆ I

5 listopada 1796

9.00

Ból jest ostry, przeszywający, jak rozżarzony sztylet wbity w czaszkę, gdzieś za prawym okiem. Uderza, kiedy wyjmuje pióro z kałamarza. Jej dłoń zastyga w bezruchu. Upuszczone pióro plami list, który miała właśnie podpisać.

Słyszy zegar na kominku wybijający godzinę. Przypomina sobie, jak będąc dzieckiem, obawiała się widoku cofanych wskazówek. Wierzyła, że sam czas mógłby zawrócić, a ona musiałaby jeszcze raz przeżyć wszystko to, co już przeżyła, że odebrano by jej przygodę, jaką jest przyszłość.

Ból nie ustaje ani się nie zmniejsza. Jest już dziewiąta, a ona wciąż ma zaległości w lekturze, którą musi dokończyć, zanim zjawi się sekretarz. Zastanawia się nad wezwaniem Zotowa, swojego osobistego pokojowca, ale szybko odrzuca ten pomysł. Ból głowy sam minie, a gdyby stary służący zaczął robić zamieszanie, nie sposób byłoby go odprawić.

Pani, włoska charcica, obwąchuje rękę właścicielki w namiętnym skupieniu, liżąc wnętrze jej dłoni. Suczka jest smukła i drobnokoścista, pochodzi w linii prostej od ukochanej Zemiry, pochowanej w ogrodach Carskiego Sioła.

– Nie mam tam nic dla ciebie – mruczy jej właścicielka.

Usiłuje poklepać łeb Pani, ale jej prawa dłoń wydaje się dziwnie drewniana, sztywna i niezgrabna, poprzestaje więc na niezdarnej pieszczocie. Gęste krople ropy zebrały się w kącikach psich oczu. Tak samo jak Zemira, Pani ma skłonność do przewlekłych infekcji.

Pod drzwiami gabinetu tupot stóp i ściszone głosy ustępują miejsca ukradkowej ciszy: caryca pracuje. Nie wolno jej przeszkadzać.

Wstaje. Lewą ręką niezgrabnie chwyta się krawędzi biurka, rozsypując dokumenty. Jakie to intrygujące, myśli, patrząc, jak karty welinowego papieru szybują z niewidzialnymi powietrznymi prądami i unoszą się w ciszy niczym drapieżne ptaki. Pani także przygląda im się z przechylonym łbem. Jej ogon miarowo uderza o podłogę.

Filiżanka kawy na biurku musiała już wystygnąć, ale spieczone gardło domaga się płynu. Prawa dłoń jest wciąż ciężka i sztywna, podnosi więc filiżankę lewą. Pierwszy gorzki łyk jest orzeźwiający, ale drugim się krztusi.

Wypluwa kawę. Na inkrustowane drewno, na dokumenty. Powinna natychmiast wytrzeć wyplutą kawę, zamiast tego jednak pozwala językowi obadać wnętrze ust, miękkie żebrowane fałdy podniebienia. Zupełnie jak móżdżek cielęcy, myśli, ulubione danie matki.

Usiłuje odstawić filiżankę na blat, dłoń jednak odmawia jej posłuszeństwa i naczynie roztrzaskuje się o podłogę.

Czy jeżeli przejdzie się trochę, ból ustanie?

Pierwszy krok jest chwiejny, niepewny, sprawia, że chwyta się kurczowo tego, co ma akurat w zasięgu ręki. Rogu biurka, krzesła.

Za jej plecami coś się przewraca. Coś dużego i ciężkiego.

Prawe kolano nadal boli. Jest tak od czasu tego strasznego upadku trzy lata temu, kiedy potknęła się na schodach do bani. Zotow usłyszał hałas i podbiegł do niej. Kazał jej usiąść na marmurowym stopniu. Dopiero kiedy go zapewniła, że zawrót głowy minął, powoli pomógł jej wstać. Sądziła, że nic poważnego jej się nie stało, mimo przestrachu i siniaków, kolano jednak nie pozwala zapomnieć o tamtym upadku.

9.01

Każdy krok, choć niepewny, jest cudem. Mięśnie kurczą się i rozciągają. Stopy przesuwają się naprzód, jedna po drugiej. Jak u nakręcanej lalki, którą jej wnuczki uwielbiały się bawić, dopóki Konstanty, jej wnuk, nie rozciął zabawki, żeby zobaczyć, co ma w środku.

Kroki niosą ją na zewnątrz gabinetu, przez małą alkowę, gdzie obok lustra w srebrnej ramie wiszą jej pelisy, w stronę drzwi prowadzących do prewetu.

W lustrze alkowy jej ciało odbija się jak w falującej wodzie, rozbite na nierówne, niedopasowane części, każda pomarszczona i zdeformowana. Twarzy nie przypadł w udziale lepszy los – policzki są obwisłe, szyja przypomina podgardle indyka. Przekrwione, wodniste oczy nieustannie mrugają. Nigdy nie byłam piękna, myśli. Lecz co przyniosła Helenie Trojańskiej jej uroda? Wojny, spustoszenie, umizgi mężczyzn, których nie wybrała?

W prewecie unosi się nikły zapach mokrej sierści i gnijących korzeni. Drzwi zamykają się za nią z głuchym łoskotem. Zgrzyt zawiasów jest dziwnie ostry, krąży wokół niej jak dźwięk kamertonu. Jak gdyby czas się zapętlił i nie chciał ruszyć do przodu.

Palce chwytające się brzegu sedesu przypominają szpony jakiegoś prastarego ptaka, nieprzyzwyczajonego do takich popisów zręczności. A jednak nie puszczają, pomagają jej utrzymać równowagę. Jakie to wspaniałe, myśli, ten wysiłek mięśni i kości, ścięgien i krwi.

Powoli podnosi palce i zbliża opuszki do nosa, wdychając słodki, intensywny zapach atramentu. Obok przepływa jakiś fragment z przeszłości – obrazy wyścigu, spienionych fal, rozbijających się o brzeg, rozlewających po płowym piasku. Mewy krzyczą z zazdrości albo łakomstwa. W płytkiej wodzie leży łeb konia z obnażonymi zębami, zaplątany w potarganą sieć rybacką i kępy wodorostów. Węgorze wiją się w oczodołach, prześlizgują przez rozwarte szczęki.

To wspomnienie, myśli, nie sen.

9.04

W jej skroniach huczy ból, a wewnątrz niej kipią głosy. W mózgu rozbrzmiewają słowa: Jestem Minerwa. Chroni mnie zbroja.

Dzieje się coś dziwnego.

Myśl to coś więcej niż myśl. Słowo nie jest tylko słowem.

Myśli o jabłku, a ono się pojawia. W dotyku jest jakby lekko natłuszczone. Ma krągłe rumiane boki i zieloną plamę wokół ogonka. Skórka nakrapiana jest ciemniejszymi plamkami.

Wpatruje się w nie przez chwilę, po czym opiera zęby na skórce i zatapia je w miąższu. Kawałek jabłka odłamuje się z trzaskiem i kruszy, wypełniając jej usta sokiem.

Radość, którą odczuwa, jest stara jak świat, radość miażdżenia żywej tkanki, smak życia karmiącego życie.

Dlaczego myślę o jabłku?

Nie ma żadnego jabłka. Jej ręka jest pusta. Słowo „jabłko", które brzęczy w jej mózgu, oznacza pokusę.

Czy właśnie o tym powinna myśleć?

Pytanie to zajmuje ją przez chwilę, aż kolejne uderzenie bólu dosięga prawej strony czaszki, a błysk światła oślepia.

9.05

W westybulu rozmawiają służący.

– Jesteś pewna, że Jej Wysokość mnie nie wzywała? – pyta Gribowski. Ton głosu sekretarza jest niespokojny, piskliwy ze zdenerwowania.

– Najzupełniej pewna, Adrianie Mosiejewiczu.
– Ale już pora.
– Jej Wysokość ma swoje powody.

Coś się z nią dzieje, ale nie ma czasu, by się zastanowić, co to może być. Każdy manewr wymaga wielkiego skupienia, przewidzenia i dopasowania ruchów, napięcia i opanowania mięśni. Wsłuchuje się w każdy oddech, który ją wypełnia i opuszcza nozdrzami.

Serce, zdradziecki dobosz, wybija swój własny rytm. A może to przerażony posłaniec, który ma ją ostrzec przed zbliżającą się katastrofą? Pożar? Powódź? Uzbrojony w kosy motłoch, maszerujący na bramy pałacu?

Spierzchnięte wargi domagają się uwagi. Niebieski porcelanowy dzbanek w prewecie jest zbyt ciężki, by go unieść, zanurza więc w nim palce i spija krople, które do nich przylgnęły. Woda jest zatęchła. Powinna zadzwonić na Queenie, która musi być na zewnątrz, z innymi.

Dlaczego w toalecie nie ma dzwonka?

Ból zelżał, ale pozostało nieodparte wrażenie, że wnętrze jej czaszki jest odsłonięte, jak po uderzeniu toporem. Czy tak czuł się Jowisz podczas narodzin Minerwy?

– Która godzina?

– Jeszcze wcześnie, Adrianie Mosiejewiczu – odpowiada ktoś krótko.

Jakaś kobieta wybucha śmiechem. Drzwi otwierają się i zamykają. Odgłos kroków cichnie. Szczeka pies. Coś stuka w szybę okienną; słychać głośny huk, a po nim łoskot.

– Wiesz, kto to jest. Jego ojciec miał księgarnię obok Newskiego Prospektu. Przy Fontance. A potem zalała ją powódź.

– Co tam gryzmolicie, Adrianie Mosiejewiczu? Napijcie się gorącej herbaty. Chłodno dziś.
– Psa dalej nie ma. Myślisz, że ktoś go ukradł?
– Złodziej już dawno by z nim przyszedł, po nagrodę.
– Biedna psina pewnie już zdechła.

Głosy za drzwiami prewetu przypływają i odpływają; szepty cichną. Dudnienie przyspiesza jak drewniane wózki na torach lodowej góry, zanim nabiorą pełnej prędkości i staną się nie do zatrzymania.

9.09

W prewecie udaje się jej podkasać halki i opaść na sedes. Jak wielka nioska, siadająca na gnieździe. Siedzisko jest zimne i lepkie, skrzypi i ugina się pod jej ciężarem.

Głosy w westybulu wirują, przerywane momentami kojącej ciszy. Świat wokół niej zwalnia. Ból nadal nie ustępuje, ale on także wydaje się odległy, bardziej znośny. Czas biegnie wolniej. Nie trzeba się spieszyć.

Mięśnie jej brzucha się rozluźniają, uwalniając gorący strumień moczu. Przez chwilę pragnie jedynie tak siedzieć i delektować się odczuwaną ulgą. Zatonąć w ciszy. Po prostu być.

Z ciszy przychodzi kolejne wspomnienie. Małpka, Plaisir, podarunek od francuskiego ambasadora. Kiedy się pojawiła, była jeszcze oseskiem, ubranym w aksamitną kurteczkę, spodenki i kapelusz z piórkiem. Kiedy ją wzięła na ręce, malutkie łapki zacisnęły się na jej palcu, a różowa twarzyczka ukryła w fałdach jej sukni. Duże oczy małpki patrzyły na nią błagalnie.

Cebus capucinus. Kapucynka czarnobiała.

Dwaj dozorcy, którym rozkazano nie spuszczać z oczu Plaisir, mieli na rękach blizny od ugryzień i zadrapań, aż po same łokcie. Żaden łańcuch nie był w stanie powstrzymać małego urwisa. Spuszczona z niego małpka zawsze znajdowała drogę do cesarskiego gabinetu. Otwierała każdą szufladę w biurku, darła dokumenty, rozlewała atrament, nadgryzała pióra, sikała na jej krzesło. Wtykała sobie palec w odbyt i smarowała ściany odchodami. Kiedy na nią krzyczała, stworzenie zakrywało uszy i robiło tak bezgranicznie nieszczęśliwą minę, że musiała się roześmiać.

Któregoś razu mała psotnica rozbiła słoik kremu do twarzy i zjadła jego zawartość. Kilka godzin później wpełzła pod fotel w sypialni i nie chciała stamtąd wyjść. Żadne smakołyki, żadna z ulubionych zabawek nie była w stanie jej stamtąd wywabić.

– Zostawcie ją – przykazała służącym. – Wyjdzie, jak zgłodnieje.

Tak się jednak nie stało. Małpka skuliła się i umarła.

9.10

Żeby wstać, trzeba utrzymać napięcie wielu mięśni, unieść liczne kości. Tymczasem każde uderzenie serca domaga się jej uwagi.

Wspomnienie zachrypniętego głosu Płatona rozprasza jej skupienie.

– Czemu mnie ranisz, Katinko? Nie mam nikogo prócz ciebie. Bez ciebie jestem prochem.

Głos jej kochanka jest natarczywy, błagalny. Wyobraża sobie Płatona, jak stoi obok niej, tak miażdżąco piękny w swoim grafitowym stroju, z twarzą o czystych rysach. Nos, linia szczęki, wargi. Gdyby potrafiła rysować, naszkicowałaby go czarnym tuszem. A potem roztarła kontury, żeby go zmiękczyć.

Czy cię skrzywdziłam, Płatonie? Jak? I kiedy?

To zadanie, które potrafiłaby rozwiązać. Rozwikłać zagadkową konfigurację przyczyny i skutku, gdyby tylko pomyślała nad tym wystarczająco długo. Zawsze dobrze radziła sobie z szyframi. Cyframi, które zmieniają się w litery. Słowami, które oznaczają inne słowa. Żeby rozwiązać łamigłówkę, trzeba szukać schematów, rytmu powtórzeń.

Tylko dlaczego Płaton zaczyna gwizdać, a potem śpiewać?

Rosja sięga wyżej, dalej
Ponad morza, szczyty gór.

Jak może rozwikłać zagadkę, która zmienia kształt, migocze jak świetlik, a potem znika w ciemności? Jak może ją rozwiązać, skoro jedyne, czego jest pewna, to palący ból w jego głosie?

9.11

– Płakała całą noc… znowu… biedne dziecko… to nie koniec świata, Jej Wysokość powtarzała jej to tyle razy… ale młodzi nigdy nie słuchają…

Głosy w antyszambrze zbaczają jak nerwowe, spłoszone konie. Czasem przez ściany przenikają całe zdania, czasem tylko słowa.

– Zawsze bardziej boli, kiedy człowiek jest młody.

– Taki wstyd.

– Jak on mógł…

Powinna wytężyć słuch, dowiedzieć się, o czym rozmawiają służący. Wiedza o tym, co nie jest przeznaczone dla twoich uszu, jest bardzo przydatna.

Jednak ból głowy nie mija. Każdy jego atak to kolejny cios. A po nim mroczny zgiełk dudniących głosów i jęków. Jej dłonie wilgotnieją od potu.

Takie bóle nękały ją już wcześniej. Rozbłyski oślepiającej jasności także nie są niczym nowym. Pracuje za dużo, zbyt ciężko. Ale to, co jednego dnia wydaje się ukończone, następnego rozpada się w proch. Nic dziwnego, że ucisk w piersiach jest coraz bardziej duszący.

Polska kampania zakończona, ale traktat o rozbiorze Polski wciąż nie jest gotowy. Prusacy chcą zatrzymać Warszawę, lecz nie są skłonni oddać w zamian nic wartościowego. Jak zawsze, uważają za oczywiste, że to Rosja nadstawia za nich karku!

Narody są jak kupcy. Zawierają i zrywają sojusze zgodnie z regułami zysków i strat. Kraj, który nie pragnie podbojów, zniknie z mapy. Bezruch jest iluzją. Imperia muszą rozrastać się lub ginąć. Dlatego właśnie ona obciąża swoje ciało ponad siły. W służbie swego imperium. Czy inni monarchowie pracują równie ciężko jak ona? Bez wytchnienia?

Potrzebny jej porządny, długi wypoczynek.

Ziemia kryje w sobie wiele tajemnic.

To dobra myśl. Użyteczna i przyjemna.

Na Syberii chłopi wykopują ogromne kości, zagrzebane kilka sążni pod ziemią.

– Skamieniała kość słoniowa, Wasza Wysokość – tłumaczą jej uczeni. – Przyniósł ją tutaj nurt prastarej rzeki.

Ale ciosy słonia nie rosną w kształcie kości. Tam, gdzie teraz nie ma nic prócz śniegu, musiały niegdyś żyć słonie. Jeżeli jest się cierpliwym, można doczekać najdziwniejszych przemian.

Zapamiętaj te słowa, przykazuje sobie. Zapisz je, kiedy tylko znajdziesz się znów przy biurku. Użyj ich w rozmowie z Aleksandrą.

Za drzwiami prewetu dźwięki przybierają na sile i cichną. Słychać tupot stóp. Coś metalowego upada z hałasem, a potem oddala się, tocząc. Psie pazury drapią w drewnianą podłogę. Głosy, które słyszy, są zbyt donośne albo brzmią głucho, jakby dobiegały z głębi studni.

Przepychanki między służącymi. Queenie zaznacza swoją pozycję. Wiszka przeciwstawia się jej, powoli, w odmierzonym, nieubłaganym rytmie. To, o czym rozmawiają, nie jest istotne. Ceny jedwabiu, soli, krymskich win. Prawdopodobieństwo rychłego zamarznięcia Newy. Przewidywania – nawet te wypowiadane przez znawców – rzadko bywają precyzyjne. Przekonanie jest jedynie oznaką pewności siebie mówiącego.

Wymownym znakiem arogancji.

9.13

Sedes ma miękkie, skórzane siedzisko. Kiedy ona się porusza, skóra skrzypi. W tył i w przód. Powoli, łagodnie. Kołysanie ciała niesie ukojenie. Tak właśnie musi się czuć dziecko w kolebce.

W brzuchu czuje pulsowanie, rosnące ciśnienie krwi. Tak jakby powróciło miesięczne krwawienie. A przecież to niemożliwe.

Błyski światła ustąpiły, a ich miejsce zajęły teraz wydłużone kształty, które przepływają przez jej pole widzenia. Jarzą się na tle promieni bladego porannego słońca wpadającego przez wysoko osadzone okienko. Czasem są zamazane, czasem przezroczyste. Opadają na dno, kiedy usiłuje przyjrzeć się im uważniej.

W samym jej ciele znajdują się pokłady nieodgadnionych cudów.

Wszystko porusza się, zjednoczone wspólnym celem. Serce, pompujące krew. Ślina, gromadząca się w ustach, gładka i jedwabista, jak delikatna gaza. Albo kłębek wełny, jakim lubią bawić się koty. Słyszy własny oddech. Jej ciało jest samoistnym wszechświatem, zespołem prawideł, wciąż zdumiewająco osobliwym.

Pamiętaj tylko to, co ma znaczenie.

Pamiętaj o pocieszeniu, które kryje się w książkach. Pewności prostych stwierdzeń nie da się podważyć: wielkości równe tej samej wielkości są wzajemnie równe.

Pamiętaj, że gwiazdy to nie tylko mrugające świetlne punkciki, ale część ogromnego świata. Świata, który może wydawać się skomplikowany i niepojęty, lecz rządzi nim logika, on zaś trwa przy swym wewnętrznym porządku.

Pamiętaj, czego uczyła cię guwernantka. Że nawet po najcięższym i najtrudniejszym dniu Wielka Niedźwiedzica jest zawsze na swoim miejscu. A księżyc przybiera jeden ze znajomych kształtów: wąski skrawek, rogal, półkole lub tarcza. Niebo mogą zakrywać chmury, jednak tworzą one chwilową zasłonę, która nic nie zmienia w najgłębszym porządku wszechświata. Za tą zasłoną księżyc i gwiazdy krążą po precyzyjnie wytoczonych orbitach, które można wyliczyć i przewidzieć.

Komety powrócą.

Ukryte prawidła w końcu się objawią.

Niektórym z nich zajmie to więcej czasu niż życie jednego człowieka. Niektóre ujawnią się po przeminięciu wielu pokoleń. My, którzy żyjemy w tej chwili, możemy ich nie dostrzegać, ale one tam są i czekają, by je odkryto.

To wspomnienie to wszystko, co mam, decyduje. Od dziecka wiedziałam, jak wykorzystać to, co mam.

– Jesteś brzydka, Zofio – odzywa się głos, gdzieś na granicy czasu.

Brat, który skradł jej miejsce w sercu matki, leży w łożu, jego wątłe ciało tworzy podłużną wypukłość pod obleczoną w satynę puchową kołdrą.

Ona ma nie więcej niż siedem lat, jej dłonie i skórę głowy pokrywają strupy, kościom zagraża krzywica.

– Garbuska – dobiegają ją czasem szepty dorosłych. Głosy zatrute litością.

Lato się skończyło i czerwone krosty wracają, dojrzewając powoli i zmieniając się w zgrubiałe strupy. Nawet kiedy te zejdą, jej policzki, skóra głowy i ramiona łuszczą się i nadal są szorstkie. Choćby nie wiadomo ile je masowano, nic nie pomaga. Musi czekać na kolejne lato, kiedy – ukryta przed ciekawskimi spojrzeniami za jedwabnym parawanem, po zdjęciu halki, by odsłonić skórę – położy się na skąpanym w słońcu ręczniku. Po kilku tygodniach różowe krosty ustąpią, a jej skóra znów stanie się gładka.

– Jesteś brzydka, Zofio.

W oczach brata iskrzy radość. Wilhelm myśli, że ją pokonał. Ten chorowity, kaleki brat, przyczyna panicznych szeptów matki i jej kojących pieszczot. Matka upiera się, że jej oczku w głowie nie można niczego odmawiać.

– A ty umrzesz – mówi Zofia do brata. W jej głosie nie ma żadnego wahania, żadnej wątpliwości. – Tak samo jak Augusta – dodaje, nim chłopiec zdąży zatkać sobie uszy. Ich siostra żyła przez dziesięć dni, ziemia na jej malutkim grobie jest jeszcze miękka.

– Mamo! – krzyczy Wilhelm. – Zofia znów mnie straszy!

Jej głupi brat nie chce z nią walczyć. Wilhelm wierzy w słabość i litość, niepomny na cenę, jaką przyjdzie mu za nie w końcu zapłacić.

Jest durniem. Pleciugą. Słabeuszem.

Na schodach słychać pospieszny stukot obcasów matki.

Ona, Zofia, potrafi stawić czoło jej gniewowi. Potrafi znieść każdą karę. Nic jej to nie obchodzi.

– Zobaczysz, że umrzesz – wypowiadają bezgłośnie jej usta, dopóki ręka matki nie uderzy jej mocno, a z rozbitej wargi zacznie się sączyć krew. Słodka i słona zarazem.

Przyjechałam do Rosji z Zerbst, razem z matką.

Miałam wtedy na imię Zofia.

Z tej podróży pamięta bezmiar ośnieżonych pól, które – jak zapewniają rosyjscy gwardziści – za kilka miesięcy pokryją się bujną pszenicą, owsem i jęczmieniem. Połacie gęstych, ciemnych lasów, w których żyją norki i lisy o miękkim futrze. Miasteczka i przydrożne wsie, w których cebulasto zwieńczone cerkwie wabią oczy żywymi kolorami i biciem dzwonów. Rzeźbione ramy i okiennice wiejskich chałup. Noc, która nadchodzi wcześnie, gładko połykając to, co w Zerbst byłoby jeszcze światłem dnia.

Jej stopy puchną od długich godzin spędzanych w powozie i bolą, kiedy z niego wysiada i próbuje chodzić. Nie bardzo, ale na tyle, by matka rozkazała jednemu z rosyjskich służących zanieść jej córkę do oberży, kiedy zatrzymają się na nocleg. Są znamienitymi gośćmi, oznajmia matka kolejnemu gnącemu się w ukłonach poczmistrzowi, który być może nie w pełni docenia zaszczyt, jaki spotkał jego zadymioną karczmę. Księżna Zerbst podróżuje na prywatne zaproszenie Jej Wysokości carycy Elżbiety Piotrowny. Która to – gdyby we wszystko nie wdarła się nagła śmierć – byłaby teraz jej bratową.

Reakcją na powtarzane do znudzenia oświadczenie matki jest gorliwe przytakiwanie ze strony ich niemieckiej pokojówki i uprzejme – ze strony rosyjskich służących. Trudno stwierdzić, co o tym sądzą kolejni oberżyści. Rosyjskie słowa płyną szybko. Umyka jej nawet tych kilka, których się nauczyła.

Najlepiej zacząć od początku.

„Da" znaczy „tak".
„Niet" znaczy „nie".
„Możet byt'" znaczy „być może".

– Czyż Zofia nie jest czarująca, Piotrze? – pyta caryca Elżbieta na ich widok. Podniecenie barwi jej policzki kolorem dojrzałych moreli. A może to nowy odcień różu?

Piotr, kuzyn Zofii w drugiej linii, a obecnie następca rosyjskiego tronu gotowy na ożenek, podnosi głowę. Jego wzrok – ma nieco wyłupiaste oczy – biegnie nerwowo w stronę ciotki, a potem znów do niej.

Tutaj, w Moskwie, Piotr wygląda na chudszego niż w pałacu w Utyniu, gdzie Zofia widziała go po raz pierwszy. Niczym ktoś wygłodzony, jak gdyby następcy tronu mogło brakować pożywienia.

Zofia wciąż czuje w kościach chłód długiej zimowej podróży. Lodowe ogrody kwitnące na okienkach powozu. Przenikliwe zimno zatęchłych przydrożnych gospód, od którego drętwieją palce rąk i stóp. Chmurkę własnego oddechu. Niezmierzone przestrzenie zamarzniętych pól, gęste lasy przykryte sypkim śniegiem. Strach, uparty i nieustępliwy, że gdyby – skutkiem jakiegoś nieszczęśliwego wypadku – powóz pędzący w stronę Rosji zatrzymał się, mróz wpełzłby do środka i ją zabił.

A co widzi Piotr, kiedy na nią spogląda? Jej nieskazitelną białą cerę? Mocne zęby? Młodziutkie piersi ściśnięte ciasnym gorsetem? Orzechowe oczy nakrapiane błękitem? Dokąd biegną jego myśli? Do Utynia, gdzie zapewniała go, że jest niezwykle mądry? Gdzie szepnął jej do ucha: „Jak uczynią mnie królem Szwecji, to ucieknę z Cyganami i nigdy mnie nie znajdą".

– Podoba ci się księżniczka Zofia, Piotrze?

Wokół nich – w tym ogromnym moskiewskim pałacu ze skrzypiącymi podłogami i pustymi antyszambrami – wszyscy wstrzymują oddech. Ona, skromna księżniczka Anhalt-Zerbst, śledzi kształt chudej szyi kuzyna i jego zmarszczone brwi.

Długa chwila wyczekiwania, po której Piotr kiwa głową.

Jest to nikłe skinienie i nie wydaje się niczym doniosłym, a jednak kryje się za nim cały świat. Świat nowych możliwości. Świat, w którym Zofia nie zostanie odesłana do Zerbst, nie będzie musiała ukrywać swych myśli za uległymi uśmiechami. Świat zamaszystych kroków. Zapierających dech w piersiach perspektyw. Wiosny, która roztopi śnieg.

Świat, którego pragnie tak bardzo, że jej dłoń zaciska się na fałdach spódnicy. Świat, który przywodzi jej na myśl ogiera tańczącego niespokojnie przed wyścigiem, z uniesionym ogonem i napiętymi pod skórą mięśniami. Czeka tylko na sygnał, by wystrzelić naprzód, rozpędzić wszystkich, którzy stoją mu na drodze.

Dworzanie wyciągają szyje. Słychać wyraźnie, jak stojąca z tyłu matka wciąga gwałtownie powietrze.

Nie podnoś oczu, Zofio!

Nie zepsuj wszystkiego! Nie teraz, gdy jesteś tak blisko!

Caryca Rosji podnosi się z tronu. Mieniąca się suknia Elżbiety musi być ciężka i sztywna, ale monarchini porusza się jak tancerka, głowę trzyma wysoko, plecy ma proste, kroki lekkie i pełne gracji. Na szkarłatnym jedwabiu haftowanym złotą nicią widnieje kunsztowny kwiatowy wzór. Płaszcz Elżbiety podbity jest gronostajem. Na jej szyi spoczywa potrójny sznur czarnych pereł.

– Krzykliwe... ostentacyjne... typowo rosyjskie... – to od jakiegoś czasu ulubione określenia matki.

Cesarskie ramiona, miękkie, lecz silne, otaczają „najdroższe dzieci księżycowej poświaty", przyciskając je mocno do falującej pod jedwabiem piersi.

– Moja Zofia. Nigdy mnie nie zawiedziesz.

Jej czoło opiera się o coś twardego i spiczastego, co zostawi ślad na skórze. Zofia wdycha mieszankę woni: olejku różanego, gorzkich migdałów i ostrego, lisiego zapachu potu.

– Przestań szczerzyć zęby jak głupia, Zofio. Nie jesteś jeszcze jego żoną.

Matka uśmiecha się krzywo, liżąc palec i wygładzając córce brwi. Albo upychając kosmyk jej włosów pod nowym aksamitnym kapturem.

– Słuchaj mnie!

Zofia stoi spokojnie. Słucha. Nie wpatruje się, szczególnie w cesarzową Rosji, która właśnie oznajmiła całemu dworowi, że ta nic nieznacząca pruska księżniczka wkrótce uczyni z Piotra prawdziwego mężczyznę.

Ona, Zofia, dba, by zawsze iść krok z tyłu za matką i nigdy nie odzywać się pierwsza. Przeważnie słucha. Kiedy ktoś zadaje jej pytanie, odpowiedź jest zawsze krótka:

– Jestem zachwycona tym, co do tej pory zobaczyłam w Rosji... nie, nigdy w życiu nie widziałam tyle śniegu... tak, caryca jest niezwykle dobra i hojna... następca tronu jest bardzo urodziwy.

Jej głos jest miękki jak aksamit. Oczy ma ciągle spuszczone, dostrzega wystrzępione rąbki sukien i zdarte buciki. Jednak cesarska obietnica, choćby nawet mglista, choćby ulotna, nie może zostać wymazana. Tak głosi pradawna mądrość. Nie wchodzi się dwa razy do tej samej rzeki.

Tutaj, w Moskwie, domy są głównie drewniane. Ulice wiją się, kończąc się nieprawdopodobnie wąskimi zaułkami. Sanie muszą korzystać z długich objazdów, żeby dotrzeć do celu. Śnieg przy sklepach rzeźników jest zbryzgany świeżą krwią. Powietrze wokół garbarni jest tak gryzące, że przyprawia ją o mdłości.

W Sankt Petersburgu, który widziała tylko przez chwilę w drodze do Moskwy, fasady pałaców zrobione były z kamienia. Ulice były szerokie i proste. Ogromna góra lodowa stała na zamarzniętej rzece. Malowane wózki pędziły w dół po jej stromym zboczu szybciej niż galopujący koń, szybciej niż poryw północnego wiatru.

– To zbyt niebezpieczne, Zofio. Nie pozwolę ci na coś takiego – powiedziała matka.

Ale matka nie mogła zabronić jej oglądać słoni. Ich fałd szarej skóry, podwiniętych trąb, żółtych ciosów. Uszu niczym ogromne żagle złożonych wzdłuż kopulastych głów.

Tego ciemnego popołudnia, rozświetlonego pochodniami i beczkami płonącej smoły szare, rozkołysane olbrzymy balansowały na tylnych nogach, machając przednimi. Bawiły się piłką, wyrzucały koła w powietrze i łapały je w locie.

Zofia śmiała się i klaskała w dłonie mocno, aż do bólu. Obok niej książę Naryszkin, który ją tam przyprowadził, szeptał swoje przestrogi: Słoń może zmieść rozwścieczonego niedźwiedzia, wygiąć pręty żelaznej klatki.

Strzeż się dzikiej bestii, Zofio.

Ale nie odwracaj oczu!

Zagrała trąbka, słonie ustawiły się w szeregu, opadły na przednie kolana i skłoniły ogromne łby. Przed nią, księżniczką Zerbst.

Oto wspomnienie, do którego powraca pod koniec każdego dnia w Moskwie, zwinięta w kłębek w łożu, z twarzą wtuloną w miękki futrzany koc. Ono pozwala jej zapomnieć, że w pragnieniach kryje się upokorzenie. Że podarunki z Zerbst są zbyt skromne, by zrobić wrażenie choćby na pałacowej służbie. Że uśmiechy i życzliwe słowa niewiele znaczą.

– Musimy trzymać głowy wysoko, Zofio – upomina ją matka. – Nasz ród jest znacznie starszy.

Matka robi to co zawsze – odwołuje się do drzewa genealogicznego, które zna na pamięć. Koneksje rodzinne to mocne liny po bokach chwiejnego mostu prestiżu. Ciotki, kuzyni, bracia, żony, mężowie. Książę Brunszwiku. Książę biskup Lubeki. Dobra krew czerpie z wielu źródeł.

Zerbst, przechwala się matka, tętni życiem, wspaniałymi balami i paradami wojskowymi. W jej opowieściach koślawy most zwodzony przekształca się w ruchliwy trakt handlowy. Posąg mleczarki staje się dziełem, o którym mówią w samym Berlinie.

Matka nie słyszy drwiących śmieszków towarzyszących jej przechwałkom. Szeptów, które milkną, kiedy tylko się zbliży. Spojrzeń, które przypominają Zofii, jak niepewna jest ich przyszłość.

A Piotr?

Piotr co rano przychodzi do ich komnat, by oznajmić, co przygotował na ten dzień. Jego plany nigdy nie dotyczą świata poza bramą pałacu.

– Popatrz na moje rysunki, Zofio – mówi. – Chciałbym, żeby moi żołnierze nosili takie mundury.

Albo:

– Czy naprawdę rozmawiałaś z królem Fryderykiem, Zofio? Jak on wygląda? Co ci powiedział?

W niebieskich oczach Piotra widać blask, kiedy opowiada o Berlinie czy Holsztynie – blask, który gaśnie, jak tylko ona zapyta go o cokolwiek związanego z Rosją. Jeżeli nalega, książę reaguje zniecierpliwieniem lub gniewem. Po co Zofia Anhalt-Zerbst miałaby wiedzieć, czym się zajmuje rosyjski kanclerz? Albo które ze służących śpią w wewnętrznych komnatach carycy?

– Przecież kiedyś zostaniesz carem. Czy sam nie jesteś tego ciekaw?

– Jeszcze długo nie będę carem – odpowiada Piotr. Mogłaby to być mądra odpowiedź, ale nie jest. Zofia wie bowiem, że to nie pragnienie następcy tronu, by jego ciotka caryca rządziła jak najdłużej, lecz chęć ucieczki od własnego przeznaczenia.

Przeszłość, której nie można zmienić, jest czymś odległym. Przyszłość, nawet ta, na którą jeszcze można wpłynąć, jest niepewna. Teraz i jedno, i drugie należy wepchnąć w jakiś odległy zakątek serca.

To teraźniejszość jest łamigłówką, którą Zofia musi rozgryźć.

„S wołkami żyt', po-wołczi wyt'". Jeżeli chcesz żyć z wilkami, wyj tak jak one.

Rosyjski nie poddaje się łatwo czternastoletnim wargom, które zdążyły już nabrać własnych przyzwyczajeń.

– Jeszcze raz, Wasza Wysokość. Tylko bardziej miękko. Rosjanie nie lubią cudzoziemców!

Monsieur Abadurow jest jej preceptorem i uczy ją, że rosyjskie rzeczowniki przyjmują nowe końcówki w zależności od pozycji w zdaniu:

– Bolszoj chleb – mówi – ale chleba niet.

Po rosyjsku jedne imiona zmieniają się w inne. Aleksander staje się Saszą. Jednak Aleksandra także może zmienić się w Saszę, więc po samym imieniu nie sposób stwierdzić, czy Sasza jest chłopcem, czy dziewczynką. Sasza może również stać się Saszeńką. Podobnie jak Grigorij zmienia się w Griszę, Griszeńkę lub Griszenioka.

Niezrozumiałe? Tak, ale dość łatwe do nauczenia się na pamięć. Trudniej zrozumieć sens rosyjskich opowieści. W baśni niemieckiej człowiek jest głupcem, jeśli krzyczy ze strachu na widok młotka wiszącego na ścianie, bo któregoś dnia mógłby spaść i zabić stojące pod nim dziecko. W rosyjskich skazkach głupiec rozumie mowę ptaków i zwierząt. Może być powolny i zarośnięty brudem, ale to właśnie on ożeni się z córką cara i zostanie najmądrzejszym z władców.

„S kiem powiedioszsia, ot togo i nabierioszsia". Kto z kim przestaje, takim się staje.

Z bliska skóra carycy Elżbiety przypomina świeżo malowany obraz. Skorupa pudru maskuje jej czerwony nos, zadrapania na szyi, placki sińców. Pod pachami tworzą się ciemne, wilgotne kręgi, ale zapach perfum jest silniejszy niż potu. Piękno składa się z warstw, z których każda chroni jakiś nocny sekret. W pałacowych korytarzach przystojni młodzieńcy pożerają carycę wzrokiem, kiedy ich mija. Jeśli upuści wachlarz, pióro, wstążkę z włosów, walczą o nie jak dzikie psy.

– Nie spraw mi zawodu, Zofio, a Matka Boska Kazańska będzie cię strzegła.

Dla Elżbiety mroczna, pachnąca kadzidłem cisza kaplicy jest jedynym miejscem, w którym myśli o śmierci i wieczności biorą górę nad ziemskimi przyjemnościami. Tam, pod uduchowionymi spojrzeniami świętych ikon, caryca mówi o miłosierdziu i rozlicza się z Bogiem.

To także jest Rosja. Otulona słodkim zapachem kadzidła. Rozjaśniona wotywnymi lampkami, które oświetlają podłużne, wychudzone twarze świętych. Zatopionych w kontemplacji tego innego, prawdziwego świata. Rosja wątpi w wiedzę. Nie ufa rozumowi, bo wszelkie zło ma źródło w poglądach. Pokłada za to ufność w cierpieniu i poddaniu się woli bożej. Rosja jest jak szyfr, który nieustannie się zmienia. Kiedy złamie się jeden schemat, jego miejsce zajmuje następny.

Psy Piotra leżą przy kominku i ziają. Jeden z nich obwąchuje sobie genitalia. Drugi wydaje z siebie ciche warknięcie, kiedy Zofia wchodzi, ale macha przy tym ogonem, a zatem ten warkot to nie groźba.

– Dlaczego żegnasz się tak jak oni, Zofio? – pyta Piotr, kiedy dziewczyna składa pokłony przed ikonami w jego komnacie i żegna na sposób prawosławny, zaczynając od prawego ramienia, trzema złączonymi palcami. – Nikt cię teraz nie widzi!

Przyszła do niego zagrać w szachy, grę najeżoną niebezpieczeństwami. Jedwabne pantofelki cisną w stopy, więc je zrzuca.

– Dlaczego nie możesz być bardziej podobna do matki, Zofio? – pyta Piotr, przesuwając pionka o trzy pola naprzód i licząc, że ona nie zauważy. Jego palce są długie i nieco krzywe. Rzęsy ma prawie białe. – Twoja matka nie jest tak uparta jak ty!

Strój Piotra, zielony mundur Pułku Preobrażeńskiego, który każe mu nosić caryca, jest rozpięty i poplamiony przy mankietach. „Rozmawiaj z nim o Holsztynie, Zofio, jeżeli sobie tego życzy – zaleca matka. – Nie chcesz chyba, żeby cię odesłali do Zerbst!"

Gra w szachy polega na dokonywaniu wyborów. Poświęć pionka, żeby zbić skoczka. Oceniaj każdą pozycję, przewiduj kilka ruchów naprzód, strzeż się niekonsekwencji. Lub też pozwól przeciwnikowi oszukiwać i uważać się za niezwyciężonego.

Jeśli Piotr będzie ze mnie zadowolony, wywołam niezadowolenie carycy.

Jeżeli zadowolę ją, wzbudzę niezadowolenie Piotra.

Piotr wkrótce nudzi się grą.

– Popatrz, Zofio – mówi. – Spójrz, co tutaj mam.

Czarna jedwabna chusta przykrywa coś na stole. Żadna inna kobieta nie widziała tego, co za chwilę jej pokaże. To stuletni sekret. Przysłano mu to z Utynia.

Piotr coś mamrocze, ale to, co dolatuje do uszu Zofii, ma niewiele sensu.

– Kaspar kat… własnymi rękami… o północy… podczas nowiu… – A potem zadaje sam sobie pompatyczne pytanie, czy powinien w ogóle rozważać ujawnienie swojego sekretu zwykłej kobiecie.

Zofia czeka cierpliwie. Piotr to papla. Nie potrafi dochować tajemnicy.

Piotr unosi czarny jedwab, odsłaniając paski papieru pokryte niemieckim pismem.

– Passauer Kunst – mówi po niemiecku, promieniejąc z dumy. Sztuka z Pasawy.

Zofia wyciąga dłoń, żeby dotknąć najbliższego paska.

– Nie ruszaj! – krzyczy Piotr i uderza ją po ręce.

Zofia ukrywa irytację i zmienia ją w pytanie:

– Co to takiego?

– Mają magiczną siłę – odpowiada Piotr, a jego długie palce zawisają w powietrzu nad paskami papieru. – Ten, kto je nosi, stanie się niepokonany.

Zofia się nie śmieje. Nie wykpiwa euforii w jego głosie.

– Czy zrobiono je dla ciebie? – pyta.

Zamiast odpowiedzi Piotr wskazuje na jeden ze skrawków.

– Ten czekał na mnie od ponad stu lat.

– Skąd to wiesz?

– Po prostu wiem.

Uchyla się od odpowiedzi na pytanie, bo jej nie zna. Jeżeli ona będzie nalegać, Piotr rozzłości się tylko i powoła na jakieś boskie objawienie, znane tylko wtajemniczonym. To nie powinno być dla niej zaskoczeniem. Ludzie robią najdziwniejsze rzeczy, żeby zapewnić sobie władzę. Służące spluwają przez ramię na widok czarnego kota. Zofia słyszała o kobiecie na tatarskim targu, która zjadła świecę z zatopionym świętym obrazem. Jedna z pokojówek samej carycy ukryła paczuszkę z kośćmi i włosami pod łożem swojej pani.

– Co z nimi zrobisz, Piotrze? – pyta w zamian.

O dziwo, tym razem jej odpowiada. Niektóre, wyjaśnia, pogryzie i połknie. Inne będzie nosił na ciele. Przywiązane wąskim paskiem lnianej tkaniny. Przy samej skórze.

– Powiesz mi, co jest na nich napisane?

– Nie! – w jego głosie słychać nagle przerażenie, i chłopak znów zakrywa chustką zwitki papieru. Tak jakby mogła zniszczyć zaklęcie samym patrzeniem.

„Bołtun – nachodka dla szpiona". Gaduła to skarb dla szpiega.

Rosja nie tylko rządzi się innym kalendarzem, ale przestrzega także własnych świąt i świętych powinności.

– Goście luteranie nie muszą postępować według naszych zwyczajów – oznajmia jej preceptor.

– Ale mogą poznać ich znaczenie – mówi Zofia.

– Każda pielgrzymka to inna podróż, Wasza Wysokość.

Caryca Elżbieta wyjechała do Ławry Troicko-Siergijewskiej, klasztoru, w którym Święty Sergiusz doznał wielu objawień. W jednym z nich zgromadziło się wokół niego mnóstwo ptaków. Znak, że święty będzie miał licznych naśladowców.

– Skąd wiedział, że to był znak?

– Usłyszał głos Boga i został wielkim nauczycielem.

– Czego nauczał Święty Sergiusz?

– Że nawet Syn Człowieczy nie przyszedł na ziemię po to, by mu służono, lecz aby służyć.

Zofia rozważa opowieść o mądrym mnichu, który podkreślał wagę prostoty i służby. Życie spędzone na pracy i modlitwie, podtrzymywane skromnym pożywieniem i odzieniem. Z dala od pokus dworu.

To także jest Rosja.

– Najpobożniejszy kraj na świecie – zapewnia ją preceptor.

Prawosławie jest wierniejsze nauczaniu Chrystusa niż rzymski katolicyzm czy luteranizm. Nie jest bowiem skażone ziemską pychą. Nie grzeszy arogancją. Nawet carowie przekonali się, że ingerowanie w kościelne zwyczaje sprowadza gniew niebios.

Zofia nie mówi preceptorowi, że jej ojciec miałby na ten temat odmienne zdanie.

– Dlaczego caryca idzie do klasztoru pieszo? – pyta zamiast tego. – Czemu nie może pojechać powozem?

– Ponieważ umartwienie ciała jest częścią pokuty.

– Pokuty za co?

– Tego nie mogę powiedzieć, Wasza Wysokość. Każdy z nas grzeszy na swój własny sposób.

Matka nie jest tak powściągliwa. Z dala od carycy tryska pewnością siebie. Jej głos przenika cienkie ściany ich pokojów:

– ... na tych tłustych kolanach... błaga Dziewicę Maryję o przebaczenie za każdym razem, kiedy bierze sobie do łoża gwardzistę!

Umartwienia? Posty? Ha!

Caryca Rosji jest nienasycona. Elżbieta łaknie tłustego jedzenia, mocnych trunków i męskich pieszczot. Pieszczot, o których panienka taka jak Zofia nie powinna nic wiedzieć.

Teraz, kiedy caryca wyruszyła na pielgrzymkę, matka spędza noce z kawalerem Beckim.

Śmieją się. Szepczą. Znów się śmieją.

Nie ma tu ojca, który mógłby ich powstrzymać.

Rosyjskie służące czynią dłońmi znaki, naśladując rogi na głowie mężczyzny. Mrugają do siebie, wynosząc z komnat matki miski z mydlinami.

Jaka matka, taka córka, słyszy Zofia. Niedaleko pada jabłko od jabłoni.

Za arrasem przedstawiającym jelenia przebitego strzałą ukryte są drzwi. Są zamknięte, a kiedy zajrzy się przez dziurkę, nie widać nic prócz gęstej ciemności. Na toaletce matki słoiczki z kremem zmieniają miejsce. W szufladach, nawet tych zamykanych na klucz, poprzekładano jej papiery. Ktoś musiał otworzyć puzderko z myszkami, bo jedna z nich spadła na dywan. Ktoś przeszukiwał jej pościel, kartkował jej książki.

Szpiedzy ją obserwują. Na co czekają? Na fałszywy krok? A może po prostu na dowód jej szczerych chęci, aby pozyskać zaufanie dworu?

„Biez kota myszam razdolje", wypisuje jej preceptor dużymi, równymi literami, zadanie do przepisania. Kiedy kota nie ma, myszy harcują.

Od wyjazdu carycy korytarze pałacu opustoszały. Służące szepczą i chichoczą między sobą. Gwardziści ziewają. Wezwani paziowie nie potrafią ustać spokojnie i zapominają, po co ich posłano.

Piotr przestał mówić po rosyjsku.

– Poślij preceptora do diabła, Zofio – radzi.

Jego biurko wciąż pokrywają papiery, ale nie jest to już sztuka z Pasawy. Piotr ma nowy plan. Chce zebrać maksymy ze wszystkich listów, jakie kiedykolwiek otrzymał od króla Prus Fryderyka: Generał nie powinien nigdy wszczynać walki, o ile nie ma przewagi nad wrogiem. Czasem konieczny jest odwrót.

– Przepisz je dla mnie, Zofio – rozkazuje Piotr. – Twoja matka mówi, że masz bardzo staranny charakter pisma.

„Gdie tonko – tam i rwiotsia". Gdzie cienko, tam się rwie.

– Proszę, mamo – błaga Zofia.

Ale matka spogląda na nią oczami rywalki, jakby coś obliczała.

– Czego znów chcesz ode mnie, Zofio?

– Niech mama odeśle kawalera Beckiego. Ludzie gadają.

– Ludzie zawsze gadają, Zofio.

Oczy matki mówią więcej. Że córka nie wie nic o jej rozczarowaniach. Że kobieta musi wyrywać szczęście losowi, póki jest ono możliwe. Że nawet dobry i uczciwy mężczyzna może pozostawić ją pustą i spragnioną.

– A jeżeli doniosą carycy?

Dłoń matki unosi się zbyt szybko, by Zofia zdołała się uchylić. Wymierzony policzek sprawia, że jej głowa przekręca się na bok.

– To z twojego powodu tu jestem, tak daleko od domu, Zofio! Przyjechałam aż tutaj ze względu na ciebie! Tak mi się odpłacasz?

Policzek piecze i puchnie, nabiega krwią.

– Teraz jesteśmy w Rosji, proszę mamy.

– I co to ma oznaczać, Zofio? Że mamy zapomnieć, kim jesteśmy? Pozwolić tym barbarzyńcom zrobić z nas marionetki tańczące na ich sznurkach?

Matczyna ręka znów się unosi, tym razem jednak Zofia jest szybsza i cofa się o krok. Dłoń waha się przez chwilę w powietrzu i opada bezwładnie.

W ciągu dnia, kiedy matka wychodzi za sprawunkami, starsze dworki przychodzą posiedzieć w pokoju Zofii. Mają dotrzymywać księżniczce towarzystwa i czuwać nad nią, kiedy śpi.

Każdy, kto znaczy cokolwiek na dworze, wyruszył z carycą na pielgrzymkę. Kobiety, które przychodzą dotrzymać towarzystwa księżniczce Anhalt-Zerbst, dobrze o tym wiedzą. Żartują sobie, że stały się niewidzialne. Za stare dla mężczyzn, zbyt mało znaczące, by inne kobiety zaprzątały sobie nimi głowę.

Mówią o moskiewskim mrozie, który przenika do kości. O wiecznie leniwych służących, którzy skąpią polan do ognia, żeby potem przehandlować je na boku. O lokaju, który sprzedał na targu kanarka, a na jego miejsce podłożył martwego ptaka, licząc, że jego pani nie zauważy różnicy. Wzdychają i milkną, głowiąc się, jakie tematy mogłyby zająć młodą księżniczkę Zerbst.

Kiedy zwalnia ich z tego obowiązku, udając, że zasnęła, rozmawiają o niej.

– Biedna Zofia. Słabiutka, prawda? Jeszcze zupełne dziecko. Kiedy ma się czternaście lat, wszyscy ci mówią, jak to jesteś kobietą, ale to nieprawda.

– Cesarskie małżeństwa to interesy, a ten wygląda na kiepski...

Z zamkniętymi oczami i równym, głębokim oddechem, Zofia słucha.

– Łatwo popełnić poważny błąd, a jeszcze łatwiej go zauważyć i donieść. Służące mają oczy szeroko otwarte i czujne uszy. Tutaj nikt nigdy nie jest sam.

– Carycy na niej zależy? Ale caryca jest kapryśna. Nietrudno wpłynąć na zmianę monarszego zdania.

Sama wzmianka o jej matce sprawia, że wybuchają wesołym śmiechem. Naśladują jej okrzyki i wyniosłe oświadczenia o niemieckiej wyższości.

Natrząsają się z bezprzykładnej lekkomyślności matki. Drwiny z lepszych od siebie? Aluzje do wad carycy? Doprawdy, równie dobrze można podciąć sobie żyły i pozwolić wykrwawić się na śmierć.

Tylko głupiec, który sam się oszukuje, może powierzać plotki papierowi i atramentowi. Chować je we własnej sypialni. Tam, gdzie może je znaleźć każdy szpieg.

Biedna Zofia. A tak bardzo się stara, dziecinka.

Nie pierwszy i nie ostatni raz dziecko będzie musiało zapłacić za grzechy matki.

– Koniec z nacieraniem mojej córce policzków lodem! – matka, napięta i z kamiennym wzrokiem, krzyczy rano na pokojówki. Wszystko ją drażni. Miękkie rosyjskie szale, aksamitne kapy, pelisy z futra srebrnych lisów. Złocone framugi. Pozłacana miska.

– I koniec z rosyjskimi potrawami!

Od teraz jej dziecko będzie jeść zwyczajne, proste jedzenie. Gotowaną wołowinę. Chleb maczany w rosole i czerwonym winie. Pół szklanki słabego piwa osłodzonego łyżką miodu, by ugasić pragnienie.

Służące rozpierzchają się jak króliki przed galopującym koniem.

– Pańskie usługi nie będą już potrzebne – usłyszał nadworny lekarz. Księżna Joanna Anhalt-Zerbst nie jest idiotką.

– Wcale nie jesteś chora, Zofio – pieni się matka. – Chcesz tylko, żebym się nad tobą trzęsła. Już ja cię znam!

– Mojej córce nic nie dolega – oznajmia przybyłemu doktorowi. – Jest tylko zmęczona. Prawda, Zofio?

Nadworny lekarz ma na sobie obcisłe jedwabne rękawiczki, które ściąga z ceremonialną powolnością. Rzucił szybkie spojrzenie na zawartość nocnika Zofii i powąchał wymiociny. Teraz jego palce dotykają jej języka i wewnętrznej strony warg.

– Bardzo proszę, madame. Niech będzie mi wolno zbadać pacjentkę.

Doktor przygląda się uważnie skórze na jej szyi i ramionach, dotyka węzłów chłonnych.

– Ani śladu ospy – oznajmia pogodnie.

Młoda kobieta, wyjaśnia matce, ma delikatną i płynną konstytucję. Równowagę humorów łatwo zaburzyć. Emetyk oczyści narządy trawienne z trucizn. Mikstura, którą lekarz nazywa octem siedmiu złodziei, wcierana w skórę przyspieszy krążenie krwi. Tonik wenecki pozwoli odzyskać siły.

Doktor ufa, że księżniczka Anhalt-Zerbst nie będzie miała do tych medykamentów żadnych zastrzeżeń. Z radością przekonuje się, że miał rację.

Strużka światła sączy się przez zasłony zaciągnięte dla ochrony przed przeciągami. Otulona grubym szlafrokiem Zofia siedzi na sofie, stopy ma wsunięte pod pokryte puszystym futrem skóry.

Piotr jej nie odwiedził, ale przysłał służącą z zapytaniem.

Dziewczyna jest wysoka i chuda jak szczapa. Włosy ma związane i ukryte pod koronkowym czepkiem, za to w jej oczach błyszczy energia i inteligencja. I ciepła iskierka ciekawości, kiedy posyła szybkie spojrzenie w stronę sofy.

– Coś ty za jedna? – pyta ostro matka.

Dziewczyna nie spuszcza oczu.

– Wielki książę przysłał mnie tutaj, bym przekazała, że księżniczka Anhalt-Zerbst obiecała przepisać dla niego maksymy Fryderyka Wielkiego – recytuje miarowym tonem. – Wielki książę pragnie wiedzieć, czy księżniczka długo jeszcze zamierza być niedysponowana.

Matka rzuca jej gniewne spojrzenie. Służąca powinna znać swoje miejsce, nawet w Rosji.

– Pytałam, coś ty za jedna!

Dziewczyna waha się, niezbyt długo, ale wystarczająco długo, by zasłużyć na zniecierpliwione fuknięcie ze strony matki.

– Lektorka Jego Wysokości wielkiego księcia. Jej Cesarska Wysokość nie życzy sobie, by wielki książę męczył sobie oczy.

– Jak cię wołają?

– Warwara Nikołajewna, Wasza Wysokość.

Lektorka Piotra? Od jak dawna? Co takiego mu czyta? Czy widzi rzeczy, których ja nie widzę?

Ale matka nie zważa już na służącą.

– Musimy dbać, by Piotr był zadowolony, Zofio – mówi, jakby poza nimi w pokoju nie było nikogo. – Nie możemy sprawiać wrażenia obojętnych.

– Nie, proszę mamy – odpowiada Zofia.

W odróżnieniu od matki nie potrafi zignorować obecności Warwary Nikołajewny. Nie chodzi tylko o to, że chciałaby wypytać ją o Piotra. W tej dziewczynie jest coś, co przywodzi jej na myśl ojca, jego zachęcające skinienie głową, kiedy podnosiła na niego wzrok, sfrustrowana jakimś dziecinnym zadaniem. Jego dłoń na jej ramieniu, kiedy powstrzymywał córkę przed stąpnięciem na ptasie gniazdo.

– Pisz to, co ci podyktuję, Zofio! Najstaranniej, jak potrafisz – rozkazuje matka.

Drogi Piotrze, ogromnie żałuję, że przeszkodziłam Twojemu ważnemu i godnemu podziwu zamierzeniu. Zapewniam Cię, że już wkrótce wydobrzeję, a tymczasem pragnęłabym podjąć przerwaną pracę, zanim jeszcze w pełni wrócę do zdrowia.

Kiedy Zofia kończy, matka wyrywa jej list z ręki i przygląda mu się ze zmarszczonymi brwiami.

– Twoje litery, Zofio – odzywa się – są zbyt małe i nierówne. A tu, w rogu, jest plama atramentu. Chcesz, żeby Piotr pomyślał, że jesteś niechlujna?

– Nie, proszę mamy.

– To przepisz to porządnie!

Spódnice matki falują, gdy chodzi po pokoju tam i z powrotem, zniecierpliwiona, pochłonięta własnymi kalkulacjami, własnymi intrygami. Zza drzwi dobiega stukot obcasów. Jakiś mężczyzna chrząka.

– Pospiesz się, Zofio!

Jeszcze raz przepisuje list. Matka, tym razem usatysfakcjonowana, a może po prostu zniecierpliwiona, składa kartkę i wygładza jej brzegi. Młoda służąca stoi nieruchomo, głowę trzyma wysoko, usta ma zaciśnięte, a oczy skrzą się od myśli, znanych tylko jej samej.

– No, zabieraj to do swojego pana i już cię tu nie ma – rozkazuje matka.

Warwara Nikołajewna z lekko przechyloną głową robi sztywny krok naprzód i przez chwilę zdaje się, że matka wymierzy jej policzek. Ale wtedy ożywiony głos mężczyzny stojącego za drzwiami przemienia się w beztroski śmiech i ciało matki mięknie. Kiedy tylko lektorka Piotra wyciąga dłoń po złożony list, matka wybiega z pokoju.

List znika w fałdach sukni Warwary.

W korytarzach wiszą obrazy. Na jednym z nich brodaty mężczyzna przywiązany jest do deski, tłum wyczekuje widowiska egzekucji. Na innym uzbrojeni wojownicy jadą na krępych tatarskich bachmatach, urodzonych i chowanych na stepie. Konie wydają się małe, potrafią za to przemierzać całe mile bez odpoczynku. Siodła mają krótkie strzemiona. Po co? Żeby łucznik mógł jechać na stojąco. Po co? Żeby strzał był celniejszy, bo kiedy siedzi się w siodle, wtedy bardziej trzęsie i łatwo chybić.

Zofia ma czternaście lat. Nie jest jej obca sztuka mówienia jednej rzeczy, gdy ma się na myśli inną. Tutaj jednak jest cudzoziemką. Musi wyćwiczyć oczy, aby dostrzegać to, co najistotniejsze. Jej uszy muszą słyszeć i to, co przemilczane.

– Znowu rozmawiasz ze służbą? Gdzie się podziała twoja godność, Zofio? Gdzie twoja duma?

Matka nie ma racji.

Przyjaźnie zawiązują się podczas przypadkowych spotkań, w nikłym świetle padającym z niezasłoniętych okien w mroźne moskiewskie dni. W pałacowych korytarzach, po drodze do cesarskich komnat, w antyszambrze pokojów Piotra, gdzie księżniczce Anhalt-Zerbst każe się czekać niczym handlarce czy dłużniczce.

Pytania to dobry początek. Pytania okraszone błagalnym uśmiechem, figlarnym ruchem głowy. Te pierwsze są nieszkodliwe, łatwo na nie odpowiedzieć:

– Z czego robi się kwas, Warwaro Nikołajewna? Jak się nazywa po rosyjsku pszczoła? Widziałaś kiedyś słonia? Czyż to nie cudowne stworzenia? Takie zręczne, a przy tym takie silne! Czy Warwara to rosyjski odpowiednik Barbary?

Dopiero później, kiedy szepty zastąpi beztroski śmiech, możliwe są inne pytania:

– Czy jesteś na dworze od dawna?

– Jesteś córką introligatora? Podopieczną carycy? Cudzoziemką, tak jak ja?

– Sierotą?

– Całkiem sama?

Ostatecznie chodzi nie tylko o to, o co się pyta, ale jak. Każda odpowiedź, choćby najkrótsza, choćby udzielona od niechcenia, jest wskazówką. W słowach kryją się inne słowa, sugerujące wagę tego, co toczy się poza tymi pokojami, po których hulają przeciągi. Podobnie jak momenty zawahania czy spojrzenia w bok. Czy to sposoby na odwrócenie uwagi nowo przybyłej, które mają ją wprowadzić w błąd? A może przestrogi, które należy cenić i starannie rozważać? Jak ta strona, którą przepisała z pewnej książki, a potem znalazła ją spopieloną na srebrnej tacy?

Nikt nie może przetrwać sam.

Nie tutaj. Nie na tym dworze.

Zaciska dłoń na poręczy fotela, żeby się uspokoić.

– Czy pomożesz mi trochę z rosyjskim, Warwaro Nikołajewna? Od czasu do czasu?

– Tak, Wasza Wysokość.

– Czy zechcesz czytać także mnie? Wesołe historie, które dobrze się kończą. Na tym świecie jest dosyć smutku.

– Jeśli Jej Wysokość pozwoli.

– W takim razie poproszę ją, jak tylko wróci. I pochwalę cię przed nią. Opowiem jej, jaka byłaś dla mnie dobra i uczynna. Och, jak bym chciała, żeby już tu była!

– Oczekuje jej zbyt wiele spraw, Wasza Wysokość. Lepiej poczekać na odpowiedni moment.

– Skąd będę wiedziała, że przyszedł ten moment? Powiesz mi?

Warwara Nikołajewna nie odpowiada.

– Pochwały nie zawsze są dobre, Wasza Wysokość – mówi zamiast tego. – Najlepiej żeby Wasza Wysokość wcale o mnie nie wspominała.

– Dlaczego?

– Lepiej nie ujawniać tego, czego naprawdę chcemy. Lepiej ukryć naszą niecierpliwość i niepokoje.

Jaka matka, taka córka.

Jabłko może spaść niedaleko od jabłoni, ale nie musi tam pozostać.

Nocą budzą ją hałasy. Drewniane ściany są cienkie. W pokoju matki trzeszczy podłoga. Skrzypią drzwi od szafy. Potknięcie, chichot, brzęk kieliszków. Wino nie jest najlepszego gatunku, ale powinno się nadać. Musi się nadać. W końcu panuje zimna rosyjska noc.

– Poczekaj, aż przeniesiemy się do Sankt Petersburga – uprzedza kawaler Becki. – Tam jest jeszcze zimniej.

– Jak bardzo?

– Wyobraź sobie ptaki, które zamarzają w locie i spadają z nieba. Już o trzeciej jest ciemno, choć oko wykol.

– Nie wierzę ci!

– A powinnaś.

Po krótkiej chwili, ach, jak krótkiej, głos matki obniża się i zaczyna łamać.

– Nie tutaj... czekaj... pozwól...

Rama łoża stuka o ścianę. Oddechy stają się chrapliwe, zachłanne. Chichot urywa się i zmienia w głęboki jęk rozkoszy.

Matka z trudem łapie powietrze. Nazywa mężczyznę, z którym tam jest, „najdroższym... swoim skarbem... jedynym, prawdziwym szczęściem".

– Nie wiesz, czym jest głód – dobiega do uszu Zofii jej szept. – Jak strasznie ten człowiek mnie dławił. Jak długo.

Sypialnię Zofii spowija ciemność. Śpiąca w małej alkowie pokojówka zgrzyta zębami i jęczy coś po rosyjsku, co brzmi jak błaganie o litość lub łaskę. Dziewczynka ma mocny sen i nie obudzi się, chyba że ktoś wyrwie ją z niego siłą.

Zofia natomiast jest całkowicie przytomna. Matka niszczy wszystko, czego dotknie. Teraźniejszość i przyszłość. Bruka wszystko plotkami i chciwością, żądzą, która nie służy niczemu poza jej własną przyjemnością.

Jeżeli Zofia jej teraz nie powstrzyma, obie zostaną odesłane do Zerbst, okryte hańbą.

Wyślizguje się z łoża i podchodzi do okna. Na zewnątrz, na zalanej blaskiem księżyca ulicy śnieg utworzył głębokie zaspy. Pomiędzy nimi torują sobie drogę zaprzęgnięte w konia sanie, dźwięk dzwonków wiszących przy uprzęży drażni uszy Zofii. Caryca Elżbieta nie wróci jeszcze przez trzy długie tygodnie. Caryca, która tak niedawno włożyła na jej głowę kokosznik i nazwała ją „swoją najdroższą księżycową dziewczynką, swoją nadzieją".

Myśli Zofii oceniają możliwości, badają ich wagę. Rywalizacja? Posiadanie? Duma?

Czy caryca wróci, by ratować umierającą dziewczynkę?

„Za czem pojdiosz, to i najdiosz". Szukajcie, a znajdziecie.

Wargi pękają, jeśli wystarczająco długo trzyma się je rozchylone, nie zwilżając ich językiem. Policzki czerwienieją, jak się je mocno potrze. Ale czy wystarczy, jeśli będzie wyglądać na chorą? Pomogłoby zwykłe przeziębienie, katar, przekrwione oczy, głos zachrypnięty od bólu gardła.

Zastanawia się nad otwarciem okna, ale przymarzło do ramy i ani drgnie. Zresztą nocny wartownik mógłby zauważyć, jak się z nim siłuje. Wtedy jej wzrok pada na wazon pełen orchidei. Pokojówki są leniwe, nawet jeśli chodzi o dar carycy. Niezmienianą od wielu dni wodę czuć zgnilizną.

Zofia chwyta wazon i podnosi go do ust, bierze jeden gorzki łyk, a potem następny. Oślizgłe włókna przyklejają jej się do języka i zębów, ale dziewczynka wstrzymuje oddech i odpycha mdłości. Ludzka wola, uczyła ją Babette, jej guwernantka, jest potężniejsza niż zwierzęce instynkty. Ludzka wola to żelazna brama do prawdziwego zbawienia ludzkości. Rozum może pokonać uczucia, które usiłują odwrócić naszą uwagę od prawdziwego celu.

Żołądek może utrzymać cuchnącą wodę i oślizgłe resztki gnijących łodyg. Dłużej niż przypuszczała. Tak długo, jak to konieczne.

– Żadnego puszczania krwi – mówi matka ostro, kiedy znów zjawia się nadworny medyk.

Doktor unosi gęste, siwiejące brwi.

– Ale dlaczego? – pyta. Tłumaczy konieczność przywrócenia równowagi humorów. Znakomita księżna Anhalt-Zerbst nie będzie chyba sprzeciwiać się wiedzy medycznej?

– Żadnego puszczania krwi – upiera się matka. Jej własny brat przyjechał do Rosji na zaręczyny. Zachorował, puszczono mu krew i umarł.

Skoro stało się tak już raz, może się to powtórzyć.

Doktor przewraca oczami.

– Kobieca logika – szepcze na tyle głośno, by usłyszeli go ci, którzy stoją blisko. Przyszedł tu przygotowany na taką ewentualność. Jego głos brzmi surowo: – Jeżeli nie będzie mi wolno puścić krwi, księżniczka może umrzeć.

– Żadnego puszczania krwi! – krzyczy matka. – Nie pozwolę wam zarżnąć mojego dziecka!

Jedwabne poduszki są uwalane wymiocinami. Pokojówki nie nadążają z opróżnianiem nocnika. Ich blade twarze są wykrzywione. Czy to odraza? Czy strach?

– Spójrz na mnie, Zofio – rozkazuje matka. Nie jest w stanie ukryć niepokoju. To moment słabości, który kiedy indziej uradowałby pewnie jej córkę.

Zofia wciąż czuje na wargach oślizgły smak wody od kwiatów. Nie sposób się go pozbyć, choćby wymiotowała bez przerwy. Kiedy usiłuje się podnieść, w głowie kręci się jej tak bardzo, że musi natychmiast zacisnąć powieki.

Nadworny lekarz opiera rękę na czole i kręci głową, wymieniając spojrzenia z kawalerem Beckim, jak mężczyzna z mężczyzną. Jak księżna Joanna Anhalt-Zerbst może być tak ślepa? Tak nieświadoma? Czy nie powinien tu wkroczyć mężczyzna? W tej chwili?

Matka zawsze była uparta. Tylko ojciec zna sposoby, by nakłonić ją do uległości. Kawaler Becki popełnia błąd za błędem. Odwzajemnia spojrzenie doktora.

– Może powinniśmy wezwać Jej Cesarską Wysokość – mówi. – Zanim będzie za późno.

– Zofia to moja córka – syczy matka przez zaciśnięte zęby. – Co takiego może wiedzieć niepłodna kobieta, czego ja nie wiem?

Carskie sanie wjeżdżają na dziedziniec pałacowy w tumanie śniegu. Szczekający pies zostaje odpędzony, smagnięcie biczem wywołuje skowyt bólu.

Drzwi się otwierają. Słychać stuk paciorków różańca.

– Moja Zofia! Mój biedny aniołek! Co oni z tobą zrobili? Wystarczy, że nie ma mnie przez kilka dni, i dzieją się takie rzeczy?

Służące zerkają zza parawanów i niedomkniętych drzwi, spragnione spektaklu cesarskiej furii, skierowanej przeciwko komuś innemu. Co widzą? Po czyjej są stronie?

– Jak tylko wyjadę, zdrowy rozsądek i poczucie przyzwoitości idą do diabła!

Wszystko to skierowane jest do matki.

Matki, niemieckiej suki, gotowej pozwolić umrzeć własnemu dziecku, bo sama jest zbyt zajęta parzeniem się.

– Durak, a ty jej usłuchałeś! – słyszy doktor, mamroczący wyjaśnienia, dlaczego tak długo odkładano puszczanie krwi. – Ty też chciałeś, żebym przyjechała na pogrzeb?

Caryca porusza się energicznie po pokoju chorej. Szeleszczą spódnice, obcasy walą w podłogę.

– Sprowadźcie Lestocqa – krzyczy Elżbieta. – Nikomu innemu nie ufam.

Pokojówki biegają tam i z powrotem. Jedna trzyma wiklinowy kosz przykryty białą koronkową chustką. Inna świętą ikonę. Miauczy kot.

– Czy komukolwiek przyszło w ogóle do głowy, żeby posłać po pastora? Czy wszyscy wybraliście już trumnę dla tego dziecka?

Matka stoi po drugiej stronie łoża. Kawaler Becki jest tuż za nią, wycofuje się powoli, chciałby zniknąć niepostrzeżenie.

Gdzie jest Piotr? Czy myśli, że ona, jego narzeczona, może umrzeć? Czy jej żałuje? Czy w ogóle go to obchodzi?

Zofia nic nie widzi, ma zamknięte oczy, ale te chrząknięcia muszą pochodzić od Piotra. I te zduszone pomruki niedowierzania.

Wszyscy tu są.
Wszyscy patrzą.

Drzwi się otwierają. Lokaj anonsuje hrabiego Lestocqa.

– Przyszedłem, kiedy tylko się dowiedziałem, Wasza Wysokość – mamrocze, wchodząc pospiesznie do pokoju i polecając asystentowi, by otworzył pudło z lancetami. – Nie zwlekając ani chwili.

Do środka wpada przeciąg, lodowaty, przeszywający prąd zimowego powietrza.

Dawny kochanek carycy, francuski chirurg, który pomógł Elżbiecie zdobyć rosyjską koronę, unosi kapę. Nie zanadto, akurat tyle, by odsłonić drobną, kształtną stopę pacjentki.

Ostry lancet otwiera żyłę dokładnie nad prawą kostką Zofii. Nacięcie boli, ale nie tak bardzo. Strumień krwi spływa do miski. Zaciska się bandaż. Zofia początkowo nic nie czuje, ale potem zstępuje na nią jasność i oszałamiające poczucie lekkości. Serce zwalnia rytm. Oddech się pogłębia.

Unosi odrobinę powieki i rozpoznaje sylwetkę carycy, pochylonej nad łożem. Cesarskich policzków nie dotknął dziś puder. Jeden z przednich zębów jest ciemny i wyszczerbiony. Blade wargi mruczą rosyjskie błogosławieństwa, które Zofia nie do końca rozumie.

Matka, niepomna na to, co się przed chwilą wydarzyło, zawzięcie broni swojej niewinności.

– Moja córka, Wasza Cesarska Wysokość, cierpiała jedynie z powodu niestrawności. Nie groziło jej żadne niebezpieczeństwo.

– Dość tego, niewdzięcznico – syczy caryca. – Spójrz na to dziecko. Spójrz, jakie jest blade.

Pudło z lancetami zamyka się z trzaskiem. Nie będzie lepszego momentu, żeby szeroko otworzyć oczy. Rozpleść dłonie i unieść się na łokciach. Nie będzie lepszego momentu, by uniknąć gorączkowych spojrzeń matki, perełek potu na jej wysokim czole. Zignorować to, jak z drżeniem osuwa się na kolana. Tak wiele można powiedzieć bez słów. Przypuszczeniom można zaprzeczyć. To, co zostało ustanowione, można przemodelować, przewrócić na nice.

Obok skały, którą jest caryca Rosji, matka jest pustą muszlą, kuszącą, lecz zbyt łatwą do zmiażdżenia.

– Mam prośbę, Wasza Wysokość. – Cesarskim uszom nie uchodzi najdrobniejsza zmiana w jej cichym, ale czystym głosie. – Nie chcę pastora. Proszę, czy zamiast niego ojciec Teodorski nie mógłby przyjść pomodlić się ze mną?

Caryca wpatruje się w nią nieruchomym wzrokiem. A potem unosi brwi. Co ma znaczyć to, co właśnie usłyszałam, Zofio?, pytają jej oczy. Czy to oznaka twojego sprytu? Czy śluby posłuszeństwa?

Czy też jedno i drugie?

Brzozowe polana w kominku trzaskają i syczą, posyłając w jej stronę falę ciepła.

Pora opaść z powrotem na jedwabne poduszki. Pozwolić myślom zatrzymać się na wabiącym bezmiarze tych ziem, ogromie, którego zmysły nie są w stanie ogarnąć. Przywołać wspomnienie zamarzniętych pól, ciemnych, gęstych lasów przykrytych śniegiem, rzek skutych lodem. Pora wyobrazić sobie to, o czym ona, Zofia Anhalt-Zerbst słyszała już, choć jeszcze nie widziała. Łańcuchy górskie, które wypełniają horyzont, bezkresne łąki stepów, gdzie trawy są tak wysokie, że mogą skryć człowieka na koniu.

Pora nadać twarzy wyraz, który mówi: Nie jestem taka jak matka. Ja nie zawiodę. Choćby nie wiem ile mnie to kosztowało. Pora sprawić, by łzy wezbrały w jej oczach i potoczyły się po policzkach.

Siedząca przy jej łożu caryca Rosji porusza się. Materac ugina się pod ciężarem jej dużego, miękkiego ciała. Dłoń unosi się i wyciąga naprzód. Jest uperfumowana, a różowe paznokcie ma wypolerowane i natłuszczone olejkiem różanym.

Skąd ten moment zawahania? Czyżby ona, Zofia, zadziałała nie dość subtelnie? Zbyt pospiesznie? Czy zdradziła swoje najgłębsze pragnienia i to, jaką cenę jest gotowa za nie zapłacić?

Ostrzegano ją. Mówiono, by czekała na właściwy moment. Patrz i ucz się od tych, którzy widzieli więcej, szeptała jej nowa przyjaciółka.

Nie da się cofnąć tego, co zostało zrobione. Zofia już obstawiła swojego konia. Teraz nie pozostało jej nic poza czekaniem.

Caryca odwraca się od niej.

– Słuchaj, ty niewdzięcznico – mówi do matki Imperatorowa Wszechrusi. W cesarskim głosie dźwięczy nutka triumfu, nie do pomylenia z czymkolwiek innym. – Posłuchaj, o co prosi mnie ta słodka dziecina.

W myślach, które przychodzą teraz, pojawia się kot wśród dzikiej kocimiętki. Uderza w nią łapami, gryzie i skacze jak szalony z radości.

Zofia Anhalt-Zerbst ma nowe rosyjskie imię: Katarzyna Aleksiejewna, po matce samej Elżbiety. Zgodnie z rosyjskim zwyczajem powinna nazywać się Katarzyna Krystianowna, ponieważ jej ojciec ma na imię Krystian, jednak caryca zdecydowała, że brzmiałoby to zbyt cudzoziemsko dla uszu Rosjan. A wielka księżna rosyjska, żona następcy tronu, nie powinna brzmieć cudzoziemsko.

Warwara Nikołajewna, która zna dworskie niuanse, mówi, że caryca uznała księcia Krystiana von Anhalt-Zerbst za człowieka bez większego znaczenia. Pasożyta żerującego na koneksjach swojej żony, którego nazwisko zaszkodziłoby pozycji jego córki.

– Nie pozwól, żeby ktokolwiek zobaczył twoje łzy – szepcze jej nowa przyjaciółka. – To nie takie trudne!

W swoim zeszycie Katarzyna Aleksiejewna zapisuje starannie rosyjskie przysłowia, które preceptor zadaje jej do nauczenia się na pamięć:

„Dielit' szkuru nieubitogo mied'wiedia". Niemądrze jest dzielić skórę na niedźwiedziu.

Co noc służące rozsznurowują jej gorset, nacierają piersi mleczkiem migdałowym, masują sutki, aż te stwardnieją, i szczotkują jej włosy. Wkładają cienkie batystowe halki na spryskane perfumami ciało. Jej piersi są krągłe, łono pełne życia.

Prowadzą ją do małżeńskiego łoża – łoża pobłogosławionego świętą ikoną i pokropionego święconą wodą – i usuwają się pospiesznie.

A ona czeka. Czasem siedzi w posłaniu, obejmując rękoma kolana. Czasem przesuwa dłonią po swoich piersiach, a potem po brzuchu i udach. Czasem gładzi palcami kędziorki włosów łonowych, czarnych i gęstych jak futro norki.

Myśli o dniu, w którym przyjechała do Moskwy, kiedy to rozebrano ją do naga i wyniesiono niemieckie ubrania. Jak odziano ją w długą jedwabną halkę, lekką niczym pajęczyna, i w suknię z brokatu. Myśli o ślubie w kazańskiej katedrze – jak stała obok Piotra, a arcybiskup błogosławił ich i namaszczał świętym olejkiem. O uczcie weselnej, którą zdobiły cukrowe krajobrazy: cukrowy zamek z cukrowym ogrodem, cukrowe drzewa uginające się pod ciężarem cukrowych owoców. Myśli o carycy, która położyła upierścienioną dłoń na jej płaskim brzuchu, rozkazując jej dać Rosji kolejnego następcę tronu. Zdrowego chłopca, Romanowa, który przejmie władzę po swoim ojcu. Myśli o matce, która wyjechała do Zerbst bez słowa pożegnania i do tej pory do niej nie napisała. O ojcu, który nie został zaproszony na jej wesele.

Prędzej czy później Piotr, jej mąż, przyszły car, zawsze przychodzi do sypialni. On także nie ma wyboru.

Piotr przywdziewa różne maski. Znudzenia. Obojętności. Rozdrażnienia. Wytężonego skupienia, ale tak dzieje się tylko wtedy, gdy udaje mu się zmylić czujność opiekunów i przemycić do sypialni swoje woskowe żołnierzyki. Wtedy jego młoda żona może się przyglądać, jak on ustawia je w szyku, odtwarza bitwy sprzed lat, dawno przegrane lub wygrane, bitwy, nad którymi ma całkowitą kontrolę.

Wtedy może zadawać mu pytania, a Piotr jej odpowiada. Objaśnia skomplikowany manewr, zmyślny unik, który zapewnił niegdyś Prusom zwycięstwo. Zofia może wtedy okazać się przydatna. Wyrównać szyk pikinierów z włóczniami ustawionymi pod takim kątem, by utrzymać na dystans konnicę wroga. Albo podnieść upadłych bohaterów.

Przypomina sobie, jak kilka miesięcy wcześniej Piotr omal nie umarł na ospę. Jak rozpaczała, gdy ci, którzy mienili się jej przyjaciółmi, odsuwali się od niej, wiedząc, że jeśli Piotr umrze, caryca odeśle ją do Zerbst. Mogłaby teraz bronić się przed matczyną pogardą, przeglądając nieświetne propozycje małżeństwa. Słuchać, jak to zawsze była zbyt pyszna, choć nigdy nie dopisywało jej szczęście. Zawsze łaknęła tego, co nie było jej pisane.

– To się w końcu wydarzy, przekonasz się. – Warwara Nikołajewna zawsze wie, co powiedzieć w najgorszych momentach, kiedy znika nadzieja. – Niektórych mężczyzn łatwo wystraszyć, a wtedy mięknął.

Opuchlizna po ospie już prawie zeszła z twarzy jej męża. Zaczerwienienie także minęło, albo zostało ukryte pod warstwą pudrowego kremu. A zresztą, mówi Piotrowi, mężczyzna nie musi się przejmować paroma drobnymi bliznami.

– Przecież wiem – odwarkuje on.

Przygląda się jej podejrzliwie. Słucha ze zniecierpliwieniem. Uważa ją za zbyt mądrą, by mogło jej to wyjść na dobre. Madame Dobra Rada, drwi z niej, która na każdy problem zawsze ma rozwiązanie – nieważne czy ktokolwiek jest nim zainteresowany. W pałacowych korytarzach mąż przyspiesza kroku, by jej uniknąć. W małżeńskim łożu trzyma się od niej z dala. Kiedy Zofia próbuje dotknąć jego dłoni, Piotr odsuwa się gwałtownie.

– Wstawaj, żono – wrzeszczy. – Schnell! Schnell!

Zofia wyskakuje z łoża i staje na baczność. Piotr rozkazuje, by się schyliła i podniosła jego szpadę. Rozkazuje maszerować po pokoju. Prezentować broń tak, jakby to był muszkiet. Wysoko podnosić nogi, jak dobry pruski żołnierz na paradzie.

Zabrania jej się odzywać. Opiera głowę na dłoniach i z posłania przygląda się, jak Zofia maszeruje.

– Czemu jesteś taka milcząca, żono? – pyta.

– Bo kazałeś mi się nie odzywać, Piotrze – odpowiada, i przez moment cieszy go jej posłuszeństwo. Jego twarz się rozjaśnia.

– Dosyć! – wrzeszczy. – Wracaj!

Zofia odkłada szpadę i kładzie się obok męża. Materac jest ciepły i słodko pachnie. Pokojówki rozsypały pod prześcieradłem płatki róż i jaśminu. Warwara mówi, żeby nie tracić nadziei. Mężczyźni czasem tacy są. Nieśmiali. Boją się okazać słabość. To nie musi nic znaczyć.

Ona jest cierpliwa.

Czeka w milczeniu, dopóki Piotr nie wybuchnie śmiechem, nie odwróci się do niej plecami i nie zacznie chrapać.

W Rosji śmierć przedstawia się jako kościstą staruchę z kosą. Milczącą i nieubłaganą, nie do przechytrzenia. Wiedźmę, która pyta bezzębnymi ustami:

– Kto będzie rządzić, kiedy ja przyjdę do łoża carycy?

W wewnętrznych komnatach carskiego pałacu nie trzeba silić się na subtelności. Kraj potrzebuje dziedzica, dziecka, cierpliwie sposobionego do objęcia władzy.

Carewicza.

Świętej powinności wielkiej księżnej.
Dlaczego więc jej łono jest wciąż puste?

Ci, którzy jej źle życzą, jej oszczercy, chowają się w ukrytych przejściach, w korytarzach, za weneckimi lustrami. Nazywają ją uwiędłym kwiatem, który opada, nim zawiąże się owoc. Do carycy, która ją sprowadziła do Rosji, szepczą:

– Minął kolejny rok. Na co nam drzewo, które nie rodzi owoców? Godziny biegną szybciej, niż się wydaje. A jeżeli to, co wzięliśmy za znak boskiego przyzwolenia, było w rzeczywistości podszeptem szatana?

Kobieta powinna starać się przypodobać mężowi, a nie chować się wśród książek. Czy jeździć na koniu okrakiem, jak mężczyzna. Albo zadawać zbyt wielu pytań.

Gdy Katarzyna się uśmiecha, nazywają ją płochą; kiedy przybiera poważny wyraz twarzy, nazywają ją pyszną.

Podpisała kontrakt, z którego się nie wywiązuje. Jej kara dopiero się rozpoczyna.

Nie ma już przyjaciół na dworze. Każdy, kto ośmielił się okazać jej życzliwość, został odesłany. Księciu Naryszkinowi powiedziano, że wielka księżna nie ma czasu na czczą paplaninę. Służące zwolniono za kilka słów otuchy. Warwary Nikołajewny także już nie ma, wydano ją za mąż, spodziewa się dziecka. Warwara, która niegdyś ostrzegała:

– Ten dwór to niebezpieczny teren. Życie tutaj jest grą, a każdy gracz oszukuje.

– Wybrałam ciebie, rezygnując z innych możliwości – syczy caryca, szturchając brzuch Katarzyny. To pchnięcie, brutalne i natarczywe, ma sprawić ból, i osiąga swój cel. – Gdzie jest mój dziedzic? Ile jeszcze mam czekać, Katarzyno?

Jest mężatką od sześciu lat, a mąż do tej pory jej nie tknął. Oto jej haniebny sekret. Bo czyż nie jest to zawsze wina kobiety?

Musi mieć w sobie coś, co wzbudziło w nim odrazę. Czy to jej wygląd? Jej słowa? Zachowanie? Czy była zbyt wyniosła? Zbyt wymowna? Nie dość posłuszna?

Czasem, kiedy jest sama, rozpina halkę i obwąchuje swoje ciało. Czy to jego zapach nie pozwala Piotrowi jej pożądać? A może kościste biodra, które nie chcą pokryć się miękką warstewką tłuszczu? Czy jej piersi są zbyt małe, a może za duże? Skóra zbyt szorstka? Podbródek zbyt spiczasty? Zęby zbyt zepsute? Usta za bardzo spierzchnięte?

W kaplicy pałacowej rosyjscy święci spoglądają na nią pustym wzrokiem. My cierpieliśmy w milczeniu, mówią, i ty także powinnaś. Taka właśnie jest Rosja.

Jest maj. Dwór carski odwiedza Gostilicę, wiejską posiadłość hrabiego Razumowskiego nieopodal Sankt Petersburga. Gospodarz w haftowanym żółtym kaftanie z przypiętym na piersi portretem carycy Elżbiety wita ich chlebem i solą. W jego domu jedynym obowiązkiem dostojnych gości, oznajmia hrabia, jest rozrywka.

Po drodze do domu swojego faworyta cesarzowa skarżyła się na smród, na konie, zdecydowanie zbyt powolne, i na nową suknię, która jest za ciasna i swędzi pod nią skóra. Zarządziła trzy postoje, aby móc się wypróżnić za parawanem, który rozkładali dla niej służący. Na ostatnim postoju zauważyła wrony krążące nad zdechłym mułem i rozkazała zmienić trasę, co wydłużyło czterogodzinną podróż o dodatkową godzinę.

Jednak gdy tylko powóz wjeżdża na dziedziniec dworu w Gostilicy, rozdrażnienie Elżbiety znika jak za dotknięciem czarodziejskiej różdżki. Teraz caryca jest wszystkim zachwycona. Cóż za ulga zostawić za sobą Pałac Zimowy, mówi hrabiemu Razumowskiemu. Odetchnąć świeżym wiejskim powietrzem. Ujrzeć gaik brzozowy, bujną łąkę, jezioro, w którym wśród trzcin gnieździ się ptactwo wodne. Caryca chce wybrać się na przejażdżkę łódką i sama wiosłować, chce łowić ryby, bo nic nie smakuje lepiej niż własnoręcznie schwytany szczupak.

Hrabia Razumowski to troskliwy gospodarz. Piękna czerwona łódź z wyściełanymi siedzeniami tylko czeka, by wsiadła do niej jego ukochana cesarzowa. Wędki są już gotowe, na haczykach wiją się świeże robaki. Kiedy Elżbieta, wiosłując zręcznie, wypływa łódką na środek jeziora, on siedzi u jej stóp i trzyma w pogotowiu blaszane wiaderko.

Dworzanie przez bitą godzinę oczekują na ich powrót. Nikt inny nie pragnie popłynąć za swoją panią. Nikt nie chciałby złapać większej ryby.

Kiedy łódka wreszcie dobija do brzegu, wszyscy gromadzą się wokół, by podziwiać połów. Elżbieta promienieje, gdy jej damy dworu jedna po drugiej wzdragają się na samą myśl o dotknięciu rzucającej się ryby.

– Mój ojciec śmiałby się z was do rozpuku – mówi caryca, gestem przywołując brodatego sługę stojącego nieopodal z tacą, na której spoczywają noże.

– Czy są ostre? – pyta.

Kiedy służący potakuje, caryca podwija rękawy. Podnosi najdłuższy z noży, z trzonkiem z rogu jelenia. Próbuje ostrza palcem wskazującym.

Wszystkie małe rybki ugotuje się w całości na uchę, bulion rybny. Tylko te większe zostaną wyfiletowane i usmażone.

Damy dworu gromadzą się wokół carycy, cmokając z podziwu, kiedy ich pani ogłusza ryby młotkiem, odcina im głowy, robi nacięcie na brzuchu i wyciąga wnętrzności.

– Jedź wzdłuż kręgosłupa aż do ogona – mówi, podczas gdy nóż rozcina mięso. – Tak zawsze powtarzał papa.

Ona, Katarzyna Aleksiejewna, wielka księżna rosyjska, dołącza się do chóru okrzyków podziwu i zdumienia. Nie przepada za rybami, woli od nich gotowaną wołowinę i kiszone ogórki, ale nikt nie musi o tym wiedzieć. Kiedy jeden z ogłuszonych leszczy nagle zaczyna się rzucać, Katarzyna jest tak samo zaskoczona jak wszyscy inni. Przez chwilę wygląda na to, że caryca nie wypuści swojej zdobyczy z rąk, ale ryba jest szybka i śliska. Plusk, i jest z powrotem w jeziorze.

Piotr uderza się długimi rękami po ciele, zdumiewająco zręcznie naśladując trzepoczącą się rybę. Nikt się nie śmieje, lecz on zdaje się tego nie zauważać.

– Co cię tak bawi, Piotrze? – pyta caryca.

Piotr odpowiada chichotem.

– Proszę, Piotrze, przestań. – Katarzyna pociąga męża za rękaw, ale to błąd. Mimo łagodnego tonu jej prośba sprawia, że Piotr traci resztki rozwagi. Dlaczego? Zastanawiała się już wcześniej nad takimi chwilami, jak człowiek, który nie może pojąć uporu, z jakim ćmy lecą na powrót w ogień.

– Nie ma to jak wiejskie powietrze wiosną, Katarzyno – mówi Elżbieta, ignorując siostrzeńca. Wyciera zakrwawione dłonie w ręcznik, który podaje jej młoda służąca. – Weź głęboki oddech. Napełnij płuca.

Katarzyna wykonuje polecenie. Powietrze jest chłodne, pachnie drzewnym dymem, ale samo oddychanie nie zmniejsza jej niepokoju. Wiosna sprawia, że caryca robi się jeszcze bardziej niecierpliwa. To pora rozmnażania, nowo narodzonych źrebiąt, żółtych kurczaków, kaczątek, które drepczą przez błoto w ślad za matką.

– Niech wielka księżna je potrzyma – mówi hrabia Razumowski i kładzie kaczątko w jej dłoniach.

Ptaszek przekręca główkę i dziobie ją w kciuk, ale tak lekko, że Katarzyna prawie tego nie czuje. Kaczątko wierci się w jej dłoniach, miękkie, puchate i ciepłe. Czuje się, jakby trzymała esencję samego życia.

Pochyla się, otwiera dłonie i pozwala ptaszkowi się wyśliznąć i podążyć za matką.

Dom przeznaczony dla nich na czas wizyty jest drewniany, ma dwa piętra i został świeżo wybudowany na wzgórzu. Ich sypialnia znajduje się na drugim piętrze. Obok jest garderoba i pokój, w którym śpi jej główna służąca. Pokoje na pierwszym piętrze przygotowano dla dam dworu i dworek.

Pierwszy dzień wizyty to jedna niekończąca się uczta. Chłopi, ubrani w długie białe tuniki z haftowanymi kołnierzami i rąbkami, wskazują gościom drogę do poczęstunku, który podano w ogrodzie za domem, w korytarzach rezydencji oraz w jadalni.

– Nasze proste rosyjskie przysmaki – mówi gospodarz.

Długie stoły przykryto śnieżnobiałymi obrusami i udekorowano wieńcami wiosennych kwiatów. Na srebrnych półmiskach piętrzą się kopce zwiniętych blinów, warstwy wędzonych ryb, pieczone bażanty, glazurowane szynki. Pieczone prosięta trzymają w ryjach szyszki, a ich osmalona skóra jest ponacinana na kształt szachownicy. Na stołach deserowych obok ogromnych ciast stoją misy kandyzowanych owoców oblanych czekoladą. Skrzypkowie grają skoczne ludowe melodie. Wiejskie dziewczęta w haftowanych koszulach i spódnicach, z czerwonymi, żółtymi i niebieskimi koralami na szyi śpiewają smutną pieśń o Śnieguroczce, śnieżnej pannie, której jest zimno i samotnie, dopóki się nie zakochuje. Lecz kiedy jej serce się rozgrzewa, dziewczyna topnieje.

Piotr, któremu nie wolno palić w obecności carycy, ssie pustą glinianą fajkę. Jak zawsze, kiedy są w towarzystwie innych ludzi, nie zwraca uwagi na żonę. Wodzi wzrokiem za wiejskimi dziewczętami. Czasem, niczym swawolny uczeń, odważa się podejść do którejś z nich i pociągnąć za korale czy fałdy obszernej spódnicy.

Kiedy są tylko we dwoje – czyli niemal stale, taki bowiem jest rozkaz carycy – pozbawiony rozrywek Piotr daje się czasem wciągnąć w rozmowę. Najlepszym tematem są zawsze wspomnienia z Holsztynu. Większość z nich to fantastyczne opowieści o jego dzieciństwie w Prusach. Przed ukończeniem siódmego roku życia ten wymyślony Piotr mężnie pokonał bandę rozbójników prześladujących okoliczne wsie, ruszył w pogoń za Cyganami, którzy porwali małą dziewczynkę, uratował ją i oddał zapłakanej matce. Nierzadko w tych historiach monsieur Brümmer, jego niegdysiejszy guwerner, a obecnie marszałek, odgrywa rolę największego przeciwnika.

– Brümmer usiłował powstrzymać mnie przed natarciem – mawia Piotr – ale ja rozkazałem mu się zamknąć.

Katarzyna wciąż wierzy w cierpliwość. W stopniowe kruszenie muru niechęci, kawałek po kawałku.

Katarzyna jest wciąż młoda.

Słucha opowieści męża w pełnym podziwu milczeniu, potakując z przejęciem. Kiedy Piotr przestaje mówić, zadaje mu pytania.

– Co powiedział Brümmer, kiedy zobaczył, jak składasz się do strzału? – To najlepsze z nich.

Zawsze przywołuje wycyzelowany obraz dawnego guwernera, zdruzgotanego i pełnego podziwu, jak pada na kolana i wyznaje, że błądził, wątpiąc w umiejętności swojego wychowanka. Wciągnięty w opowiadanie Piotr staje się niespokojny. Chełpliwy głos wznosi się i staje cienki, zamienia w piskliwe zawodzenie. Jej mąż wymachuje rękami i podskakuje, jakby chciało mu się sikać. Przywoływane przez wyobraźnię sceny uspokajają go, ale nie jest w stanie zapamiętać, co opowiadał Katarzynie. Toteż w ataku na cygańskie obozowisko czasem bierze udział regiment holsztyńczyków z muszkietami, a czasem tylko kilku służących z biczami w dłoniach. Jedynym stałym punktem jest upokorzenie Brümmera i jego przyznanie się do ślepoty, która nie pozwoliła mu dostrzec prawdziwej wartości Piotra.

Uczta w posiadłościach hrabiego Razumowskiego trwa całą noc. Kiedy kończą się tańce, zaczynają się wspólne śpiewy przy ognisku. Kiedy głosy chrypną, przychodzi czas na gry: w ciuciubabkę, w kotka i myszkę, w Kozaków i złodziei. Albo na łamańce językowe, ulubioną rozrywkę Elżbiety. Ona, Katarzyna, wzbudza powszechną wesołość, kiedy jej język plącze się beznadziejnie przy: „Stoit pop na kopnie, kołpak na popie, kopna pod popom, pop pod kołpakom".

Łamaniec, z którym Elżbieta radzi sobie doskonale.

O świcie, kiedy caryca w końcu pozwala wszystkim odejść, Katarzyna i Piotr wracają do swojego domu. Służący starannie zaciągają ciężkie zasłony przy ich łożu, by światło im nie przeszkadzało. Oboje są wyczerpani tańcem i zabawami. Oczy szczypią ich od dymu z ogniska. Zasypiają w jednej chwili.

Katarzyna budzi się natychmiast, kiedy Czogłokow, ich szambelan, opiekun i jeden ze szpiegów carycy, szarpnięciem odsuwa zasłony. Czogłokow jest na wpół ubrany; spod rozpiętej nocnej koszuli wyzierają kępki kręconych siwych włosów.

– Uciekajcie stąd! Prędko! – krzyczy.

Katarzyna nie ma czasu zapytać dlaczego. Z kominka dobiega dziwny zgrzytliwy dźwięk. Ściany skrzypią. Spadają ciężkie przedmioty. Słychać brzęk tłuczonego szkła. Na zewnątrz pies ujada jak szalony. Od sufitu odrywa się fragment tynku, spiralnym ruchem opada w dół i roztrzaskuje się na ich głowach. Jeden z dźwigarów zaczyna pękać; na podłogę sypią się kawałki ciemnego drewna.

Piotr parska i wyskakuje z łoża.

Nie patrzy w jej stronę.

Podłoga kołysze się pod stopami Katarzyny, jakby była na barce podczas sztormu. Jej mąż wybiega z pokoju. W pośpiechu potyka się o próg i rani się w stopę. Ostatnie, co widzi Katarzyna, to jego zgięta postać, która oddala się, kulejąc.

Okno pęka, wokół rozsypują się szklane odłamki. Z sufitu spadają kolejne warstwy tynku. Jej dłonie są jak dwie bryły lodu. Serce wali jej jak oszalałe. To już koniec, myśli, jeszcze zanim usłyszy, jak gwardziści na zewnątrz krzyczą:

– Gdzie jest wielka księżna? Czy ktoś widział wielką księżną?

Drzwi otwierają się z hukiem. Gwardzista, który wbiega do jej sypialni, ma na sobie zielony mundur Pułku Preobrażeńskiego. Jest wysoki i grubokościsty, z gęstą ciemną czupryną. Jego silne ramiona podnoszą ją tak lekko, jakby była piórkiem.

Nie zna jego imienia. Jest jednym z wielu gwardzistów pałacowych, którzy stoją na warcie w korytarzach. Patrzą gdzieś w przestrzeń, nieświadomi – jak jej się zdawało – wszystkiego tego, co rozgrywa się przed ich oczami. Jeżeli kiedyś go widziała, to jej wzrok nie spoczywał na nim wystarczająco długo, aby jego rysy zdążyły wryć jej się w pamięć. Dopiero teraz, kiedy trzyma ją w swoich silnych ramionach, Katarzyna zauważa jego smagłą, przystojną twarz. Cień zarostu na jego szczęce.

Widzi coś jeszcze.

Na twarzy mężczyzny, który obejmuje ją i unosi z walącej się komnaty, nie ma zniecierpliwienia, rozdrażnienia czy irytacji. Jego oczy, wpatrzone w nią, łagodnieją. Jest w nich tyle zachwytu, tyle pożądania, że Katarzyna czuje na ramionach gęsią skórkę, a po jej lędźwiach przebiega dreszcz. Rozluźnia ściśnięte strachem gardło. Roztapia to, co było zmrożone.

Sprawia jej przyjemność patrzenie, jak on usiłuje zachowywać się trzeźwo i rzeczowo, bez żadnych sentymentów. Zapewnia ją, że będzie bezpieczna. Że on nie pozwoli, by spadł jej włos z głowy, bo jest to jego obowiązkiem wobec wielkiej księżnej Rosji. Oddać za nią życie, jeśli zajdzie taka potrzeba. Chronić ją od wszelkiego złego.

Ma na imię Siergiej.

Później będzie się opowiadać wiele historii o tym dniu. Jak to wielka księżna rosyjska została uratowana z walącego się domu przez Siergieja Sałtykowa. Jak to Piotr, jej mąż, wyciągnięty na otomanie obitej karmazynowym perkalikiem i otulony sobolową kołdrą, dopytywał się, cóż to za próżność i głupota sprawiają, że kobiecie wydostanie się z własnej sypialni zajmuje aż tyle czasu. Jak to hrabia Razumowski groził, że palnie sobie w łeb, kiedy się dowiedział, że jego właśni budowniczowie usunęli belkę nośną. Jak to caryca – przejęta losem swojego kochanka – postanowiła nie przyjmować do wiadomości, że wielkiej księżnej zagrażało jakiekolwiek niebezpieczeństwo.

Ale ona, wielka księżna Rosji, zapamięta dotyk męskiej ręki wokół jej talii i zapach tabaki. Jej ramiona obejmujące jego szyję, kiedy niósł ją w bezpieczne miejsce. Jego głos, przepojony wściekłością na samą myśl budowania domu zimą, na zamarzniętym gruncie.

– Kiedy rozpoczyna się odwilż – powiedział – skały wapienne, które podtrzymywały fundamenty, przesuwają się.

A potem, wpatrzony w jej oczy, dodał:

– Tylko dureń mógłby tego nie wiedzieć.

Gra w szachy to sztuka wyboru. Czasem trzeba poświęcić gońca, żeby zaszachować króla. Partia szachów trwa długo. Niemądrze jest dopuścić do tego, by posunięcia były przewidywalne. Nie wtedy, kiedy zmiana jest jeszcze możliwa. Kiedy czas działa na naszą korzyść.

Zastawiono wiele pułapek. Wiele par oczu i uszu ma za zadanie śledzić każdy jej ruch. Wiele języków powtarza każde jej słowo.

Ale ona nie jest już sama. Teraz także ona ma swoje oczy i uszy, języki i biuletyny, szpiegów, którzy wkradają się do prywatnych komnat Pałacu Zimowego. Opowieści, które przynoszą Katarzynie, pochodzą z zakurzonych korytarzy i alków pałacowych, z pokojów służby i carskiej garderoby. Te opowieści są cenniejsze od klejnotów. Mówią jej, od kogo trzymać się z daleka, a kogo przekupić. Czyje kłamstwa święcą triumfy w kółkach plotkarskich, gromadzących się co noc w cesarskiej sypialni. Kto będzie wdzięczny za życzliwe słowo, dyskretną pożyczkę, szept ostrzeżenia.

Wiedza to władza. To wiedziała od zawsze.

Uzbrojona w opowieści swoich szpiegów może zręcznie unikać zasadzek. Proponować łapówki, które nie są ani za duże, ani za małe. Nagrody, które przynoszą radość, a nie rozczarowanie. Ostrzeżenia, przyjmowane z wdzięcznością, którą ona skrzętnie gromadzi z myślą o przyszłości.

Władza polega na tym, aby słyszeć to, co powierzono milczeniu. Na rozumieniu motywów tych, którzy spiskują przeciwko tobie. Wiedzy o tym, co może doprowadzić do diametralnego zwrotu, sprawić, że przejdą na twoją stronę.

Dworkę, która przekazywała twoje słowa carycy, może przekonać pierścionek z rubinem i obietnice wdzięczności. Księżniczka, której rodzina cię nienawidzi, może zostać oczarowana niespodziewaną wizytą i zapewnieniami o wyjątkowej przyjaźni. Służące przyłapane na przetrząsaniu sekretnych szuflad pożądają błyskotek albo drżą przed ujawnieniem jakiegoś wybryku. Skradziona wstążka może przypieczętować los krawcowej; stłuczona filiżanka – pomywaczki.

Najlepszych ze szpiegów, jak przekonała się Katarzyna, nie da się kupić ani podstępem zmusić do współpracy. Najlepsi ze szpiegów w nią wierzą. Widzą w niej odpowiedź na swoje marzenia. Pragną, by uratowała ich przed tym, czego się lękają. By sięgnęła po koronę Rosji.

Podczas najciemniejszych godzin przed świtem, jak donosi Warwara Nikołajewna, która wróciła na dwór, cesarską sypialnię oświetlają grube woskowe świece. Służące stale przycinają im knoty, bo Elżbieta wierzy, że migoczący płomień przynosi nieszczęście. Caryca jest przesądna: kiedy usłyszy hukanie sowy, wysyła służących z muszkietami, żeby przepłoszyli ptaka. Kruk, który wyląduje na pałacowym dziedzińcu, także zostaje przepędzony.

Caryca Rosji panicznie boi się ciemności. Sztyletu skrytobójcy. Księcia ciemności, który potrafi przyjmować najróżniejsze wcielenia. I dwudziestotrzyletniej wielkiej księżnej, która przygląda się jej zza kulis, licząc każdy urywany oddech.

– Wiesz, czego ona chce – szepcze do Katarzyny Warwara Nikołajewna.

Gdy młody kochanek Elżbiety opuszcza jej sypialnię, caryca Rosji pada na kolana przed świętą ikoną i błaga Matkę Boską Kazańską o przebaczenie za grzechy. To właśnie wtedy, kiedy jej oczy łagodnieją na widok boskiego Dzieciątka wtulonego w ramiona Dziewicy, odurzona wiśniówką i żądzą Elżbieta syczy:

– Czemuż ten cherlawy mąż nie może dać jej dziecka?

Jej bełkotliwy głos ocieka szyderstwem.

– I dlaczego ta głupia Hausfrau nie wie, co ma robić?

Pełna przeciągów komnata w Pałacu Letnim jest oświetlona niczym scena. Świece stoją na parapetach, na stołach, na desce zwieszającej się z sufitu. Grube świece woskowe, które mogą się palić całą noc, jeżeli zajdzie taka potrzeba. Ze świętego kąta Matka Boska Kazańska spogląda z uczuciem na wielką księżną Katarzynę, która po dziewięciu jałowych latach wreszcie da carycy Elżbiecie upragnionego dziedzica.

Z ogrodu dochodzą odgłosy pościgu. Rozpaczliwe miauczenie, szczekanie, ujadanie. Psy obronne gonią bezpańskie koty po żwirowej ścieżce. Ktoś krzyczy:

– Wylejcie na te przeklęte kundle wiadro wody!

Jest wrzesień. Pora, kiedy caryca – która mówi o sobie, że w głębi serca jest prostą wiejską dziewką – lubi słuchać o obfitych zbiorach z całego roku. O kopach siana, słodko pachnących kwiatami z łąk. O krowach tłustych od letniej trawy, z wymionami nabrzmiałymi ciepłym mlekiem. O ptakach, które gromadzą się w stada, siadają na drzewach i płotach i ćwierkają jeden przez drugiego, dopóki nie odlecą do ciepłych krajów.

– Spokojnie, Wasza Wysokość – mruczy akuszerka, pewną ręką ujmując Katarzynę pod łokieć. Rosnący brzuch zaburza jej poczucie równowagi. Nieraz zdarzyło jej się potknąć na zupełnie równej podłodze.

Akuszerka – najczujniejsza spośród szpiegów Elżbiety – strzeże Katarzyny od czasu, kiedy ustały jej krwawienia miesięczne. Jej przenikliwy głos najeżony jest niezliczonymi przestrogami:

– Żadnych naszyjników, Wasza Wysokość, żadnych korali, nie wolno podnosić rąk ponad głowę… nie wolno zakładać nogi na nogę…

Miesiąc po miesiącu Katarzyna słuchała tych przestróg, a dziecko w niej rosło, zaczynało się ruszać i kopać. Teraz, kiedy jej łono może w każdej chwili uwolnić kryjącą się w nim nagrodę, jej włosy zaczesano i ukryto pod koronkowym czepcem. Skóra na jej brzuchu lśni od gęsiego tłuszczu, jelita są puste za sprawą rabarbaru i suszonych śliwek. Zdradzają ją tylko drżące dłonie. W jej głowie rozbrzmiewa szept matki: „Kiedy cię rodziłam, niemal mnie zabiłaś, Zofio. Rozdarłaś mnie jak stare płótno".

– Już wkrótce będzie po wszystkim! – Akuszerka dokłada starań, by ją uspokoić, w razie potrzeby – kłamstwem.

Strach matki jest niebezpieczny. Może naznaczyć dziecko w łonie. Zmienić je w potwora.

Do tej pory wielka księżna, żona następcy tronu, poznała już smak straty i strachu, upokorzenia i samotności oraz długich, ospałych godzin nudy. Wie, co znaczy wierzyć, że nic się nigdy nie zmieni. Że wszystkie wyjścia są odcięte, że żadne światło nigdy nie wedrze się w mrok twojego więzienia.

Poznała również miłość. Miłość, która każe jej budzić się o świcie z imieniem kochanka na ustach, podczas gdy jej ręce szukają jego obecności. Miłość, która napełnia ją głodem. Podsuwa śmiałe wizje wyimaginowanych ucieczek. W tej, którą przywołuje najczęściej, Siergiej Sałtykow wkrada się przez okno i ostrzega akuszerkę, że ma ani pisnąć, jeśli tylko życie jej miłe.

– Chodź, Katarzyno, zabieram cię ze sobą – mówi, wyciągając do niej ramiona.

Jego uroda zapiera dech w piersiach, burza ciemnych włosów, błysk w ocienionych kapturem oczach. Nieoznakowany powóz, mówi Siergiej, czeka przy wejściu do Ogrodu Letniego. Muszą działać szybko. Błyskawiczna ucieczka z miasta, bezpieczny dom, w którym oczekują ich wierni służący.

– Ta miłość ci nie posłuży – ostrzega ją Warwara, która ma własne sekrety. – Pamiętasz żonę Siergieja Sałtykowa?

Po co rozpamiętywać to, co nie jest już ważne? Katarzyna zamyka oczy, piekące od dymu świec. Mężczyzna, który myśli o jej bezpieczeństwie i wygodzie, w jej wyobraźni otacza ją ramionami. Całuje ją i ich nowo narodzone dziecko, które kwili cicho i rozczulająco.

– Spokojnie, Wasza Wysokość. Tędy – w jej myśli wdziera się głos akuszerki.

Na podłodze leży materac.

– Z końskiego włosia – akuszerka cmoka z uznaniem. – Najlepszy. Nigdy nie zawilgnie. I nie zalęgnie się w nim robactwo.

W powietrzu unosi się zapach rozmarynu i lawendy. Zmieszany z ciężką wonią perfum kogoś, kto niedawno był w tym pokoju. Samej carycy? Carycy, która pobłogosławiwszy ją na oczach całego dworu, wyszeptała do jej ucha ostrzeżenie:

– A teraz pospiesz się, Katarzyno. Nie każ mi czekać całą noc.

Jak można się pospieszyć w takiej chwili?

Jej wzrok przesuwa się po stole pod oknem, po świeżych pieluszkach, zwiniętych w wiklinowym koszu. Wybielonych na słońcu. Po ręcznikach i pościeli. Mięciutkich, zapewniła ją Warwara, zanim zniknęła w ciemnościach. Dobrze znoszonych i świeżo wypranych.

To na ręce Warwary złożyła list do matki. „Skoro czytasz te słowa, Matko, to znaczy, że nie ma mnie już wśród żywych". Prośba o przebaczenie za wszelkie zło, którego się dopuściła. Zapis kilku drobiazgów, które może nazwać własnymi.

Zza cienkich ścian sączą się głosy, ciche, przytłumione. Szmer modlitw, zadawanych pytań, czasem odpowiedzi. Ściszone okrzyki niedowierzania na słowa wypowiedziane wprost lub zasugerowane. Jest tam caryca i wszystkie jej damy dworu. Elżbieta, Imperatorowa Wszechrusi, która wciąż nie potrafi stwierdzić, czy sprowadzając księżniczkę Anhalt-Zerbst na żonę dla swojego siostrzeńca, zrobiła dobry interes.

Jej brzuch, duży i sterczący, sprawia, że czuje się ociężała. Dziecko w środku kopie. Czasem pod skórą zaznacza się maleńka stópka czy łokieć.

– Błogosławione dzieciątko jest gotowe na ten świat, Wasza Wysokość – mamrocze akuszerka, kiedy Katarzyna krzyczy przy kolejnym skurczu bólu. Potrzebuje rąk akuszerki, by się na nich oprzeć podczas opuszczania się na materac. To silne, doświadczone dłonie kobiety, która pomagała przy niejednym porodzie.

Głęboki wdech. A potem kolejny, choć słyszała, że petersburskie powietrze, gęste od wyziewów z kanałów, zatruwa płuca.

Dziecko, tak długo wyczekiwane. Spłata jej długu wobec carycy. Jej okup. Syn, modli się Katarzyna. Proszę, spraw niech to będzie syn.

Nie widziała swojego kochanka już od czterech tygodni. Nie dotarły do niej żadne listy, ale nie spodziewała się ich. Siergiej nie lubi pisać. A jednak liczyła na coś. Kwiat, książkę, wstążeczkę, jaką każda wiejska dziewka mogłaby dostać od ukochanego na jarmarku. W końcu to jego dziecko nosi. To jego dziecko może ją zabić.

Jej skóra tęskni za pieszczotami, które zmyłyby z niej lepki dotyk dłoni jej męża. Stęknięcia Piotra, jego spocone ciało, cuchnące po wieczorach spędzanych na piciu. Wystarczy chwila, mgnienie oka, żeby przywołać głos Siergieja:

– Nigdy nie znałem nikogo takiego jak ty, Katarzyno.

Żeby odpędzić od siebie przestrogi Warwary:

– To bałamut. Uwodziciel. Przyjmij od niego rozkosz i dziecko, które daje. A potem uciekaj.

Strach to trucizna. Może zgubić mężczyznę. Albo kobietę. Najlepiej zdeptać strach jak ogień wśród traw, zanim się rozprzestrzeni.

Tej długiej nocy czas odmierzany jest bólem. Bólem, który akuszerka ocenia niczym wytrawny kupiec. Całkiem niezły. Lepszy. Znakomity.

Co Katarzyna myśli o tym dziecku, które wciąż jest jej częścią? Przez dziewięć miesięcy usiłowała przewidzieć jego charakter. Mocno kopie, będzie umiało walczyć o swoje. Jest wrażliwe na nastroje matki. Kiedy ona jest przestraszona, dziecko zamiera w jej wnętrzu. Kiedy jest szczęśliwa, rozpływa się i stapia z nią w jedno. Kiedy o nim zapomina, porusza się, by jej przypomnieć, że nie jest już sama.

Jeżeli to chłopiec, chce, by był podobny do Siergieja, z jego bystrymi, ciemnymi oczami i gibkim, pełnym gracji ciałem, tak miłym dla oka kobiety. I do jej ojca. Z jego przenikliwym umysłem, pewnym krokiem i postawą księcia żołnierza.

Jeśli to dziewczynka...

Nie, to nie może być dziewczynka. Jej szpiedzy widzieli nabytki carycy. Nie tylko sobole i gronostaje do kołyski, i jedwabną kołderkę, ale i grzechotkę z rączką z kości słoniowej, wyrzeźbioną w kształt miecza. I malutki mundur pałacowej gwardii. Z czerwonymi wyłogami na zielonym suknie.

– Jak tylko pisklę się wykluje – mówi znacząco caryca i uśmiecha się szeroko.

Warwara, która przychodzi do niej codziennie z wiadomościami z prywatnych komnat carycy, opowiada, jak Elżbieta uparła się, że sama wybierze mamki. Wiejskie dziewczęta, które dopiero co urodziły, odsłaniają piersi, żeby ich matuszka mogła się przyjrzeć, czy nie ma na nich wyprysków, i uszczypnąć w sutki, by sprawdzić, jak płynie z nich mleko.

– Od miesięcy nie widziałam carycy tak szczęśliwej – mówi Warwara Katarzynie.

Ciało zapamięta ból wywołany przez dziecko, które cal po calu przeciska się do wyjścia, w stronę światła. Powolne rozrywanie mięśni i skóry. Rozpalone policzki, perełki potu, zbierające się na czole. Mokre, potargane włosy, zęby szczękające z wysiłku i strachu. Nogi drżące tak, jakby właśnie weszła na górę i musiała piąć się dalej.

A przez cały ten czas w jej myślach migają obrazy: Piotr, przyszły car Rosji, jej mąż, szczerzy zęby w uśmiechu. Skazał właśnie szczura na śmierć przez powieszenie.

– Dlaczego, Katarzyno? Bo ta gnida ośmieliła się podgryzać nogi moich woskowych żołnierzy.

Oczy Siergieja prześlizgują się po niej, nie widząc. Dlaczego? Bo ugania się za kolejną kobietą, taką, która jeszcze mu nie uległa.

Z tych wszystkich myśli wyrywa ją ostry krzyk akuszerki.

– Proszę przeć, przeć... nie przestawać przeć. Mocniej.

Uderzenie w policzek wydobywa ją z miękkiego, ciemnego snu, w którym tonie.

– Teraz, Wasza Wysokość! Jeszcze raz!

Aż coś śliskiego i oleistego wyślizguje się spomiędzy jej nóg. Kłębuszek ciała. Jej dziecko. Jej maleństwo. Krztusi się, krzyczy, bo to przecież musi być krzyk, ten drobniutki, przenikliwy dźwięk, dzwoneczek o tak kryształowej czystości, że ciarki przechodzą po jej skórze. Z tęsknoty. Z miłości.

Oczy Katarzyny pieką od łez szczęścia.

– Pisklę się wykluło!

Caryca, otulona błękitną satynową narzutką, pochyla się nad owiniętym w pieluszki noworodkiem. Elżbieta jest wielką kurą na grzędzie, gdacze, cmoka językiem.

– Mój jedyny, najdroższy książę, mój sokolik, mój skarb. Bezcenny... Dar niebios.

Dworzanie cisną się wokół na palcach, wytężają wzrok, by lepiej widzieć. Zdecydowani, by wycisnąć z tej doniosłej chwili wszystko, co się da. Przywlekli tu ze sobą zapach dworu, tę niepodrabialną mieszankę perfum, drzewnego dymu, roztopionego wosku i ledwo wyczuwalnej woni odchodów. To było długie czuwanie.

Na tę chwilę porzucili oszczerstwa. Wydają okrzyki zachwytu, potrząsają głowami z podziwu. Narodził się książę. Nowy dziedzic. Nadzieja Rosji. Świat stał się lepszy.

Tylko wielka księżna Rosji leży obok zapomniana.

Tym lepiej, bo Katarzyna nie znosi litości. I fałszywych grymasów, podszywających się pod uśmiechy. Precz stąd, myśli sobie. Wszyscy, co do jednego!

Wielka księżna leży na materacu, pościel jest wygnieciona i przesiąknięta krwią, jej wnętrzności rozdarte i puste. Porzucona w pełnym przeciągów pokoju w Pałacu Letnim, gdzie w sennym majaku widzi własnego brata, dawno zmarłego, który wskazuje na nią swoim chudym, zakrzywionym palcem. Krzyczy:

– Mamo, chodź tutaj. Zofia robi do mnie głupie miny!

Zofia, uparte dziecko, które nigdy nie słucha matki, które zostanie żywcem pogrzebane, z ręką wystającą ze świeżego grobu. Zofia, której ramiona i głowa były pokryte strupami, której kościom groził rachityzm.

Na zewnątrz, w korytarzu, słychać głosy, łomoty, skrobanie.

– Ryczący niedźwiedź – mówi ktoś.

– Smutny los – dodaje ktoś inny. Czy mówią o jej maleństwie? Czy o niej?

A potem słyszy:

– Żyjesz, Wasza Wysokość. Jestem tutaj. A ty masz syna.

To Warwara, jej szpieg w sypialni Elżbiety. Sztywny biały czepiec przykrywa jej włosy, nadając jej wygląd zakonnicy. Jej paplanina nigdy nie ustaje, jakby jej słowa były liną rzuconą tonącemu.

– Kiedy moja Daria, moja córeczka, się urodziła... kiedy akuszerka sobie poszła... kiedy minęła mi gorączka... pierwsze tygodnie są najtrudniejsze...

Dłonie Warwary są miękkie i zręczne, gdy ociera nimi pot i krew. Składa poplamione prześcieradła. Przynosi kielich zimnego kwasu malinowego. Gdyby tylko głos Warwary przestał owijać się wokół niej, wślizgiwać w najmniejsze szczeliny. Wywoływać obrazy, które nie są jej potrzebne. Szczęśliwej matki w watowanym szlafroku i pantoflach z niedźwiedziej skóry. Tulącej w ramionach małą córeczkę. Przesuwającej wargami po jej jedwabistych policzkach.

– Dokąd ona zabrała mojego syna, Warieńko?

– Do swojej sypialni. Jest tam bezpieczny. Dała mu na imię Paweł. Paweł Piotrowicz.

– Jak on wygląda?

– Jest piękny.

To, co mówi Warwara, jest ogólnikowe, banalne i niezbyt przydatne. Paweł Piotrowicz jest piękny, bo ma piękne paluszki, zwężające się na końcach i maluśką kępkę włosków. Paweł jest piękny, bo ma piękny uśmiech.

– Proszę, nie płacz – błaga Warwara. – Proszę... Już po wszystkim.

Wcale nie jest po wszystkim. Nie jest dobrze. I nigdy nie będzie. Gdzieś za tymi ścianami płacze noworodek, a jego wargi szukają jej na próżno. Dziecko, zrodzone na świat, w którym matce nie wolno go dotykać, kołysać go w ramionach i scałowywać jego łez.

Nawet krowie wolno lizać jej nowo narodzone cielę. Wdychać zapach jego skóry, jego oddechu.

Czy wielka księżna Rosji jest czymś gorszym od krowy?

– Ćśś… musisz przestać płakać… ktoś mógłby cię usłyszeć. Caryca nie może pomyśleć, że jej nie ufasz. Że nie potrafi zająć się twoim dzieckiem.

Serce może twardnieć tylko do pewnego momentu, a potem pęka.

– Posłuchaj mnie, Warieńko! Przestań mówić i słuchaj.

– Chcę, żeby ona umarła! Chcę zobaczyć, jak walczy o ostatni oddech. Chcę patrzeć, jak umiera. Sama.

– Będę mówić, co chcę. Nic mnie nie obchodzi, kto tego słucha!

Na twarzy Warwary maluje się strach. Jej spojrzenie ucieka na boki. Potrząsa głową, kładzie dłoń na ustach.

– Ćśś – szepcze. – To tylko ból przez ciebie przemawia. To nie ty. Ćśś.

Niektórych lekcji nie udało się Katarzynie pojąć. Dlaczego? Bo pielęgnowała złudzenia. Pochlebiała sobie. Nie przyjmowała do wiadomości tego, co miała przed oczami. Zakładała że w imperium miłości pewne rzeczy są święte.

Siergiej mówił:

– Świata poza tobą nie widzę. – A ona mu wierzyła.

Siergiej powiedział:

– Dałem ci syna. Zapewniłem ci bezpieczeństwo, ale teraz będę musiał się trzymać z daleka. Boli mnie to jeszcze bardziej niż ciebie. – A ona mu uwierzyła.

– Twój los spoczywa teraz w twoich rękach, Katarzyno – powiedział Siergiej.

Ale w to nie uwierzyła.

Jest już zima. Katarzyna rozkazała, by jej łoże przeniesiono do małej alkowy i ustawiono pod zamkniętymi na klucz drzwiami. Chce uciec od przeciągów, powiedziała służącym. Od kiedy urodziła, jej ciało nie potrafi zatrzymać ciepła. Wystarczy, że stoi przez kilka minut, a jej stopy zaczynają puchnąć. W swoim małym pokoiku, zwinięta w kłębek pod puchową kołdrą i futrzanym kocem, czyta albo – kiedy słowa przestają mieć sens – wpatruje się w zaryglowane drzwi. Wypukłe słoje drewna tworzą misterny wzór z poziomych linii; otwory wskazują, gdzie niedbale wstawiono nowy zamek w miejsce starego. Niekiedy drewno skrzypi, szczególnie nocą, kiedy chłód i cisza potęgują wszystkie dźwięki.

Brzuch nadal ją boli. Ból zaczyna się w jednym punkcie, gdzie rozdarła ją główka dziecka, a potem przemieszcza się w górę. Katarzyna stara się nie myśleć o synu, którego nie wolno jej oglądać dłużej niż mgnienie załzawionego oka. O owiniętym w pieluszki maleństwie z wodnistymi niebieskimi oczkami i kępką blond włosów.

Czasami jej się udaje.

Siergiej, jej ukochany, ma krucze pukle i czarne oczy. Czy to możliwe, żeby Paweł był jednak dzieckiem Piotra? To przypuszczenie napawa ją wstrętem. Nie tylko dlatego, że mdli ją na samo wspomnienie lepkich dłoni męża, ale dlatego, że nie ma on w sobie nic, czego odziedziczenia życzyłaby swemu synowi.

Czasem pełna dobrych chęci dworka przychodzi do niej z wiadomością o tym, jak to mały Paweł płakał całą noc. Albo jak ziewnął z nieopisanie pocieszną miną. Albo jak ssał własną piąstkę. Albo jak nasiusiał na mamkę, kiedy zdjęła mu pieluszki.

Po tym, jak wydała na świat syna, na jej brzuchu pojawiła się czarna pręga. Skóra się rozciągnęła, a mięśnie nie są już tak silne jak dawniej. Czy Siergiejowi podobałaby się taka, jaka jest teraz? Myśli o nim, w odległej Szwecji, dokąd caryca wysłała go, żeby „wielka księżna przestała się poniżać".

Nie pisze do niej. To zbyt niebezpieczne. Katarzyna nie wie nawet, kiedy będzie mu wolno wrócić. Gdy przychodzą takie myśli, wsuwa dłoń między uda i przyciska ją mocno, ale takie pieszczoty z potrzeby zawsze przynoszą rozczarowanie.

Teraz, kiedy Rosja ma carewicza, wielkiej księżnej nie można już tak łatwo zlekceważyć. Dworskie rachuby wymagają ponownej kalkulacji. Czy lepiej popierać następcę tronu, czy matkę jego dziedzica i sukcesora? Które z nich przetrwa dłużej, kiedy już caryca zamknie oczy? Które wytrzyma próbę pałacowych intryg? Zdobędzie więcej serc? Rezultaty tych wahań powoli zaczynają się ujawniać. Napływają zapewnienia o oddaniu, którym towarzyszą prezenty: zwoje tkanin, skrzynie win, cenne książki, zaproszenia na przyjęcia imieninowe, prośby o możliwość potowarzyszenia jej przy grze w karty. Zagorzali stronnicy Piotra, hrabina Szuwałowa i jej szwagrowie nadal knują przeciwko niej, lecz kanclerz Bestużew – jej niegdysiejszy wróg – zasypuje wielką księżną obietnicami poparcia.

W Pałacu Zimowym dla wszystkich jest jasne – albo ona, albo Piotr.

Przyszły car przychodzi do jej pokojów co wieczór. Pyka glinianą fajkę, posyła w kierunku żony chmury gryzącego dymu i wygłasza swoje rewelacje. Rosyjskie statki są tak przegniłe, że zatopiłaby je salwa na cześć carycy. Dżdżownice ugotowane w oliwie i czerwonym winie są w wojsku najlepszym remedium na stłuczenia. Oczy Piotra nie zatrzymują się na niej, lecz gonią za jej dworkami, prawdziwymi adresatkami tych codziennych wizyt. To dla nich Piotr trefi peruki w modny kształt „gołębich skrzydeł" i zlewa się perfumami niczym sułtan. Czy raczej dla jednej konkretnej. Elżbiety Woroncowej, zwanej przez wszystkich das Fräulein.

– Tak, Wasza Wysokość... Nie, Wasza Wysokość... Wasza Wysokość jest taki mądry...

Woroncowa może być niska, brzydka i prostacka, ale nie dla Piotra.

Ona, jego żona, usiłuje wywołać w sobie oburzenie, ale bez skutku. Prawda jest taka, że nic poza obecnością kochanka nie potrafi wyrwać Katarzyny z rozpaczy. Ze skrawków wspomnień usiłuje odtworzyć szczupłą twarz Siergieja, szuka jego niskiego, głębokiego głosu w głosach innych mężczyzn, wyobraża sobie jego dotyk, jego pieszczoty, aż męka jego nieobecności staje się nie do zniesienia. Ma takie uczucie, jakby ktoś powoli rozdzierał ją na części, kawałek po kawałku.

– Wasza Wysokość musi mnie wysłuchać – mówi kanclerz Bestużew. – Nie ma dobrego sposobu na przekazanie tego. Nie będę nawet próbował.

W Szwecji, informuje ją Bestużew z zadowoleniem, którego nawet nie stara się ukryć, Siergiej Sałtykow paraduje dumny niczym paw, zdobny w splendor cesarskiego romansu.

– Frywolny – mówi kanclerz. – Niedyskretny.

Siergiej przechwala się namiętnością, jaką żywi dla niego wielka księżna, i daje do zrozumienia, że może mu ona przynieść jeszcze większe korzyści.

– Nie wierzę – krzyczy Katarzyna. Słyszała to już wcześniej. Siergiej zawsze był obiektem plotek. – Dlaczego wszystkim zależy, żebym przestała go kochać?

Kanclerz Rosji z powagą kiwa głową i zmienia temat. Wyskoki das Fräulein coraz bardziej go drażnią. To, jak się mizdrzy. Jej prostackie dowcipy, które bawią wielkiego księcia: Do karczmy przychodzi mucha i zamawia talerz gówna z cebulą.

– Tylko nie dawaj za dużo cebuli – mówi mucha karczmarzowi. – Nie chcę, żeby ode mnie śmierdziało.

Kanclerz wzdycha i sugeruje, że takie żarty nietrudno jest powtórzyć. Mógłby dostarczyć Jej Wysokości całą serię, o wielkich panach i damach, którzy odczuwają nagłą potrzebę ulżenia sobie w najbardziej niespodziewanych miejscach, lub też o popularnych kombinacjach mających miejsce podczas spółkowania.

– Wasza Wysokość mogłaby także rozbawić czasem małżonka... wiedząc, jak śmiech przynosi ulgę.

Katarzyna potrząsa głową.

Bestużew nie jest jedynym, który próbuje zatruć jej uczucia do Siergieja. Wszyscy wokół czują się uprawnieni do tego, by oczerniać jej kochanka. Warwara wylicza na palcach pytania, jedno po drugim:

– Czy nie odesłał żony tylko po to, żeby uwolnić się od jej łez? Czy nie zastawił klejnotów matki?

Być może Siergiej rzeczywiście obmawia ją na szwedzkim dworze, przyznaje Katarzyna, ale tylko dlatego, że wierzy, iż to jedyny sposób, by ją ochronić. Zwiększyć dystans między nimi. Powstrzymać plotki, które mogłyby zaszkodzić jej samej i dziecku.

Musi tylko z nim porozmawiać.

Wysłuchać go.

Dać mu do zrozumienia, że ona się nie zmieniła.

I rzeczywiście go zobaczy. Jak tylko on wróci do Rosji na Nowy Rok.

1755 będzie rokiem wielkich zmian.

Ubłagała carycę Elżbietę, by zwolniła ją z udziału w balu sylwestrowym. Teraz, kiedy już dostała pozwolenie, ubrana w białą muślinową suknię wiąże włosy różową wstążką i perfumuje ciało. Zanim pokojówka wyszła, dostała polecenie, by dołożyć polan do ognia. Niebawem w sypialni jest na tyle ciepło, że można się pozbyć grubych pończoch i futrzanych pantofli.

Katarzyna czeka. Z korytarzy w Pałacu Zimowym, które oddzielają salę balową od jej komnat, dobiegają dźwięki muzyki. Słychać śmiech i okrzyki zachwytu. Hulacy bez przeszkód włóczą się po pałacu; kochankowie szukają pustych pokojów, w których mogliby się ukryć. Kroki zbliżają się, a potem stopniowo cichną.

Katarzyna otwiera książkę i znów ją zamyka. Ogień w kominku zajmuje na jakiś czas jej uwagę. Kiedy niepokój staje się nie do zniesienia, wypija łyk laudanum prosto z butelki, nie rozcieńczając go nawet wodą. Po języku rozlewa się gorzki smak, ale chwilę później uspokaja ją ciepło w żołądku.

Targuje się z losem. Jeżeli on przyjdzie w tej chwili, dam jałmużnę na ubogich. Kiedy nie przychodzi, Katarzyna proponuje więcej. Sprzedam moje klejnoty i wezmę pod opiekę pięć sierot. Dziesięć, nie, dwadzieścia sierot i sfinansuję ich wychowanie. Nauczę je czytać, pisać i liczyć.

Zapewnię im posag.

Znajdę dla nich mężów.

Niewiele pamięta z dalszej części tego wieczoru. Zagląda do niej kilka przyjaciółek – tych, które obiecały mieć Siergieja na oku. Starają się pomóc. Tak, widziały jej kochanka. Tak, przekazały mu jej zapewnienia. Tak, Siergiej wie, że na niego czeka. Że jest sama.

Pamięta swoje pytanie:

– To dlaczego jeszcze go tu nie ma?

Wspomnienie ich odpowiedzi umyka Katarzynie. Jakaś gęsta, senna mgła utrudnia jej myślenie. Słowa stają się bełkotliwe.

Czyż Siergiej nie powiedział jej kiedyś:

– Przecież jesteś moją ukochaną, królową moich myśli.

Co mogło się zmienić?

Przychodzi do niej, tydzień później. Po tym, jak żadne napomnienia ani perswazje służących nie były w stanie sprawić, by ubrała się i przyjęła kogokolwiek. Jak pozwoliła, by jej włosy stały się tłuste i cuchnące. W zmatowiałych pałacowych lustrach jej twarz robi wrażenie bladej i zmizerniałej. Wygląda, stwierdza Katarzyna, jakby poddano ją kwarantannie podczas zarazy, żeby choroba nie mogła się rozprzestrzenić.

Siergiej wchodzi do jej komnaty niezapowiedziany, przynosząc ze sobą zapachy drogi: dymu z ogniska, mokrej skóry, końskiego potu. W jego ręce widzi podarunek ze Szwecji, bukiet z sosnowych szyszek i żołędzi, przewiązany czerwoną wstążką.

– Dla Waszej Wysokości – mówi, jakby dawał jej coś kosztownego.

Katarzyna pospiesznie odsyła służące. Kiedy znikają, zarzuca mu ręce na szyję i kładzie głowę na jego piersi. Serce Siergieja bije szybko, ale dłonie się nie unoszą, ramiona jej nie obejmują.

Zajmuje jej chwilę, zanim zrozumie, że to, co słyszy, to pełne dezaprobaty cmoknięcie.

– Wielka księżna Rosji jest na językach całego dworu. Nie słyszałaś, jak nazywają cię Szuwałowowie?

Zdejmuje jej ręce ze swojej szyi i nakazuje, by usiadła.

– Przyszedłem – mówi – bo mnie do tego zmusiłaś.

Katarzyna słyszy jego słowa, ale nie dopuszcza do siebie ich znaczenia. Paple o swoim bólu, obawach, o straszliwej samotności. Pragnie, by wiedział, jak bardzo za nim tęskniła.

Kiedy po jej policzku spływa łza, on ociera ją palcem.

– Nigdy nie chciałem cię skrzywdzić – mówi.

Głos Siergieja łagodnieje. Słowa jak dojrzałe i pachnące owoce obiecują rozkosz. Dwór, mówi, to bagno pełne intryg i zazdrości. Ostrzeżono go, że caryca nie życzy sobie, by się do niej zbliżał, więc musiał usłuchać. Myślał, że ona zrozumie. Czyżby się mylił? Jego wargi suną po jej nagim ramieniu.

– Rozumiem – mruczy ona poprzez radość i ulgę. Siergiej wrócił. Kocha ją. Przez cały czas miała rację.

Rozpina jego bryczesy i wsuwa dłoń do środka.

I wtedy on ją powstrzymuje. Jego uścisk sprawia ból. Słowa spadają na nią jak smagnięcia knutem.

– Inne kobiety mogą pozwolić sobie na zaślepienie, ale nie ty, Katarzyno!

– O czym ty mówisz? – pyta ona, wciąż nie rozumiejąc.

– Uwierzyłaś właśnie w kolejne kłamstwo.

– Jakie kłamstwo?

– Wszystko, co ci przed chwilą powiedziałem, to kłamstwo. I dobrze o tym wiesz.

Katarzyna zakrywa sobie uszy dłońmi, ale on je odciąga. Jego szept mrozi serce.

– Jestem kłamcą, Katarzyno. Nie dbam o żadną kobietę, która mi uległa. Chciałbym, żeby było inaczej, ale taki właśnie jestem. Kocham tylko to, czego nie mogę mieć. Nikt mnie nie zmuszał, żebym ci to powiedział. Dawałem ci wiele sygnałów. Ale nie chciałaś ich dostrzec. Jakich jeszcze dowodów ci trzeba?

Ona potrząsa głową, żeby go powstrzymać, lecz on nie zwraca na to uwagi.

– Chcesz, bym schlebiał twoim uczuciom, Katarzyno, ale ja nie zamierzam tego robić. Pomyśl o tym w ten sposób: psujesz mi zabawę swoim bólem. Sprawiasz, że czuję się nieswojo. Nie chcę uważać się za kogoś okrutnego. Czy bezlitosnego. Dlatego muszę rozwiać to twoje niemądre złudzenie. Posłuchaj mnie. Nie jestem jedynym takim mężczyzną. Niektórym z nas naprawdę zależy wyłącznie na rozkoszy pościgu. – Później wszystko to będzie się wydawać jednym długim koszmarem, ale w tym momencie każde słowo jest jak rozżarzony sztylet, wbity w jej serce. – Odejdę i nie będę ci się więcej naprzykrzał. Wysyłają mnie zresztą do Hamburga, więc nie będziesz musiała mnie widywać. Szuwałowowie mówią…

– Co mnie obchodzi, co mówią Szuwałowowie? – Musi powstrzymywać się ze wszystkich sił, by nie wrzasnąć.

– Ponieważ każde z nich nastawia carycę przeciwko tobie. Wmawia jej, że jesteś wścibska, tak samo jak twoja matka. Że chcesz ukraść jej koronę. Że nie zawahasz się przed niczym. A na dobitkę mówią twojemu mężowi, że jesteś nierozsądna i arogancka. Że na niego nie zasługujesz. Że powinien wziąć sobie kochankę, która pragnie zadowolić mężczyznę, a nie go zdominować. Czy tego właśnie chcesz? Żeby twoje miejsce zajęła das Fräulein czy jakaś inna intrygantka? Żebyś straciła resztki wpływu na swojego męża?

Jej wargi się poruszają, lecz nie wydobywają się z nich żadne słowa.

– Mam dla ciebie podarunek – mówi dalej Siergiej. – Lepszy niż te żałosne szyszki, które kupiłem przed chwilą od jakiegoś ulicznego handlarza. To zaledwie kilka słów: W twoim sercu jest miejsce na znacznie więcej, niż ci się wydaje.

Katarzyna nie może przestać szlochać. Nie potrafi. Łzy podchodzą jej do gardła, dławią.

– Spraw sobie nową suknię. Zrób coś z włosami. Uróżuj policzki. Wejdź na salę balową i pokaż im, kim naprawdę jesteś.

Nie kaczątkiem, Katarzyno. Jastrzębiem.

Trzy lata, myśli, kiedy za Siergiejem zamykają się drzwi. Oddałam temu łajdakowi trzy lata życia.

Miota nią furia. Pradawna, bezmierna. Na Siergieja. Na siebie samą. Furia zmieszana z żalem, pogrążającym ją w smutku, by znów stać się furią. Przemierza komnatę tam i z powrotem; jej obcasy walą w podłogę jak wystrzały z muszkietów.

Zaciśnięte pięści uderzają w policzki. Potyka się o coś. To szyszka. Szyszka, którą ciska w ogień, zaskoczona tym, jak ta błyskawicznie się spala.

Opada na fotel. Przed oczami pojawia się obraz – Siergiej leży obok niej, a z jego ust na nitce śliny zwisa słomka.

Katarzyna nie może odepchnąć tego wspomnienia. Ale w jej głowie słychać już inny głos. Cichy, lecz wyraźny.

Zdrada jest jak trucizna. Dawka zbyt mała, by zabić, zamiast tego wzmacnia.

Na bal 10 lutego, wydawany dla uczczenia dwudziestych siódmych urodzin Piotra, Katarzyna zamawia błękitną suknię z aksamitu haftowaną w złote dębowe liście. Z koronkowymi krezkami przy mankietach. I aksamitne mitenki oblamowane futrem kuny. Talię przewiązuje szkarłatną szarfą. Miesiące, podczas których usychała z tęsknoty zamknięta w swojej komnacie, nadały jej skórze przejrzystą bladość. Powicie dziecka sprawiło, że jej piersi się zaokrągliły, a na biodrach pojawiła się miękka warstewka tłuszczu.

Na balu podchodzi do męża bez wahania. Urodzinowe życzenia płyną z jej ust swobodnie i z wdziękiem. Kiedy das Fräulein się krzywi, ona, Katarzyna, wielka księżna Rosji, zwraca się ku niej.

– Mademoiselle – mówi – złość zniekształca pani rysy. Jeśli jej pani nie powściągnie, może im trwale zaszkodzić.

Po tych słowach zapada cisza. Skąd wzięła się ta niespotykana odwaga? Kto ją wzbudził? Czyje potajemne poparcie?

Katarzyna widzi te podejrzenia, jakby były robakami, wijącymi się na wilgotnej, świeżo poruszonej ziemi.

Rozradowanie das Fräulein znika niczym płomień zdmuchniętej świecy. Posyła swojemu kochankowi szybkie, błagalne spojrzenie. Ale Piotr to Piotr, jest tak samo słaby i niepewny jak zawsze. Jest również tchórzem, a tchórze chylą czoła przed siłą i gotowi są schować się za każdym, kto zaoferuje im ochronę. Nie masz na co liczyć z tej strony!

Das Fräulein nie jest dla Katarzyny żadnym przeciwnikiem. Wieczór jest długi, a wielka księżna Rosji dopiero zaczęła.

„W czużom głazu sorinku zamietno, a w swojom – brewna nie widat"'. Widzisz drzazgę w oku swego brata, a belki we własnym nie widzisz.

Jej słowa, obserwuje Katarzyna, krążą po skrzącej się sali balowej. Trzepoczą wachlarze, dworzanie spieszą od jednej grupki do drugiej, powtarzając to, co powiedziała.

– Zrobiłaś się nieznośnie dumna – informuje ją Piotr. – Wszyscy się na ciebie skarżą.

– Kim są ci wszyscy, Piotrze?

Jej mąż wybucha śmiechem pełnym ponurej wesołości.

– Mówiono mi, że o to zapytasz. I że to będzie pierwsza rzecz, o którą spytasz. Ale ja wiem, jak przemówić ci do rozsądku.

– Pozwól, że w takim razie spytam cię o inną rzecz, Piotrze – mówi Katarzyna. – Na czym dokładnie polega moja duma?

Piotr marszczy swój nos mopsa, jakby węszył w powietrzu, szukając podpowiedzi.

– Trzymasz się zbyt prosto – mówi w końcu. W jego głosie słychać niepokój. Jakkolwiek wyobrażał sobie jej kwestię, z pewnością brzmiała inaczej, chyba że zapomniał słów, które Szuwałowowie usiłowali wbić mu do głowy.

– Czy zatem chcesz, bym chodziła z pochyloną głową, jak niewolnica? – W jej głosie pojawia się rozdrażnienie.

– Wiem, jak przemówić ci do rozumu – odpowiada on. – Jesteś bezczelna. Trzeba dać ci nauczkę.

– I jak zamierzasz to uczynić? – odcina się ona.

Piotr nie jest przygotowany na taki spokój. Przyparła go do muru; powinna pamiętać, że w takiej sytuacji nawet tchórz bywa niebezpieczny. Ale nie w głowie jej teraz takie rozważania.

Oparty plecami o ścianę Piotr wyciąga szpadę z pochwy.

– Co planujesz z tym zrobić? – pyta Katarzyna lodowato. – Wyzwać mnie na pojedynek? W takim razie ja także powinnam dostać szpadę, nie sądzisz?

Jej mąż czerwienieje i wsuwa broń z powrotem do pochwy.

– Jesteś zawsze taka złośliwa – mówi.

– W jaki sposób?

– Wyśmiewasz się z moich przyjaciół. Upokarzasz ich.

– Twoich przyjaciół, Piotrze? – pyta ona. – A kimże oni są, ci prawdziwi przyjaciele, dla których jestem taka złośliwa?

– Hrabina Szuwałowa mówi... – mamrocze on.

– Szuwałowowie mienią się twoimi przyjaciółmi – przerywa mu Katarzyna. – Ale czy przyjaciołom wypada publicznie upokarzać twoją żonę? Obmawiać ją za plecami? Czy przyjaciele powinni wysyłać męża, by skarcił własną żonę, choć on sam w gruncie rzeczy nie wie za co?

Piotr wpatruje się w nią, mrugając oczami, a jego niegdyś biała skóra jest teraz zaczerwieniona i pokryta dziobami. Otaczający go kwaśny odór wódki zmieszanej z tytoniem sprawia, że żołądek podchodzi Katarzynie do gardła.

– Tak się właśnie dzieje, kiedy mi nie ufasz – jąka się Piotr. – Gdybyś przyszła do mnie poskarżyć się na Szuwałowów, wszystko byłoby dobrze.

Jej mąż się wycofuje, niemal ją przeprasza. To propozycja rozejmu, którą jeszcze parę tygodni temu by przyjęła. Teraz jednak ją odtrąca.

– Na co miałabym się skarżyć, Piotrze? Na pogłoski? Pomówienia? Czy nie zażądałbyś ode mnie dowodów? Czegoś jednoznacznego?

Piotr nie nadąża już za jej rozumowaniem. Niczym tonący chwyta się myśli o stanięciu w obronie żony. Wyobrażenia, które jest wielkie, szlachetne i piękne.

– Ostrzegłbym ich, żeby dali ci spokój. – Jego poplamione tytoniem palce nadal ściskają kurczowo rękojeść szpady.

Katarzyna marszczy brwi.

– Nie powinieneś już nic mówić, Piotrze. Za dużo wypiłeś.

Zaskakuje go surowość w jej głosie.

– Ty... ty... – zacina się. – Dlaczego ty...

– Idź spać – przerywa mu Katarzyna i odchodzi.

Nieco później tego samego wieczora Katarzyna jest w salonie i gra w karty z Lwem Naryszkinem i ambasadorem Wielkiej Brytanii. Koronkowe krezki przy mankietach podkreślają jej kształtne dłonie. Mitenki nie pozwalają, by chłód przejął ją do szpiku kości.

Karty miękko uderzają o stół.

Właśnie pozwoliła swoim towarzyszom na wygranie kolejnej partii, po trzysta rubli dla każdego, dlatego obaj są w wyśmienitych humorach, kiedy zbliża się do nich Aleksander Szuwałow. To brzydki mężczyzna o wyłupiastych oczach i drgającym nerwowo policzku. Szuwałow jest głową Tajnej Kancelarii; przywykł do tego, że samo jego spojrzenie wywołuje lęk. Szpiedzy Katarzyny donoszą, że potrafi zabić człowieka jednym ciosem w skroń.

Zanim zdąży się odezwać, wielka księżna wskazuje na tacę, na której stoją obok siebie butelka szampana i malagi.

– Słyszałam, że szampan psuje krew – oznajmia. – Doktor Halliday zaleca mi, abym piła zamiast niego malagę. – Drgający policzek Szuwałowa sprawia, że wygląda jak okaleczony cyklop. – Caryca zapytała, czy się z nim zgadzam – ciągnie dalej Katarzyna. – Powiedziałam, że jeszcze nie wiem.

Lew Naryszkin chichocze. Jej groźby są jasne: wszyscy wiedzą, że Szuwałowowie mają monopol na szampana.

Katarzyna podnosi karty, powoli rozkłada je w wachlarzyk, jedną po drugiej i kładzie na stole damę pik.

– Jesteś w stanie to przebić, książę? – pyta, gdy tymczasem Aleksander Szuwałow składa sztywny ukłon i odchodzi.

Carewicz, myśli Katarzyna.

Paweł jest takim drobnym dzieckiem, chudym, z oczami, które mrużą się nerwowo, ilekroć pojawia się przed nimi coś nowego. Mamki bezustannie się nad nim trzęsą. Nie pozwalają mu stanąć na własnych nogach, wiecznie kręcą się wokół niego jak gdaczące kwoki. Łapią go za łokcie przy najlżejszym zachwianiu, nie wspominając nawet o upadku.

Czy to dlatego po zrobieniu jednego czy dwóch samodzielnych kroków Paweł domaga się, żeby go podnieść i nosić na rękach? Jęczy i marudzi przy najmniejszym opóźnieniu?

Elżbieta go psuje, stwierdza Katarzyna. Skoro pobłaża mu się we wszystkim, jak ma się nauczyć czegokolwiek pożytecznego?

Wielkiej księżnej wolno widywać się z synem nie częściej niż raz w tygodniu. Przygotowuje się wewnętrznie na te wizyty, odgradza od siebie żal i myśli o tym, co mogłoby być, lecz nie będzie. Dziecko jest zawsze zbyt grubo ubrane, buzię ma spoconą i zaczerwienioną. Nie zna samotności, ciszy, nudy, która zmusiłaby je do wymyślenia sobie własnych rozrywek. Ktoś stale do niego grucha, śpiewa mu, opowiada ludowe bajki. Pokój dziecinny jest tak wypełniony zabawkami, że nic nie jest w stanie utrzymać uwagi małego na dłużej.

Co takiego mogłaby mu przynieść, czego on jeszcze nie ma? Bukiecik polnych kwiatów? Szyszkę? Garść lśniących kasztanów?

– Spójrz! Nie chcesz dotknąć? Zobaczyć, jakie są gładkie?

Paweł kręci głową albo zakrywa oczy rączkami. Albo chowa buzię w fartuchu niańki, co spotyka się z pełnym uznania chichotem.

Co one mu opowiadają? Że jego matka to czarownica? Baba-Jaga z bajek, która tuczy dzieci, żeby je potem zjeść? Czy to dlatego mały wypluwa konfitury morelowe, które mu przyniosła?

– Nie wiem, co opowiadają mu opiekunki – mówi Warwara. Odwraca wzrok, ponieważ tak naprawdę wie, ale postawiła sobie za cel być jej wybawczynią, aniołem stróżem, który nie dopuszcza do niej złych wiadomości.

– Nie możesz się dowiedzieć?

Dzieci wyrastają ze swoich lęków, zapewnia ją Warwara. Dzieci zapominają, co się im opowiadało. Zmieniają się. Matczyna miłość zawsze wygrywa.

Jest mnóstwo pytań, których wielka księżna nie powinna zadawać, ostrzegają ją przyjaciele. Czy mój syn ma apetyt? Czy budzi się w nocy? Czy dużo płacze? Dlaczego jest taki bojaźliwy? Caryca nie powinna mieć powodów, by przypuszczać, że wielka księżna jej nie ufa.

– Mój syn jest w najlepszych rękach – powinna mówić.

Albo:

– Nikt na całym świecie nie potrafiłby zadbać o Pawła lepiej niż Jej Cesarska Wysokość.

Powinna się przy tym uśmiechać. Szerokim uśmiechem, pełnym beztroskiej pewności. Zaufania. Matczynej wdzięczności.

Słucha tych napomnień. Musi. Nikt nie jest w stanie przetrwać sam. Losowi trzeba pomagać. Caryca niedomaga. Decydujący moment jest blisko. To nie potrwa już długo.

Dzień po dniu przyjaciele ukradkiem przychodzą do komnat Katarzyny. Nauczyli się stawać niewidzialni. Skrobanie w drzwi jest znakiem. Miauczenie kota. Czerwona chustka pod jej poduszką. Poklepanie po ramieniu w Teatrze Rosyjskim. Wciśnięty w dłoń liścik z pospiesznie nagryzmolonymi słowami: „La grande dame nadchodzi". Ostrzeżenie dostarczone w samą porę tak, by Katarzyna wiedziała, że caryca wybiera się do niej z niezapowiedzianą – w jej przekonaniu – wizytą. Wizyta, która zastanie wielką księżną samą, pogrążoną nie w lekturze jakiejś zakazanej książki, lecz w żarliwej modlitwie, bijącą pokłony przed świętymi ikonami.

Bez swoich przyjaciół Katarzyna przepadłaby już dawno.

Lew Naryszkin szepcze:

– Nie wszyscy mężczyźni są tacy jak Siergiej, Katarzyno... Jedno zgniłe jabłko nie musi zepsuć całej beczki.

Obmyśla dla niej plany ucieczki z pałacu, które pozwolą na kilka godzin wolności. Katia Daszkowa wie, co Szuwałowowie mówią Piotrowi. Warwara Nikołajewna słyszy, jak gwardziści pałacowi śmieją się za plecami Piotra, drwią z jego obcisłego holsztyńskiego munduru, zmuszającego go do drobienia nogami jak małe dziecko. Mówią, że jej mąż przypomina Fryderyka Wielkiego tak samo jak orangutan – człowieka.

Nie wszyscy mężczyźni są tacy jak Siergiej, powtarza sobie.

Stanisław, kochający i ukochany, jest – tak jak ona – cudzoziemcem na tym dworze, podróżnikiem z Polski, poszukującym wiedzy. Zagubionym, jak wyznaje, w rosyjskim bezmiarze. Oszołomionym szczęściem, o którym nawet nie śnił.

Od tych słów, wypowiadanych w zimowych ciemnościach, przełamywanych rozbłyskami latarni, które wypełniają ulice wonią nasion konopi, Katarzyna dostaje gęsiej skórki.

Podczas przejażdżki saniami tulą się do siebie pod futrami z lisów, zanurzeni we własnym żarze, niepomni na mróz, który szczypie ich w policzki. Ich zapachy mieszają się ze sobą, odurzające połączenie perfum i potu. Dłonie splatają się pod futrami.

Kiedy wyjeżdżają za bramy miasta, sanie nabierają prędkości. Wkrótce fruną poprzez zamarznięte pola. Dzwonią dzwonki przy uprzęży. Sowicie opłacony woźnica ani razu nie spogląda w ich stronę.

Katarzyna kładzie rękę na udzie Stanisława, lekko zaciska na nim palce. Jest w tym geście wszystko, czułość i tęsknota, słowa miłości, szeptane z namiętnym uniesieniem. W takich chwilach Katarzyna niemal wierzy, że nic ich nie rozłączy.

A wtedy nagle spada na nią ciemność, gęsta, lepka i nieprzenikniona. Kiedy wraca jej przytomność, Katarzyna leży płasko na śniegu z posiniaczonym ciałem i głową pękającą z bólu. Ponad nią, na niebie, Wielki Wóz nakrapiany srebrzystymi cętkami. Stanisław klęczy przy niej z rękami splecionymi w modlitwie, błagając, by przeżyła.

Katarzyna nie pamięta samego wypadku, próbuje więc poskładać to, co wydarzyło się przed chwilą, z urywanych słów ukochanego. Koń potknął się i upadł, sanie się przewróciły; ona wyśliznęła mu się z ramion i poleciała w ciemność.

– Moja głowa – szepcze Katarzyna. Jej powieki są ciężkie, myśli brzęczą nieznośnie.

– Musiałaś uderzyć w kamień – mówi Stanisław. – Myślałem, że cię straciłem.

Katarzyna podnosi głowę, choć zalewa ją fala mdłości. Usta ma spękane, na języku czuje smak krwi. Przerażony woźnica błaga ich, żeby wsiedli do sań, które jakimś cudem udało mu się postawić na płozach.

– Wasza Wysokość – błaga, gotów paść przed nią na ospowatą, czerwoną twarz – ulitujcie się nade mną.

Śnieg wydaje się nieprawdopodobnie miękki i kojący. Stanisław położył go trochę na jej czole, gdzie teraz topi się i ścieka po jej szyi. Co teraz?, pytają jego oczy.

– Pomóż mi wstać – szepcze Katarzyna.

Stanisław wyciąga rękę. Ona podnosi się ostrożnie, gestem powstrzymując wystraszonego woźnicę. Pierwsze kroki są bolesne. Czuje ból w krzyżu, w żebrach, i jak puchnie jej prawe kolano. Kulejąc, podchodzi do sań, oparta na ramieniu kochanka. Stanisław szczęka zębami, jego podbródek drży. Modlił się, by przeżyła. W zamian za to ofiarował Bogu swoje życie i szczęście. Teraz jej o tym opowiada, o wszystkim tym, czego życzy jej, droższej mu nad własną duszę.

– Gdybyś umarła – przysięga – utopiłbym się w Newie.

Kiedy siedzi już z powrotem w saniach, otulona w futra, Katarzyna zamyka oczy i usiłuje odtworzyć te chwile, które zniknęły z jej pamięci. Ale one nie nadchodzą.

Jej przyjaciele, szpiedzy, jej zausznicy donoszą o każdej trudności carycy ze złapaniem tchu, o każdym omdleniu, każdym kaszlnięciu.

– Najjaśniejsza Pani obudziła się z krzykiem – mówią. – Nie chciała powiedzieć, co jej się śniło!

– To już nie potrwa długo, Katarzyno. Twój czas zbliża się wielkimi krokami.

A ona słucha i gromadzi te słowa podsłuchane w sypialni carycy, w gabinecie kanclerza, w izbach służby, słowa wykradzione z listów lub dokumentów nieprzeznaczonych dla oczu wielkiej księżnej. Tajne, niebezpieczne słowa, które obraca w myślach i powierza pamięci, bo pamięć nie zdradzi jej tak, jak mógłby papier. Te słowa to nie tylko ujawnione sekrety. To także zapewnienie, że na tym dworze, gdzie niektórzy wciąż nazywają ją „Hausfrau ze spiczastym podbródkiem", inni ryzykują dla niej życie. Nie dlatego, że ją poważają czy jej współczują, lecz dlatego, że pozwala im śnić ich własne słodkie sny.

Nie zawiodę was, ślubuje Katarzyna.

– A ten co tutaj robi? – pyta Katia Daszkowa scenicznym szeptem. Jej nos rusza się jak u królika. Górna warga unosi się pogardliwie.

„Ten" to Grigorij Orłow, porucznik z Pułku Izmaiłowskiego, bohater bitwy pod Sarbinowem, ale Katia nie zamierza zapamiętać jego nazwiska, a nawet gdyby jej się udało, to nie raczyłaby go wymówić. Woroncowa z urodzenia, uważa każdego Orłowa za parweniusza.

Czasem lepiej być cudzoziemcem. Zmuszonym do przyjaźni nie tylko z rozkapryszonymi księżniczkami, ale i z tymi, którzy pragną się wybić, wziąć los we własne ręce. Którzy nigdy nie zapominają, że gwardziści, ci „stworzyciele carów", kiedyś wnieśli Elżbietę na swych ramionach prosto na tron Rosji.

Lipcowe dni są gorące, nawet nad ranem, ale energiczny spacer po ogrodach Carskiego Sioła to pokusa nie do odparcia. Choćby nawet po paru okrążeniach pot przesiąkał przez halkę Katarzyny i moczył jej gorset i spódnice. Dzięki porannemu wysiłkowi przetrwa długi dzień na dworze. Będzie bardziej spokojna, mniej niecierpliwa.

Katia wsunęła chudą rękę pod jej ramię i trzyma je mocno. Zbyt mocno, ale trzeba to znieść. To niewielka zapłata za przyjemność rozmowy o dowcipie Woltera i niezręcznościach das Fräulein przy obiedzie u Woroncowów. Albo o pogardzie moskwiczan dla Sankt Petersburga, wciąż zwykłego „miasteczka garnizonowego", gdzie panoszy się chciwość, a arogancka szlachta służebna marzy o awansie.

Szczęśliwie Katia nigdy nie opowiada o swoich dzieciach.

Tak się składa, że Grigorij jest w ogrodach pałacowych akurat wtedy, kiedy wielka księżna zażywa przechadzki. Katarzyna podejrzewa, że ktoś, być może Warwara, przekazał mu trasę jej porannych spacerów, ponieważ porucznik zjawia się przed nią z zastanawiającą regularnością. Nad stawem, przy końcu obrzeżonej żywopłotem alejki. Pod dębem. Nie jest nieśmiały:

– Została pani pojmana, madame – powiedział kiedyś.

– Nie tak łatwo mnie schwytać – odparowała Katarzyna.

Grigorij Orłow we własnej osobie jest jakoś zawsze większy i przystojniejszy niż we wspomnieniu. Potężny, owszem, ale także zwinny i pełen lekkiego wdzięku. Głowę trzyma wysoko. Sama jego obecność sprawia, że Katarzyna zaczyna myśleć o prostych rzeczach. O płomieniach ogniska, rozświetlających ciemność. O słodkim, gęstym miodzie. O poczuciu, że nieważne, co przyniósł dzień, i tak nic jej nie dotknie.

Kiedy na niego spogląda, on nie odwraca wzroku. Dostrzeż, mówią jego oczy. Dostrzeż krój mojej stalowoszarej kurtki, wysokie, lśniące skórzane buty, wypolerowany hełm, który piastuję w dłoni. Daj mi choćby najmniejszy znak, a ja znajdę do ciebie drogę.

Dlaczego zwlekasz?

Katarzyna zwleka nie dlatego, by myśl o dotyku jego dłoni była nieprzyjemna. Nie z powodu listów od polskiego kochanka, który musiał wyjechać i któremu – ona wie o tym dobrze – nigdy nie będzie wolno wrócić, długich listów z Warszawy, pełnych czułych, lecz nierealnych marzeń.

Zwleka, ponieważ jest wielką księżną Rosji i nie pozwoli się zdobyć tak łatwo. To, o co trzeba zabiegać, zawsze będzie cenniejsze.

– Zawrócimy? – pyta Katia, posyłając porucznikowi Orłowowi pełne irytacji spojrzenie, którego on nawet nie zauważa.

– Tak – odpowiada Katarzyna, odwraca się na pięcie i odchodzi. Na plecach czuje wzrok Orłowa.

– Jeśli nie zatroszczysz się o siebie, Katarzyno – ostrzega ją Katia – to zrobią to twoi przyjaciele.

Das Fräulein robi już szkice nowych opraw, w jakich osadzi carskie klejnoty.

W cesarskim pokoju dziecinnym Paweł rysuje pokryte łuskami smoki, które zioną ogniem i zjadają niegrzeczne dzieci na kolację.

– Widziałeś kiedyś smoka? – zapytała synka Katarzyna, a on odpowiedział, że tak. Wiele razy.

– W korytarzu... pod łożem... w spiżarni.

Warwara mówi, że pięcioletni spadkobierca tronu nadal moczy się w nocy i nie potrafi zasnąć w ciemności.

Grigorij Orłow ufa w siłę męskiego ciała, w moc napiętych mięśni.

– Uderz mnie w brzuch, Katinko – prowokuje ją ze śmiechem.

Kiedy Katarzyna uderza z całej siły, kostki jej dłoni robią się czerwone, jakby trafiła w ceglany mur.

Jego skóra jest ogorzała od szybkiej jazdy konnej. Zęby ma równe i mocne. Nie pokazuje ich z czystej próżności. Żołnierz potrzebuje mocnych zębów, żeby móc rozerwać nimi nabój do muszkietu. Katarzyna widziała kiedyś, jak jej nowy kochanek zgina podkowy gołymi rękami.

„Wołkow bojat'sia – w lies nie chodit"'. Jeśli boisz się wilków, nie chodź do lasu.

– Nie wszyscy bracia są tacy jak twój, Katinko – mówi Grigorij, kiedy Katarzyna wspomina, jak Wilhelm dokuczał jej w dzieciństwie.

Grigorij nie jest człowiekiem wielu słów. Katarzyna musi wyciągać z niego opowieści, cierpliwie, tak jak wydobywa się miąższ z orzechów włoskich. Tylko wtedy, kiedy leżą obok siebie wyczerpani i zlani potem, on dzieli się wspomnieniami z czasów, kiedy był chłopcem. Dni spędzane na wspinaniu się po drzewach, łowieniu ryb w wartkich strumieniach, zasypianiu w stogu siana. Nocne przebudzenia przy świetle pochodni, niesionych przez szukającą go gromadę, i wśród łez matki. Nigdy sam, zawsze w towarzystwie braci, choć to imię Aleksieja pojawia się najczęściej. Aleksiej, który wspiął się nocą na dach cerkwi i rozkołysał dzwon na dzwonnicy. Ukradł klucz do spiżarni, gdzie wszyscy objedli się blinami i pieczonym bażantem, aż do bólu brzucha.

Na Wyspie Wasiljewskiej, dwie przecznice od muzeum Piotra Wielkiego, Kunstkamery, znajduje się niewielki dom. Ma drewniane schody z politurowanej sosny, z pomalowanymi na biało poręczami. Na górze jest sześć pokojów. Na parterze podłużny salon, w którym nad otomaną wisi niedźwiedzia skóra, jadalnia, i pokój muzyczny. Kuchni i pomieszczeń dla służby Katarzyna nie widziała. Gospodyni i jej mąż, którzy tam mieszkają, są chłopami pańszczyźnianymi, własnością rodziny Orłowów. Podobnie jak kolorowo ubrani służący: kucharki, pokojówki, lokaje, którzy zerkają na nią zza drzwi i przez okna. Którzy szepczą i śmieją się między sobą. Gospodyni, Annuszka, pamięta młodych paniczów z czasów, kiedy byli jeszcze chłopcami.

– Wszyscy jak frygi, tylko psoty mieli w głowie, chodzili wiecznie posiniaczeni – wzdycha, a jej wodniste oczy się rozjaśniają. – A panicz Aleksiej był najgorszy z nich wszystkich.

– Gość w dom, Bóg w dom – tak służący Orłowów pozdrawiają wielką księżną, kiedy uda jej się wymknąć do kochanka.

Uniżone ukłony nie powstrzymują domyślnych spojrzeń, pełnych zdumienia i podziwu dla ich nieustraszonego panicza, który tym razem przyniósł do domu najcenniejszą ze wszystkich zdobyczy.

W tym domu Cyganie przychodzą śpiewać im do kolacji albo tańczą przy ognistym rytmie skrzypek. W tym domu mówi się o niej „nasza".

– Stąd… jedna z nas… kość z naszej kości…

Ma tu rodzinę, która stanie za nią murem wtedy, kiedy będzie ich potrzebowała.

Nazywa ją Katinką. Swoją Katinką. Grigorij Orłow, który potrafi uśmiercić wroga jednym ciosem, czuje całym sobą, każdym mięśniem ciała, że żaden inny mężczyzna, żaden z jej kochanków nie może się z nim równać. On zna jej głód i jej nasycenie. Wie, że kiedy tylko jej dotknie, rozmywa się granica, gdzie kończy się ona, a zaczyna on.

Granica między tym, co jest potrzebne, a co kochane, potrafi być bardzo cienka.

Grigorij Orłow nazywa Piotra karłem i potworem. Niemieckim skrzypkiem z dziobatą twarzą i małą, wiotką fujarką. Nic dziwnego, mówi, że Piotr nie mógł zostać ojcem.

– Jeżeli odważy się choćby cię tknąć, Katinko, poderżnę mu gardło. Rozszarpię go na kawałki i przybiję do pierwszego lepszego drogowskazu.

Grigorij Orłow dotrzyma słowa. Chyba że to jej zuchwały, lekkomyślny kochanek zginie pierwszy, zostawiając ją na pastwę zemsty męża. Zrodzona z urazy furia, choćby tchórza, potrafi siać zniszczenie. Piotr może ją wyrzucić, jak gnijące śmieci ciśnięte do Newy.

Publicznie wielka księżna nadal nazywa Grigorija „tym prostakiem".

„Dobroje bratstwo – łuczszeje bogatstwo". Dobrzy bracia to największy skarb.

– Mężczyźni są jak nieujeżdżone konie, Katinko – mówi Grigorij Orłow. – Naucz się, jak sprawiać, by byli ci posłuszni.

Katarzyna jest wytrawną amazonką, ale nigdy dotąd nie ujeżdżała konia.

– Naucz mnie – mówi.

Końmi rządzi strach i pragnienie ucieczki, wyjaśnia on. Żeby nad nimi zapanować, potrzeba silnej ręki.

Wszystkiego tego, i znacznie więcej Katarzyna dowiaduje się z ust Grigorija Orłowa. A także obserwując go, kiedy wchodzi do zagrody, w której stoi uwiązany ogier. Musisz najpierw przestraszyć konia, mówi Grigorij. Pokazać, kto tu jest prawdziwym panem. Wtedy będzie cię słuchał.

Lekcje Orłowa są proste, a Katarzyna zawsze szybko się uczyła. Ujarzmianie zwierząt i ujarzmianie mężczyzn to dwie strony tej samej monety.

Grigorij nie ma talentu mówcy. Jego mądrość trzeba wydobywać z urywanych zdań, wyłuskiwać z chrząknięć i ostentacyjnych westchnień zniecierpliwienia czy drwiny. Niczym alchemik, Katarzyna musi testować i oczyszczać wszystko, co słyszy i widzi, odsączać i przekształcać to, co on rzuca w jej stronę, aż metale nieszlachetne przemienią się w złoto.

Nie szukaj aprobaty na zewnątrz siebie. Wiedz, że ty tu rządzisz, a koń to wyczuje i uzna. Ale jeśli nie będziesz jej w sobie miała, koń natychmiast to zauważy i będzie się opierał.

Dlaczego?

Bo ciało zdradza cię znacznie bardziej, niż przypuszczasz. Bo nie da się ukryć własnych myśli. Odegnać od siebie tych, których nie chcesz.

Grigorij rzuca Katarzynie linę przywiązaną do końskiej uździenicy. Cofa się i przygląda.

Nerwy i mięśnie są naprężone. Depcze kopytami nawierzchnię zagrody, strzyże uszami. Wszystko może zmienić chwiejną równowagę tej chwili; byle drobiazg może wywołać ślepą panikę, której nie da się opanować. Przelotny cień, oślepiający błysk diamentowej broszki, krzyk mewy wypatrującej łupu.

– Zmuś go, by się wycofał, Katinko. Idź naprzód. Nie odrywaj od niego wzroku.

Władza to wola i znajomość celu.

Władza polega na pewnym zajmowaniu swojej pozycji.

Władza to nagrody udzielane za to, czego pragniesz, i kara za to, czego nie akceptujesz.

Władzę zdobywa się albo traci z każdym krokiem, każdym drżeniem głosu. Chodzi nie tylko o słowa, ale o ich ton, ich brzmienie.

– Zwycięstwo bierze się z pewności siebie, Katinko. Każdy żołnierz ci to powie.

Kiedy nadchodzi czas, by dosiadła konia, zdejmuje ją strach. W jednym błysku widzi siebie na ziemi, bezwładną, podeptaną, okaleczoną, z twarzą stratowaną na miazgę. Nie jest przecież tak silna jak mężczyzna. Jej kości można łatwiej zmiażdżyć, a kręgosłup złamać. Widziała ludzi, z których upadek uczynił kaleki. Różową pianę na ich wargach, gdy mamrotali swe prośby.

Strach ją obezwładnia. Serce tłucze się dziko o żebra. Myśli szukają wymówki: potrzebuje więcej czasu, więcej ćwiczeń. Ma przecież tyle innych ważnych obowiązków. Nie ma nic złego w przyznaniu się do słabości, których – dobrze o tym wie – jest mnóstwo. Policzę do pięciu, stwierdza. Tyle tylko dam sobie czasu na strach. Z takich właśnie momentów odsącza się odwagę. Z chwilą gdy dłoń sięga po cugle, gdy ona sama siedzi w siodle, nie ma już żadnego drżenia, żadnego wahania. Serce zostało zmuszone, by biło równo, jej głos jest pewny i spokojny.

Na ustach Grigorija Orłowa pojawia się uśmiech. Uśmiech pochwały i dumy.

W końcu to jednak ciało ją zdradza. Początkowo ma jeszcze nadzieję, że miesięczne krwawienie po prostu się spóźnia. Aż do tego słonecznego sierpniowego poranka, gdy budzi się, czując mdłości, zawroty głowy i lodowaty strach.

Jej szpiedzy w carskiej sypialni szepczą o omdleniach Elżbiety i o długiej procesji uzdrowicieli, sprowadzanych z najdalszych zakątków imperium. Z komnat jej męża docierają strzępy wieści pełnych radosnego oczekiwania. Das Fräulein, która zawsze lubiła rynsztokowe słownictwo, proponuje zamknięcie „tej butnej niemieckiej maciory w najbliższym chlewie".

To nie jest dobry moment na narodziny bękarta.

– Matko Boska, zlituj się nad nami – szepcze Warwara Nikołajewna, usłyszawszy nowinę. – Od jak dawna nie było krwawienia?

– Od miesiąca… nikt jeszcze nie wie… tylko ty, Warieńko.

Po policzkach Katarzyny toczą się łzy. Gorzkie łzy upokorzenia i klęski. Może jest już za późno. Wielka księżna mogła mieć nadzieję, że udało jej się uniknąć czujnych spojrzeń, ale jej upadek byłby pożywką dla wyjątkowo smakowitych plotek. Ta, która ośmiela się myśleć o koronie, pada pokonana przez własny brzuch.

Dla kobiety sypialnia może być więzieniem. Lub grobowcem.

– Nie płacz, proszę.

Głos Warwary przenika chaos i panikę. Oszustwo to ciężka praca. Wymaga precyzyjnych kalkulacji. I najbardziej zaufanych służących. Warwara odlicza na palcach nadchodzące miesiące. Remont Pałacu Zimowego się przeciąga. Dworzanie przenoszą się tam i z powrotem. Wielka księżna może zacząć niedomagać, wynaleźć coś, co nie pozwoli jej pokazywać się publicznie. Puchnące stopy? Bóle kręgosłupa? Przy zimowych futrach i obfitych sukniach na podszewce można ukrywać kwietniowe dziecko do samego rozwiązania.

Pokojówki można zmylić pojawiającą się co miesiąc krwią. Miska z wymiocinami będzie znikać.

– Jeżeli umrę, Warieńko...

– Nie umrzesz. Jesteś silna.

Tylko Grigorij nie kryje radości. Dumny jak paw, że w jej brzuchu rośnie jego dziecko. Większe z każdym dniem. Kopie w jej wnętrzu. Mały Orłow, silny i odważny, jak jego ojciec i wujowie.

Nie to, mówi z szerokim uśmiechem, co syn Sałtykowa. Paweł boi się własnego cienia.

– Co ma wisieć, nie utonie.

Caryca ciężko oddycha, jej pokryte zmarszczkami policzki są zaczerwienione. Stopy ma tak spuchnięte, że posiniaczone ciało wylewa się z jedwabnych pantofli. Wewnątrz niej przycupnęła cierpliwa śmierć.

– Przeznaczenie będzie cię tropić jak pies gończy, Katarzyno.

Umierająca caryca z niej drwi. Usta Elżbiety wykrzywia szyderczy grymas.

– Nic nieznacząca księżniczka Anhalt-Zerbst nadal usiłuje mnie prześcignąć? Udowodnić, że nie mam racji?

Czas przeskakuje naprzód i cofa się w sposób, który zdawał się nie do pomyślenia. W nowej cesarskiej sypialni, gdzie nawet ostra woń świeżego pokostu nie jest w stanie zamaskować fetoru śmierci, ona, wielka księżna Rosji, stoi przy łożu umierającej carycy. Wewnątrz niej kopie dziecko, dziecko potajemnej miłości, które może wpędzić ją do klasztornej celi, gdzie zasuszy się i wychudnie, dławiąc się wymuszonymi modlitwami.

Albo gorzej.

Są same. Służące i dworki zostały odesłane. Teraz oczekują na wezwanie pod drzwiami sypialni, wytężają uszy, popatrują podejrzliwie jedna na drugą. Pałacowi szpiedzy – wśród nich szpiedzy Katarzyny – toczą swoje niekończące się potyczki. Kogo przyjęto w prywatnej sypialni, a kto musi czekać w antyszambrach. Czyje ostrzeżenia są brane pod rozwagę, a czyje lekceważone. I – przede wszystkim – komu powierza się najcenniejsze cesarskie tajemnice. Ponieważ sekret ukryty przed jedną osobą, a wyznany innej tworzy więź równie potężną jak miłość.

Elżbieta leży na wysokim łożu, na gładkiej jedwabnej pościeli, w komnacie, do której ciemność nie ma wstępu, gdzie nigdy nie gasi się grubych świec. Prześladują ją myśli o piekle. Ziemskie przyjemności, dotychczas źródło jej rozkoszy, teraz wywołują wizje wiecznego cierpienia. Płomienie będą palić jej skórę, bicze będą ją smagać, poparzy ją wrząca oliwa. Żylaste diabły wyleją płynne złoto na najbardziej grzeszne części jej ciała, rozerwą je rozżarzonymi do czerwoności obcęgami.

– Nie powinnam była sprowadzać tu Piotra – syczy Elżbieta. – Powinnam była pozwolić mu zgnić w Holsztynie.

Jej siostrzeniec jest głupcem. Cherlakiem. Słabym i chwiejnym. Słucha każdego, kto mu pochlebia. Piotr zrujnuje Rosję. Uczyni z niej pruski podnóżek.

Powieki Elżbiety opadają; jej pierś unosi ciężki, chrapliwy oddech. Z popękanych kącików ust sączy się żółta ropa.

Jak długo będzie się to jeszcze ciągnąć? Miesiąc? Dwa tygodnie? Tydzień? Doktor Halliday, główny cesarski medyk, przyjmuje podarunki, które Katarzyna mu przysyła, tylko po to, by rozłożyć ręce i wyznać swą bezradność. Pacjenci nieraz zachowywali się sprzecznie z jego oczekiwaniami. Wszystko w rękach Boga.

Dziecko kopie pod samym jej żołądkiem, wywołując falę mdłości, która podchodzi jej do gardła. Orłowowie wszystko zaplanowali. Brat Grigorija, Aleksiej, odwróci uwagę dworu. Warwara Nikołajewna ukradkiem wyniesie noworodka z pałacu.

O ile dziecko najpierw jej nie zabije.

Umierająca caryca unosi głowę.

– Ciebie też nie powinnam była tu sprowadzać – mamrocze. – Gorzkie słowa. Twarde. Jak popiół zmieszany z piaskiem. – Znam twoje tajemnice, Katarzyno. Wiem, kto dla ciebie szpieguje i dlaczego. Wiem, czego chcesz.

Zimny strumyczek potu spływa Katarzynie po krzyżu.

– Wasza Wysokość się myli – odpowiada. – Nie mam żadnych tajemnic.

– Ostrzegano mnie. – Na twarzy Elżbiety pojawia się coś, co wygląda jak uśmiech, ale zapewne jest po prostu grymasem bólu. – To skończona oszustka, tak o tobie mówili... myśli wyłącznie o sobie.

Katarzyna nie pyta, kto ją tak napiętnował. To nie to, że nie chce wiedzieć. Ale nie da Elżbiecie tej satysfakcji. Nie da się zmusić do grzebania w zatęchłych zakamarkach swojej przeszłości w poszukiwaniu zdrajców. Wystarczy jej zastanawianie się, ile zostało już ujawnione. Brzuch obwiązany szerokim pasem, by wyglądał na mniejszy? Grigorij Orłow i Aleksiej, szukający dla niej poparcia w koszarach? To wystarczy, żeby doprowadzić do aresztowania ich wszystkich, do egzekucji za zdradę stanu.

Ze spękanych warg carycy wydobywa się chrapliwe westchnienie. Jej twarz mówi: Mogłabym cię zniszczyć, Katarzyno, zdemaskować twoje nikczemne ambicje, wdeptać cię w błoto, ale tego nie zrobię.

Nim zabierze ją śmierć, Elżbieta chce dobić targu. W zamian za carskie milczenie wielka księżna musi przysiąc, że będzie strzec tronu dla swojego syna, Pawła Piotrowicza.

– To twoja ostatnia zapłata, Katarzyno, za to, że cię tu sprowadziłam – dyszy Elżbieta. – Do Rosji.

Jak gdyby ona, Katarzyna, nie dość już zapłaciła.

– Zrób, co tylko będzie konieczne. Odsuń Piotra. Odeślij go do Holsztynu... Bądź regentką, dopóki Paweł nie osiągnie pełnoletniości. Dopóki mój sokolik nie będzie mógł zostać carem!

Co ona teraz zrobi, ta umierająca starucha? Każe mi przysiąc posłuszeństwo na Matkę Boską Kazańską? Na Świętego Mikołaja Cudotwórcę? Czy zagrozi, że będzie mnie nawiedzać w tych komnatach jak mściwa harpia z zaświatów, która nawet po śmierci pilnuje, by wszyscy byli jej posłuszni?

Ale caryca Rosji wie, że na strachu – choćby miał źródło w desperacji i trwodze – można polegać bardziej niż na zaufaniu. Czy wdzięczności.

– W tym pałacu są osoby, które znają moją wolę, Katarzyno – wpija się w nią słaby głos Elżbiety. – Będą zawsze przypominać Pawłowi, czego dla niego pragnę. I patrzeć ci na ręce, jak odejdę.

W ciemnościach zimowej rosyjskiej nocy caryca, której z każdym ruchem wskazówek zegara ubywa sił, szepcze:

– Czy słyszałaś o wilczych jagodach, Katarzyno? Mają słodki smak, ale mała garstka wystarczy, żeby uśmiercić człowieka w ciągu kilku sekund.

Może tak.

A może nie.

– Obserwują cię, Katarzyno – mamrocze Elżbieta. – Nawet teraz.

Dziecko w jej łonie zachowuje się tak, jak mu się podoba, budzi się, kiedy ona układa się do snu, wywija koziołki i rozpycha się, nieświadome niebezpieczeństw, które ze sobą przyniosło. Przez pierwsze miesiące Katarzyna liczyła jeszcze na poronienie, ale dziecko Orłowa nie ma zamiaru rozstawać się z życiem. To przyjemna myśl, bo kojarzy się ze zuchwałą odwagą. Ale zarazem niepokojąca, bo w grudniu Katarzynie zaczyna brakować wymówek. Spuchnięte nogi i migreny wywołują coraz więcej złośliwych komentarzy.

Tej rangi sekret jest obowiązkiem, który staje się coraz cięższy. Warwara zjawia się co rano, przed świtem, jak wymagający duch, a wszystko, co robi, jest zaplanowane w najdrobniejszym szczególe. Co miesiąc przez pięć dni pościel i bielizna wielkiej księżnej są skrapiane krwią. Co miesiąc jej brzuch jest owijany ciaśniej, a fałdy sukni poszerzane, aby go pomieścić. Tylko w niektóre wieczory, przy szczelnie zaciągniętych zasłonach i zatkanych kłaczkami bawełny dziurkach od klucza, można uwolnić brzuch i przynieść napiętej skórze ukojenie masażem.

Nawet w ciągu dnia Katarzyna walczy z sennością. Z ciężkim, głębokim snem, który wciąga ją w ciemność. Kiedy się z niego budzi, czasem potrzebuje chwili, by przypomnieć sobie, gdzie jest, w jakim niebezpieczeństwie się znajduje.

Jeszcze pięć miesięcy, jeszcze cztery.

Pod koniec grudnia wieści, które Warwara przynosi z carskiej sypialni, są coraz bardziej niepokojące. W grę wchodzą już nie tylko omdlenia czy paniczne krzyki. Medycy zdecydowali się na desperacki krok. Nakłuli nabrzmiały brzuch Elżbiety, by zmniejszyć ciśnienie i usunąć nadmiar żółci.

Bez skutku.

– To już prawdziwy koniec – szepcze Warwara. – Długo wyczekiwana przez nas chwila. Caryca kazała mi przyprowadzić do siebie wielką księżną.

Kiedy Katarzyna dociera do cesarskiej sypialni, skrępowana w talii, otulona grubymi pikowanymi halkami, pokój tonie w ciemności pomimo grubych woskowych świec. Łoże otaczają szlochające kobiety, które nie chcą się stamtąd ruszyć; wśród nich hrabina Szuwałowa, posyłająca wielkiej księżnej spojrzenie pełne czystej nienawiści.

Prawdę mówiąc, Katarzyna jest za nie wdzięczna, za to brutalne przypomnienie, co się naprawdę liczy. Kiedy w lesie przewraca się drzewo, wpuszcza więcej światła i robi miejsce, by pozostałe mogły rosnąć. Przyszedł czas na wojnę na gesty: Twoje łzy przeciwko mojej pobożności. Twoje plotki przeciw moim modlitwom. Twoje gniewne spojrzenia przeciw moim drżącym dłoniom.

Jeden krok, potem drugi. Pokłon przed świętą ikoną, palce dotykają ziemi, ramion. Gesty, które mówią: Bóg Wszechmogący jest moim świadkiem. Wieczność to moja scena. Rosja jest moim sumieniem. Spójrzcie na mnie wszyscy, mówią oczy Katarzyny. Spójrzcie i porównujcie.

Jest to bitwa, z której ona, wielka księżna, nie zamierza się wycofać. Nie teraz, kiedy z ust i nosa carycy sączy się krew, a jej ręce kurczowo czepiają się pościeli. Gdy Elżbieta miota się po łożu, jakby usiłowała się utrzymać na wzburzonym morzu. Gdy wyje opętana strachem, jak lis w potrzasku. Nawet kiedy nieślubne dziecko w łonie Katarzyny porusza się, przypominając o niepewności i bólu.

Ani nawet wtedy, kiedy nadchodzi jej mąż i wszyscy padają na kolana przed carem Piotrem III.

„Odmawiam wiary tym plotkom", pisze z Warszawy Stanisław, jej polski kochanek, który wciąż uważa się za pana jej serca. Kiedyś był dla niej prawdziwą pociechą. Jej myśli o nim wciąż pełne są wspomnień długich rozmów o losie, przeznaczeniu i potędze ludzkich marzeń. Miłość nie traci na realności, nawet kiedy się wycofuje, usuwa się w cień.

„Czynię przygotowania, by przyjść Ci z pomocą".

Listy Stanisława pisane są szyfrem. Oczekiwana wiadomość – o śmierci carycy – przeszła bez echa. Dworzanie zgromadzili się wokół nowego imperatora Piotra III. Rosja ma nowego cara, batiuszkę, ojca narodu. Miłosiernego wnuka Piotra Wielkiego. Nawet w Warszawie wszyscy wiedzą, że Piotr nie zamierza pozwolić niekochanej żonie zbliżyć się do siebie. Że publicznie ją upokorzył. Że wszędzie pokazuje się z kochanką.

Odszyfrowane listy Stanisława wskazują na gotowość do ustępstw, stworzenia warunków do koniecznych przemian. Jego ukochana Zofia jest kobietą, która potrzebuje ochrony. Ten Orłow, o którym tak często słyszy, jest żołnierzem, gotowym oddać za nią życie. Zresztą ten Orłow ma wielu przyjaciół pośród gwardii pałacowej, którzy mogą jej bronić i w ten sposób okazać się przydatni. Takie są wymogi życia. Są ceną, którą trzeba zapłacić. Przykrą, ale nie do uniknięcia. Kiedy Zofia będzie już bezpieczna, ten Orłow zostanie hojnie wynagrodzony i odesłany.

Katarzyna wrzuca listy do ognia. Kiedy jej milczenie nie powstrzymuje Stanisława, pisze:

> Zabraniam Ci przyjeżdżać. Jestem obserwowana w dzień i w nocy. Twoja obecność zwiększy tylko niebezpieczeństwo, w jakim się znajduję. Nawet Twoje listy mnie narażają... zwłaszcza że są pisane szyfrem. Powstrzymaj się od pisania do mnie tak często lub też – lepiej – nie pisz wcale.

Grigorij Orłow nie wie o tej korespondencji.

– Jak mogłaś go kiedykolwiek kochać, Katinko? – zapytał ze śmiechem. Jego, tego delikatnego polskiego hrabię, który wierzy, że zręczne słowo może więcej niż pchnięcie szpadą.

Odosobniona w swojej komnacie wielka księżna Rosji jest jak królowa pszczół. Otrzymuje sprawozdania ze wszystkich stron, a każde z nich donosi o poszerzających się granicach jej władzy.

Jej przyjaciele, zwolennicy, szpiedzy działają po cichu, niestrudzeni, przypochlebni, zbrojni w pewność i złoto, umocnieni groźbami i złowieszczymi przewidywaniami tego, do czego musi dojść, jeśli pozwoli się sprawom biec swoim torem. Imię Piotra III wróży ruinę rosyjskiej armii i Cerkwi. Chaos i rozpustę. Upokorzenia i klęski.

Władzę buduje się na wzroście, bogactwach i ambicjach, sekretach powierzanych i zdradzanych.

Orłowowie i ich podwładni podsycają wśród gwardii poparcie dla niej. Katia Daszkowa niesie cesarskie zapewnienia i obietnice do najznakomitszych salonów w Sankt Petersburgu, podczas gdy guwerner Pawła, Nikita Iwanowicz Panin, tka sieć dworskiego poparcia w przekonaniu, że Katarzyna II będzie rządzić jako regentka syna.

Szepty przemieszczają się szybko. Złoto zmienia właścicieli, ośmiela wątpiących lub małodusznych. Ona, ich przyszła caryca, trzyma wszystkie sznurki, wiąże je w sposób, który tylko ona sama potrafiłaby rozsupłać. Każdy węzeł jest oddzielny, połączony ściegiem pod spodem materiału. Razem tworzą wzór, który olśniewa oczy i pokrzepia serce.

Nie mów im za wiele, nie dawaj im za dużo do myślenia, powtarza sobie Katarzyna co rano. Niech twoje słowa będą proste. Bezpośrednie. Łatwe do zapamiętania i powtórzenia:

Wolność od tyranii! Ucieczka od tego szalonego cudzoziemca, który uważa Rosję za swoją karę! Który chce zmienić nas wszystkich w Prusaków. Inaczej niż jego anielskiej cierpliwości żona, Katarzyna Aleksiejewna, która niezmiennie okazuje szacunek temu, co najświętsze dla nas wszystkich.

W petersburskich salonach rośnie napięcie i obawa. W zadymionych kulisach doświadczeni dworzanie oceniają siłę Katarzyny i porównują ją z siłą Piotra.

Jej obietnice i deklaracje znalazły już drogę do koszar, gdzie wojskowi wiedzą, jak uargumentować walory rządów kobiecej ręki.

Świętej pamięci matka narodu dobrze służyła Rosji. Dlaczego nie kontynuować tego, co działało tak dobrze i tak długo?

Rosnący brzuch Katarzyny jest umiejętnie zasłonięty. Jeżeli tylko siedzi za biurkiem, wychodzący od niej goście nie mają powodu do podejrzeń, że jego wnętrze może coś ukrywać. Teraz już ta niechciana gra pozorów stała się dla niej źródłem dumy. Rano, zanim Katarzyna się ubierze, kładzie dłoń na brzuchu, by poczuć niewidzialną rączkę albo stópkę, która przesuwa się pod jej palcami w górę i w dół. Niecierpliwy, myśli. Zupełnie jak ojciec.

Ciąża to czas rozliczeń. Ma trzydzieści trzy lata i nosi swoje trzecie dziecko. Paweł, jej pierworodny, ledwie ją rozpoznaje; do Anny – drugiej z kolei – jej nie dopuszczono, tak że nawet wspomnienie o niej jest krótkie i ulotne. Drobna, zimna rączka, którą Katarzyna ucałowała tuż przed zamknięciem trumny.

Dziecko w jej wnętrzu urosło tak bardzo, że kamuflaż może zostać odkryty w każdej chwili. Zbyt często powtarzane wymówki spotykają się z ostrą krytyką i zawoalowanymi groźbami.

– Madame Dobra Rada jest tak samo wyniosła jak zawsze – oznajmia jej mąż.

Katia Daszkowa wydaje z siebie pensjonarski okrzyk i upiera się przy sprowadzeniu medyka, żeby obejrzał jej spuchnięte stopy.

– Nadal o siebie nie dbasz, Katarzyno – strofuje ją. – Więc musimy to robić my, twoi przyjaciele.

Kiedy pojawiają się bóle porodowe, kiedy odchodzące wody moczą łoże, kiedy przybywa akuszerka, szepcząc swoje modlitwy i napomnienia, Katarzyna wita to wszystko z ulgą. Ten poród będzie wyzwoleniem. Niezbędnym, by mogła zrobić kolejny krok.

Nie jest sama. Grigorij i jego bracia przysięgli, że będą jej bronić choćby za cenę życia. Orłowowie są doskonałymi taktykami. Wiedzą, ile znaczy odwrócenie uwagi; potrafią zwieść przeciwnika.

– Pożar, jakiego Petersburg nie widział – śmieje się Grigorij. Pożoga, która przyciągnie tłumy gapiów. – Zobaczysz, Katinko. – Tak naprawdę nie zobaczy, ale Katarzyna nie chce studzić zapału kochanka. Drewniany budynek kilka bram dalej został opróżniony parę dni wcześniej. – Ofiarowany przez wiernego przyjaciela – mówi Grigorij. Wystarczy jedna pochodnia, by rozgorzał wielkim płomieniem. – Będziesz mogła krzyczeć, ile zechcesz – oznajmia z taką chłopięcą dumą, że serce jej się ściska.

Tymczasem jednak Grigorij został zmuszony do czekania w korytarzu. Dzieci nie rodzi się w obecności mężczyzn.

Zanim akuszerka każe jej przeć, mijają całe godziny. Długie, pełne uspokajających obietnic Warwary. Wszystko zostało starannie przygotowane. Warwara sama wyniesie dziecko z pałacu.

– Dopilnuję, żeby miało dobrą opiekę… będę je odwiedzać… codziennie… osobiście.

Myśl o innym życiu jest kusząca. Jasno oświetlony salon, Grigorij u jej boku, wokół nich dzieci, których umysły i serca Katarzyna może rozwijać i kształtować. Bo dzieci potrzebują światła i wolności. Muszą zadawać pytania, na które dostaną odpowiedź. Czytać opowieści, z których nauczą się, że niczego nie należy osądzać, zanim się tego nie spróbuje. Dowiadywać się, że kiedy blask rozumu rozświetla ciemność, wszystko jest możliwe.

Po co jednak roztrząsać nierealną przyszłość? Czemu zamiast tego nie pomyśleć o tym, co osiągalne?

Kiedy dziecko, które mogło przynieść jej śmierć lub hańbę, wreszcie wyrywa się z jej wnętrza i jest bezpieczne w ramionach akuszerki, kłębuszek głodnych krzyków, Katarzyna nie czuje nic prócz ulgi. Dziewięć miesięcy czekała na tę chwilę.

Car Rosji nigdy się nie dowie, że właśnie stracił swoją jedyną szansę, żeby ją pokonać. Przez okno sypialni napływa zapach dymu z pożaru, piski zwierząt i krzyki podnieconego motłochu.

Z korytarza dobiegają pospieszne kroki Grigorija, niecierpliwe i kipiące energią. Jest ojcem. Ma syna.

Aleksieja Grigorijewicza.

Kiedy nadchodzi wieczór, Grigorij podnosi ją z posłania i niesie w ramionach do otwartego okna. Oto, co widzi: zwęglony budynek, z którego nadal buchają płomienie, podwórze, po którym przerażone zwierzęta biegają jak oszalałe, i postać, niosącą zawiniątko otulone w szarą chustę. Postać wsiada do powozu i w pośpiechu odjeżdża.

Po porodzie Katarzyna czuje nowy przypływ odwagi. Na Wyspie Wasiljewskiej, ukryte w piwnicy drukarza, leżą kopie proklamacji, które – jak tylko ogłosi się imperatorową – zostaną rozklejone na drzwiach i słupach. Te zadrukowane strony to jej śluby, jej uświęcona przysięga. Będzie kultywować wizję, którą obdarzył Rosję Piotr Wielki, największy pośród carów. Rosjanie znów będą dumni ze swojej ojczyzny; stara Europa nie będzie miała innego wyboru, niż mieć baczenie na swój siostrzany naród, jaśniejący energią i siłą.

Kiedy pojawiają się nowe wątpliwości lub przestrogi, Katarzyna ich nie lekceważy. Są prawdziwe czy fałszywe?, zadaje sobie pytanie. Pewne czy tylko niewykluczone?

Czy coś zostało zaniedbane? Pozostawione przypadkowi?

Czy coś jeszcze można zrobić?

Komu należy to zlecić?

Nie jest tak próżna, by uważać się za wszechmocną. Nie wszystko można przewidzieć, nie wszystkiemu zapobiec. Nie wszystko utrzymać w tajemnicy. Kiedy nadejdzie decydujący moment, nadal będzie musiała zadawać sobie pytanie: Czy będę panować? Czy zginę?

Wszystko rozstrzyga się w białą czerwcową noc 1762 roku. Ubrana w prostą żałobną suknię z czarnego jedwabiu, z Aleksiejem Orłowem u boku, Katarzyna jedzie z Peterhofu do Sankt Petersburga pylistą i wyboistą drogą, która prowadzi do koszar wojskowych. Na miejscu gwardziści cisną się wokół niej, wsłuchani w jej słowa.

– Pogrążona w smutku po stracie naszej umiłowanej cesarzowej, powierzam siebie samą i mojego syna waszej opiece.

Orłowowie nie łamią obietnic. Ani nie rzucają słów na wiatr.

Katarzyna trzyma w dłoni ikonę. Na jej czole lśni plama w miejscu, gdzie kapelan pułkowy wtarł kroplę świętego oleju. Słowa, które przygotowała i przećwiczyła, są gładkie i bez zarzutu: Chwała naszej ukochanej ojczyzny... koniec tyranii...

Odrzuca żałobną suknię i wkłada na siebie zielony mundur Pułku Preobrażeńskiego. Leży na niej jak ulał. Jestem jedną z was, ogłasza.

– Udało nam się, Katinko! Opłaciło się zaryzykować!

Tu nie chodzi o ryzyko, myśli Katarzyna. Tylko o ciemne, długie godziny pełne znoju i mozolnego budowania aliansów. Kiedy to, czego nie można zmienić, zostaje podważone.

Ci, którzy cisną się, by ją zobaczyć i jej dotknąć, szaleją z radości.

Katarzyna wybrała już słowa, którymi ogłosi nowe rządy rozumu i porządku.

Nie stanie się to od razu, ostrzeże. Rosja to ogromny kraj. Wiele różnych ludów trzeba będzie zjednoczyć w dążeniu do jednego, wspólnego celu. Bo choć pojedynczą gałązkę można złamać bez trudu, to ścisła wiązka może wytrzymać wielki nacisk. Ciężka praca przyniesie dobrobyt. Świat wkrótce spojrzy na potężne chrześcijańskie imperium Wschodu.

Taka będzie jej spuścizna.

Ktoś podaje jej kubek wody zmieszanej z czerwonym winem. Katarzyna pije łapczywie, kojąc gardło obolałe od mówienia donośnym głosem.

– Zawsze byłaś moją cesarzową – oznajmia Katia Daszkowa z przejęciem. – Zawsze.

Paweł, jej pierworodny, wpatruje się w nią, mrugając nerwowo oczami. Kiedy go do niej przyprowadzili, mruczał coś w wielkim skupieniu – wiersz, jak się okazało, na przyjęcie z okazji imienin papy.

– Nie chcę się pomylić – upierał się, kiedy mu powiedziała, że już nie musi ćwiczyć.

Chłopca sprowadzono tu w pośpiechu. Jego peruka została upudrowana bez litości. Kurtka jest niewyczyszczona. Na zadartym nosie Pawła spod warstwy kremu pudrowego przeziera brodawka. Ktoś powinien zadbać o takie sprawy. Ktoś bardziej kompetentny. Gdzie się podziewa Warwara, akurat wtedy, kiedy mogłaby się do czegoś przydać?

Grigorij i Aleksiej są wszędzie. W korytarzach Pałacu Zimowego komenderują ludzkimi falami. Dworzan, którzy pragną zostać dostrzeżeni, zapewnić nową carycę o swoim dozgonnym poparciu. Petentów, czekających na szansę, by wcisnąć jej w dłoń swoje niedorzeczne projekty. Niektórzy łkają. Inni łączą się w grupki i szepczą między sobą. Piskliwy głos z końca sali ogłasza zwycięstwo sprawiedliwości.

Aleksiej Orłow ma wiadomości o Piotrze. Zdetronizowany imperator, który ma się za wielkiego wojownika, wysyła do Sankt Petersburga jednego posłańca za drugim, zaskoczony, gdy nie wracają. Aleksiej z uciechą powtarza opowieści posłańców. Piotr, zirytowany nieobecnością żony, szukający jej pod łożem w pałacyku Monplaisir, jak gdyby miała ochotę bawić się w chowanego. Piotr, machający gorączkowo rękami, niczym foka na lodzie. Das Fräulein, nakłaniająca go, by zgromadził swoich holsztyńczyków i ruszył na stolicę.

– Katarzyna to uzurpatorka! To ty jesteś carem! Ty jesteś prawdziwym Romanowem! Jak tylko pokażesz się ludziom, opuszczą ją!

Piotr oblany potem tchórza, jąkający się:

– T-t-t-t-tak!

Potykający się o własny język.

Uzurpatorka... prawdziwy Romanow. Aleksiej Orłow obnaża górne zęby, wypluwając te słowa. Biała, poszarpana blizna na jego policzku jest pamiątką po dawnej bójce, z której się nie wycofał. Nie potrzeba dalej wyjaśniać, jakie niebezpieczeństwa jej grożą. Tchórz może zostać wykorzystany przez innych, by wzniecić rewoltę. Nowa caryca nie jest jeszcze bezpieczna.

– Chodź, matuszko, musisz się pokazać – nalega Aleksiej. – Ludzie myślą, że ten potwór cię porwał! Sprzedał cię Prusakom, zakutą w kajdany. Wyjdź na balkon. Uśmierz ich strach.

Wszyscy chcą jej dotknąć. Ktoś chwyta jej dłoń i okrywa pocałunkami. Na ile pocałunków powinna pozwolić, zanim cofnie rękę? Na dwa? Trzy? Sto? Wśród nieznajomych twarzy, które tłoczą się i zlewają wokół niej, wyróżniają się oblicza jej przyjaciół i stronników. Są tutaj, odświętnie ubrani, pełni radości i oczekiwań. To wszystko jej stworzenia, ale między nimi nie ma przyjaźni. Ich oczy wpijają się w nią, domagając się dowodu ich własnej ważności. Nie może chyba poważnie traktować dziecinnego entuzjazmu Katii Daszkowej? Czy ufać Warwarze Nikołajewnie, córce introligatora, wtykającej nos w nie swoje sprawy? Albo myśleć chociaż przez chwilę, że Orłowom należy się więcej, niż już mają?

– Chodź, matuszko! Pokaż się swojemu ludowi! Muszą wiedzieć, że ty i carewicz jesteście bezpieczni.

Aleksiej Orłow jest przy jej boku. Klnie pod nosem, że nigdy nie powinni byli wpuszczać tych wszystkich darmozjadów do pałacu.

– Teraz każdy jest ważny – syczy. – Gdzie się podziewali, kiedy byli potrzebni?

Paweł wpatruje się w czubki swoich butów.

– Czy to prawda, że porucznik Orłow niczego się nie boi? – zapytał kiedyś jej syn Warwarę. – Nawet diabła?

– Weź syna za rękę, matuszko – rozkazuje Aleksiej. – Chodźcie za mną.

Drobna, smukła rączka sztywnieje w dłoni Katarzyny. Czuje wyraźnie wąskie kości jego sztywnych palców. Kroki Pawła są niezgrabne, każdemu poruszeniu towarzyszy woń uryny. Jej syn i dziedzic zmoczył spodnie.

Za oknami pałacu okrzyki wybuchają wciąż na nowo. Przyszłość jest ciągle niepewna. W Oranienbaumie Piotr trzyma swoich holsztyńczyków w gotowości bojowej. Był carem przez pół roku. Poza Petersburgiem jest nadal batiuszką, ojcem swojego ludu. Nawet jeśli nie jest gotów walczyć o swój tron, zrobią to inni. Szuwałowowie nie poddają się łatwo.

Katarzyna nie ma czasu, żeby to wszystko przemyśleć. Jeszcze nie. Nie teraz, podczas tych pierwszych, gorączkowych godzin, gdy wszystko dzieje się jednocześnie.

Wychodzi na balkon. Pod nią, w dole, ludzie przepychają się naprzód, żeby lepiej widzieć, tupią nogami, wiwatują. Żołnierze, gwardziści, popi, żebracy. Radość miesza się z niecierpliwością i skrępowaniem, to odurzająca mikstura. Jakiś młodzieniec wdrapał się na latarnię i macha kapeluszem. Kobiety w chustkach na głowach trzymają święte ikony i wiązanki polnych kwiatów. Dzieci wyciągają szyje. Na drodze ukląkł jakiś starzec i żegna się raz po raz.

Katarzyna podnosi rękę.

Wszyscy wpatrują się w nią, w ich nową carycę, nadal ubraną w zielony mundur Pułku Preobrażeńskiego. Sama jej obecność na tym balkonie to znak, że wszystko jest dobrze. Że jej wrogowie przepadli, że Rosja jest bezpieczna.

Czy w nią wierzą?

Nagle wszystkie hałasy ustają, a potem słyszy, jak ktoś krzyczy, tłum podejmuje ten krzyk i powtarza, aż wreszcie wszyscy wiwatują:

– Niech żyje caryca Katarzyna Aleksiejewna! Niech żyje carewicz Paweł Piotrowicz!

Nie widzi twarzy syna, ale wyczuwa, jak Paweł prostuje się i sztywnieje. Jego lewa rączka jest nadal w jej dłoni, bezwładna i spocona, a ona podnosi obie w górę, wywołując wśród tłumów kolejną eksplozję radości.

To właśnie pamięta. Ich dwoje, jak stoją razem, matka i syn trzymający się za ręce, podczas gdy w dole raduje się lud rosyjski. A potem słyszy drżący głos syna, który pyta:

– Czy teraz jestem carem, maman?

– Nie ma cara – ogłaszają gwardziści. – Przyjmujemy rozkazy od carycy Katarzyny II.

Piotr jest moim więźniem.

Piotr abdykował.

Piotr przysiągł posłuszeństwo moim rządom.

Piotr chce tylko swojego fletu, swojej faworyty i swojego Murzyna.

Piotr pragnie spokojnego życia z dala od dworu.

– Pozwól mi wrócić do Holsztynu – błaga jej mąż. – Zawsze tego chciałem.

Miłosierdzie może jeszcze przybrać wiele form.

– On zwróci się przeciwko tobie, Katinko – warczy Grigorij Orłow. – Wściekły pies ugryzie rękę, która go karmi.

Usłuchaj tych, którzy ryzykowali dla ciebie życie!

Holsztyńczycy go poprą. Prusy wykorzystają Piotra przeciwko tobie.

W Szlisselburgu jest już jeden obłąkany car. Nie możesz sobie pozwolić na kolejnego!

Rodowód jest atutem w grze o rosyjski tron, są tacy, którzy mają do niego więcej praw niż księżniczka Zerbst. Piotr jest Romanowem. Katarzyna nie.

Piotr jest mężczyzną. W Moskwie już o tym mówią. Dlaczego pozwolić na rządy kolejnej kobiecie?

Piotr, który cuchnie tytoniem i kwaśnym winem. Którego paznokcie są czarne od brudu. Którego blizny po ospie przybierają szkarłatny kolor, kiedy jest przejęty albo wystraszony. Który przez osiemnaście lat prześladował ją podejrzliwymi spojrzeniami tchórza.

– Nazwał cię głupią na oczach całego dworu, Katinko. Musimy go unieszkodliwić.

Katarzynie kręci się w głowie od wszystkich tych głosów, chrząknięć, niedomówień. Ich natarczywości, ich niepokoju. Błysk światła ostrzega ją o zbliżającej się migrenie.

– Nie mam teraz czasu na myślenie o nim.

A jednak musi myśleć o Piotrze. Z zagranicy napływają raporty zaadresowane do niego. Rozkazy, które podpisał, nadal leżą na jej biurku. Szkice propozycji. Niedokończone deklaracje. I listy, które wciąż pisze z Ropszy, gdzie strzeże go Aleksiej Orłow. Listy, które podpisuje „oddany, pokorny sługa". Piotr chce wyjechać do Niemiec razem z das Fräulein. Mąż błaga swoją żonę i cesarzową, by nie traktowała go jak przestępcy, skoro nigdy jej nie obraził. Apeluje do jej wielkoduszności.

Błagam Waszą Wysokość, by rozkazała, aby żaden oficer nie pozostawał w tym samym pomieszczeniu co ja, muszę bowiem załatwiać swoje potrzeby, a nie mogę przecież robić tego na ich oczach...

Pamięć lubi igrać z kształtami, wyostrza krawędzie obrazów z przeszłości. Biegnąca nimfa zmienia się w drzewo, próżny młodzieniec staje się kwiatem.

Piotr, z twarzą całą w dziobach po ospie, niczym kartka papieru pochlapana atramentem, wrzeszczy: „Nein, nein! Dumme Schlampe!". Głupia suka.

W Ropszy jest niewielkie jezioro. Caryca Elżbieta lubiła łowić w nim ryby. Piotr jest zamknięty w małym pokoju na parterze. Znajdują się w nim łoże i biurko. I okno z grubymi okiennicami.

Zasiada w sali tronowej, przyjmując swoich sympatyków i petentów, kategorie praktycznie niemożliwe do rozróżnienia. Jest ósmy dzień po przewrocie, sobota. Katarzyna sypia po kilka godzin na dobę. Nie jadłaby, gdyby nie domagali się tego najbardziej oddani jej przyjaciele.

W skroniach jej pulsuje. Włosy zostały upięte w pośpiechu i ma wrażenie, że sznur pereł wysuwa się z jej loków za każdym razem, kiedy potrząsa głową. Po swobodzie, jaką zapewniał jej mundur preobrażeński, w ceremonialnej sukni czuje się fatalnie. Gorset jest za ciasny. Ciężkie fałdy spódnicy krępują ruchy.

– Wasza Wysokość musi odpocząć – suszy jej głowę Warwara. – Chociaż przez godzinkę. Proszę. Łoże jest gotowe. Dopilnowałam, żeby w pokoju było ciemno.

Jakie to kuszące, zamknąć zmęczone powieki, pozwolić myślom się uspokoić, jak kurz opadający w lecie na drogę, po której przejechał powóz.

Odpocząć przez chwilę. W ciszy. W ciemności. Bez nikogo.

Drzwi otwierają się gwałtownie. Posłaniec z Ropszy jest obryzgany błotem. Deszcz przemoczył jego płaszcz, brudna woda kapie na podłogę, zostawiając na drewnie plamy.

– Do rąk własnych imperatorowej – upiera się mężczyzna, wyciągając z kieszeni na piersi złożony list.

Jedna sztywna strona, zapieczętowana sygnetem Orłowów. Dziób orła, przypominający koci pazur.

Gryzmoły Aleksieja Orłowa, pismo niesfornego uczniaka. Katarzyna szybko przelatuje list wzrokiem, usiłując coś z niego zrozumieć. „Matuszko... najlitościwsza... jak mogę wytłumaczyć... jestem gotów umrzeć... stało się".

Wypadek? Kłótnia, która wymknęła się spod kontroli?

„... Piotr już nie jest..."

Gdzie kryje się wina? W rytmie najskrytszych myśli? W niewydanych rozkazach? A może wystarczy życzyć sobie czegoś?

Biała noc niepostrzeżenie przechodzi w świt. Powietrze jest przesycone dymem z ognisk towarzyszących uroczystościom, pachnie pieczonym mięsem wołów i prosiąt. Zza bram pałacu dobiegają głosy świętujących, sprzeczki, a po nich głośne beknięcia albo naśladowanie beczących owiec.

– W marcu urodzi się w Rosji mnóstwo dzieci – mówi ze śmiechem Warwara.

Powóz, którym przywieziono z Ropszy ciało Piotra, stoi na pałacowym dziedzińcu. Ona, nowa caryca, okryła ramiona wełnianą chustą i zakradła się tu samotnie. Chusta jest krwistoczerwona z roślinnymi motywami: tulipany z cebulkami i płatkami, z których część opadła, obnażając łodygę.

Katarzyna bada wzrokiem martwą twarz męża, jakby mógł ją jeszcze przechytrzyć. Opuchnięte gardło sprawia, że szyja Piotra robi wrażenie krępej. Wargi poczerniały.

Aleksiej Orłow, zabójca jej męża, stoi obok powozu. W liliowym półmroku białej nocy blizna na jego twarzy wydaje się bielsza i bardziej poszarpana, niż Katarzyna pamiętała. Jego duże dłonie opadają luźno wzdłuż ciała.

– Wypiliśmy za dużo wódki... nazwał mnie parweniuszem... kłamcą – głos Aleksieja się łamie. „Przebacz mi albo skończ ze mną szybko", napisał w liście.

W oczach Aleksieja nie ma skruchy, tylko naleganie. Imperiami nie sposób rządzić, jeśli się wahasz. Jeden śmiały cios powstrzyma innych przed powstaniem. Uprzedzanie kłopotów to nie czcza zabawa w przewidywanie przyszłości.

Krew została przelana?

Gdzie drwa rąbią, tam wióry lecą.

Miłosierdzie? Sprawiedliwość?

Miłosierdzie dla kogo i za co? Sprawiedliwość w jakich wypadkach i za jaką cenę?

Oto, co jej mówią szare oczy Aleksieja: Kiedy kradniesz mężowi tron, lepiej dopilnuj, by nie mógł ci go odebrać. Gdyby Piotr żył, byłby pretekstem dla każdego, kto zechciałby cię obalić.

Jeśli nie uderzysz pierwsza, ryzykujesz, że sama zginiesz.

Jeśli pozwolisz wrogom czaić się w ciemności, urosną w siłę i zaatakują cię, kiedy nie będziesz się tego spodziewała.

Jeśli chcesz władzy, musisz mieć odwagę jej użyć.

Patrzy na Piotra po raz ostatni. Po śmierci wygląda na mniejszego – jego twarz wręcz dziecinnie. Ramiona ma kościste i dość wąskie. Otacza go zapach ladanu, słodkiego rosyjskiego ziela z zaświatów. Orłowowie nie mają zatargów z umarłymi.

Powinna coś zrobić. Może dotknąć policzka Piotra, odesłać go ze swojego życia jakimś gestem pożegnania. Poprawić chustkę na jego zmaltretowanej szyi.

Nie porusza się.

Nie warto przedłużać tego, co się już zakończyło. Zmarłym niepotrzebne są gesty. Nie czują zimna grobu.

– Zabierz go do Newskiego – rozkazuje i odchodzi.

Los nie jest ślepy. Los to seria starannie przemyślanych kroków.

Co rano o szóstej Katarzyna siada przy biurku z piórem w dłoni i parującą filiżanką czarnej kawy obok. Fryderykowi Pruskiemu wysyła w podarunku melony i dromadery, a z nimi nieokreślone obietnice możliwych traktatów. Marii Teresie Austriackiej – różaniec ze szlachetnych kamieni i zapewnienia, że Rosja to bogobojny chrześcijański kraj. Równowaga władzy wymaga żonglowania sojuszami i nieustannej czujności. Jeżeli Rosja zanadto urośnie, zostanie zdradzona.

Powiesiła w swoim gabinecie portret Piotra Wielkiego. Car olbrzym ubrany w mundur zwykłego żołnierza długimi krokami przemierza soczystozielone pole, a karłowaci dworzanie biegną za nim, starając się nie zostać w tyle. Dłoń wielkiego cara jest uniesiona i wskazuje na zachód. Obraz jest dość prymitywny – ludowy malarz miał kłopoty z perspektywą – ale woli ten od tego z carem na łożu śmierci, z zamkniętymi oczami, obojętnym na sprawy tego świata.

Na jej biurku leżą mapy. Stare, nowe. Niektóre jeszcze zwinięte, niektóre już rozłożone. Ich rogi przytrzymują przypadkowe przedmioty, które znalazły się akurat pod ręką. Kałamarz. Marmurowa rzeźba Merkurego. Książka Monteskiusza, której kart nie miała jeszcze czasu rozciąć.

Rosja to jej królestwo. Na południe leży Porta Otomańska. Na zachód – Polska. Oba kraje pijane chaosem i ciągłym zamętem, słabe, miękkie i bierne. Porta to gniazdo żmij, które karmią się złudzeniami minionej wielkości. Polska – kolos na glinianych nogach; każdy wielmoża dysponuje tam większą władzą niż polski król. Władza wymaga takich ocen. Bystrego oka, które potrafi dostrzec okazję. Twoja słabość to moja siła. Twój upadek to moja szansa.

Imperium musi się rozrastać.

Czemu ufają słabi? Bogu? Losowi? Przeznaczeniu?

Polska jest już państwem wasalnym Rosji, bulwarem dla rosyjskich wojsk, i tak powinno zostać. Ponieważ w Polsce królów się wybiera, Katarzyna chce, żeby na tronie zasiadł Stanisław. Choć nie może już być jej kochankiem, życzy mu jak najlepiej. Zapewniła go o swojej dobrej woli i chętnie da jej dowody. Są też inne względy. Stanisław nie jest bogaty ani ustosunkowany. Polska szlachta zdaje sobie z tego sprawę. Będzie musiał dwoić się i troić, żeby przetrwać. Korona będzie również oznaczać koniec jego szalonych planów, by do niej przyjechać.

Takie myśli sprawiają jej przyjemność. Przyjemność dawania prezentów, które zobowiązują. Rób tak, jak ja chcę, a zyskasz znaczenie w świecie. Sprzeciw mi się, a przepadniesz.

Myśli imperatorowej.

Aleksiej Orłow zabiera ją na nabrzeże portowe. Nowe okręty w różnych stadiach konstrukcji są jak szkielety ogromnych zwierząt.

– Wystarczająco mocne, by pokonać Turków osmańskich – oznajmia, gdy Katarzyna przesuwa ręką po świeżo wyciosanym maszcie.

Głos Aleksieja jest rzeczowy. Na jakiś czas po tym, jak oczyściła go z wszelkiej winy w związku ze śmiercią Piotra, usunął się z Sankt Petersburga. Teraz wrócił, pełen nerwowej energii, i nieustannie prze naprzód. W jej prywatnych komnatach, gdzie często przyprowadza go Grigorij, Aleksiej pilnuje, by być stale w jej polu widzenia. Nie odwraca oczu, kiedy jego brat w jednej z rzadkich chwil odpoczynku łaskocze jej stopy strusim piórem.

Piotr III, jak głosi cesarski manifest, zmarł z przyczyn naturalnych. Wskutek kolki hemoroidalnej. Z klasztoru Aleksandra Newskiego, gdzie wystawiono jego ciało, szpiedzy donosili o poddanych czekających w spokojnych, zdyscyplinowanych rzędach, by złożyć mu ostatni hołd. Pojawiło się trochę przyciszonych komentarzy na temat grubej chustki zawiązanej na jego szyi. Kilku zagranicznych dyplomatów pozwoliło sobie na prostackie żarty o niebezpieczeństwach związanych z rosyjskimi hemoroidami. W bardzo złym guście, ale nic ponadto.

Katarzyna niewiele myśli o Piotrze. Czasem odwiedza ją w snach, które nie pozostawiają po sobie nic prócz lekkiego niesmaku. Wszystkie jego portrety zostały usunięte, jego imię wymazane z oficjalnych dokumentów, jego rozkazy albo anulowane, albo wydane ponownie w jej imieniu. Jej ambasadorzy nadal zbierają informacje o tym, co mówi się na zagranicznych dworach o pałacowym przewrocie, jej jednak nie spędza snu z powiek żadna wypowiedź Marii Teresy, w której nazywa ją carobójczynią, czy paryski pismak, który porównuje ją do Mesaliny albo Liwii. Jeden list do Woltera, pełen komplementów i okraszony cesarskim podarunkiem, robi dla jej reputacji za granicą więcej dobrego niż wszystkie protesty jej ambasadorów razem wzięte.

Mówi się, że to kobiety lubią pochlebstwa, ale z mężczyznami wcale nie jest inaczej. Wystarczy wymyślić odpowiedni komplement, a serca miękną. Zachwycić się geniuszem wielkiego człowieka. Jego erudycją, polorem, dowcipem. Ach, pańskie zrozumienie historii! Pańskie znawstwo charakterów! Zadziwiające jest czytać dzieła, które czynią zaszczyt ludzkości, by potem przekonać się, jak mało stosuje się je w praktyce.

Grigorij Orłow nazywa Marię Teresę starą wroną.

– Czy to prawda, Katinko, że ona przędzie wełnę na własny całun?

– Teraz możemy się pobrać, Katinko.

Katarzyna siedzi przy swoim biurku, a Grigorij nachyla się nad jej ramieniem. Jego palce przesuwają się w dół po jej szyi. Gorący język pieści płatek jej ucha.

Ich syn, mały Aleksiej Grigorijewicz, rośnie jak na drożdżach. To zdrowy chłopiec – czyta Katarzyna w cotygodniowych sprawozdaniach – krzepki i silny. Kiedy tylko będzie gotowy, by zacząć naukę, sprowadzi go do pałacu i zatrudni dla niego najlepszych nauczycieli.

Już nie po raz pierwszy Grigorij Orłow zjawia się w jej gabinecie niezapowiedziany. Albo rozsiada się na otomanie, przerzucając jej dokumenty, niecierpliwie zwijając i rozwijając mapy. Albo przypomina jej, że szczupak pływa po jeziorze, żeby karpie nie posnęły. W ustach Grigorija to przysłowie oznacza, że żołnierze potrzebują wojen, żeby pozostać w formie i nie stracić koncentracji. Wojna to szansa na awans, zmianę własnego losu. Bezczynni mężczyźni zaczynają spiskować.

Mówi tak tylko dlatego, że Katinka jest kobietą. Kobieta potrzebuje pomocy. Rady.

Orłowowie wynieśli ją na tron, Orłowowie mogą ją obalić. Panin, który wciąż uważa, że Paweł Piotrowicz powinien był zostać ogłoszony carem, a ona – jego regentką, ostrzegł ją:

– Madame Orłowa nigdy nie będzie panowała w Rosji.

Nikita Iwanowicz Panin jest preceptorem Pawła, człowiekiem o błyskotliwej inteligencji, którą Katarzyna planuje wykorzystać w służbie imperium. Dlatego też jego przestroga nie jest bez znaczenia.

Orłowowie mogą dumnie kroczyć po korytarzach Pałacu Zimowego, ale dla starej szlachty pozostaną parweniuszami, którzy obracali się w towarzystwie kupców i żołnierzy. Których należy odesłać z powrotem tam, gdzie ich miejsce.

Katarzyna przytrzymuje palce Grigorija.

– Nie teraz – mruczy łagodnie. – Muszę pobyć sama.

Grigorij obrzuca ją zdumionym spojrzeniem, jakby go poprosiła, żeby poleciał na księżyc. Albo przyniósł jej róg jednorożca.

– Mam sporo dokumentów do przeczytania – mówi Katarzyna, wskazując na drewniane pudełko na bocznym stoliku. Potrzebuje co roku miliona stu tysięcy rubli na wydatki związane z dworem. Dziewięciuset tysięcy na własne gospodarstwo. Same stajnie kosztują ją sto tysięcy.

– Czy nie masz księgowych? – przewraca oczami Grigorij. – Nikomu nie ufasz?

Stanisław pisze z Warszawy: „Pozwól mi być przy Tobie, w jakim charakterze zechcesz, ale nie każ mi być królem... Człowiek nie potrafi kochać kogoś tak jak ja Ciebie więcej niż raz... Co mi pozostało? Życie bez Ciebie jest jak pusta skorupa...". Fryderyk otrzymał od Brytyjczyków propozycję, która jego zdaniem jest dla Prus korzystniejsza niż sojusz z Rosją. Pisze: „Jeśli chcecie mojego poparcia przeciwko Turkom, dajcie mi w zamian coś o rzeczywistej wartości". Ma na myśli ziemię. Pola. Miasta. Rzeki.

– Daj mi skończyć jeszcze jeden list.

– Nie – upiera się Grigorij. – Dość już się napracowałaś.

Sprzeczka jest błaha, ale ta chwila – nie. W głosie Grigorija pobrzmiewa nowy, ostry ton. Czy ktoś podpowiada mu, żeby wzmocnił swoją pozycję? Zdeptał wszystkie płomienie, póki jeszcze migoczą niepewnie?

– Pozwól, że to ja ocenię, kiedy będę miała dość – odpowiada. W jej słowach jest jeszcze szczelina, przez którą może wkraść się śmiech. Nadal mogą obrócić tę wymianę zdań w kłótnię kochanków, w znajomy, niewinny konflikt między obowiązkiem a pożądaniem.

– Nie, Katinko. Wiem, czego ci trzeba.

Jego wargi stają się bardziej natarczywe. Zęby skubią jej skórę. Jego dłoń zanurza się w głąb jej sukni i ściska jej sutek.

– Przestań, proszę – mówi Katarzyna.

Grigorij nie słucha. Jego dłoń nurkuje głębiej.

– Nie!

Jej głos jest ostry, ale ona sama jeszcze się nie gniewa. Ostrzega go tylko, żeby ustąpił, przemienił pieszczotę w pojednawczy pocałunek pełen skruchy, którym mogłaby delektować się jeszcze długo po jego wyjściu.

Ale to jest Grigorij Orłow. Lekkomyślny. Zuchwały. Ulegnij, domagają się jego dłonie. Nie pożałujesz tego. Nigdy nie żałowałaś.

Dlaczego nie?, kusi jej wewnętrzny głos. Czy nie należy ci się chwila przyjemności? Czy nie pracujesz dość ciężko?

– Nie teraz!

Grigorij łapie ją za włosy i odchyla jej głowę do tyłu. Boczny stolik z hukiem przewraca się na podłogę; pudełko spada do góry dnem. Dokumenty rozsypują się jak suche liście.

Nie obchodzi go los jej papierów. Ani połamanego stolika. Jeżeli będzie zwlekała choćby chwilę dłużej, jego ramiona przygniotą ją do ziemi. Muskularne, silne ramiona mężczyzny, który potrafi zatrzymać spłoszonego konia.

Katarzyna robi się miękka jak kotka. Mruczy.

– Wygrałeś – szepcze mu do ucha.

Grigorij zamiera. Przez moment wszystko trwa w bezruchu.

On ciągle się waha, ale potem jego usta zbliżają się do jej warg.

– Moja Katinka – mruczy z tak ogromną ulgą, że Katarzynie mięknie serce.

Jego ramiona wiotczeją. Uścisk rozluźnia się.

Odsuwa się od niego tak niepostrzeżenie, że Grigorij nie ma czasu jej złapać. Biegnie do drzwi i otwiera je, napotykając przerażony wzrok gwardzisty pałacowego. Dopiero wtedy zdaje sobie sprawę, jak musi wyglądać w jego oczach. Rozczochrane włosy, podarta suknia, plamy krwi na wargach. Nie ma jednego buta i kuleje. Niewykluczone, że na policzku ma też zadrapanie, bo skóra zaczyna ją palić.

– Proszę podnieść papiery – rozkazuje.

Gwardzista jest młody, pełen niewymuszonego wdzięku. Ze spuszczonym wzrokiem zbiera rozrzucone kartki i podaje jej. Katarzyna woli sobie nie wyobrażać, co dzieje się w jego głowie. Wskazuje na pudełko, a on podnosi je również.

– Proszę zabrać stolik.

Gwardzista zabiera połamany stolik, podczas gdy ona dzwoni na służącą. Będzie potrzebowała lodu na policzek. Nowej sukni. I nowej pary butów.

– Dobranoc, hrabio Orłow – mówi, zwracając się ku Grigorijowi, który stoi jak słup soli, usiłując zrozumieć, co stało się przed chwilą. – Do zobaczenia jutro.

Cokolwiek on sobie myśli, nie ma to wielkiego znaczenia. Znacznie istotniejsze jest to, co ona, caryca, widzi teraz po raz pierwszy w oczach kochanka.

Strach, a nie gniew.

Błaganie, a nie dumę.

CZĘŚĆ II

5 listopada 1796

Gwardzista zabiera połamany stolik, podczas gdy ona dzwoni na służącą. Będzie potrzebowała lodu na policzek. Nowej sukni. I nowej pary butów.

– Dobranoc, hrabio Orłow – mówi, zwracając się ku Grigorijowi, który stoi jak słup soli, usiłując zrozumieć, co stało się przed chwilą. – Do zobaczenia jutro.

Cokolwiek on sobie myśli, nie ma to wielkiego znaczenia. Znacznie istotniejsze jest to, co ona, caryca, widzi teraz po raz pierwszy w oczach kochanka.

Strach, a nie gniew.

Błaganie, a nie dumę.

9.30

Jej prawe ramię zwisa bezwładnie, jakby należało do kogoś innego. Czaszkę wypełnia ból. Coś jest nie tak.

Biezborodko, najlepszy z jej ministrów, ostrzegał ją, że Francja nasłała na nią zabójców.

– Przekroczyli wschodnią granicę, Wasza Wysokość. Dwóch młodzieńców udających wygnańców, pozbawionych majątków przez rewolucję. Skorzystają z każdej sposobności – balu, maskarady, litościwie udzielonej audiencji. Jeden z nich wyciągnie sztylet ukryty w rękawie. Drugi zamierza użyć pistoletu.

Katarzyna obróciła wszystko w żart.

– Gdyby naprawdę się tu wybierali, czy wiedzielibyśmy o tym? – zapytała. – Po co bać się zabójcy, który nie potrafi utrzymać języka za zębami?

Czyżby się myliła?

Francuzi to kłamcy. Mówią o wolności i braterstwie, a potem wypuszczają motłoch na ulice. Wloką króla i królową na szafot w imię sprawiedliwości. Jak ten szarlatan Cagliostro twierdzą, że potrafią uzyskać złoto z uryny. Zapominają o tym, że kiedy bariera strachu zostanie przerwana, niełatwo ją ustawić z powrotem. Że człowiek pozostawiony swoim zwierzęcym instynktom nie będzie handlował czy budował, tylko łupił i grabił.

Niewiele rzeczy potrafi ją przerazić. Myśl o motłochu – tak. Mężczyźni, którzy osadzają kosy na sztorc, którzy zmieniają drzewa w szubienice, a sznury w stryczki. I ich kobiety, które – jak francuskie poissards wygrażały Marii Antoninie – chcą zbierać wnętrzności w fartuchy i ponieść głowy na palach.

„Homo homini lupus". Człowiek człowiekowi wilkiem.

9.32

Stukot obcasów w antyszambrze jest gwałtowny i nerwowy. Ktoś chodzi w kółko po pokoju na zewnątrz. Co trzecie stuknięcie obcasa brzmi głośniej niż pozostałe.

– Co ty tu robisz? – warczy Queenie na kogoś za drzwiami toalety. – Idź stąd, już!

Dlaczego Queenie krzyczy?

Psie łapy skrobią o podłogę. Nos węszy przy szczelinie pod drzwiami. Niecierpliwie, z nerwowym skomleniem. Pani? Czuje to, czego nie potrafi wychwycić ludzkie powonienie?

Jej prawa dłoń porusza się tylko wtedy, kiedy zmusi ją do tego siłą woli. Uderzenia bólu w jej głowie zmieniły częstotliwość. Jedno dźgnięcie nie następuje już tak szybko po drugim. Głowa sprawia wrażenie kruchej i porowatej.

Jej lewa dłoń zaciska się na klamce. Jeszcze jedno niezgrabne szarpnięcie i dźwignie się z toalety. Jak tylko ból trochę zelżeje, przyrzeka sobie.

Baletnice, wspomina, suną lekko po scenie nawet wtedy, gdy to boli.

Teraz, myśli.

Do góry.

Ale mięśnie i kości ją zdradzają. Zsuwa się na podłogę jak marionetka, której ktoś poprzecinał sznurki. Jak te, przy których Piotr majstrował, dopóki nie chodziły przesadnie zawadiackim krokiem. Albo marszczyły nosy jak króliki. Albo rozsypywały się w bezradny stos drewnianych kończyn.

9.34

Nie umarłam, myśli. Tylko się przewróciłam.

Powtarza te słowa kilkakrotnie w myślach, bo zanim każde z nich do niej dotrze, mija dużo czasu.

Tylko? Się? Przewróciłam?

Jej pole widzenia zawęziło się do kilku cali. Widzi tylko deski, z których zbudowana jest toaleta, ich kunsztowne faliste linie, słoje z plamkami jaśniejszego drewna wewnątrz.

Niezrozumiałe, lecz piękne.

Żyłki na marmurowych płytach też przyciągają jej wzrok. Białe, brązowe, szare, czerwone, kolory sączą się z drobniutkich pęknięć. Jest też skóra na jej dłoniach, piegowata, pełna bruzd i nabrzmiałych żył. I rąbek jej mankietów, wyszywanych tak misternie, że nie potrafi dostrzec ani jednej srebrnej nici, bo wszystkie stapiają się w liście dębu i żołędzie. Kiedy odrobinę uniesie głowę, widzi strumień światła wpadający przez okno. Drobne pyłki tańczą w nim balet pełen radosnych piruetów i szaleńczych pościgów.

Na zewnątrz, za drzwiami wahadłowymi męski głos pyta:

– Czy widziałyście dziś rano Jej Wysokość?

Służący jej szukają. Wiszka, która zawsze wie o wszystkim, przysięga, że nie widziała, by jej pani gdzieś wychodziła.

– Posłuchajcie – nalega Wiszka – pelisa nadal tu wisi. Jej Wysokość nie wyszłaby na zewnątrz w taki mróz bez futra.

Bawimy się w chowanego, stwierdza Katarzyna.

Wesołość kipi w niej, wciągając ją w dawne wspomnienie dziecięcej przyjemności. Jest pod łożem i zatyka nos, żeby nie kichnąć, bo pokojówki nie odkurzają pod łożami, o ile tylko mogą się od tego wymigać. Ktoś wchodzi do pokoju, a ona jest przekonana, że to Babette, która przyszła jej szukać, ale przecież guwernantka nie ubiera się w satynę. I jest jeszcze ktoś, bo widzi parę męskich butów ze srebrnymi klamrami.

Spod łoża Zofia – bo tak ma wtedy na imię – widzi, jak unosi się rąbek szeleszczącej sukni. Na podłogę opada falbaniasta halka, odsłaniając białe pończochy ze szkarłatnymi podwiązkami i satynowe pantofelki na zwężających się obcasach.

Męska dłoń sunie w górę po nodze kobiety.

– Tak długo czekałem – mruczy głos.

Kobieta chichocze i odpycha rękę.

– Teraz – błaga mężczyzna. – Póki wszyscy myślą, że jesteś w ogrodzie.

– Czy tak właśnie myślą? – droczy się kobieta szeptem. Beztroskim, a jednak znajomym.

Matka?

Czy to możliwe?

Wśród przyciszonych wybuchów śmiechu łoże nad nią ugina się i zaczyna kołysać. Na podłodze ląduje kamizelka, a po niej bryczesy i biały gorset.

Płyną wymawiane półgłosem zaklęcia. Obietnice miłości. Tęsknoty.

Kiedy do jej uszu dobiegają jęki rozkoszy, Zofia wsuwa rękę pod własną halkę, w to miejsce pomiędzy udami. Trzyma ją tam. Przyciska mocno. Mocniej. Aż wreszcie czuje leciutkie drżenie. Słodkie i lepkie jak miód.

– Jej Wysokość nie opuściła swoich apartamentów – upiera się Wiszka, jej głos jest teraz zachrypnięty z przejęcia. – Byłam tu przez cały czas. Adrian Mosiejewicz moim świadkiem.

– Zapukaj jeszcze raz, Zacharze Iwanowiczu – nalega Wiszka. – Jej Wysokość nie słyszy już tak dobrze jak kiedyś.

Zachar Iwanowicz robi, co mu kazano, i Katarzyna słyszy odległe pukanie w drzwi gabinetu, a potem głos pokojowca, wyraźny i niespodziewanie donośny:

– Madame, czy możemy wejść?

9·35

Na zewnątrz toalety nie ustaje walenie w drzwi.

– Wasza Wysokość – słyszy Katarzyna. Głos mężczyzny jest przestraszony. – Czy Wasza Wysokość tam jest? Czy ktoś z nas mógłby wejść? Może Anna Stiepanowna?

Anna Stiepanowna? Queenie!

Szczeka pies. Szczeknięcie przemienia się w pełen tęsknoty skowyt. Tyle było psów, myśli Katarzyna. Skocznych, sapiących, przebiegłych, urwisów. Który to z nich?

Ból w jej głowie rozszczepił się na niezliczone mniejsze bóle; niektóre z nich to zaledwie ukłucia, a inne – palące ciosy.

Coś mi się stało, myśli.

Udaje jej się przekręcić głowę na bok. Leży na podłodze. Ale dlaczego? Czy się przewróciła? Kiedy? I czemu nie może wstać? Ani nic powiedzieć?

Stało się z nią coś niedobrego. Coś, czego nie przewidziała. Co przeoczyła.

Czy jestem chora? Otruta?

Strach przyspiesza jej myśli. Kiedy już wpuści się strach do serca, będzie rósł. Ale jest sposób, by go powstrzymać. Trzeba pomyśleć o twarzach wykrzywionych szyderczymi uśmiechami.

Radujących się na myśl o jej nieszczęściu. Twarzach plotkarzy, rozpowiadających wokół swoje kłamstwa. Stare czy nowe, ale zawsze perfidne. O tym, jak ujrzawszy swojego syna po raz pierwszy, nazwała go „kałmucką małpą" i odmówiła zbliżania się do niego. Jak co rano odurza się szampanem i węgierskim winem. Jak bierze sobie kochanków, po czym zabija ich, kiedy już nie są w stanie jej zaspokoić.

Przypomnienie sobie tych złośliwości, tych chichotów zawsze pomaga. Nic szybciej nie buduje oporu. Nie pomaga w wytyczeniu kierunku działania.

Potrzebuję pomocy. Teraz. Szybko.

Szczęśliwie służący przestali zadawać swoje bezsensowne pytania. Teraz próbują otworzyć drzwi. Czuje, jak napierają na jej ciało. Mocno. Boli, kiedy tak robią, bo ostra krawędź drzwi wbija się w zaognioną skórę na jej chorej nodze. Krew musi wyciekać na jej halki, plamiąc materiał.

Moja krew musi zostać w środku, usiłuje powiedzieć, ale jej wargi się nie poruszają. Podobnie jak noga, kiedy chce przesunąć ją tak, żeby nie działa jej się krzywda.

– Wezwijcie natychmiast doktora Rogersona – krzyczy mężczyzna.

Zotow, nazywa się Zotow.

To jej pokojowiec. Dobrze go zna.

Zotow pochyla się teraz nad nią. Pod okiem ma pieprzyk. Z jego nozdrza sterczy bujna kępka czarnych włosów. Katarzyna czuje w jego oddechu czosnek i zapach wczorajszego obiadu. Kapusta, śmietana, kiszone ogórki.

Pieprzyk na lewym policzku to oznaka nieszczęśliwego życia, mówiła Queenie. A może jednak na prawym?

Ktoś ciągnie ją teraz za rękę; ktoś inny podnosi jej nogi. Słyszy pełne wysiłku stękanie. Jest ciężka, jak sama ziemia.

Służący położyli dla niej na podłodze materac, tak jakby miała znowu rodzić, ale to chyba niemożliwe? Urodziła już swoje dzieci. Ile ich miała? Troje. Co się z nimi stało? Jedno umarło. Drugie, syna Grigorija, odesłała, bo rozgniewał ją swoją zuchwałością.

W pokoju są ludzie. Wielu ludzi chodzi wokół niej na palcach, nie wiedząc, co robić. Niektórych zna, a inni wyglądają znajomo, ale nie może sobie przypomnieć ich imion. Dwie najbardziej zaufane służące, Queenie i Wiszka, pochylają się nad nią z twarzami wykrzywionymi strachem. Ich wargi poruszają się, ale słowa docierają do niej znacznie później, zniekształcone, jakby ktoś wykrzykiwał je z głębi beczki.

– Czy Waszą Wysokość coś boli? Doktor Rogerson zaraz tu będzie.

Katarzyna słucha i rozmyśla nad słowami, które słyszy. Wnętrze jej czaszki jest jak nadmorska skała, o którą rozbijają się fale. Niektóre z nich przynoszą ból, a inne tylko plączą jej myśli.

Doktor Rogerson, jej nadworny medyk, przybył ze Szkocji. To posępny hazardzista, który często mawia, że Szkoci nie przepadają ze sobą nawzajem. Ma rudawe włosy, gęste jak u ostrzyżonej owcy. Na jego policzkach widnieją dzioby po ospie, a pod oczami sine worki.

Co powie?

Że to wyjątkowo silna migrena?

Trucizna? Może *aqua tofana*?

Choć niewątpliwie zagadkowe, pytania te nie są szczególnie niepokojące. Ani pilne. Ponieważ fala bólu opada i teraz Katarzyna czuje spokój. Jej powieki zamykają się, a ona przez dłuższą chwilę unosi się nad podmokłymi polami, gdzie wśród trzcin rechoczą zielone żaby.

Nazywają się laguszki, przypomina sobie.

9.38

– Nie, Adrianie Mosiejewiczu – krzyczy Wiszka. – Nie opuścisz tego pokoju. Nawet na chwilę.

Gribowski to mój sekretarz. Jest dobry. Można mu ufać. Wybrał go Grisza.

Czego Wiszka się tak boi?

Wiszka mówi zbyt szybko, żeby dało się rozróżnić wszystkie słowa.

– Anno Stiepanowna, proszę, powiedz doktorowi, że Jej Wysokość zemdlała... ale nic poza tym.

Słychać tupot stóp. Drzwi otwierają się i zamykają. Na zewnątrz wyje pies, ale dźwięk dociera do niej stłumiony, zniekształcony.

Strach w głosie Wiszki rozpościera się jak mgła nad polami. Wisi ciężko w pokoju, ogranicza widoczność. Ten strach karmi się jej bezwładnym ciałem. Tym, że nie udaje jej się zmusić warg do poruszenia.

Może się wydawać, że źródło wyschło, ale wystarczy odsunąć kilka kamieni, zetrzeć piasek – i znów tu jest.

– Pamiętasz, Zofio? Pamiętasz nasze marzenia?

To głos jej kochanka. Słychać w nim delikatne dzwonienie, które przywodzi na myśl zimowe wieczory przy kominku po przejażdżce saniami. Śmiech i żywiołową beztroskę. Długie rozmowy o tym, jak okiełznać przyszłość.

– Przeznaczenie, boski plan, kosmiczne siły – mówił Stanisław.

– Twoja własna wolna wola – odpowiadała ona.

Tak przynajmniej chce to pamiętać.

Monplaisir, nad zatoką, fale rozbijają się o skały. Kamienny taras. Długi, wilgotny, ciepły pocałunek. Smutne psie oczy mężczyzny, który musi odejść. Nie chce, mówi jej Stanisław, ale jest do tego zmuszony. Z powodu, który nadal jest dla niego tajemnicą. Lekcją, którą oboje będą musieli odkryć.

Szczęście jest możliwe, Zofio.

Nie jestem Zofia.

Mieliśmy dziecko. Córkę. Miała na imię Anna.

Anna umarła. Matka też umarła. I ojciec. Ojciec, którego nie zaproszono na mój ślub.

Uwierzyłbym, że każda inna kobieta może się zmienić, ale ty?

Albo będę panować, albo zginę. Tego się nauczyłam.

Słychać szmer przyciszonych głosów, wszystkie są przejęte, przesiąknięte niepokojem. Wiszka nie szepcze. Przestańcie się kręcić, warczy. Przynieście wiadro. Sprzątnijcie ten bałagan w prewecie. Nie stójcie tak z otwartymi ustami, przestańcie się gapić jak sroki w gnat. Ruszcie się.

Jej słowa drażnią.

Czuć zapach octu.

– Nie rozsyp soli, ty niezdaro! – syczy Wiszka.

Nic nie jest jak trzeba. Nic nie jest tak, jak powinno być.

Jest carycą.

Wystarczy, że podniesie rękę. Przemówi, a znów zapanuje porządek.

Jej wargi się poruszają.
Bezgłośnie.
Na razie.
Upadłam. Potłukłam się. Potrzebuję czasu. Muszę odpocząć. Muszę pomyśleć.

Niektóre wspomnienia odkłada na później, z dala od ciekawskich oczu. Jak sznur pereł, który trzeba przewlec. Nie powinni go ruszać służący, bo jedno nieostrożne dotknięcie może sprawić, że się rozsypie, a perły potoczą się po podłodze, znikną w szparach i zakamarkach.

W jednym z takich wspomnień dotyka omszałego muru. Jej place natykają się na otwór, szczelinę pomiędzy zimnymi, mokrymi kamieniami. Zagląda przez nią. Po drugiej stronie widzi cud kwitnących drzew, krzewów, róż i winorośli. Zielony gąszcz, orgię kolorów i zapachów.

Pod palcami czuje żelazny skobel niewielkiej furtki, która skrzypi, kiedy ją otwiera. W ogrodzie jej uwagę przyciąga huśtawka. Kołysze się jeszcze, jakby ktoś dopiero z niej zeskoczył, ale w pobliżu nikogo nie ma.

Ma na sobie balową suknię z różowej satyny, a jej kapelusz zdobią długie białe pióra. Miękka i różana, jest boginią jutrzenki. Siada na huśtawce i zaczyna kołysać się w tył i w przód, na przemian odchylając się i zginając, kiedy frunie naprzód.

Doprowadzenie huśtawki do najwyższego punktu zajmuje jej trochę czasu, ale kiedy się to udaje, czuje radość nie do opisania. Pęd powietrza muska jej policzki, wydyma spódnice, grozi zdmuchnięciem kapelusza z głowy.

Wtedy właśnie go zauważa – stojącego w cieniu mężczyznę. Gibkie ciało jeźdźca, który potrafi okiełznać najdziksze wierzchowce. Stoi wśród zieleni, udaje, że jest niewidzialny. W jego spojrzeniu jest coś hipnotyzującego. Wrażenie całkowitego bezruchu? Zalotna obietnica dochowania sekretu?

Cokolwiek by to było, to dla niego Katarzyna zsuwa pantofelek i pozwala mu spaść na ziemię. Jej stopa ma wysokie podbicie, jest smukła i pełna gracji. Skóra przypomina alabaster.

Popatrz, mówi jej kokieteryjny uśmiech. Jestem kapryśna. Jutro mogę wzgardzić tym, na co dziś mam ochotę. Schwytaj tę chwilę, jeśli potrafisz. Może się nie powtórzyć.

Katarzyna całym ciałem rejestruje każde jego najmniejsze poruszenie.

On coś mruczy. Początkowo jego głos jest cichy, ale potem słyszy go tak, jakby szeptał jej do ucha: Sprawię, że będziesz płakała bez powodu, wzdrygała się na widok cieni, których nikt inny nie zobaczy.

Zna ten głos. To Grigorij Potiomkin. Grisza.

Bez niego nic nigdy ją do końca nie zadowoli.

W gorączce pałacowego przewrotu czujna gorliwość nieznajomego zwraca jej uwagę. Tysiące zachwyconych oczu, tysiące rąk wzniesionych w geście błogosławieństwa albo poddaństwa, ale tylko jeden człowiek zrozumiał jej kłopotliwe położenie.

Pożyczony mundur preobrażeński leży na niej jak ulał; w jej ręku błyszczy naga szabla. Konie rżą, brzęczą ostrogi. Rzesze, które czekały na nią godzinami, wiwatują. Pijani tym, co dostali w karczmach, szaleni nadziejami i ambicjami, które wyzwoliła nieustępliwa jasność białej czerwcowej nocy. Katarzyna już ma wsiąść na konia, kiedy zauważa, że brakuje jej dragonne, pętli na dłoń u rękojeści szabli.

W jej stronę galopuje gwardzista, odrywa dragonne od własnej szabli i wręcza jej z wdzięcznym ukłonem. Katarzyna kątem oka dostrzega rozpłomienioną twarz, dołek w podbródku i gęstą kasztanowatą czuprynę. Wystraszony głos Katii Daszkowej dobiegający zza jej pleców nawołuje do pośpiechu. Piotr nadal jest carem, choćby tylko tytularnie. To nie pora na wahania.

Ale gwardzista, który podał jej dragonne, nie zamierza jej opuścić. Jego koń idzie tuż obok jej wierzchowca, kolano przy kolanie.

– Wasza Wysokość musi wybaczyć moją śmiałość – mruczy gwardzista. – Nie potrafię jej opanować.

Potrafię okiełznać konia, ale nie moje zuchwałe serce, mówią jego roziskrzone oczy.

Starszy sierżant sztabowy Grigorij Potiomkin, jak szybko dowiaduje się Katarzyna, jest nikim. Jednym z wielu, którzy zgodzili się pójść za Orłowami. Został hojnie wynagrodzony za swoje usługi. Awansował na podporucznika, zaproponowano mu do wyboru sześćset dusz lub osiemnaście tysięcy rubli.

Mówią na niego Grisza.

Ile ma lat?, pyta Katarzyna.

Dwadzieścia trzy.

Grisza Potiomkin, drobny szlachcic. Prowincjusz z miejscowości Cziżowa. Matka urodziła go w wiejskiej bani, podczas gdy ojciec przepijał jego dziedzictwo w towarzystwie chłopów. Grisza biegał na bosaka po łąkach z wiejskimi chłopakami. Piekł buraki w żarze z ogniska, chrupał surową rzepę i wyłuskiwał nasiona słoneczników. Ministrant z pretensjami do wielkości, która – jest przekonany – czeka go tak niechybnie, jak to, że po zimie przychodzi wiosna. Bystry, owszem, ale podobnie jak jego tęgi ojciec gnuśny i arogancki. Jego nauczyciele wpadali w rozpacz, wybaczali mu, po czym znowu rozpaczali. Koniec końców Griszę Potiomkina wyrzucono ze szkoły za lenistwo i nieobecności.

Gdzie jest Cziżowa?

Gdzieś pod zachodnią granicą. Daleko od Moskwy i jeszcze dalej od Sankt Petersburga. Igła w stogu siana, jakim jest jej imperium. Jeśli człowiek zmruży oczy, przejeżdżając obok niej, nawet jej nie zauważy.

Dla Grigorija Orłowa Grisza Potiomkin stanowi rozrywkę.

– Co za błazen! Potrafi rozśmieszyć każdego.

– Jak?

– Przedrzeźnianiem. Potrafi naśladować Panina, Szuwałowa, das Fräulein.

– Chcę zobaczyć, jak to robi!

Wezwany, by dostarczyć cesarzowej rozrywki, Grisza Potiomkin wchodzi do jej komnat w Pałacu Zimowym z powściągliwym, tajemniczym uśmiechem. Jego włosy są kasztanowate, tak samo piękne, jak zapamiętała. Obok niej Grigorij Orłow zaciera ręce, jak gdyby ten porucznik gwardii konnej był jego własnym odkryciem.

– Nie mogę tego zrobić, Wasza Wysokość – protestuje Grisza Potiomkin. – Nie potrafię nikogo naśladować. Proszę mi wybaczyć, madame, że rozczarowałem ją i jej prześwietny dwór.

W jego głosie słychać niemiecki akcent, nie do pomylenia z żadnym innym. Głowę trzyma wysoko, jakby stał u szczytu marmurowych schodów i spoglądał na wszystkich z góry. Jego gesty są z lekka kobiece.

Katarzyna zdaje sobie sprawę z podnoszących się wokół szmerów, z grzmiącego śmiechu Grigorija Orłowa. Wie, co myśli jej faworyt. Nowa caryca jest nieprzewidywalna. Nie czuje się do końca pewnie we własnej skórze. Co zrobi kobieta, świeżo upieczona monarchini, z poddanym, który ośmiela się ją przedrzeźniać?

Wybucha śmiechem.

Jej życie właśnie zmieniło się pod tyloma względami, że nawet nie jest w stanie ogarnąć ich umysłem. To, czego tak długo pragnęła, w cudowny sposób należy do niej, zarazem jako dar i brzemię. Wybuch śmiechu otwiera ją, uwalnia od tego, co ją krępowało. Strach, ciemność i hałaśliwą radość zwycięstwa.

A on, Grisza Potiomkin?

Myśli, że już wygrał. Że zdobył ją tym śmiechem. Rozbroił ją, pociągnął ku sobie. Niecierpliwy i młody, Grisza Potiomkin wierzy w chwile, które zwiastują odmianę losu. Chwile, które zamierza schwycić i wycisnąć jak cytrynę.

Dlatego nie będzie jej odstępował w nadchodzących miesiącach. Będzie rzucał się jej do stóp, nie raz, nie dwa, ale dziesiątki razy. W korytarzach Pałacu Zimowego. W ogrodzie w Carskim Siole. Na dziedzińcu Peterhofu, na kolanach, z żarliwym spojrzeniem i słońcem, igrającym z rdzawym odcieniem jego włosów. Będzie jej schlebiał, obsypywał ją komplementami. Całował jej dłoń. Wyznawał miłość. Upomniany, nadal będzie pojawiał się przy jej stoliku do gry, nachylał się nad nią i zaglądał jej w karty, ignorując narastającą wściekłość Grigorija Orłowa.

Ona będzie się śmiała albo z niedowierzaniem kręciła głową, i odchodziła. Jego względy nie są jej niemiłe, nie chce jednak, by on o tym wiedział. Po co psuć dziecko? Po co brukać tak niewinną przyjemność? Najlepiej czuwać nad nim z daleka. Podsuwać mu drobne awanse. Kamerjunkier. Pomocnik prokuratora Świętego Synodu. Skarbnik wojskowy. Opiekun innowierców.

Jej cavalier servente jest za młody, zbyt pochopny, zanadto gorliwy. Potrzebuje, by nim pokierowała, potrzebuje jej przestróg.

Przestróg, których i tak nie usłucha.

Spojrzyj, Caryco, bystrym wzrokiem
W przyszłość i ujrzyj, o Wspaniała:
Za każdą myślą Twą i krokiem
Podąża zgodnie Rosja cała.

Nie należy trwonić czasu na próżne rozrywki. Czas nie należy do Katarzyny, lecz do imperium.

Tyle jest do zrobienia.

Rosja rozrasta się nagłymi zrywami. Decyzja o poparciu dla jednej frakcji sprowadza gniew drugiej. Żadne posunięcie nie jest nieszkodliwe. Kwestionuje się każdą władzę.

Stara gra w rzucanie sobie wyzwań? Sprawdzanie, na ile cię stać? Obliczenia dokonywane na papierze bledną w zderzeniu z codziennymi transakcjami z krwi i kości. Słabi będą stawać do walki z silniejszymi, na przekór wszystkiemu. W kwestiach wagi państwowej przepowiednie mnożą się jak króliki.

Kiedy żąda większych swobód religijnych dla wiernych prawosławnych, Polacy krzyczą, że Rosja wtrąca się w ich najświętsze prawa. Stanisław, obecnie król Polski, błaga o czas, o reformy, które wzmocnią jego rządy. Gdy tymczasem jego poddani gardzą nim jako rosyjskim podnóżkiem i chwytają za broń. A ukraińscy Kozacy przyłączają się do walki, dysząc nienawiścią do swoich polskich panów i żydowskich nadzorców. Kiedy w grę wchodzą Kozacy, to jeśli gniew wybuchnie, ziemia stanie w ogniu.

We wszystkich swoich pałacach Katarzyna trzyma ukochane książki. Monteskiusz. Locke. Beccaria. To kwintesencja Europy, a Rosja musi być europejskim krajem, nie jakimś ciemnym azjatyckim zaściankiem, gdzie toleruje się wszelkie okrucieństwa.

Codziennie spisuje swój *Nakaz*. To będzie jej spuścizna dla Rosji, drogocenny klejnot sprawiedliwości i porządku. Nie same prawa – te zostawi powołanej przez siebie Komisji Kodyfikacyjnej. Nakreśli tylko podstawowe zasady, na których oprą się nowe prawa, obowiązujące wszystkich jej poddanych:

Lepiej zapobiegać przestępstwom, niż karać.

Prawo i system sądowniczy powinny mieć na celu zreformowanie przestępcy.

Słowa nie mogą podlegać karze, jeżeli nie towarzyszą im czyny.

Cenzura nie prowadzi do niczego prócz niewiedzy.

Tortury są zbrodnią.

Każdy obywatel pragnie dla swojego kraju szczęścia, chwały i bezpieczeństwa.

Prawa powinny chronić, nie zaś uciskać.

Władca rządzi sam, jest jednak poddany pewnym fundamentalnym prawom, uświęconym przez tradycję i obyczaje.

– Co tak ciągle gryzmolisz, Katinko? – dopytuje się Grigorij Orłow.

Zawarli coś na kształt rozejmu, ale nie jest między nimi dobrze. Ich syn, Aleksiej Grigorijewicz, sprowadzony do pałacu i oddany pod opiekę najlepszych pedagogów jest jedną z przyczyn pogorszenia stosunków. Podarte książki, atrament rozlany nonszalancko na stare manuskrypty.

– Syn żołnierza – triumfuje Grigorij – nie daje się przykuć do biurka.

Grigorij nazywa sam siebie „monsieur de Pompadour". Jego ulubionym zakończeniem wszystkich sprzeczek jest pokazowe odmaszerowanie z zaciśniętymi zębami.

Irytację można ignorować. Albo raporty, które znajduje rankami wśród czekających na nią dokumentów. Rachunek z karczmy za zniszczone sprzęty, w tym zegar z kukułką, do której strzelano z pistoletu. Kolejna pijacka noc w pałacowej bani, a po niej przejażdżka powozem przez miasto w towarzystwie nagiej ladacznicy. Kolejna ciężarna pokojówka, odesłana do majątku Orłowów. Zamówienie na tapetę ozdobioną libertyńskimi obrazkami, przedstawiającymi splecioną w miłosnym uścisku parę, w której „kobieta wykazuje wyraźne podobieństwo do Jej Cesarskiej Wysokości".

Kobieta z gładkimi piersiami, krągłymi pośladkami i czarnymi potarganymi włosami. Ścigana, przygniatana do podłogi, ujeżdżana.

– Wasza Wysokość powinna zwracać uwagę na takie rzeczy – zrzędzi Panin. – Niedobrze być zbyt pobłażliwym.

Przynajmniej nie mówi „nierozsądnym".

Rosja potrzebuje spójnych nowych praw, które zjednoczą kraj. Katarzyna nakreśliła ogólne zasady, pokazała je swoim doradcom i poprawiła, łagodząc te kontrowersyjne. A teraz, powiedziała swoim delegatom, przeanalizujcie moje ogólne zasady i odnieście je do tego, co jest możliwe. Stwórzcie projekty nowych praw.

Służba w Komisji Kodyfikacyjnej jest zaszczytem. To historyczna chwila dla Rosji. Początek jej prawdziwego oświecenia.

Ludzie wysuwają wiele powodów, dla których słowa na papierze nie mogą ich dotyczyć. Rosja leży na Północy. Chłopów można wyzwalać w ciepłych krajach, ale tutaj, w zimnym północnym klimacie, trzeba ich zmuszać do pracy. Państwo nie potrafi tego dokonać. Rosja jest za duża. Szlachta musi mieć środki, by panować nad swoimi chłopami pańszczyźnianymi. Tak jak zawsze miała.

Majątek ruchomy. Niewolnicy, do których nie należą własne dusze. Panujecie nad nimi knutem, myśli Katarzyna ze złością. Dybami i szubienicą.

Mówią o władzy nadanej przez Boga. O kultywowaniu tego, co było od zawsze. Szeremietiewowie. Rumiancewowie. Daszkowowie. Nie mówią wprost, że w żyłach Katarzyny nie płynie rosyjska krew, ale dają to do zrozumienia. Niemieckie umiłowanie porządku i przejrzystości jest chwalebne, ale jak można sprawić, by to samo ubranie pasowało na dwadzieścia różnych ludów z różnymi obyczajami i wierzeniami?

Prowincje chcą więcej władzy? Lokalne rządy chcą większej autonomii?

Polityka składa się z wielu gier. Jedną z nich jest patrzenie i nauka. Zamieszaj wywar i przyjrzyj się, co wypłynie na wierzch z szumowinami.

Czy wszyscy obywatele są wolni w świetle prawa?

Jeżeli tak, to kupcy też chcą mieć swoich chłopów pańszczyźnianych, a ziemianie się sprzeciwiają. Albo ziemianie też chcą handlować lub zakładać manufaktury, a kupcy się sprzeciwiają.

Stara szlachta nie życzy sobie mieć do czynienia ze świeżo upieczonymi szlachcicami. Kiedy wieśniakom pozwoli się na zgłaszanie skarg, grzęzną w opowieściach o przewróconych płotach, krowie sąsiada, która zjada im siano, czy jakimś zachłannym urzędniku, który wyciąga rękę po coraz to wyższe łapówki.

A wszystko to powleka warstwa lenistwa i chciwości.

Katarzyna dała każdemu z delegatów oprawiony egzemplarz swojego *Nakazu*. Do tej pory tylu z nich zgubiło swoje, że połowa wszystkich komisji w ogóle się nie zbiera, czekając, aż egzemplarze *Nakazu* zostaną ponownie wydrukowane. Dała im medale, żeby upamiętnić ich udział w komitecie; sprzedali je i się popili. Jakby płaciła im za udowodnienie, że z każdej słusznej idei można zrobić pośmiewisko.

Krążą najbardziej niedorzeczne pogłoski. Dlaczego caryca chce wyzwolić chłopów pańszczyźnianych? Żeby rozpleść osnowę tkaniny, która tak dobrze służyła nam wszystkim?

Żeby osłabić Rosję?

Czy to głupota, czy arogancja? Czy tylko kobieca logika?

W duszach chłopów panuje ciemność i lenistwo. Daj im cal, a wezmą całą milę i będą chcieli jeszcze. Spuść ich z łańcucha, a poderżną ci gardło. Albo wyprują ci flaki i podepczą swoimi brudnymi nogami.

Do tej pory jedyną rzeczą, co do której delegaci są zgodni, jest nadanie jej tytułu Katarzyny Wielkiej lub Wszechmądrej Matki Ojczyzny. Odpowiada, że jest carycą dopiero od pięciu lat i nie zasłużyła na przywilej bycia nazywaną Wielką. Gesty te jednak sprawiają jej przyjemność z jednego powodu. Nie słychać już sugestii, że powinna być regentką syna czy zrezygnować z tronu, kiedy Paweł osiągnie pełnoletniość.

W jej moskiewskiej rezydencji sprawy nie układają się lepiej. Petersburscy służący przewracają oczami na brak porządku. Ochmistrz pałacowy zbyt długo pozostawał bez nadzoru. Zwykły obiad to powód do konfliktu charakterów, parada produktów zastępczych, zakalcowatych ciast, mięs podejrzanie hojnie potraktowanych gałką muszkatołową. Przeszkody bywają zarówno poważne – jeden z kucharzy został ugodzony nożem przez złodzieja przyłapanego na podkradaniu cukru – jak i niedorzeczne – z garnka ze śmietaną wyłowiono jeża.

Bez wódki nie da się nic zrozumieć, słyszy Katarzyna.

Otwiera drzwi swojego gabinetu – znacznie cięższe niż te w Pałacu Zimowym – i przywołuje służącego podrostka, którego jedynym obowiązkiem, z tego co widzi, jest siedzenie po turecku pod tymi drzwiami.

Może przytrzymywanie ich, żeby nie trzasnęły?

Chłopiec wygląda na przestraszonego. Ucieka wzrokiem na boki. Nadstawia uszy jak koń.

– Nic się nie stało, w niczym nie przeszkodziłeś – uspokaja go. – Ale chciałabym dowiedzieć się czegoś o tobie.

Chłopcu trzęsą się ręce.

– Jak masz na imię? Skąd jesteś? Gdzie są twoi rodzice?

Na imię ma Taras. Dobrze pamięta mamę. Wyglądała bardzo pięknie w trumnie. Ubrana w najlepszą suknię, którą sama przygotowała na długo przed śmiercią. Wyhaftowaną i uprasowaną. Zabiło ją złe oko, wyjaśnia chłopiec nieśmiało. Sąsiadka zazdrościła im brązowej kury nioski. Ojciec zmarł, jak on był jeszcze mały, więc go nie pamięta.

Najazd Kozaków, pożar, grabież? Był ofiarą czy sprawcą? Przemoc, która ma tyle postaci, nie dziwi Katarzyny. Świat jest nieprzyjaznym miejscem. Fakt, że jest duży i płaski, to nie zaleta. Rosja wciąż jeszcze pamięta najazdy tatarskich hord. Co siedem lat, jak mówi przysłowie, z jałówek wyrastają mleczne krowy, a z dziewczynek panny. Gotowe na tureckie targi niewolników.

– Twoja mama – pyta. – Pomagałeś jej? Przynosiłeś jej wodę? Zbierałeś dla niej drwa na podpałkę?

Nie jest pewna, co robią dzieci biedaków. W Zerbst zajmowały się ptactwem domowym. Zamiatały podwórze wierzbowymi miotłami. Załatwiały sprawunki, pilnowały młodszego rodzeństwa.

– Pomagałem jej płakać. – Taras nie zacina się już ani nie waha, zdając relację z rodzinnych nieszczęść.

– Wiesz, co znaczy wolność, Tarasie? – pyta caryca, ale to pytanie jest zbyt abstrakcyjne, w odpowiedzi chłopiec mruga tylko nerwowo. Katarzyna ma lepszy pomysł. – Powtórz za mną: Wolno mi…

– Wolno-mi, Wasza Wysokość – powtarza chłopiec z pośpiechem. Jest zupełnie nieświadomy ironii kryjącej się w słowach, które właśnie wypowiedział.

– Nie, nie. Chcę, żebyś dokończył to zdanie – wyjaśnia. – Sam.

Taras kręci się niespokojnie. Przez rozdarcie jego buta miga fragment brudnej skóry. Czy Kozacy nie noszą skarpetek?

Proszenie dziecka, by dokończyło takie zdanie, również nie jest dobrym pomysłem. Zanadto przypomina wyznanie grzechów.

– A czego ci nie wolno, Tarasie? – pyta zamiast tego. To jest łatwiejsze.

– Opuszczać swojego stanowiska, Wasza Wysokość. Puszczać drzwi, zanim przejdzie przez nie pan lub dama. Pluć na podłogę. Przeklinać. – Sądząc po tym, jak swobodnie płynie głos chłopca, lista zapowiada się na nieskończenie długą, caryca więc ją ucina.

Pyta natomiast o obyczaje w wiosce Tarasa. Czarownice, które zatruwają studnie, diabły pod postacią czarnych kotów, sprawiające, że mleko kiśnie krowom w wymionach, a w łonach matek rozwijają się potwory. Czy widział kiedyś potwora? Nie. Ale słyszał o wielu, które się urodziły. Koza z dwiema głowami. Dziecko, o którym mówiono, że nie jest ani chłopcem, ani dziewczynką. Zabierali je ludzie cara. Nikt ich nigdy więcej nie widział.

Czy słyszał kiedyś o Piotrze Wielkim?

Tak. Batiuszka. Dobry dla swojego ludu. Nie antychryst, jak nazywają go niektórzy starzy ludzie.

Taras nie jest do końca swobodny, ale najwyraźniej uszczęśliwiony. Czy będzie wspominał tę rozmowę ze wzruszeniem? Opowiadał o niej dzieciom, jeżeli będzie je miał? Jest bystry pomimo swoich trwożliwych spojrzeń. Około czternastu lat? Trochę starszy niż Paweł? Ale poczucie czasu u Tarasa jest płynne. Nie zna roku swojego urodzenia.

– Możesz już odejść – mówi Katarzyna, szukając upominku, który mogłaby mu podarować. Kilka monet? Pierścień? Na pewno ktoś ukradłby go chłopcu albo od niego wyłudził. Bierze więc czystą kartkę i rysuje na niej. Caryca w wielkiej koronie, na siedząco. Przed nią stoi chudy chłopiec i trzyma drzwi. „Dla Tarasa, na pamiątkę naszej rozmowy", pisze pod spodem, i składa podpis: „Jekatierina Impieratrica. Moskwa, sierpień 1767".

Taras bierze od niej kartkę z taką radością, że serce w niej rośnie. Patrzy, jak chłopiec składa ją ostrożnie i umieszcza w kieszeni na piersi. Zostawi moskiewskiemu ochmistrzowi instrukcje, żeby wyuczono go czegoś przydatnego. Czegoś, co pozwoli mu zarobić na utrzymanie. I zapewni mu awans. Czytania i pisania. Rachunków. Arytmetyki i geometrii, jeżeli ma do tego zdolności. Rozrastające się imperium zawsze będzie potrzebować mierniczych.

Świat jest pełen tego, co zakazane. Przez matkę, księdza, pana albo panią. Starszych i lepszych. Umarłych i żywych. Nie zabijaj, nie kradnij, nie kłam. Chyba że podczas bitwy. Chyba że na wojnie. Chyba że tak ci każe Bóg albo twój monarcha.

Jak pogodzić ogień z wodą? Jak pływać sitem po morzu?

Kiedy jesteś carycą, próbujesz.

To jego nieobecność rzuca jej się w oczy. Jego żywiołowego śmiechu. Jego teatralnych gestów. Dowcipnych uwag, jakie tylko Grisza

Potiomkin miałby czelność złożyć u jej stóp. Jak wtedy, kiedy zadała mu pytanie po francusku, a on odpowiedział po rosyjsku, bo „poddany powinien odpowiadać w języku, w którym najlepiej potrafi wyrazić swoje myśli, a ja uczę się rosyjskiego od ponad dwudziestu lat".

Jego kwatery pałacowe opróżniono w pośpiechu, został tylko kurz tańczący w promieniach słońca. Żelazne łoże odarte z pościeli. Umywalnia z wytartą do sucha porcelanową misą. Na podłodze nic poza zmiętymi stronicami miłosnych wierszy, guzikiem z fiszbinu i kilkoma złamanymi piórami. Gdyby nie znała tak dobrze swojego cavaliere volante, kazałaby przeliczyć srebra. Tylko złodzieje znikają w ten sposób.

Grigorij Orłow wzrusza ramionami. Z Potiomkinem nigdy nic nie wiadomo. Jak kot chodzi własnymi, tajemniczymi drogami. Dziś jest, jutro go nie ma. Może przed kimś ucieka?

– Przed kobietą, której obiecał małżeństwo? – podsuwa Grigorij. – Przed wierzycielami?

Jej szpiedzy są bardziej rozmowni. Grisza Potiomkin porzucił wszelkie przyjemności tego świata. Mieszka sam, niedaleko od Sankt Petersburga. Nikogo nie widuje, studiuje święte księgi, godzinami modli się i medytuje. Zapuścił długą brodę.

Dlaczego?

Wydarzył się wypadek. Potiomkin stracił lewe oko. Uważa, że jest teraz odpychający.

Plotka głosi, że Orłowowie mieli dość jego impertynencji. Zwabili go do karczmy na grę w bilard i pobili do nieprzytomności. Ogolili mu głowę. Wyłupili oko. I kazali mu trzymać się od niej z daleka.

– Bzdury, Katinko – Grigorij Orłow marszczy nos, jakby poczuł jakiś wstrętny zapach. W oczach jej faworyta nie ma ciemności. Żadnej warstewki lodu w głosie. – Życie dobrze się ze mną obchodzi. Dlaczego miałbym chcieć zemsty? Przecież mam ciebie. Ten cyklop, Katinko, nie jest aż taki ważny.

Cyklop? Jednooki olbrzym? Silny, uparty i porywczy. Wykuwał pioruny dla Zeusa i księżycowe strzały dla Artemidy.

Zdolny, myśli Katarzyna.

Wkrótce pojawiają się nowe plotki. Uderzenie piłki do tenisa wywołało infekcję. Rozwinęła się. Griszę pozwolono leczyć wiejskiemu znachorowi. Nie stracił oka, tylko przestał na nie widzieć. Jest ukryte między fałdami skóry.

Katarzyna wysyła do jego domu zaprzyjaźnionego posłańca z koszem podarunków i liścikiem: „Wielka szkoda, że człowiek o tak rzadkich zaletach jest stracony dla społeczeństwa, ojczyzny i tych, którzy go cenią i są do niego jak najszczerzej przyjaźnie usposobieni".

Wie, że Grisza Potiomkin nie zdoła się oprzeć pokusie starannie zaplanowanego powrotu, z czarną przepaską na oku i cierpieniem na twarzy. Powoli wypełni pustkę, pozostałą po jego nieobecności. Wciąż zuchwały, wciąż niecierpliwy, nieusatysfakcjonowany tym, co mu zaoferowała.

Będzie czekał, aż koło fortuny się obróci, umożliwiając to, co jeszcze niemożliwe.

Od pewnego czasu sułtan osmański z lękiem spogląda na Północ. Szuka sojuszników w Paryżu, w Wiedniu, w Berlinie, składa obietnice w zamian za poparcie. W kulisach Europy na mapy niemal codziennie nanosi się poprawki, kosztem Rosji. Czy Maria Teresa Austriaczka zasługuje na dostęp do Morza Czarnego? Co Fryderyk Pruski mógłby uznać za godziwą odpłatę za zmianę zdania?

W 1768 roku, kiedy wojska rosyjskie ciągle jeszcze walczą z polskimi buntownikami, Porta Otomańska wypowiada Rosji wojnę.

Na radzie wojennej nawet cesarzowa jest tylko kobietą. Należy jej doradzać, przekonywać, perswadować. Nakłaniać, by słuchała tych, którzy znają się na rzeczy. Katarzyna może negocjować z Prusami i Austrią, kupować ich poparcie traktatami lub ustępstwami. Oni, jej generałowie, feldmarszałkowie, a nawet porucznicy i szeregowcy, będą galopować po polach bitwy, smakować proch, rozrywając zębami naboje do muszkietów, zanurzać szable we krwi. Zamarzać zimą w okopach albo prażyć się w letnim skwarze. Zamieniać tureckie flotylle w kule ognia, szturmować fortece, zdobywać całe regiony żyznej ziemi.

Powrócą jako bohaterowie.

W krokach Grigorija Orłowa pojawiła się nowa sprężystość, w jego głosie – nowa nuta pewności. Budzi się o świcie i biegnie do stajni. Jego koń jest osiodłany i gotowy na poranną przejażdżkę. W antyszambrach czeka na niego mała armia petentów. Młodych nieustraszonych mężczyzn marzących o podbojach. Chętnych, by spróbować szczęścia.

Monsieur de Pompadour w różowych pantoflach? Potężny orzeł, zamknięty w złotej klatce? Jakże Orłow się śmieje, kiedy Katarzyna przypomina mu, jak kiedyś sam sobie ubliżał. To przecież takie proste. Żołnierz to nie dworak. Żołnierz potrzebuje dreszczu emocji, jaki daje bitwa, wyzwania, jakim jest walka.

Odjedzie, myśli Katarzyna i zastanawia się, czemu ta myśl prawie nie niesie ze sobą smutku. Rozłąka posłuży nam obojgu.

Grisza Potiomkin, zauważa, również poprosił o wysłanie na front turecki. „Jedyny sposób, w jaki mogę wyrazić swoją wdzięczność dla Waszej Wysokości, to przelanie krwi dla Jej chwały... Nie potrafię żyć bezczynnie".

„Nie mogę mieć tego, czego pragnę nad życie" – takie słowa Potiomkina powtarzają jej szpiedzy. „Mężczyźni są skłonni igrać ze śmiercią z błahszych powodów".

Najgorszy jest długi półmrok przed świtem, godziny dręczącego niepokoju.

Katarzyna wierzy w lojalność i przyzwyczajenie. Zanik miłości jest stratą, a ona nie lubi tracić. Zmusza się do przypomnienia sobie meldunków Grigorija Orłowa z pustoszonej przez zarazę Moskwy, w której strach przemieniał ludzi w zwierzęta. Jego strategia była prosta, a rozkazy jasne. Doszczętnie spalić całe kwartały brudnych, gnijących chałup. Odkazić domy octem. Każdego, kto chce z jakiegokolwiek powodu wyjechać z miasta, poddać kwarantannie. Nie dopuszczać do nawet najmniejszych zgromadzeń. „Rządy prawa", pisał. „Bezwzględne posłuszeństwo. Dla ich własnego dobra".

Czyż nie była z niego wtedy dumna?

Czyż nie czuje dumy teraz, kiedy on jest nad Dunajem i negocjuje warunki pokoju z pokonanymi Turkami?

– Niewierny, prostacki – wylicza Panin na swoich tłustych białych palcach. Przewiny Orłowa są liczne i powtarzają się regularnie. Można się po nim spodziewać wszystkiego, słyszy Katarzyna. Wysokie stawki, napady furii albo nagłe łzy. – Wasza Wysokość, cierpliwość kobiety musi mieć jakieś granice. A także jej wdzięczność.

Na dworze tęsknoty jej ciała są tajemnicą poliszynela. Zwiastunami potężnych zmian. Jej minister i prawa ręka pragnie, by caryca rozważyła pewne możliwości.

Porucznik Potiomkin się do nich nie zalicza.

– Wasza Wysokość ma znacznie więcej odpowiednich adoratorów – mówi Panin z pobłażliwym uśmiechem człowieka, który wysłuchuje zbyt wielu zwierzeń. – Aleksander Wasilczykow jest skromny, ma nienaganne maniery – kusi. Nagroda, chwila wytchnienia w jej pełnym obowiązków życiu. Czyż jej się nie należy?

Katarzyna nie jest zwykłą kobietą. Jest carycą Rosji.

Porucznik Potiomkin to straszny kabotyn. Uwielbia dramatyczne pozy i wielkie gesty. Jest chciwy, nienasycony. Na łasce humorów, które wahają się od ekstazy do rozpaczy.

Katarzyna jest zmęczona dramatami. Ma na głowie całe imperium.

– Wasza Wysokość zasługuje na wygodę i spokój – perswaduje Panin. – Znakomity młodzieniec, o którym myślę…

Znakomity młodzieniec, o którym myśli Panin, ma piękne czarne oczy. Aleksander Wasilczykow opowiada zabawne historie o oswojonej wiewiórce, która przychodziła do jego dziecinnego pokoju i żebrała o orzechy. Albo osieroconym lisku, który wychował się razem z psami jego ojca i nauczył się szczekać jak one. Wasilczykow nigdy nie marszczy brwi, a w jego głosie nie czai się żaden grom. Ręce ma ciepłe i suche, wargi miękkie jak jedwab. Przyjmuje od niej liczne podarunki ze słodkim uśmiechem wdzięczności.

Z pewnością tego właśnie jej trzeba. Wytchnienia w godzinie miłości, pieszczot, które ulatują z pamięci, pozostawiając jej wolną głowę, tak by mogła poświęcić się sprawom najważniejszym.

Znad Dunaju codziennie przychodzą meldunki. Grigorij Orłow zaczyna mieć dość negocjacji. Turcy są pyszni. Nie chcą przyznać się do porażki. W kolejny list wkrada się inny ton, jak wąż wijący się w trawie. „Nie zapominaj, Katinko, że Panin nigdy nie lubił Orłowów. Zawsze uważał się za kogoś z lepszej gliny od nas wszystkich, nie wyłączając Ciebie…"

Katarzyna dwa razy czyta te słowa, usiłując określić, co dokładnie tak ją w nich drażni. Że Grigorij ciągle ją poucza? Mówi jej, co ma myśleć? Czy że zrównuje Orłowów z Anhalt-Zerbstami?

„Za dużo sobie pozwala" – rozbrzmiewa w jej myślach czujny głos matki.

„Kim jest ten Wasilczykow, o którym tyle słyszę?", pisze Grigorij. „Co za głupoty Panin wkłada Ci znów do głowy? Do diabła z przeklętymi Turkami. Jadę do Ciebie".

Katarzyna zgniata jego list i ciska do kominka.

„To Ty pierwszy się mną znużyłeś", odpisuje. „Chciałam, żebyśmy zestarzeli się razem. To Ty mnie zdradziłeś, ale kiedy ja się od Ciebie odwracam, nagle chcesz mnie z powrotem. Czyżbym do Ciebie należała? Masz mnie za swoją własność?"

Panin od początku miał rację. Była zbyt cierpliwa. Wybaczała zbyt wiele, i stanowczo za długo. Jest carycą. Zajętą sprawami państwowymi. Jej czas, jej dobrostan jest rzeczą niezbędną. Dla jej poddanych. Dla przyszłości Rosji. Trzeba jej ukojenia, a nie kazań. Potrzebuje być kochana, nie pouczana.

Wezwany przez nią Panin powolnym krokiem wchodzi do komnaty, z trudem ukrywając radość. Jego peruka rozsiewa zapach bergamoty. W ustach migocze złocisty błysk w miejscu, gdzie ząb został wzmocniony płatkiem złota. Jemu też należałoby pokazać, gdzie jego miejsce. Raz na zawsze.

Teraz jednak za bardzo go potrzebuje.

Grigorij jest w drodze, a ona, caryca Rosji, nie zamierza poniżać się, próbując dyskutować z rozwścieczonym bykiem.

– Doradź mi – rozkazuje Paninowi.

Panin z pełnym szacunku ukłonem czyni zadość jej prośbie. Przemyślał już sprawę w szczegółach. Hrabia Orłow, który pokonał zarazę w Moskwie, nie może kwestionować zasadności kwarantanny. Do stolicy docierają pogłoski o dżumie na Południu. Niezbyt liczne, ale wystarczające, by zatrzymać na czterdzieści dni każdego, kto stamtąd przyjeżdża.

Gatczyna nada się doskonale. To wygodna posiadłość, której łatwo pilnować.

Katarzyna przygląda się twarzy Panina w poszukiwaniu najmniejszego śladu ironii. Przypomina eunucha, myśli, nadęty czymś, co chciałaby uważać za obojętność, ale co musi być pychą. Pilnować Grigorija Orłowa?

Ale szare oczy Panina są poważne, a jego plany rozsądne i precyzyjne.

Dwudziestu, czterdziestu ludzi, jeżeli zajdzie taka potrzeba. Z muszkietami w pogotowiu. Uszami głuchymi na prośby i groźby. Kieszeniami odpornymi na łapówki. Paninowi potrzeba tylko jej rozkazu.

Tak.

Czas jest jej sprzymierzeńcem. Czas uspokoi Grigorija Orłowa. Teraz bowiem ona musi za wszelką cenę uniknąć słów ciskanych w bólu i bez namysłu. Słów, których oboje będą później żałować.

– Czy wszystko dobrze? – pyta Wasilczykow, jej nieśmiały kochanek. W jego oczach widać niepokój. Jak powiedzieć mężczyźnie, że jego pieszczoty są zbyt delikatne, jego pocałunki zbyt płytkie?

W migotliwym blasku popołudnia w Carskim Siole wszystko ją drażni. W bani jest za gorąco. W pokojach za zimno, pomimo buzującego na kominkach ognia. Czas dłuży się niemiłosiernie, ciągnie, by za chwilę pognać naprzód z przerażającym zapamiętaniem. Obrazy lepią się do niej jak smoła. Ten moment, bez mała dwanaście lat temu, kiedy w gorączkowym dniu przewrotu młody gwardzista na koniu popędził ku niej, by podać jej swoją dragonne. Czy już wtedy nie jechali razem, ramię przy ramieniu?

Przypomina sobie rudawy połysk włosów Griszy Potiomkina, zuchwały blask w jego oczach. Gesty śmiałe i zdecydowane. Te myśli sprawiają, że jej sutki robią się wrażliwe na dotyk gorsetu. Intryguje mnie, ale nie jestem zauroczona. Nęci go to, co nieosiągalne. Potiomkin chce zdobywać, a potem wzgardzi tym, co zdobyte. Znała już takiego mężczyznę. Nie życzy sobie podobnego.

Apatyczny kochanek, który chodzi za nią jak bezpański pies, powtarza:

– Czy wszystko dobrze? Czy jesteś ze mnie zadowolona?

Nie są to mądre pytania. Proszą się o kłamstwa. Zwiastują ataki płaczu, dąsy i demonstracyjne okazywanie cierpienia. Katarzyna czuje ukłucie winy. Obraca klepsydrę do góry dnem i patrzy, jak piasek prześlizguje się przez wąski tunel.

– Muszę cię przeprosić – mruczy. – Jestem zmęczona. Chciałabym pobyć sama.

Rzuca się w wir pracy.

Można odnosić zbyt duże sukcesy, być zanadto błyskotliwym, zbyt wizjonerskim. W europejskiej grze potęgę odmierza się na aptekarskiej wadze. Brak równowagi wywołuje kłopoty. Rosyjskie zwycięstwa zaniepokoiły Prusaków, Austriaków zaś doprowadziły do białej gorączki. Zaszyfrowane depesze przesyłane z dworu na dwór domagają się ukrócenia żarłoczności Rosji.

Z czego byłaby gotowa zrezygnować w zamian za niepodsycanie gniewu Turków?

Katarzyna czuje pokusę, by nie rezygnować z niczego. Całymi miesiącami ślęczy nad mapami, dodając i odejmując cyfry. Ile kosztuje wojna? Ile przynosi w zamian? Nie są to proste rachunki. Prusy i Austria chcą dużych części Polski. „Caryca Rosji również może odebrać swoją część. Lwią część", kusi Fryderyk Pruski. „Znacznie większą niż to, co przypadnie w udziale nam".

To niełatwa transakcja. Czyż Polska już do niej nie należy? Czy Stanisław nie robi tego, co ona mu każe?

Jaką cenę ma zapłacić za pokój? Czy jest w stanie prowadzić dwie wojny?

Oddać część Polski? Czy warto? A jeżeli będzie zwlekać? Jeżeli odmówi?

Imperium jest jak stara kołdra, którą trzeba ciągle naprawiać. Kiedy dodaje się nowe łaty, stare przecierają się i rwą.

Na Uralu Kozak jaicki zbiera wokół siebie niezadowolonych górników i zbiegłych chłopów pańszczyźnianych. Właśnie zaatakowali kolejny majątek. Splądrowali piwnice, ukradli złoto i srebro, i uciekli. W przytułkach śmiertelność wynosi 99 procent. Lekarze wygłaszają jej długie kazania o równowadze humorów i oznajmiają, że sztuka medyczna jest bezradna wobec niemoralnych obyczajów ubogich. Paweł, jej syn, osiągnął pełnoletniość i robi aluzje na temat tego, że Maria Teresa uczy swojego syna i następcę tronu rządzenia.

Tron to samotne miejsce.

Grigorij Orłow przysyła emisariuszy z Gatczyny. Braci, kuzynów, nawet swoich starych służących, w których bezzębnych ustach prośby mieszają się ze śliną. Grigorij chce ją zobaczyć, swoją ukochaną matuszkę, jedyną radość jego życia, po raz ostatni. Tylko jeden raz. Jak może mu tego odmawiać po tym wszystkim, co ich łączyło? Jak może być tak okrutna?

W jej sypialni drży głos jej bojaźliwego kochanka. Nie widział jej od trzech dni. Nie odpowiedziała na jego ostatnie pytanie. Odeszła, kiedy on jeszcze mówił.

Wokół Wasilczykowa roztacza się woń zjełczałego sera. Wspomnienie jego dotyku jest blade i ulotne. Godzina miłości ma służyć pieszczotom, a nie oskarżeniom.

Moja wina, mój błąd, myśli o nim. Popełniony z desperacji.

Czy rzeczywiście powinna była słuchać Panina? Czy powinna była posłać jednak po tamtego?

Tamten, Potiomkin, jest na froncie tureckim. Nie donoszą na jego temat nic, o czym by już nie wiedziała. Natura stworzyła Griszę rosyjskim wieśniakiem, i to się nigdy nie zmieni. Boi się złych znaków. Ufa szarlatanom i naciągaczom. Je rzepę na surowo. Jest humorzasty. Leniwy. Niechlujny. Próżny.

Dlaczego więc zdobywa przyjaciół szybciej, niż w kwasie lęgną się muchy?

Na jej biurku piętrzą się papiery. Listy, propozycje, petycje, szkice traktatów, które musi przeanalizować i poprawić. Sprawozdania na temat barwienia jedwabiu, możliwości wybudowania fabryki porcelany, streszczenia książek, których nie ma czasu przeczytać w całości. Pięciu sekretarzy pracuje całymi dniami i nocami, a jednak zalew papierów trwa nieprzerwanie.

– Nadal myślisz, że jesteś lepsza ode mnie? – drwi głos zmarłej carycy. – Że potrafisz wszystko zrobić sama?

Lejtnant Potiomkin pojawia się na dworze niezapowiedziany. Rzuca się do jej stóp z typową dla siebie teatralną emfazą. Jej damy dworu rozpierzchają się, uciekają pod ściany, wtapiają w arrasy, na których nimfy umykają przed swoimi prześladowcami, a myśliwi celują z łuku do ogromnych jeleni.

Szczupła, blada twarz. Czarna przepaska na lewym oku. Cyklop, przypomina sobie drwiącą uwagę Grigorija Orłowa. Kowale, dowiedziała się od tego czasu, zakrywają sobie jedno oko, by zmniejszyć ryzyko oślepienia przez fruwające iskry.

Ten sam dołek w brodzie i pełne wargi. Już nie chłopiec, ale mężczyzna zahartowany przez trudy wojny. Zaatakowany przez nieporównanie liczniejszych wrogów, był bohaterem tego zwycięstwa.

Wciąż w niej zakochany, po dwunastu długich latach.

Widzisz mój zapał. Nigdy nie będziesz żałować tego wyboru. Jestem poddanym i niewolnikiem Waszej Cesarskiej Wysokości.

Niech tak będzie, myśli Katarzyna. Nie będę dłużej walczyć. Już od jakiegoś czasu zastanawia się, jak mogłaby wynagrodzić rozstanie swojemu nieśmiałemu kochankowi. Posiadłość, hojna renta, parę błyskotek z jej najnowszej dostawy z Paryża. Ile może zająć usunięcie jego rzeczy z jej apartamentów? Jeden dzień? A potem kolejny dzień na przeprowadzkę Griszy. Ma już nawet dla niego pierwszy podarunek: awans.

Prostota tego wszystkiego łechce niczym strusie pióro.

– Wstań, generale lejtnancie Potiomkin – rozkazuje. – Twoja cesarzowa jest niezmiernie wdzięczna za wszystko, co uczyniłeś dla Rosji. Jesteś bardzo, bardzo drogi jej sercu.

Grisza podnosi się niezgrabnie, co szalenie ją bawi, a następnie posyła jej zbolałe spojrzenie.

– Czemu moja władczyni mnie odprawia?

„Odprawia"? Czyż nie dała mu właśnie znaku? Czy to możliwe, że nie wyraziła się dość jasno? Jednak gdzieś głęboko w środku wie, że on przejrzał jej intencje i uznał je za niezadowalające.

Nie spuszcza z niej zdrowego oka.

Potrząsa kasztanowatymi włosami. Nie znosi fałszywej skromności. Nie dba o awanse, ale skoro jego caryca zechciała mu go nadać, wróci na Południe, by na niego zasłużyć. Dziękuje Bogu Wszechmogącemu, że traktat pokojowy z Portą Otomańską nie został jeszcze podpisany. Że przy granicy trwają jeszcze potyczki.

Jej but wwierca się w dywan. Później okaże się, że jest tam dziura, dokładnie wielkości jej obcasa.

Grisza Potiomkin nie drży przed jej gniewem. Ostatnie słowa, jakie kieruje do niej przed wyjazdem, brzmią:

– Zdepcz mnie, wymaż z pamięci albo dostrzeż moją miłość.

Nie będziesz o nim myśleć, rozkazuje sobie Katarzyna. Tylko tyle.

Nie jest to może łatwe, ale wykonalne. Ma do zaplanowania i zorganizowania ślub syna. Gości do przyjęcia. I olśnienia tym, ile już zdołała osiągnąć.

Gdyby to nie wystarczyło dla odwrócenia jej uwagi od Potiomkina, na Uralu Kozak jaicki ogłasza się Piotrem III.

– Dzięki pomocy wiernego sługi udało mi się ujść z rąk mojej żony morderczyni – oznajmia, najwyraźniej wspierany przez kogoś znającego się na rzeczy. – Wróciłem, by uwolnić swój lud od tej grzesznej niemieckiej uzurpatorki. Przyszedłem, by osadzić syna na tronie, który zgodnie z prawem do niego należy.

Kozak nazywa się Jemieljan Pugaczow. Pugaczow nie przypomina Piotra. Jest niskim grubym analfabetą. Mówi tylko po rosyjsku. Ale ci, którzy chcą uwierzyć, są gotowi przyjąć jeszcze bardziej niedorzeczne opowieści. Tłuszcza, którą dowodzi zdrajca, nie plądruje już piwnic i nie kradnie srebrnej zastawy. Pugaczow zostawia za sobą krwawy szlak poderżniętych gardeł i wyprutych wnętrzności. Podąża na wschód.

Katarzyna dobrze ich zna. Fałszywych carów. Uzurpatorów, dowodzących hordami wieśniaków. Brudnych, krwiożerczych, posłusznych jedynie własnej chuci i nienasyconej chciwości. Pragnących kąpać się we krwi i nasieniu. Siejących tylko grozę i śmierć.

Wystarczy tak niewiele. Nazwać się Piotrem. Albo córką Elżbiety. Na początek przekonać paru głupców i rzezimieszków. Obiecać im nagrody, przewyższające ich doczesne ambicje. Sprawić, by uwierzyli, że wszystko jest możliwe. Granice upadną. Mury zostaną rozebrane. Sprawiedliwość zajaśnieje nad maluczkimi.

Rządź za pomocą nadziei i strachu. Gróź i perswaduj. Podsuwaj marzenia, które olśniewają łatwymi możliwościami. Patrz, jak ludzka fala gromadzi coraz więcej hołoty, karmi się rozczarowaniami i niespełnionymi ambicjami.

Rozdawaj to, co nie należy do ciebie.

Z każdą obietnicą stawaj się coraz bardziej śmiercionośny.

Generał lejtnant Potiomkin wrócił do Sankt Petersburga, ale nie pojawia się na dworze.

Dlaczego?

Skoro Jej Cesarska Wysokość pragnie wiedzieć, jej wierny poddany i niewolnik spieszy z wyjaśnieniem. Potiomkin usunął się z dworu, ponieważ jest w rozpaczy. Ta, którą kocha z całej duszy, nie odwzajemnia jego namiętności. Dlatego on znajduje pociechę tylko w mnisiej celi, gdzie może kontemplować wieczność. Będzie modlił się za swoją ukochaną w każdej minucie swego życia.

Wrócił, myśli Katarzyna.

Wrócił, powtarza przed lustrami odbijającymi jej twarz, nagle zbyt okrągłą, zbyt męską. Oprawnymi w złoto lustrami wtulonymi między ogromne okna lub żłobkowane kolumny. Przed którymi zatrzymuje się, by poprawić perły we włosach albo koronkową chustę wokół szyi.

Nawet w najbardziej pracowite dni zaskakują ją nagłe myśli o nim. Jej uwagę może zwrócić chociażby muskularne ramię starożytnego herosa na jednym z nowych malowideł przywiezionych z Paryża. Albo ktoś, kto wspomina o odwadze generała lejtnanta Potiomkina na froncie. Zdobyciu Bukaresztu.

Z monastyru Aleksandra Newskiego codziennie przychodzą wiadomości. Nieszczęśliwa, szaleńcza namiętność doprowadziła jego duszę do rozpaczy. Dlatego też musiał uciec od przedmiotu swej udręki. Nawet przelotny widok imperatorowej zaognia jego cierpienie, które i bez tego jest nie do zniesienia. Wszystkie swoje uczucia przelał w pieśń:

> Gdy tylko Ciebie ujrzę, wypełniasz moje myśli
> Lecz, o niebiosa, jakąż udręką jest kochać Tę, której nie śmiem tego wyznać!
> Tę, która nigdy nie będzie moja! Okrutni bogowie!
> Czemuż obdarzyliście ją takimi wdziękami?
> I czemuż wynieśliście tak wysoko?

Generał lejtnant Potiomkin wydaje się taki wymizerowany, mówi jej przyjaciel posłaniec, jakby wyższy, ale szczuplejszy. Zapuścił długą brodę, której nawet nie przycina. Godzinami leży w swojej celi twarzą do ziemi. Pije tylko wodę ze studni. Nie je nic poza czarnym chlebem i surową rzepą.

Czy kiedyś już tego nie robił?

– Wyznaje mi miłość i mówi, że nie ma odwagi tego zrobić? – pyta Katarzyna ze śmiechem. – Jednocześnie?

– Prawdziwa miłość nie ma sensu, Wasza Wysokość. Prawdziwa miłość to szaleństwo.

– Czy to słowa generała lejtnanta Potiomkina?

– Tak, ale mam się do tego nie przyznawać.

– Co w takim razie masz mi powiedzieć? – droczy się Katarzyna.

Generał lejtnant Potiomkin ma wizje. W jednej z nich idzie przez step i zbiera słowa. Słowa są jak krople rosy, czepiają się źdźbeł wysokiej trawy. Strząsa je do złotego kielicha, a potem, kiedy jest zbyt zmęczony, by iść dalej, wypija je.

„To są jej słowa" – mówi.

„Słowa mojej ukochanej".

„Przywracają mi siły, bym znów mógł chodzić".

Czas można podzielić na porcje, otoczyć kordonem. Tyle na sprawy państwowe. Tyle na sprawy serca. Pośrodku można narysować granicę. Jeżeli to nie wystarczy, wykopie rów. Jeżeli będzie to konieczne, zamieni go w fosę.

„Stracone lata", pisze Potiomkin w ostatnim liście, przywiezionym przez zaprzyjaźnionego posłańca z monastyru. „Odurzone doczesną nadzieją, marzeniami o niemożliwym szczęściu, które zaciemniały wizje wiekuistej Miłości, źródła wszelkich uczuć. Czemuż miałbym pragnąć powrotu do tych męczarni?"

Katarzyna wybiera nowy arkusz grubego papieru w kolorze kości słoniowej.

„Ponieważ Twoja cesarzowa Cię potrzebuje", pisze. „Czy to nie wystarczy?"

Posłaniec wraca z monastyru i donosi:

– Nie ma odpowiedzi, Wasza Wysokość.

Tej nocy spaceruje ze świecą w ręku. Korytarze Pałacu Zimowego są szerokie i długie. Podłogi wykonane z wielu gatunków drewna, poukładanych w misterne wzory. Czasem zdobią je płatki albo gwiazdy. Jej obcasy dźwięczą staccato. Ma na nogach czerwone pończochy wyhaftowane w czarne tulipany. Rozpuściła włosy.

Nowe obrazy zawisły już na ścianach pałacu. Każdy z nich to zdobycz. Katarzyna zatrzymuje się przy scènes galantes: Skradziony pocałunek. Kapryśna kobieta, odrzucająca względy kochanka w turbanie. Dorobek pokoleń Francuzów i Anglików teraz zdobi ściany rosyjskiego pałacu.

Sprawiłam, że zwróciliście spojrzenie na Wschód, przypomina tym, którzy nazywają ją nienasyconą. Głodnej Rosji nie można ignorować. Trzeba ją karmić.

W tych myślach jest jednak pewna rysa. Przez nią Katarzyna widzi zakurzoną celę klasztorną z twardym, wąskim posłaniem, skrzypiącą podłogą i lampką migoczącą pod ikoną Świętego Grzegorza, który wierzył, że ograniczony ludzki umysł nie może pojąć nieograniczonego Boga. „To teraz całe moje życie", kończył się jeden z listów Potiomkina. „Jedyne dostępne mi szczęście, ponieważ to, czego pragnę, nigdy się nie ziści".

Zza pałacowych okien dobiega dźwięk miarowych kroków nocnego wartownika, któremu odpowiada ostrzegawcze szczekanie psów.

Grisza?

Stopy bolą ją od chodzenia. Czerwona pończocha rozdarła się na palcu. W długich korytarzach caryca napotyka najróżniejsze niespodzianki. Służący, który chrapie na parapecie. Inny, skulony w kącie jak pies, mamrocze coś pod nosem. Katarzyna pochyla się nad nim, po czym cofa w pośpiechu, bo mężczyznę czuć wódką i wymiocinami. Na parterze tuż obok pałacowej kuchni stara bezzębna kobieta czegoś szuka. Schyla się i podnosi niewidoczny pyłek, kawałek czarnej nici, jak się okazuje, bo staruszka chętnie demonstruje swoje skarby: wykałaczka, trocina, połamany guzik z hebanu.

– Różne rzeczy znikają – szepcze ostrzegawczo. – Wszyscy tutaj to złodzieje.

Wróciwszy do cesarskiej sypialni, Katarzyna rozrzuca pościel na łożu, by wyglądało, jakby w nim spała, chociaż wie, że pokojówki nie dadzą się oszukać.

Grisza, Griszeńka, Griszeniok. Łapie się na tym, że bezgłośnie wypowiada jego imię, wdzięczna za to, że rosyjski oferuje tyle zdrobnień: każde z nich to słodka obietnica czułości.

W dłoni ma pióro; gwałtownym ruchem zdejmuje bursztynową pokrywkę z kryształowego kałamarza.

„Przyjedź do mnie", pisze. „Proszę".

– Przekaż mu ten list do rąk własnych – poleca zaprzyjaźnionemu posłańcowi, walcząc z pragnieniem ucałowania pieczęci, na której wosk jest jeszcze miękki od płomienia świecy. – Nie powierzaj go nikomu innemu.

– Tak czy nie? – pytają ją.

– W jakiej sprawie?

– W kwestii miłości.

– Nie potrafię kłamać.

– Tak czy nie?

– Tak.

Mój najdroższy. Moje serce. Batieńka. Grisza. Griszeńka. Griszeniok. Giaur. Moskwianin. Złoty bażant. Tonton. Bratnia dusza. Papużka.

Mój ukochany mąż.

Jego bose stopy miękko stąpają po zielonym dywanie pokrywającym spiralne schody, które prowadzą do jej sypialni. Głowę przewiązał różową chustą. Gryzie surową rzepę, śmieje się szelmowsko i radośnie. Grisza opowiada jej smakowite plotki, coś zabawnego, intrygującego i absolutnie skandalicznego. Na przyjęciu u księcia Jusupowa na postumentach stały niczym rzeźby nagie młode wieśniaczki, trzymając tace z winogronami, podczas gdy goście przechadzali się pomiędzy nimi i kosztowali słodkich przysmaków.

– Wyobraź to sobie, Katinko – śmieje się Grisza.

– W głębi serca jesteś po prostu Kozakiem – odpowiada ze śmiechem ona. – Popatrz tylko na te bose stopy. Książę z odciskami.

– Czyżby? – pyta on, zerkając na nią filuternie zdrowym okiem. Cyklop, obgryzający paznokcie do żywego. Kiedy z paznokci nic już nie zostaje, gryzie pióro, grzebień, jej klejnoty. Widziała, jak kruszy w zębach perłę.

Jest nieokiełznany. Wiedziała to już wtedy, kiedy po raz pierwszy leżał z nią w pałacowej bani, skąpany w blasku złota, srebra, i drogich kamieni.

Nalewał wino do kryształowych kielichów, obierał brzoskwinie, karmił ją palcami, a słodki sok ściekał jej po brodzie. Miała czterdzieści pięć lat, o dziesięć więcej niż on. Troje urodzonych dzieci rozciągnęło jej skórę. A jednak, gdy chwycił ją w ramiona, poczuła, że nic nie powinno rozdzielać ich ciał. Haftki, falbany, guziki, bariera materiału.

Wszystko to jest z nią tutaj, pamięć tamtego wieczoru. Jego twarz, pełna zachwytu, jego brzuch, czuły na pieszczoty jej palców. Aksamitnie miękka skóra. Jego dłoń, sunąca w dół po jej nagich plecach. Jego usta, muskające jej ucho. Splątane ręce i nogi. Pulsujące pożądanie. Uczucie, że wnika w każdy por jej ciała.

Słodkie miłosne szepty: ukochana, najbardziej upragniona w świecie, moja. Nie wynaleziono jeszcze słów na opisanie tego, co do ciebie czuję. Alfabet jest za krótki, porównań zbyt mało. Jak mógłbym kochać kogokolwiek po tobie?

Kiedy dawał jej rozkosz, nie było w nim onieśmielenia. Ani wstydu, gdy przyjmował rozkosz dla siebie. A kiedy jeszcze spoczywała w jego ramionach, jej kochanek, jej Kozak, jej wilczur klasnął w dłonie i tuż za drzwiami bani zaczęła grać cygańska kapela.

Jak niedobrze jest kochać tak ogromnie! To choroba, wiesz?

Grisza nie zgodził się zająć pokojów po jej lękliwym kochanku, dała mu więc apartament bezpośrednio pod swoim, połączony wewnętrznymi schodami.

Przychodzi na górę, kiedy mu to odpowiada. Czasem bywa dowcipny i tryska energią, innym razem pojawia się milczący i posępny. Potrafi położyć się u jej stóp, nazywając ją boginią, albo wejść do pokoju, jakby nawet jej nie zauważał.

Albo wskazać na mapę podzielonej Polski i spytać:

– Czemu zgodziłaś się oddać aż tyle?

– Nie miałam wyboru.

– Tego nie wiesz.

– A co ty byś zrobił?

– Poczekałbym. Zmusił Prusy do odkrycia kart. To by zadziałało.

– Być może.

– Na pewno.

Nie przebiera w słowach. Katarzyna pozwala mu na za dużo. Zrezygnowała ze zbyt wielu rzeczy. Lis wróci jeszcze do kurnika. Polecą pióra.

– Byłby ze mnie wspaniały król Polski – mówi Grisza, a w jego ustach nie brzmi to ani jak przechwałka, ani jak żart.

Jego umysł nigdy nie zaznaje spoczynku. Wrze od planów, każdy błyskotliwy, każdy niepodważalny. Mógłby rządzić Polską albo poprowadzić jej armię na Południe i zgnieść to, co pozostało z imperium osmańskiego. Rysuje dla niej nowe mapy, a każda z nich sięga po więcej niż poprzednia.

– Chcę, żebyś był tutaj, przy mnie – protestuje ona. – Zmarnowaliśmy już dość czasu.

– To nie przeze mnie – odpowiada on. – Przynajmniej to przyznaj.

– Nie przez ciebie, Griszeńka.

Kiedy nie snuje swoich zuchwałych wizji Rosji, chce wiedzieć o niej wszystko. O jej dawnych kochankach i marzeniach, o porzuconych planach i jątrzących się żalach.

Jest zazdrosny o każdego mężczyznę, którego kiedykolwiek wpuściła do swojego łoża. Chce usunąć po nich wszelki ślad, wymazać ich pamięć.

Pragnie być jej bohaterem, jej królem, admirałem, kochankiem. Zadręcza ją pytaniami, aż któregoś dnia Katarzyna spisuje szczere wyznania:

> Siergiej Sałtykow: smutna konieczność
>
> (...) obecny król Polski (...) kochający i kochany (...) lecz trzyletnia nieobecność...
>
> Książę Grigorij Grigorijewicz Orłow (...) zostałby ze mną na całe życie, gdyby sam się mną nie znudził (...)
>
> (...) desperacja zmusiła mnie do dokonania pewnego wyboru, którego żałowałam wówczas i nadal żałuję, bardziej niż potrafię wyrazić (...)
>
> (...) wtedy pojawił się pewien rycerz (...)

W miłości jest burzliwy i zmienny. Potrafi poświęcać się wyłącznie jej przyjemności. Grać na niej niczym na harfie, wywoływać kaskady dreszczy. Albo zepchnąć jej głowę w dół i przycisnąć do swojego podbrzusza. Zmusić, by mu się odwdzięczyła.

Kiedy się od niej odsuwa, ona chwyta go i przyciąga mocniej do siebie. Tak jakby bez niego musiało się wydarzyć jakieś nieszczęście.

Zbiegli chłopi pańszczyźniani i reszta motłochu, zgromadzonego wokół Pugaczowa, pijani są zwycięstwami. Plebejskie wojsko prze naprzód, grabiąc, gwałcąc i paląc. Za broń służą im kosy, sierpy, siekiery. Chwytają mężczyzn, kobiety i dzieci, obdzierają ich żywcem ze skóry, wieszają głową w dół, obcinają im stopy i głowy. Miasta padają łupem oszalałej tłuszczy.

Posłańcy kulą się ze strachu, powtarzając brednie Pugaczowa: Katarzyna ukradła tron dobrego ojca, Piotra III, ponieważ chciał uwolnić chłopów pańszczyźnianych, a ona nie miała takiego zamiaru.

Ukłucia niewdzięczności?

Ciosy! Smagnięcia biczem!

Pugaczow to chytry nieprzyjaciel. Jego obietnice – tuczone wódką i chciwością – są bezkresne jak rosyjskie stepy: wolność od wszelkich panów, niezmierzone bogactwa. Cóż za pożywka dla słabych umysłów!

Dopóki Katarzyna walczy z Portą Otomańską, nie ma dość wojsk, by mogła je wysłać przeciw niemu. Kiedy jednak podpisze z Turkami traktat pokojowy, odurzeni wódką buntownicy nie będą żadnym przeciwnikiem dla carskiej armii.

Kilka dni później Pugaczow jest w odwrocie.

Po ostatecznej klęsce Pugaczowa komisja cesarska przysyła zawiłe raporty. Pytania carycy były proste. Czy ktoś stał za zdrajcą? Jakaś zagraniczna siła? Porta Otomańska? Francja? Polska?

Zdrajca pada na kolana, przyznaje się do bycia uzurpatorem, błaga o miłosierdzie nad swoimi grzechami. Nie ma dowodów wskazujących na zagraniczne wpływy. Rebelia jest rosyjska, zrodzona w duszach niezadowolonych chłopów pańszczyźnianych. Szlachcice wymownie kiwają głowami. Chłopi słuchają tylko knuta. Czy nie tak mówiliśmy Waszej Wysokości?

Takie myśli przychodzą jej do głowy, kiedy czyta raporty komisji. Poukładane w teczkach, jak prosiła. Sprawozdania z przesłuchań przestępców, świadectwa ofiar, opisy szkód wyrządzonych w miastach, które jej wojska wyzwoliły z rąk buntowników.

Do jednego z raportów dołączono złożoną kartkę papieru. Katarzyna rozkłada ją i rozpoznaje w jednej chwili. To rysunek, przedstawiający carycę, która rozmawia z młodym chłopcem. Podpisany jej ręką. „Jekatierina Impieratrica".

– Jak to się tu dostało? – pyta, a jej myśli mkną ku tamtemu dniowi w Moskwie, kiedy mały Kozak opowiedział jej, jak pomagał mamie płakać.

Rysunek znaleziono przy okaleczonym ciele młodego mężczyzny. Obiecującego kazańskiego urzędnika, wyjątkowo zdolnego rachmistrza. Zaręczonego z kobietą z tamtych stron, córką kupca. Zanim go zamordowano, musiał patrzeć, jak jego narzeczoną gwałcą siepacze Pugaczowa. A przedtem wycięto mu język, by nie mógł ich przekląć.

Opowiada o tym Griszy, szlochając w jego ramionach. Przybiegł tu ze swoich pokojów, jak tylko usłyszał jej krzyk. Potrafi poznać, kiedy ona cierpi ponad ludzkie siły.

Katarzyna wciska rysunek w jego dłoń. Caryca siedzi na tronie i wyciąga rękę, by dotknąć chudego chłopca o poważnej twarzy.

– Był ukryty – łka – w podszewce jego ubrania. Jego najcenniejszy skarb. Ta kartka go zabiła. Czasem tak trudno... przewidzieć... domyślić się...

Jego dłoń gładzi jej włosy. Grisza jej nie przerywa. Kiedy jej głos słabnie, pochyla ku niej głowę.

Oto, co słyszy:

To boli, kiedy życzliwy gest zabija niewinnych. To takie straszne cierpienie, kiedy siły ciemności niweczą nadzieję. Kiedy tłuszcza wydobywa na wierzch to, co najgorsze w ludzkiej duszy.

Jesteśmy kruchymi łódkami rozumu, unoszącymi się na morzu ignorancji.

Griszeńka rozumie ją całym swoim jestestwem.

– Nie odejdę stąd, dopóki się nie uśmiechniesz – przyrzeka.

– Kiedy dorosnę, maman, uczynię Darię królową Polski! Warwara Nikołajewna powiedziała, że car może robić, co tylko zechce.

Głos Pawła. Pawła, czepiającego się wspomnień o służącej i jej córce, których już dawno nie ma. Pawła, którego – zdaniem jego matki – ciągle jeszcze da się naprawić. Z miękką poduszką tłuszczu wokół pasa. Z twarzą wolną od nadąsanej obojętności. Ciało zdaje się zsuwać z jego kości policzkowych, sprawiając, że oczy wyglądają na większe i bardziej wodniste. Paweł, który tak pilnie przykłada się do nauki pływania. Rysuje rośliny, które zbiera podczas spacerów z preceptorem. Pisze wypracowania złożone z krótkich zdań, niepozbawionych jednak wdzięku: „Dwór rosyjski jest wspaniały i dobrze ułożony. Imperium jest większe niż cała Europa razem wzięta. Piotr Wielki był wysoki i dobrze zbudowany".

Innego dnia Paweł leży na podłodze, rzucając się w konwulsjach. Dwaj towarzysze zabawy przytrzymują go, a trzeci siedzi na nim okrakiem, ręce ma wyciągnięte i trzyma jej syna za gardło.

– Co wy wyprawiacie, głupcy? – krzyczy Katarzyna, biegnąc do nich.

Chłopiec w jednej chwili puszcza szyję Pawła. Jej uwolniony syn krztusi się i zanosi kaszlem. Ślina cieknie mu po brodzie.

– Odgrywamy przedstawienie, maman – mamrocze. Na gardle widać siniaki w miejscu, gdzie wpiły się w nie palce. – To nasza sztuka.

– Co to za wstrętna sztuka?

Paweł milknie i spuszcza wzrok.

– Po prostu sztuka.

– O czym?

– Jeszcze nie wiem. Ćwiczyliśmy jedną scenę.

– Kim byłeś? – pyta Katarzyna.

– Carem.

– A on co chciał zrobić? – wskazuje na chłopca skulonego pod stołem. – Zamordować cię?

– Tak.

– Dlaczego?

– Żeby mnie ukarać.

– Za co?

W odpowiedzi Paweł mamrocze coś o czających się wszędzie skrytobójcach. O grzechach, które płyną jak wezbrane wody Newy.

– Pawle, kto cię uczy takich bzdur?

Kiedy się od niej odsuwa, Katarzyna widzi na jego spodniach dużą ciemną plamę w miejscu, gdzie jej syn się zmoczył. Dzwoni na służące.

– Następca tronu nie czuje się dobrze – mówi. – Proszę natychmiast położyć go do łoża.

Żaden z towarzyszy zabawy nie potrafi niczego wyjaśnić. Ich ojcowie przyrzekną, rzecz jasna, że wydobędą z nich prawdę, ale koniec końców nie będą mogli jej zaoferować wiele poza skruchą i listami z przeprosinami.

Służący są bardziej rozmowni. Pod groźbą natychmiastowego odprawienia wyznają, że Jego Wysokość chciał, żeby go dusić.

– Nie tak do końca – mówią. – Tylko troszeczkę.

Na początku wielki książę chciał, żeby przyjaciele użyli sznurka, który odciął od zasłony. Ale potem postanowił, że ma zostać uduszony gołymi rękami. Chłopcy nie chcieli tego zrobić, więc kazał im ciągnąć losy. Książę Kurakin wylosował rolę dusiciela i musiał wysmarować sobie ręce sadzą. Tak żeby wielki książę mógł zobaczyć na swoim gardle ślady jego palców.

Dlaczego?

Służący przysięgają, że nie wiedzą. Dalsze śledztwo przynosi dziwaczne wyznanie, że po odegranym uduszeniu Paweł miał leżeć bez ruchu, a jego dwaj przyjaciele mieli przykryć mu głowę dużym kawałkiem pergaminu. Sam go przygotował. Przechowuje go w ciężkiej dębowej skrzyni pod oknem. Na pergaminie jest coś napisane, ale nikomu nie wolno było tego zobaczyć.

Skrzynia jest zamknięta. Nie ma do niej klucza.

Katarzyna rozważa posłanie lokaja po łom, potem jednak dochodzi do wniosku, że jej syn nie jest aż tak sprytny. Na pewno schował klucz w jakimś oczywistym miejscu. Rozgląda się po pokoju, odrzucając miejsca, w których mogłyby go znaleźć służące.

Jej wzrok pada na ogromny chiński wazon stojący na marmurowej kolumnie.

Wsuwa do niego rękę. Przebiera palcami wśród trocin, i wreszcie go ma, klucz do sekretów syna.

Otwarta skrzynia ujawnia kilka niespodzianek. Pudełko z ołowianymi żołnierzykami. Szczypce do kręcenia włosów. Wypolerowany nabój do muszkietu. Skórzana sakiewka z mosiężnymi guzikami, wyglansowanymi do połysku.

Pergamin leży na dnie skrzyni, owinięty w czarny jedwab. Z trudem zakryłby twarz Pawła. Napis na nim jest pięknie wykaligrafowany.

Głosi: „Książę światła i rozumu".

Dworscy plotkarze wspominają błaznów z dawnych czasów. Zuchwałego karła Anny Leopoldownej, który paskudnie przezywał swoją panią i gdakał jak kura. Albo wjeżdżał do jadalni na grzbiecie kwiczącej świni. Albo obwąchiwał dworzan i wykrzykiwał nazwy ich grzechów: lenistwo, próżność, chciwość.

Żądza, bezczelna jak nadworny trefniś, mruga do Katarzyny spośród dokumentów. Każe jej biec przez lśniące pałacowe korytarze. Służący odwracają wzrok. Wiedzą, kiedy nie widzieć i nie słyszeć, jak caryca zbiega po schodach wyłożonych zielonym dywanem. Kobieta, która nie może czekać na nadejście nocy.

Złocone drzwi otwierają się z cichym skrzypnięciem, odsłaniając szerokie łoże z jedwabną pościelą, zarzucone poduszkami. Niektóre z nich sama wyszywała. W bogate, wyraziste wzory. Ważka z przejrzystymi skrzydłami. Papuga z długim ogonem z czerwonych i żółtych piór. Kiedy dłonie są zajęte, umysł najlepiej skupia się na tym, co najważniejsze: wtedy właśnie ocenia petycje, ujmuje ukazy w słowa, wtedy pomysły rodzą się i są poddawane próbom, wybierane lub odrzucane.

Czas jest cenny, Katarzyna nie marnuje ani sekundy. Każda chwila jest słodka albo pożyteczna. Wszystko inne można odrzucić.

Choć słońce już wstało, Grisza nadal śpi, na policzkach ma cień zarostu, jego ręce, rozrzucone, zagarniają dla siebie przestrzeń wokół. Nie ma sposobu, by go powstrzymać, słyszy Katarzyna. To koń wyścigowy, który niecierpliwie gryzie wędzidło. Pyszny i zuchwały. I tak ma być. Nawet jeśli ma jeszcze przed sobą naukę dworskich gier: ukrywaj to, czego naprawdę pragniesz, kalkuluj prawdopodobieństwo, przewiduj ruchy przeciwnika z dużym wyprzedzeniem.

We śnie Grisza zgrzyta zębami i przewraca się na bok. Na dziedzińcu pałacowym służący zmiatają pozostałości po porannej burzy. Połamane gałęzie, zerwane liście, kępki słomy.

Katarzyna uśmiecha się, ogrzewając ręce przy kominku. Rozsznurowuje spódnice i halki, zrzuca dworskie ubrania niczym wąż starą skórę.

Griszeńka mamrocze coś przez sen, wciąż nieświadomy jej obecności, ciepłych palców,ześlizgujących się w dół po jego brzuchu.

Jego zdrowe oko porusza się i otwiera. Jego ręce chwytają jej dłonie.

– Kim jesteś? – mruczy. – Czego chcesz?

Katarzyna odpowiada śmiechem pełnym czystej radości. Rzuca się w jego ramiona, zsuwa gołe nogi po jego ciele, czując kształt jego mięśni i muskanie włosków. Bierze go i pozwala się wziąć, rozpływa się z miłości.

Po wszystkim nie opuszcza jego łoża. Czasem te spokojne chwile są jeszcze słodsze niż pożądanie. Katarzyna opiera głowę na jego piersi, wsłuchana w bicie serca. On jest jej pociechą i schronieniem. Przy nim może zapomnieć o uciążliwych sprawach, które czekają na nią, gdy tylko przekroczy próg tej wyłożonej pluszem i aksamitem komnaty.

Czekaj. Odkładaj tęsknotę na później. Ukrywaj swoją radość i ból. Miłość, by przetrwać, także wymaga tajemnic.

Pewnej nocy budzi się i spostrzega, że miejsce przy jej boku jest puste. Zegar wybija drugą. Za oknem jakieś zwierzę kwili jak przestraszone dziecko. Zamroczona snem, z głową, w której wciąż się jej kręci od wspomnień ich miłości, Katarzyna podnosi się z ciepłego łoża i wyrusza na poszukiwania. W cienkim szlafroku, z bosymi stopami.

– Pan jeszcze nie wrócił, Wasza Wysokość – mówi jego służący.

Katarzyna siada w bibliotece przed pokojem Potiomkina i czeka. Drży z chłodu. Wybija trzecia, a potem czwarta. Służący wraca, uśmiecha się, przepraszając milcząco za swojego pana, nie chce jednak zdradzić sekretów drugiego mężczyzny. Katarzyna nie życzy sobie gorącej kawy. Ani pelisy jego pana. Niczym niemądre dziecko chce się rozchorować, ukarać Griszeńkę zmartwieniem.

Słychać zbliżające się głosy, śmiech. Głosy cichną.

To nie on.

Czy coś mu się stało? Zraniono go w jakiejś bójce? Obrabowano w ciemnej uliczce? Pchnięto sztyletem, i teraz wykrwawia się na śmierć? A może znalazł inną, bardziej uległą? Młodszą? Czy jego miłość to tylko komedia?

Jej myśli to rzeka niedorzeczności. Jeszcze jeden dowód przemożnej władzy Griszy nad nią.

O wpół do piątej, zesztywniała od siedzenia, obolała z zazdrości i tęsknoty, Katarzyna wstaje i wraca do pustego łoża. Nie może zasnąć. On może przecież przyjść o każdej porze.

– Nie wiedziałem, Katinko, że nie śpisz i zamartwiasz się tak niemądrze – powie na pewno. – Gdybym wiedział, przybiegłbym z powrotem.

O szóstej przychodzi pokojówka, by pomóc jej się ubrać. Służąca, pouczona, że ma być cicho, wytęża słuch:

– Nikogo tam nie ma, Wasza Wysokość – mówi.

Jest po dziesiątej, kiedy Grisza ciężkim krokiem wchodzi do pokoju. Jego włosy to gniazdo rozczochranych kędziorów. Przepaska na oku umazana jest czymś białym. Kredą? Pudrem?

– Dobrze spałaś, Katinko? – pyta, jakby prowadzili właśnie najzwyklejszą rozmowę.

Katarzyna kręci głową. Czuje dławienie w gardle, jest na skraju płaczu.

– Ja też nie zmrużyłem oka – mówi on, jak gdyby między ich nocami nie było żadnej różnicy. Czuć od niego tabakę, wódkę i piżmową woń potu i wysiłku.

– Gdzie byłeś? – udaje się jej zapytać. Jej głos jest obnażony, ku swej wściekłości Katarzyna słyszy, że aż bije z niego zazdrość.

Grisza pochmurnieje.

– Spędziłem noc z przyjaciółmi – odpowiada, ziewając i przeciągając się, najpierw jedno ramię, a potem drugie. – Nudy – dodaje.

– Nie przesłuchuję cię, Griszeńka. – Jej głos nie jest już w stanie ukryć plamy łez. Gdzieś za nimi słychać westchnienie drzwi, tupot stóp. Na dziedzińcu koń rży niecierpliwie.

Grisza przygląda się jej. W milczeniu. Jak ktoś może patrzeć drugiemu w twarz tak długo, tak uważnie?

– Jesteś carycą – przypomina jej. – Możesz zrobić, co zechcesz. Przesłuchać mnie. Poddać torturom. Wtrącić mnie do lochu.

Można to zinterpretować jako kapitulację, ale byłby to błąd.

Cicho i miękko jak kot Potiomkin podchodzi do okna i gwałtownym ruchem odsuwa zasłony. Klamerka puszcza, jakiś uchwyt odpada od ściany. Drobniutki deszcz sproszkowanego tynku spada na jego gęste kasztanowe włosy. Przez chwilę wygląda na to, że otrząśnie się jak mokry pies. Ale on tylko liże wskazujący palec, przesuwa nim po tynkowym pyle i wkłada do ust.

Katarzyna wpatruje się w niego, a kiedy on wychodzi, zanosi się szlochem.

Nie potrafię tak żyć.

Rankami Katarzyna zamyka teraz drzwi do swojego gabinetu na klucz. Wartownik dostaje rozkaz, żeby nie wpuszczać nikogo.

Przy biurku caryca układa dokumenty według ich ważności i podnosi zaostrzone gęsie pióro. Miłość można zamknąć na cztery spusty, sprasować jak proch w baryłce.

Słyszy głos Potiomkina, który kłóci się z wartownikiem. Słychać łomot i brzęk metalu. Klamka przy jej drzwiach grzechocze.

Słaba, myśli Katarzyna. Podda się. Jak turecka forteca.

Przygotowuje się na atak lub kapitulację, oskarżenia albo wyznania.

Drzwi otwierają się z trzaskiem, ale ku jej zaskoczeniu Grisza wchodzi powoli.

Powieka na jego chorym oku opada, ale nigdy nie zamyka się do końca. Katarzyna tłumi w sobie pragnienie, by polizać ją w miejscu, z którego wyrastają rzęsy. Uderzenie piłką do tenisa, cios kijem bilardowym – przypomina sobie zwariowane historie, którymi tłumaczył tę kontuzję. Jak tylu innych, nie lubi ujawniać pochodzenia swoich ran. To?, pyta Aleksiej Orłow z udawanym rozdrażnieniem, dotykając blizny na policzku, jakby właśnie ją odkrył. Nikt nie lubi, by mu przypominać o przegranych walkach.

– Jak możemy przestać się ranić? – pyta ją Grisza.

Powtarza to pytanie w godzinie kochanków, zaplątany w prześcieradła, rozdzierając bosą stopą materiał. Jego koszula nocna jest podciągnięta, odsłaniając kędzierzawe runo.

Ale tym razem to on ma odpowiedź. Kryje się ona w rysunku, który ze sobą przyniósł.

– Co ja z nim zrobiłem? – pyta, szukając po omacku wokół łoża, odsuwając na bok jej ozdobione klejnotami pantofle. – Musiałem gdzieś go położyć – mówi i wychyla się za materac tak, że jego głowa niemal dotyka podłogi. Kiedy się prostuje, w rękach ma zwinięty pergamin.

Rysunek jest piękny. Liście, korzenie i biała kiść kwiatów.

– Ty to narysowałeś? – pyta Katarzyna, ale on kręci głową i wskazuje na liście, zwieńczone spiczastymi włoskami. Niektóre z nich są otwarte, jak kwiat z czerwonym wnętrzem.

– Kuszące, jeśli jest się muchą – pokazuje Grisza. Jedne z nich zamknęły się na skorku tak, że widać tylko wygięte szczypce owada. Inne – na ślimaku. – To roślina owadożerna – wyjaśnia Grisza. Mechanizm pułapki nie zamyka się, kiedy wpada do niego suchy liść czy źdźbło trawy. Uruchamia go wyłącznie żywa zdobycz. Jeśli owad jest mały, może uciec z sideł, bo strawienie go byłoby zbyt dużym wysiłkiem. Jeżeli natomiast zdobycz jest duża, silna i stawia opór, pułapka zamknie się szybciej.

Katarzyna marszczy brwi.

Czy to odpowiedź botaniki? Że ona nie potrafi uwolnić się z jego sideł? Że z każdym ruchem pogrąża się coraz bardziej?

A może to ona uwięziła jego? O co ją teraz oskarży? O spojrzenie, które mu rzuciła – albo nie? Dni na dworze pełne są pułapek.

Caryca, której gesty nadają władzę, nie może się poruszyć, nie raniąc przy tym czyichś uczuć.

Ma świadomość, że ich głowy się stykają, kiedy oboje w milczeniu przypatrują się rysunkowi, na tyle ładnemu, że można by go oprawić i powiesić gdzieś, gdzie by go widziała. Nie za często, lecz na tyle, by zastanowić się nad kwestią pułapek i gróźb bez pokrycia.

– Nie myśl o pułapkach, Katinko – głos Griszy przerywa jej rozmyślania. Wciąż ją zadziwia, że on potrafi odpowiedzieć na pytanie, którego jeszcze nie zadała.

Ta roślina, mówi Grisza, jest interesująca nie ze względu na pomysłową anatomię, ale dlatego, że dowodzi głębokiej przemiany z jednej formy istnienia w inną. Ta roślina jest na progu przełomu, znalezienia się na poziomie zwierzęcia.

Ona także potrafi czytać w jego myślach. Skoro roślina może stać się zwierzęciem, to kochankowie mogą się rozdzielić, a jednocześnie stać się sobie bliżsi. Zespoleni w sposób, którego inni nigdy nie potrafiliby pojąć.

– Hybryda u progu duchowego postępu – mówi jej Griszeńka. – Nasza przewodniczka.

Wizja, którą przed nią roztacza, przedstawia dwoje olbrzymów, kroczących ramię w ramię. Górują nad tłumem. Swobodnie realizują swoje pragnienia. Wyrozumiale odnoszą się do słabostek. Są dumni z tego, co jest ich siłą. Dwór będzie się im przyglądał z natężoną uwagą, lecz oni będą niczym dwoje spiskowców, śmiejących się ze zmieszania, które wzbudzają.

– Rozpieszczone dzieci opatrzności, Katinko. Będziemy chcieli, żeby coś się stało? Wystarczy, że tego zapragniemy.

Jego umysł pracuje na pełnych obrotach, kipi od pomysłów. Zdrowe oko bada pokonaną Portę Otomańską niczym rzeźnik, szacujący ilość mięsa na tłustym prosiaku.

Morze Czarne nigdy nie zamarza, więc jego porty nie muszą zamykać się na zimę. Południe jest ciepłe i żyzne. Tam, gdzie biegają dzikie konie i tatarskie hordy, on widzi przyszłe miasta, sioła, ogrody. Chce wybudować najdłuższą łódź, zaprosić więcej cudzoziemców, by zasiedlili puste ziemie. Przynieść największe szczęście niezliczonym rzeszom.

Nikt nas nie powstrzyma, Katinko.

Mamy siłę. Mądrość. Odwagę.

To jest stulecie Rosji.

Rosja nie może zostać odsunięta na bok. Przez nikogo.

Właśnie to podarujemy pokoleniom, które przyjdą po nas.

Damy im siłę.

Damy im marzenia.

Dopiero wtedy będziemy mogli umrzeć w spokoju.

W głosie Potiomkina dźwięczy euforia. Wznosi się i opada jak śpiew kapłana. Oko płonie od wizji, którymi się rozkoszuje.

Uwierz mi, Katinko. Widziałem przyszłość.

Będą nas błogosławić.

Już wygraliśmy.

Ona także czuje zwycięstwo, choć jej pewność nie stroi się w szaty mistycznych wizji. Zrodziły ją mozolne kalkulacje zysków i strat. Mocne nerwy i pewna ręka.

Uzurpatorów można zwieść, dając im poczucie zadowolenia z siebie, i pokonać. Wroga – przeczekać i przechytrzyć.

Wnuk, świeży i niezepsuty, jak zwój nowego materiału, może zastąpić niedoskonałego syna.

– Naprawdę jesteśmy dziećmi opatrzności – oznajmia Potiomkin za każdym razem, kiedy wraca z Południa z opowieściami o kwitnących sadach i rzekach rojących się od ryb. Ta obfitość odbija się w nowych aktach, nadaniach i statutach. W rysunkach przedstawiających nowe miasta, i w kolumnach cyfr.

Rosja się bogaci. Być może niejedno zostało jeszcze do zrobienia, ale i wiele zostało już zrobione. Tam, gdzie niegdyś rządził tylko strach, teraz panuje porządek. Tam, gdzie nędza i przesądy paraliżowały wolę, światło rozumu błyszczy w nowych szkołach, domach i szpitalach.

„Tłuste", „kwitnące", „żywotne", „krzepkie" – oto przymiotniki, których używa Grisza. Na określenie pól, stad bydła, osadników z Bawarii, Badenii, Hesji i Nadrenii, których zaprosił, by osiedlili się w Rosji.

„Solidne". „Nowe". Posągi, pawilony, mosty, apartamenty, pałace, ogrody.

„Mrowie" to rzeczownik, który Katarzyna lubi czuć na języku, orgia obfitości.

„Rozrastać się" to jej ulubiony czasownik.

Na wielką skalę, kiedy już podsumuje wszystkie rachunki i uwzględni wszystkie straty, jej księgi są czymś doprawdy imponującym.

Potiomkin przychodzi i odchodzi. Jego wizyty zakłócają normalny porządek, cieszą ją, ale i doprowadzają do rozpaczy. Potiomkin domaga się czasu i przestrzeni. W jej gabinecie i buduarze. Czasem się kochają – to raczej wyraz przynależności niż pożądania – ale przeważnie wyznają sobie, jak bardzo ich dni są naznaczone chaosem.

Światło świec łagodnie obchodzi się z ich niemłodymi ciałami, wydobywa ich blask, nie zaś zmarszczki. Według plotek, które ich szpiedzy gromadzą po salonach i ulicach, oboje są nienasyceni. Katarzyna otwiera swoje drzwi i wzywa jednego gwardzistę po drugim, by ją obsługiwali. Odsyła tych, którzy nie potrafią zaspokoić jej dostatecznie szybko. Kobiety Potiomkina rozkładają się na otomanach przebrane za odaliski, czekając na jego przybycie. A on trzyma w antycznych wazonach drogie kamienie, żeby mogły w nich zanurzać swoje uperfumowane dłonie. Sporządził porcelanowe odlewy swojego nabrzmiałego penisa i rozdaje je jako pamiątki porzuconym kochankom.

– Czy naprawdę jesteś taki wulgarny, Griszeńka?

– A byłabyś zaskoczona, gdyby tak było? – Mruga i uśmiecha się z taką dziecinną radością, że Katarzyna wybucha śmiechem. Jedno kończy myśli drugiego. Ona nalega, by on nosił zimą grubsze płaszcze i futra. On uważa, że ona zbyt ciężko pracuje. Nie nauczyła się jeszcze bezwzględności w ocenie ludzkich zalet. Daje się skusić potencjałowi, gdy powinna żądać dowodów wcześniejszych osiągnięć.

– Poszukam ci innego sekretarza – obiecuje Grisza. – Czyż nie znalazłem dla ciebie Łanskiego?

Sasza Łanski to jej faworyt. „Tak jak obiecywałeś, Sasza pochłania poezję, historię, filozofię i sztukę", pisze w liście do Potiomkina. „Pragnie posiąść nieograniczoną wiedzę o tym, co najważniejsze wśród ludzkich dokonań. Jest wesoły, szczery i bardzo kochany".

Nazywa go Saszeńką.

Jej pierwszym podarunkiem dla niego był pozłacany egzemplarz *Il Newtonianismo per le dame* Algarottiego, nie tylko obietnica wyjaśnienia natury światła i kolorów, ale i dowód na to, że otwarty umysł może zrewidować i odrzucić dawne prawdy.

Lewicki, któremu zleciła namalowanie Saszeńki, skarży się, że model nie potrafi stać nieruchomo odpowiednio długo.

– Podskakuje, Wasza Wysokość, burząc dostojne proporcje, które usiłuję odmalować.

Obraz, teraz już ukończony, drażni ją, choć sama nie wie do końca, co jest w nim najbardziej irytujące. Jej własne popiersie nad lewym ramieniem Saszeńki? Ta marmurowa twarz o pustych oczach i podwójnym podbródku? Obfite fałdy na spodniach kochanka? Potężny węzeł chwostu na wysokości jego krocza? Stercząca rękojeść szpady? Ale przecież Lewicki nie pozwoliłby sobie chyba na insynuacje?

– Wspaniały portret – wykrzyknął Saszeńka.

Jest tak zachwycony, że Katarzyna nie ma serca zgłaszać swoich zastrzeżeń.

Również monsieur Aleksandra fascynuje portret Saszeńki. Jej najstarszy, siedmioletni już wnuk jest rozmowny i nieustraszony. Ciągle szuka jej dłoni i podnosi twarz ku niej, zadając niezliczone pytania.

– Czy to twój mąż, babuniu?

– Nie.

– Dlaczego ma perukę?

– Bo to modne.

– Dlaczego chce być modny?

– Bo chce, żeby inni ludzie go szanowali.

– Czy ja jestem modny?

– Tak.

– Chociaż nie mam peruki?

– Mali chłopcy nie potrzebują peruk.

– Kochasz go?

– Tak.

– Bardziej niż mnie?

– Co ty opowiadasz! Jesteś moim małym rycerzem, moim księciem. Nikt nie jest taki jak ty.

Lato to zdrajca i złodziej. Kusi ciepłem, ale kryje w sobie truciznę.

We środę po południu Saszeńka Łanski przełyka z trudem i krzywi się.

– Ten ból gardła nie chce minąć – mówi jej. – Wykończy mnie.

– Kolejne kłamstwo – odpowiada ona, starając się rozweselić kochanka. Bierze chusteczkę i każe mu wypluć w nią te słowa. – I już – mówi, wyrzucając wilgotną chusteczkę przez okno. Materiał unosi się na wietrze, póki silniejszy podmuch nie poniesie go gdzieś w stronę ogrodów Carskiego Sioła. – Zły humor to przywara – przypomina mu. – Masz dwadzieścia sześć lat. Mamy jeszcze czas, żeby się razem zestarzeć, chociaż ja na pewno zdziecinnieję na długo przed tobą.

Jego twarz jest owalna, policzki gładko ogolone i wolne od różu. Saszeńka Łanski preferuje proste, krótkie peruki i puder do włosów z korzenia kosaćca, który pachnie fiołkami.

„Pomagasz mi myśleć", powiedział jej kiedyś.

„A ty dajesz mi do myślenia", odparła.

– Potrzebuję tylko trochę odpocząć – przyznaje jej rację z uśmiechem. – Może nawet się prześpię – dodaje, choć to byłoby niezwykłe, ponieważ – tak jak jej – z trudem przychodzi mu zasnąć w ciągu dnia.

Ich ciała są do siebie dobrze dostrojone. Oboje lubią wstawać wcześnie. Oboje zasypiają, jak tylko przyłożą głowę do poduszki.

Saszeńka idzie do swojego pokoju, a ona zasiada w galerii z książką. Czyta listy lorda Chesterfielda do syna. Pełne znakomitych rad. Warto o nich pamiętać z myślą o Aleksandrze. Jej wnuk jest gotowy, by poznać znaczenie dobrego charakteru pisma. Albo otrzymać pierwsze lekcje retoryki, dostosowanej odpowiednio do różnych audytoriów. Jak opowiedziałbyś tę historię swojemu preceptorowi? A braciszkowi? A służącemu?

Saszeńka wraca godzinę później, odświeżony drzemką, i żartuje sobie z własnych strachów. Jego oczy są złotobrązowe, jak u lwa. Dziwnie przenikliwe w bladej twarzy.

– Dosyć tej służby na rzecz imperium! Chodźmy na spacer, Katinko – nalega Saszeńka, podając jej ramię.

Kocha w nim tę gorliwość. Włożył białą kamizelkę haftowaną w srebrno-czerwone rajskie ptaki. Podarunek od niej. Jeden z wielu.

Przechadzają się wokół stawu, mijają nieduży obelisk, gdzie pochowane są jej psy. Nie wszystkie, tylko te najukochańsze. Sir Tom, który tak lubił podgryzać obcasy gości, poruszających się zbyt szybko na jego gust. Lady Tomasina, która wyskakiwała w powietrze na sam widok wiewiórki.

Rozmawiają.

O haftach w kształcie płomieni, które ona ostatnio ogromnie lubi, bo bogate kolory przypominają jej pawie pióra. O kolejnej dostawie rzeźbionych klejnotów, płynącej z Hamburga, jej prezencie dla niego. O postępach Saszeńki w intaglio, sztuce zdobienia kamieni szlachetnych reliefami wklęsłymi. Ona uważa, że jego precyzja i zręczność są zadziwiające, ale on nie jest o tym bardzo przekonany.

– Próbowałem wyrzeźbić żurawia – wyznaje z zakłopotanym uśmiechem – ale chyba bardziej przypomina kaczkę.

Kiedy wracają do pałacu, Sasza nie chce, by ten dzień już się skończył.

– Tylko jedna partyjka reversis, Katinko – prosi. – Tak bardzo chcę wygrać.

Katarzyna dokłada starań, żeby tak się stało.

– Spójrz – mówi, pokazując mu swoją ostatnią kartę, atutową damę pik. – Przegrałam z kretesem.

– Jutro zagramy jeszcze raz – odpowiada on i sięga po kielich kwasu malinowego. Krzywi się, przełykając.

Dopiero wtedy Katarzyna zauważa, że jego oczy są szkliste od gorączki.

– Idź do swojego pokoju, Saszeńka – mówi. – Odpocznij.

Sasza słucha jej, choć niechętnie. Przy drzwiach schyla się, by podnieść z podłogi jakiś niewidoczny pyłek. Odwraca się i waha chwilę, zanim wyjdzie. Godzinę później – przynaglona wspomnieniem jego białej jak papier twarzy – Katarzyna wysyła do jego pokoju pazia, żeby sprawdził, jak pan się miewa. Chłopiec wraca natychmiast.

– Monsieur Łanski – melduje – właśnie posłał po doktora Rogersona.

Siedzi przy jego łożu i patrzy na niego. Oczy Saszeńki są zamknięte, ale jego powieki czasem drgają. Poci się od letniego upału i gorączki. Służące zamoczyły prześcieradła w zimnej wodzie i rozwiesiły je w pokoju. Z ogrodu nadpływa pachnący wietrzyk. Ptaki kłócą się i śpiewają.

– Śpij – szepcze Katarzyna, ocierając czoło Saszeńki ręcznikiem zamoczonym w wodzie z lodem.

Myśli o tym, co kiedyś powiedział jej ojciec. Że póki w lesie śpiewają ptaki, wędrowiec wie, że w pobliżu nie ma wilka ani niedźwiedzia.

W piątek Sobolewski, drugi medyk, którego wezwała, przynosi ze sobą ugotowane figi, na tyle miękkie, że nie powodują bólu przy przełykaniu.

Saszeńka nie je nic poza tym, ale pije herbatę, kwas i słabe piwo.

Medycy są pełni nadziei. Pacjent jest młody. Silny. Ma nadzwyczajną konstytucję. Wierna Wiszka, która przybyła właśnie z Pałacu Zimowego, gdzie nadzorowała okadzanie cesarskiej sypialni, przypomina carycy, że w lipcu zeszłego roku koń kopnął Saszeńkę Łanskiego tak silnie, że ten miał poranioną klatkę piersiową i pluł krwią, ale tydzień później znów jeździł, jakby nic się nie stało.

Takie słowa niosą pociechę.

W sobotę obaj medycy podkreślają, że Saszeńka jest spokojniejszy. To dobry znak, mówią. Gorączka się zmniejsza.

W południe następuje dziwny atak czkawki, która nie chce ustąpić, a na ciele Saszeńki pojawia się fioletowa wysypka, ale on sam jest przytomny, i nawet siada na łożu.

– Przynieś mi moją szkatułę z rzeźbionymi kamieniami – poleca służącemu.

Katarzyna martwi się, ale nie boi. Ponieważ Saszeńka skarży się na gorąco, Wiszka dostała rozkaz znalezienia mu chłodniejszego pomieszczenia. Poleca nieduży pokój na parterze, w zachodnim skrzydle.

– Jest dosyć daleko od waszej sypialni, madame – mówi – ale ocienia go stare drzewo.

Pokój przez dłuższy czas nie był używany. Czuć w nim myszami, ale Wiszka obiecuje, że służące wyszorują podłogę gorącą wodą z octem i spryskają go perfumami.

W niedzielę pokój jest gotowy, a Saszeńka na tyle silny, że może przejść tam samodzielnie. Podoba mu się czerwona otomana i pokryty aksamitem podnóżek. A także inkrustowana szafa na koszule nocne. I stolik z palisandru, na którym leży oprawne w safian dzieło Lukrecjusza.

– O wszystkim pomyślałaś, Katinko – mówi. Głos ma zachrypnięty. – Teraz wyzdrowieję.

Ale potem, w gorącą i parną noc, budzi ją Wiszka.

– Wasza Wysokość – mówi bez tchu. – Proszę przyjść, szybko.

Kiedy Katarzyna wbiega do jego pokoju, Saszeńka jej nie rozpoznaje.

– Muszę jechać – nalega rozgniewany. – Dlaczego jeszcze nie zaprzężono koni? Kto wam kazał ruszać się tak wolno?

– To ja – mówi ona, opanowując cień grozy, który mógłby dostrzec na jej twarzy. – Katinka.

Nie słyszy jej. Jego ciało się napina, ręce miotają się na oślep, jakby tonął.

Ociera jego czoło ręcznikiem zamoczonym w lodowatej wodzie i uspokaja go obietnicami, że wszystko będzie tak, jak sobie życzy. Jego konie są w drodze. Stajenni prowadzą je na dziedziniec. Już są na zewnątrz.

– Czy nie słyszysz dzwonków? – pyta Katarzyna. – Ja słyszę.

Przez chwilę wydaje się, że zrozumiał, co ona mówi, bo odpowiada:

– To nie moje konie.

Opada na poduszki. Jego krótko przycięte włosy są zlepione potem.

Kiedy przysuwa mu do ust kawałek lodu, Sasza ssie go chciwie. Chce być przy nim przez całą noc, ale Rogerson nie pozwala.

– Zarazki znajdują się w powietrzu – mówi medyk. – To zbyt niebezpieczne, madame.

Młody, silny organizm, powtarza sobie Katarzyna. Z pewnością wyzdrowieje.

W nocy nie śpi prawie wcale. Wraz z Wiszką, która towarzyszy jej jak cień, chodzi po korytarzach Carskiego Sioła. Zatrzymuje się przy obrazach i podnosi świecę do góry, pilnując, by oglądać tylko te, na których triumfuje życie. Spotkanie kochanków, powrót pielgrzyma do domu, wazon pełen kwiecia, wojownik wracający z bitwy z wieńcem na szyi.

We wtorek Saszeńka umiera.

– Nigdy! – krzyczy Katarzyna, kiedy Wiszka prosi ją o wyznaczenie daty pogrzebu.

Przez siedemnaście dni i nocy nie wychodzi z pokoju. Nie ubiera się. Nie myje. Przyjmuje jedynie Wiszkę, która wzdycha, lecz nie skarży się, że musi służyć za pokojówkę, i tylko zerka z troską na kolejne talerze z nietkniętym jedzeniem.

Oczy bolą ją od łez i tarcia, skóra pod nimi jest opuchnięta. Ogląda w lustrze pooraną zmarszczkami szyję, rzednące włosy, dziwnie wyglądające wyrostki skórne, które pojawiły się na jej ramionach i poniżej piersi. Kiedy za nie ciągnie, krwawią.

Rozkazała, by przyniesiono jej rzeczy Saszeńki. Jego rzeźbione kamienie szlachetne, książki, perukę, jego mundur galowy, który próbuje na siebie włożyć, ale ponieważ jest za ciasny, zamiast tego kładzie go na poduszce. Nie pachnie niczym prócz pieprzu. Katarzyna kicha od tego zapachu.

W książce Algarottiego, zauważa, połowa stron jest nierozcięta.

Osiemnastego dnia udaje się do komnaty, w której spoczywa w trumnie zabalsamowane ciało Saszeńki. Ciało, którego ona nie zgadza się pochować.

– Wyjdźcie – mówi do żałobników.

Nie śmią się jej sprzeciwić.

Wyłożoną białą satyną trumnę otaczają świece. Oczy Katarzyny przesuwają się powoli od wysokich butów Saszeńki do czerwonej kurtki z kołnierzem haftowanym w srebrne dębowe liście. Wreszcie zmusza się, by spojrzeć na jego twarz. Taką spokojną, powiedziała Wiszka.

Nie, nie jest spokojna, myśli Katarzyna. Pokonana. Zdradziecko pozbawiona życia, które powinno być jego. I moje.

Włosy ufryzowane w kunsztowny kok układają się w kędziory nad uszami. Przyprószone niewłaściwym pudrem. Z lawendą, a nie kosaćcem. Na oczach Saszeńki ktoś położył dwie złote monety. Pomiędzy jego palcami tkwi przepustka na tamten świat, podpisana przez popa. Katarzyna chce usunąć monety i przepustkę, ale wydaje się to wysiłkiem ponad ludzką miarę. Zresztą nie chce teraz dotykać Saszeńki. Pragnie zachować w pamięci jego skórę ciepłą i żywą.

Siedzi więc na niskim fotelu i przygląda mu się. Pyta:

– Dlaczego mnie opuściłeś?

W nieruchomej twarzy kochanka nie kryje się żadna odpowiedź. Jest nieświadomy jej pożądania, jej smutku, jej bólu. Jakby jego wargi nigdy jej nie pieściły, nigdy nie pragnęły dać jej rozkoszy. Słyszała, jak mówiono o nim, że jest nieśmiały. Nie przy mnie, myśli Katarzyna. Przy mnie nie mógł być nieśmiały.

Każdy oddech, który wydobywa się z jej piersi, odbiera Katarzynie jakąś jego cząstkę.

– Przyjechałem, jak tylko się dowiedziałem – mówi Potiomkin. Jego czoło przecina zaczerwieniona smuga opalenizny. Na brodzie ma ślady sadzy. Katarzyna chwyta rękę, którą do niej wyciągnął. Silną, twardą rękę żołnierza.

Ma jeszcze na sobie gruby strój podróżny, zachlapany błotem. Jego buty zostawiają ciemne, mokre ślady na dywanie. Przyjechał tu aż z Krzemieńczuka w siedem dni, pokonał ponad tysiąc mil, przemocą wdarł się do jej sypialni, spojrzał na nią i powiedział:

– Matuszko, nie pozwolę ci pójść za nim.

Katarzyna chce płakać, ale zabrakło jej łez.

– Chodź – mówi Grisza.

Pozwala mu się poprowadzić. Cóż więcej mogłaby zrobić? Schodzą razem po schodach, przechodzą przez główny hol, idą do ogrodów. Katarzyna jak przez mgłę czuje na sobie oczy, które ją obserwują. Przez dziurki od klucza, zza rogów. Wystraszone, zatroskane spojrzenia.

W zapadającym zmroku mokre drzewa przybierają cieniste, widmowe barwy. Kiedy dochodzą do okolonego trzcinami stawu, jej spódnica jest już tak nasiąknięta wodą, że przylepia się do niej jak druga warstwa skóry. Katarzyna potyka się na śliskim od deszczu żwirze, ale Potiomkin trzyma ją pod ramię zbyt mocno, by pozwolić jej upaść. Lilie wodne zarastają staw i wymagają przycięcia. Dlaczego to ona musi mówić ogrodnikom, na co mają zwracać uwagę?

Stojąc tutaj, w ogrodzie, Katarzyna widzi, że pałacowe okna migocą jak świetliki. Służący zapalają świece. Gdzieś znad stawu napływa woń zgnilizny.

Czy była próżna? Łasa na pochlebstwa? Uparta? Nieuważna? Podejrzliwa? Zazdrosna?

– Idź dalej – mówi Potiomkin. – Nie zatrzymuj się.

– Dokąd idziemy? – pyta go.

– Donikąd – odpowiada Grisza.

– Wobec tego po co?

– Ponieważ musimy się poruszać.

– Dlaczego?

– Bo jeśli się zatrzymamy, umrzemy.
– Może ja chcę umrzeć.
– Nie.

Katarzyna zatrzymuje się mu na przekór, ale Grisza popycha ją naprzód. Zmusza, by szła przed siebie, aż wreszcie jest zbyt zmęczona, by iść dalej. Dopiero wtedy on ustępuje.

– Nie pozwolę ci pójść za nim – powtarza.

Katarzyna kładzie głowę na zgięciu jego szyi. Jego wargi dotykają jej ust. Język rozdziela zęby i nurkuje w głąb. Jest cierpki i gorzki.

Katarzyna zaczyna mówić. Ojca już nie ma, i matki też. Oboje umarli daleko od niej, niespodziewanie. Panina, który zawsze podburzał jej syna do nieposłuszeństwa, powaliła apopleksja. Grigorija Orłowa zabrał obłęd. Ślini się na wózku, w jego martwych oczach nie ma nawet iskierki rozpoznania, kiedy na nią spogląda. Jakby nie było żadnej różnicy między jego Katinką a jakimś śmieciem.

– Dzieci opatrzności, Griszeńka? Czy nadal jesteśmy błogosławieni?

Potiomkin nie odpowiada, ale jego ramiona tulą ją mocno. W jej głowie błyska myśl, że póki jeszcze może zatracić się w jego uścisku, znajdzie siłę, by iść dalej.

Jej galera przybija do brzegu niedaleko Kaniowa. Caryca podróżuje, by dokonać przeglądu Krymu. Następny przystanek to Kajdaki, gdzie czeka już na nią cesarz Austrii.

Katarzyna nazywa tę podróż snem z tysiąca i jednej nocy. Rok 1787 to rok jej zwycięskiego objazdu, triumfalnego przeglądu nowo zdobytych ziem. Potiomkin, książę taurydzki, składa to wszystko u jej stóp, żyzne pola wykrojone ze stepów, nowe miasta i porty, nowe szlaki handlowe, nowe flotylle, nowe ludy imperium, ubrane w kolorowe tradycyjne stroje.

– A nie mówiłem, Katinko? – pyta z szerokim uśmiechem. – Czy nie miałem racji?

Są idealnymi partnerami. Ich myśli biegną tym samym torem. Nikt prócz niego nie rozumie, dlaczego podboje są tak ważne. Inni mówią o bogactwach, które można zdobyć. Wyobrażają sobie, jak panują nad dawnymi rywalami. Mszczą się za niegdysiejsze upokorzenia. Potiomkin mówi:

– Pamiętasz Państwo Środka? Cesarza Chin, który odwołał swoje okręty i zamknął je pod kluczem? Kto go teraz pamięta? Jak tylko przestajemy rosnąć, zaczynamy więdnąć i umierać.

Rosjanie nie są żeglarzami, gotowymi podbijać dalekie krainy czy handlować wonnymi przyprawami. Dlatego Rosja musi się rozrastać na zewnątrz. Wojny Elżbiety były sławne, ale nie przyniosły Rosji żadnych ziem.

Jej wojny – tak.

Piotr Wielki poszedł na północ. Katarzyna – na zachód i południe.

Na cesarskich łodziach panuje ożywiony ruch. Dworzanie przygotowują się do ceremonii. Służący biegają to tu, to tam ze srebrnymi talerzami pełnymi jedzenia, świeżymi obrusami i dzbanami wina. Malarze ze swoimi sztalugami uwijają się, szukając dogodnego punktu, by uchwycić najważniejsze sceny dnia. Kiedy podróż na Krym dobiegnie końca, na podstawie rysunków powstaną obrazy, rzeźby albo porcelanowe figurki, które ozdobią stoły w jadalni Katarzyny albo półki nad kominkami.

Potiomkin pomyślał o wszystkim. Dniepr, szkarłatno-złota cesarska galera, mieści w sobie carską sypialnię, salę audiencyjną i gabinet, a w nim piękne mahoniowe biurko. Orkiestra gra dla carycy łagodną muzykę, kiedy tylko sobie tego zażyczy. Na każdym przystanku książę Potiomkin, z figlarnym błyskiem w zdrowym oku, wyczarowuje ogród. Drzewa i krzewy w donicach, pęki kwiatów i dywany z bujnego mchu pojawiają się na stepie. Jednego dnia ścieżka może prowadzić do fontanny, drugiego – do szemrzącego źródełka. Ławka czasem stoi na widoku, a czasem kryje się wśród jałowców.

– Potrafisz zmusić kwiat, żeby zakwitł! – mówi Katarzyna ze śmiechem.

– Ty i ja, matuszko. Jesteśmy niezwyciężeni.

Ani jedna chwila nie mija bezczynnie. Łuki triumfalne i kwietne girlandy na każdym przystanku przypominają jej o obowiązkach imperatorowej: wysłuchać nabożeństwa, przewodniczyć balowi, przyjąć reprezentantów miejscowej ludności. Oto cel tej wspaniałej podróży. Móc wysłuchać swojego ludu. W każdym mieście zadaje pytania biskupom, ziemianom, kupcom. Co ułatwiłoby wam życie? Co uczyniłoby je bardziej dostatnim? Co mogłabym zrobić ja, wasza caryca, żeby być dla was użyteczna?

– Po co jechać tak daleko, skoro nic nie oglądamy? – dąsa się Czerwony Kubrak, jej najnowszy faworyt. – To tak, jakbyśmy wcale nie opuścili dworu.

Jego poprzednik usiłował oczernić Griszeńkę i został odesłany. Lepiej nie wspominać za jaką cenę.

Czerwony Kubrak naprawdę nazywa się Aleksander Matwiejewicz Mamonow, ale jak Katarzyna mogłaby nazywać swojego kochanka Aleksandrem? Albo zdrobnieniem od tego imienia, Saszeńką?

– Podróżuję nie do miejsc, lecz do ludzi – tłumaczy mu. – Miejsca mogę obejrzeć na mapach albo przeczytać ich opisy. – Czerwony Kubrak spuszcza głowę. Katarzyna wciąż jest pewna, że jego młody umysł da się poprawić, uformować w szlachetniejszy kształt. – Moje wizyty są krótkie, ale daję swemu ludowi możliwość zwrócenia się do mnie – ciągnie dalej. – Nie uchodzi to uwadze tych, którzy mogliby odczuwać pokusę, by nadużyć mojego autorytetu. Będą się obawiać, że mogłabym odkryć ich nadużycia i niesprawiedliwość.

Czerwony Kubrak wypuszcza powietrze z płuc. Jego palce wybijają na stole szybki rytm. Na kołnierzyku ma żółtą plamę, a za paznokciami – żałobę. Wiszka będzie musiała mu przypomnieć o cnocie schludności.

Kaniów to polskie miasto, własność bratanka Stanisława. Kilka dni wcześniej w rosyjskim Kijowie przybywający z wizytą polscy szlachcice spożywali jej jadło, pili jej wino i knuli swoje mniejsze i większe intrygi. O człowieku, który od dwudziestu dwóch lat zasiada na ich tronie, mówili z rozdrażnieniem. Skarżyli się, że Stanisław ciągle lamentuje nad wyginięciem starożytnych cnót i pogrąża się w melancholijnych rozmyślaniach. Straty Polski to zawsze ich wina, a nie jego.

Kto go popiera? Poeci? Malarze, których zatrudnia? Rzeźbiarze, którym płaci za budowanie pomników niegdyś zwycięskich polskich królów? Słabość charakteru to morze, w którym toną cnoty i talenty.

Lata temu Stanisław był jej ukochanym, ale przeszłość jest dalekim, obcym krajem. Jej Rosja się rozrasta. Jego Polska – kurczy. Uczyniła go królem. Do niego należała decyzja, czy chce być jej lojalnym sprzymierzeńcem, czy przeciwnikiem. Nie jest ani jednym, ani drugim.

Człowieka raz wyniesionego na tron da się stamtąd strącić; Katarzyna wie o tym lepiej niż ktokolwiek inny.

Jak tylko Stanisław wkracza na cesarską galerę, dworzanie gromadzą się tłumnie wokół niego, zaciekawieni i przejęci, chwytający skwapliwie każdy strzępek, który mogą zważyć i zmierzyć. Spotkanie dawnych kochanków, po dwudziestu ośmiu latach. Wszystko zostanie odnotowane, przekazane dalej, oplotkowane. Pierwsze słowa, pierwsze gesty. Jej uśmiech, jego uśmiech. Lub też ich brak.

Dwór nie mówi o niczym innym, zapewnia Katarzynę jej pokojowiec. Postawiono zakłady. Mnożą się domysły. Czy caryca uroni łzę? A król? Nawet Queenie i Wiszka dają się opętać tym idiotyzmom i zamartwiają się, jakie dodatki najpiękniej ozdobią ich panią. Pióro z pojedynczym diamentem? Sznur czarnych pereł? Chusteczka do zakrycia szyi Jej Wysokości?

– Dlaczego miałabym chcieć zakrywać swoje zmarszczki? – pyta Katarzyna. – Przeżyłam pięćdziesiąt osiem lat. Chcecie, żebym się tego wstydziła?

Dlaczego wszyscy próbują wtłoczyć ją z powrotem w świat uczuć, które dawno umarły? Ponieważ jest kobietą? Zakochaną w pochlebstwach? Niepomną na interesy swojego imperium?

Cesarskie dary czekają w gotowości: dla Stanisława Order Świętego Andrzeja i złoty medal z jej wizerunkiem na jednej stronie i rzeźbą Piotra I na drugiej. Dla kobiet z jego rodziny Order Świętej Katarzyny i portrety carycy w ramach wysadzanych diamentami. Są też bardziej konkretne dowody jej łaski: Pensje, klejnoty.

Caryca Rosji nie jest nędzarką.

– Książę Poniatowski – anonsuje lokaj, używając jego nazwiska rodowego, kiedy Stanisław wchodzi do sali audiencyjnej ubrany w jedwab w kolorze kości słoniowej. Jego krok jest nieco sztywny, lecz pełen gracji.

Nie „król Polski"?

Czy ma to wziąć za oznakę jego skromności? Chęć uniknięcia królewskiej etykiety? Czy za sprytne zagranie na jej uczuciach? Czy będzie się też zwracał do niej per „Zofio"? Albo przywoła wspomnienie córki, którą kiedyś mieli?

Jej wzrok przesuwa się po twarzy króla. Ma pięćdziesiąt pięć lat, a jego młodsze „ja" wciąż odbija się w brązowych oczach, delikatnie zarysowanej szczęce, w dołeczkach w jego – uróżowanych dziś – policzkach. Wyprostowany, gibki i nadal przystojny, choć, przy bliższym przyjrzeniu się, odrobinę zmęczony życiem. Jego twarzy czas nie zeszpecił. Repnin napisał jej: „Nie pije nawet kieliszka wina do obiadu, co w Polsce uważa się za ujmę, a nie cnotę".

Wokół nich słychać skrobanie, szuranie stóp, wstrzymane oddechy. Potiomkin zapytał z tym swoim dziwnym uśmieszkiem: „Nie żałujesz ani trochę, Katinko? Czy nie mówiłaś mi, że był kochającym i kochanym?”.

W krótkowzrocznych oczach Stanisława jej postać musi być zupełnie zamazana. Kiedy jest już na tyle blisko, że może rozróżnić jej rysy, obciąga na sobie kurtkę i wygładza koronkowe mankiety. Ten gest ma w sobie coś rozpaczliwego, jakby Stanisław nagle stwierdził, że ubrał się niewłaściwie. Kurtka przylega ściśle do jego smukłej figury, brzegi są sztywne od srebrnego haftu. Jak pancerz, myśli Katarzyna. Albo tarcza.

Potiomkin powiedział:

– Bądź szczera, Katinko. Przyznaj: polska korona była fatalnym podarunkiem.

Stanisław składa ukłon i podnosi głowę. Jego wzrok przesuwa się po jej twarzy, rękach, po zaokrąglonej talii. Zbyt gładko, myśli Katarzyna. Czy on zawsze miał takie wąskie wargi?

– Witamy króla Polski na naszym dworze – mówi i wyciąga dłoń.

Stanisław ujmuje ją czule i składa na niej pocałunek, z uszanowaniem należnym świętym relikwiom. Jego własna ręka jest wiotka. Czy polscy szpiedzy nie uprzedzili go, że caryca ceni sobie mocny uścisk dłoni?

Jakże wszyscy wytrzeszczają na nich oczy. Queenie złożyła pulchne dłonie, jakby zatopiona w modlitwie. Książę Potiomkin z galanterią wskazuje drogę. Czerwony Kubrak wznosi oczy do sufitu. Nieuprzejmość faworyta o dziwo sprawia jej przyjemność. Dziecinne, myśli. Trochę zabawne. Jak figle jej wnuczka.

Wskazuje gestem drzwi. Nie warto zwlekać z tym, co nieuniknione.

– Przejdźmy do gabinetu, monsieur – proponuje.

Kiedy są już w środku, Katarzyna sadowi się ciężko na otomanie, zirytowana odgłosem, z jakim opada na nią jej ciało. Zaprasza gościa, by zajął miejsce na fotelu naprzeciw niej. Cisza narasta. Jeśli pozwoli się jej trwać choćby chwilę dłużej, stanie się groźna.

Pyta o jego wujów, siostry, braci, kuzynów. Czy jest zadowolony z ukończonego Pałacu na Wodzie? Czy zna jakiegoś dobrego artystę, który potrafi precyzyjnie malować architekturę? Do namalowania Sankt Petersburga. Miasto domaga się należytego sportretowania.

Jego rodzina jest w dobrym zdrowiu. Bratanek to jego oczko w głowie. Bardzo obiecujący młody człowiek. Ale być może cesarzowa sama to zauważyła, poznawszy go w Kaniowie?

Rzeczywiście przypomina sobie tego młodzieńca. Niezbyt przystojny i nieco sztywny, ale całkiem przyjemny.

– Tak – odpowiada Katarzyna. – Macie wszelkie powody do dumy.

Stanisław zna doskonałego malarza. Bellotto, wenecjanin. Jak tylko wróci do Warszawy, dopilnuje, żeby caryca otrzymała próbkę pracy tego artysty. Cóż to będzie dla niego za przyjemność!

Uprzejmości. Już sobie wyobraża pytania Potiomkina. Miałeś rację, powie mu. Nie było zbyt niezręcznie. Miałam dobry gust co do mężczyzn, nawet za młodu.

Jak niemądrze zapominać, że wszystko ma swoją cenę.

Dłoń Stanisława zanurza się w kieszeni na jego piersi. Wyciąga z niej plik papierów i kładzie sobie na kolanach.

– Proszę, madame, czy zechciałaby pani rozważyć moją propozycję?

Dłonie wykonują zamaszyste gesty, koronkowe mankiety trzepoczą. Przemowa Stanisława jest dobrze przygotowana: Rosja znów ruszy do walki przeciw Turkom. To nieuniknione, a wtedy Polska będzie mogła przyjść jej z pomocą. Oferuje jej dwadzieścia tysięcy żołnierzy, uzbrojonych i wyszkolonych. Będzie musiała za to zapłacić, niemniej będzie to inwestycja. Mądra i korzystna.

Podbita Porta Otomańska przyniesie Rosji bogate tereny. Stanisław widzi Polskę powiększoną, sięgającą Morza Czarnego. Silna Polska będzie buforem pomiędzy Rosją a Prusami.

– Spichlerzem i bulwarem dla naszych połączonych armii.

Zbiera papiery i podaje je Katarzynie.

– Ta skromna notatka – mówi – to zarys mojej propozycji.

Zawsze ją bawi, jak wysokie mniemanie ludzie mają o sobie. Król, który nie potrafi nawet zapanować nad własnymi poddanymi, chce armii, i w dodatku chce, żeby ona za nią zapłaciła. Jak gdyby nie dała mu już wystarczająco dużo! I co za to dostała? Najpierw przeklęty bunt. Potem niekończące się petycje i intrygi. Wolałaby już grę w otwarte karty. Przyznanie się, że w Warszawie – wśród nieustannie walczących frakcji – bez swoich specjalnych petersburskich wpływów Stanisław jest nikim.

Polska, podzielona, forteca bez załogi. Po co psuć to, co działa na korzyść Rosji? Wystarczy pozwolić walczącym frakcjom osłabiać się wzajemnie. To takie proste.

– To bardzo rozsądna propozycja, potrzebuję jednak czasu, by szczegółowo się nad nią zastanowić. – Bierze dokumenty z jego rąk, zauważając ich drżenie. Wstaje. – Moi dworzanie nie mogą się doczekać, by pana poznać. Książę Potiomkin mówił mi, że przygotował pan wspaniały wieczorny bal na moją cześć. Mam nadzieję, że książę uprzedził pana, iż nie będę mogła zostać na nim zbyt długo. Obecnie zawsze udaję się na spoczynek o dziesiątej.

Stanisław porywa się z miejsca. I mówi z przejęciem:

– Czekałem na tę chwilę przez dwadzieścia osiem lat.

Katarzyna się wzdryga. Ale on nie milknie.

Potok słów. Powódź.

Jak bardzo się o nią martwił, kiedy zmarła Elżbieta. Jak nie sypiał po nocach, dręcząc się pogłoskami o skrytobójcach. Znajdując mękę i ukojenie we wspomnieniach ich szczęścia. Ich dziecka, którego nie wolno mu było nawet opłakiwać. Nikt inny nigdy nie władał jego sercem tak jak ona.

Jednym ruchem ręki otwiera pokrywę swojego zegarka kieszonkowego. Spod niej spogląda na Katarzynę jej własna młoda twarz. Stanisław wspomina ten czas, kiedy wymknęli się z pałacu, żeby być tylko we dwoje. Jak wsiedli do sań i zakopali się w futrach. W jednej chwili była w jego ramionach, a w następnej wyrzuciło ją z pędzącego pojazdu. W śnieg. Uderzyła głową o kamień. Myślał, że umarła. Modlił się do Wszechmogącego. Ofiarował Mu swoje życie i szczęście w zamian za jej własne. I wtedy ona otworzyła oczy. I go pocałowała. Jak można zapomnieć takie chwile?

– Poprosiłem cię kiedyś, żebyś nie kazała mi być królem, tylko wezwała do siebie. Nadal tego pragnę – mówi i urywa, jakby jeszcze się zastanawiał nad słowem, które zaraz wypowie: – Zofio.

Jej serce zaczyna szybciej bić. Rozważa to, co przed chwilą usłyszała.

Uczyniłaś mnie królem, więc teraz mnie wspieraj? Nie masz prawa oczekiwać nic w zamian? Nie masz prawa się zmieniać?

Niełatwo ukryć gniew. On nie chce odejść. Wydobywa z przeszłości obrazy, co do których łudziła się, że dawno zostawiła je za sobą. Podłoga chwieje się pod jej stopami, szyba rozbija się w drobny mak. Materac na podłodze, mokry od jej potu. Piotr pyka ze swojej fajki i spogląda na nią z pogardą. Matka pyta: Czy już zapomniałaś, kim jesteś?

– Pora dołączyć do pozostałych – mówi Katarzyna.

Queenie i Wiszka, które poszły na polski bal, oznajmiają, że był nadzwyczajny. Król Polski, mówi Queenie, musiał wydać fortunę na same dekoracje. Na głównym stole znajdowała się przepiękna wystawa, wykonana w całości z cukru. Sanie z dwiema postaciami jechały poprzez cukrowe wydmy do wspaniałego cukrowego ogrodu. Były tam ścieżki, wiodące do misternych grot, oświetlonych od wewnątrz. Był łuk triumfalny. I obelisk. I chatka pustelnika, obok której pasło się stado owiec.

– Matuszko, spluń na Czerwonego Kubraka – mówi Potiomkin. – Ten wiarołomny łajdak nie jest ciebie godny.

Jej służący udeptali trawę i rozłożyli obrus w cieniu młodych brzózek. Wytarli talerze, filiżanki i spodeczki, i rozpakowali zapasy. Kostki melona na pokruszonym lodzie, połówki brzoskwini, owinięte w liście. Kromki chleba posmarowane świeżo ubitym masłem, bliny z kawiorem i butelki zimnego kwasu. Na podwójnych paterach leżą różowe papierowe rożki z winogronami i małymi ciasteczkami w środku.

Na zakończenie wycieczki na skraj lasu oczekiwała ich letnia uczta. Składane żelazne meble są dosyć wygodne, chociaż nogi jej krzesła chwieją się, zagłębiając w wilgotną ziemię. Promienie słońca migoczą wśród młodych gałązek i rzucają zajączki na biały obrus. Psy leżą w cieniu powozu, który je tutaj przywiózł, i dyszą; niektóre zlizują smar z kół.

Kapitan Płaton Aleksandrowicz Zubow, szczupły i zadbany w swoim stalowoszarym mundurze, zajął miejsce naprzeciwko niej. Są ciągle jeszcze nieznajomymi, chociaż jego wargi pieściły jej sutki, a gładko wygolony policzek spoczywał na jej udzie, gdy on klęczał przed nią, pragnąc rozpaczliwie dowiedzieć się, czy wystarczająco ją zadowolił.

Wszystko jeszcze przed nimi, ujawnione słabości, wyznane pragnienia. Nic nie jest jeszcze przesądzone. Ona może go jeszcze odprawić, pomimo jego młodzieńczego uroku i roziskrzonych czarnych oczu. Potrzebuje samotności. Żeby się odnaleźć, po tylu stratach.

Przystojny kapitan bierze do ręki papierowy rożek i zagląda do środka. Palcami zwinnie wyjmuje winogrona, jedno po drugim, i wsuwa je do ust. Język zabarwił się szkarłatem. Queenie opowiada ze śmiechem, jak kapitan uczy się na pamięć sentencji z książek, żeby jej zaimponować: „Nie marnuj czasu na próżne działania". „Porzuć swoją opinię, jeśli ją obalono". „Tylko ignoranci są przekonani, że wiedzą wszystko".

Jej wnuki – Aleksander, Konstanty, Aleksandra, Helena i Maria – bawią się nieco dalej. Aleksander, który w grudniu skończy dwanaście lat, chce zbudować szałas z patyków i pokrytych liśćmi gałązek. Jednak kiedy tylko zostają postawione pierwsze elementy konstrukcji, jego młodszy brat Konstanty stwierdza, że to głupi pomysł. Po co budować cokolwiek w miejscu, z którego zaraz będą musieli odjechać?

Przypomina sobie, jak trzymała Konstantego zaraz po urodzeniu: płaczącego, pomarszczonego, z przymrużonymi oczami uciekającymi przed zbyt ostrym promieniem słońca.

– No to co będziemy robić? – pyta Aleksander głosem nabrzmiałym urazą.

Chłopcy ciągle walczą o dominację, dlaczego więc teraz jej wnuk woli czuć się urażony, niż rozkazywać?

– Jedźmy na Krym – decyduje Konstanty.

Wystarczy kilka zmian, by rząd składanych krzeseł przeobraził się w cesarską galerę, która podskakuje na niewidzialnych falach Dniepru, odtwarzając sławną wyprawę ich babki na przegląd podbitych ziem. Maria, pulchna i dosyć brzydka trzylatka, chichocze z uciechy, huśtając się w ramionach sześcioletniej Aleksandry. Aleksander podaje jej lunetę, zrobioną ze zrolowanej kartki papieru, i mówi, żeby podziwiała wodospad.

– Widzę tylko drzewa – oznajmia Maria z całkowitą powagą – i jeszcze babunię.

– Masz udawać, że jesteśmy daleko stąd – wrzeszczy Konstanty, wyrywając jej z rąk lunetę. – Wszystko psujesz, ty matołku!

Maria wybucha płaczem.

– Widzisz, co narobiłeś? – mówi Aleksandra oskarżycielskim tonem, podczas gdy Konstanty wyskakuje z wymyślonej łodzi. Ma w ręce szpicrutę i smaga nią trawę, drzewa, każdą rzecz, która w jego mniemaniu stoi mu na przeszkodzie.

Jest lipiec 1789 – rok, w którym Katarzyna skończyła sześćdziesiąt lat. Burzliwy czas, jak określa go w swoich listach. W ciągu ostatnich miesięcy zdradził ją jeden kochanek, a teraz następny zabiega o jej względy.

– Ostrzegałem cię przed jego dwulicowością, ale ty nie chciałaś słuchać – powiedział Potiomkin.

Queenie oznajmiła, że niewierny Czerwony Kubrak to obłąkany dureń, który niebawem boleśnie zatęskni za tym, co utracił. Kapitan Zubow, kochanek, który się o nią stara, ma znacznie przyjemniejsze usposobienie. Przy nim nie będzie już dąsów i oskarżeń.

– Ale dlaczego rozstanie tak bardzo boli? – zapytała Katarzyna Queenie.

Lecz jej wyjaśnienia są przewidywalne, jak zawsze.

– Bo Wasza Wysokość jest zbyt dobra. Zbyt wyrozumiała.

Zdrada jest stratą. A straty sprawiają ból.

Tuż pod moim nosem – ta myśl jest tak dotkliwa, jakby Katarzyna ledwie przed chwilą dowiedziała się o schadzce Czerwonego Kubraka ze swoją dworką. Jakby właśnie usłyszała o owocach z jej własnego stołu, które przesyłał swojej kochance. Zobaczyła pokój, w którym ci dwoje się spotykali.

– I to tuż po tym, jak wybiegł z sypialni madame. Oskarżając madame, że go zaniedbuje!

– Czy Wasza Wysokość da się skusić? – pyta kapitan Zubow. Trzyma przed sobą półmisek z kawałkami melona, niczym dar ofiarny.

Caryca kręci głową, ale jej przystojny kapitan nalega. Wybiera więc niewielki kawałek i wkłada go do ust. Czerwony miąższ rozpływa się na języku. Jest lodowatozimny i bardzo słodki.

Katarzyna spogląda w stronę dzieci. Konstanty sobie poszedł, a Aleksandra i Helena szepczą coś do siebie, głowa przy głowie. Maria trze oczy tłustymi paluszkami. Aleksander stoi sam, z założonymi rękami i wzrokiem wbitym w ziemię. Prawą stopą kopie kępkę trawy.

Pora na grę – oznajmia Katarzyna. Powinniśmy wszyscy zagrać w jakąś grę.

Ciuciubabka okazuje się fatalnym pomysłem. Konstanty nie chce grać. Maria chroni się w ramionach niańki po tym, jak się potknęła i upadła na twarz. Po zawiązaniu oczu Aleksander macha rękami i od niechcenia robi parę kroków, nawet nie próbując nikogo złapać.

Kapitan Zubow prosi o głos. Nie jest tylko kapitanem w armii Jej Cesarskiej Wysokości, oznajmia, ale także sławnym na całą Rosję magikiem.

Aleksandra i Helena zwracają się w jego stronę, podczas gdy on wyciąga z kieszeni szkarłatną chustkę i z widocznym wysiłkiem wciska ją do wnętrza stulonej dłoni.

– Raz, dwa – liczy – trzy – i otwiera dłoń, pokazując, że jest pusta.

Helena wydaje okrzyk zachwytu.

Teraz wszyscy gromadzą się wokół niego. Maria opuściła objęcia niańki i trzyma Aleksandrę za rękę. Konstanty pochyla się naprzód, żeby lepiej widzieć. Chustka znów się zmaterializowała i teraz ukazuje się w najbardziej nieoczekiwanych miejscach. Za uchem Marii. We włosach Aleksandry, w fałdach sukni Heleny. Każde jej pojawienie się witają wybuchy zachwyconego śmiechu.

Nawet Aleksander się do nich przyłączył i stoi za bratem.

Teraz chustka leży porzucona, ponieważ kapitan poprosił Helenę, żeby wybrała kartę. Dziewczynka decyduje się na damę pik, i dama pik ukazuje się na wierzchu talii.

– Karo – zarządza Maria.

Konstanty przewraca oczami, ale nie przerywa, kiedy Aleksandra wyjaśnia małej, że musi wybrać cyfrę albo figurę, nie tylko kolor.

– Ile masz lat? – pyta siostra Marię, która podnosi pulchną rączkę z wystawionymi trzema paluszkami.

– Wobec tego trójka karo – mówi Aleksandra do kapitana.

Ten zręcznie tasuje karty, a następnie, po chwili napięcia, wyciąga po jednej na każdą literę imienia Marii. Kiedy dochodzi do drugiego „a", odkryta przez niego karta okazuje się trójką karo.

Tym razem Katarzyna również przyłącza się do aplauzu. Ale widowisko jeszcze się nie skończyło.

– Patrzcie – woła Konstanty.

Jedna z kart wysuwa się z talii i zawisa w powietrzu, jakby niepewna, dokąd się zwrócić. Kapitan Zubow najpierw robi pytającą minę, potem zaś uszczęśliwioną, bo karta wyraźnie prowadzi go w kierunku carycy.

Katarzyna wyciąga rękę, żeby jej dotknąć, zanim jednak zdąży to zrobić, kapitan Zubow chwyta kartę w locie i przerzuca z jednej ręki do drugiej. Karta kręci się wokół własnej osi, płynąc w powietrzu tam i z powrotem.

Jej wnuki są oczarowane. Maria stoi z otwartą buzią. Aleksandra i Helena klaszczą w dłonie. Konstanty chce obejrzeć kartę.

– Jak on to robi? – pyta brata, który w odpowiedzi wzrusza ramionami.

Urzeczona beztroską wesołością tej chwili, Katarzyna znów wyciąga rękę. Kapitan Zubow kładzie kartę na jej otwartej dłoni. W jego czarnych oczach tańczą iskierki radości. Ma piękną oliwkową skórę. Cień nad górną wargą zaznacza miejsce, w którym rosłyby wąsy, gdyby je zapuścił.

Kładzie na jej dłoni kartę, która zaczyna się unosić.

Caryca wybucha śmiechem. Karta spływa w dół i spoczywa na jej dłoni. Katarzyna próbuje dotknąć jej placem, ale karta znów się unosi. Tym razem kapitan chwyta ją w powietrzu i odkłada z powrotem na wierzch talii. Unosi ręce w geście poddania. Nic w nich nie ma. Mogą go przeszukać, ale musi wszystkich uprzedzić, że ma okropne łaskotki. Na dowód tego otrząsa się jak pies wychodzący z wody.

Maria chichocze.

Konstanty sadowi się obok kapitana Zubowa i zamęcza go niekończącymi się pytaniami. Ile miał lat, kiedy zaczął jeździć konno? Czy umie wspiąć się na sam czubek drzewa? Czy potrafi przepłynąć na drugi brzeg Newy?

Płaton Aleksandrowicz Zubow, myśli Katarzyna. To takie długie i ciężkie nazwisko jak na kogoś, kto sprawił, że znów zaczęła się śmiać. Czarne włosy, czarne oczy. Wtedy w jej głowie pojawia się przezwisko dla niego. Le Noiraud.

– Powie mi pan, jak pan to robi? – Głos Konstantego drży z podniecenia.

Le Noiraud pochyla się w jego stronę i szepcze na tyle głośno, żeby ona mogła usłyszeć:

– Tylko jedna osoba na całym świecie może wydobyć ze mnie tę tajemnicę.

A potem wszystko dzieje się naraz. Składany stół się chwieje, rożki spadają z podwójnych pater, winogrona rozsypują się i toczą między talerze. Półmisek z melonem ląduje u jej stóp. Na liliowej sukni pojawiają się czerwone plamy, a kiedy robi krok naprzód, czuje, że pod jej satynowym bucikiem ugina się coś miękkiego i wilgotnego. Lokaje biegną do nich, podnoszą owoce, półmisek, porcelanowe skorupy. Psy zaczynają ujadać.

– To nie ja – krzyczy Konstanty, bo wszystkie oczy są skierowane na niego.

Chwilę zajmuje jej przyjęcie do wiadomości tego, co najwyraźniej jest prawdą. Nie jest to jednak łatwe, bo przegapiła moment, w którym Aleksander wyciągnął rękę i popchnął składany stół. Kiedy odwraca się w jego stronę, najstarszego wnuka nie ma już przy jej boku. To Płaton Zubow w milczeniu kieruje jej wzrok na drobną postać biegnącą w kierunku lasu.

– Nie – mówi Katarzyna, kiedy Queenie prosi o pozwolenie, by pójść po Aleksandra. – Chłopak jest w nastroju do kłótni. Wróci, kiedy będzie gotowy przeprosić.

Aleksander wraca pół godziny później, gdy wszystkie ślady jego wybuchu są już uprzątnięte. Kuleje. Twarz ma podrapaną, a ubrania mokre i zabłocone. Obstępują go nianki i Queenie, a on pozwala im zmyć sobie z policzków plamy błota.

Kiedy wreszcie do niej podchodzi, Katarzyna gestem oddala wszystkich pozostałych.

– Ale dlaczego ty, mój monsieur Aleksandrze? – pyta, gdy chłopiec wyszeptał już swoje przeprosiny. – Czy możesz podać mi powód?

Jego oczy wypełniają się łzami. Kręci głową.

Katarzyna wciąż nie może zrozumieć, o co poszło, kiedy słyszy tętent galopującego konia. Psy znów szczekają. Służący biegną w kierunku jeźdźca, który szybko zsiada z konia. Caryca rozpoznaje niedźwiedziowatą sylwetkę hrabiego Biezborodki – zaufanego sekretarza – spieszącego w jej stronę.

Wieści muszą być ważne. Inaczej nie przerywałby jej wypoczynku.

– Wiadomości z Paryża – dyszy Biezborodko, wręczając jej depeszę. Jego rękawiczka jest rozdarta na kciuku, pończochy zsunęły się aż do pięt. Po czole spływa mu lśniący strumyczek potu. Jego koń rży i tętni kopytami. Psy ciągle szczekają. – Motłoch wyszedł na ulice.

Katarzyna nadal nie wie, dlaczego wieści o zamieszkach na ulicach Paryża nie mogły poczekać, aż wróci do pałacu. I wtedy słyszy:

– Bastylia upadła, Wasza Wysokość. To dopiero początek.

Zwycięstwa i kłótnie. W Sankt Petersburgu Potiomkin trzaska drzwiami, depcze po dywanach ubłoconymi butami, wrzeszczy i wali pięścią w jej biurko. O co te wszystkie burze? On chce, żeby Katarzyna negocjowała z Anglią, a ona odmawia. On zaleca ostrożność, a ona chce zmusić ich do odkrycia kart. On wpada w furię. Ona dostaje kolki i spazmów.

– Idź za nim – rozkazuje Zotowowi, kiedy Griszeńka wychodzi, przeklinając ją i trzaskając drzwiami. – Dopilnuj, żeby nic mu się nie stało.

Kłócimy się zawsze o władzę, nie o miłość.

Jego wrogowie zatruwają jej myśli. Nie ma żadnych zahamowań, nie zna wstydu. Jego kochanki robią się coraz bardziej zachłanne, wiedząc, że bez zastanowienia wyprawi posłańca na drugi koniec kraju, żeby przywiózł im wachlarz z koźlej skórki czy parę jedwabnych pończoch. Wszystkie jego pięć siostrzenic (robić sobie harem z własnej rodziny!) opływa w bogactwa. Podczas gdy zegar ze złotym mechanicznym pawiem, który zamówił dla swojej carycy w Londynie, musiał zostać opłacony ze skarbu państwa. A tymczasem on ma w mieście mieszkanie z półkami na każdej ścianie, a każda z półek wypchana jest banknotami.

Dowody?

Niezliczone. Niepodważalne. Listy, rozkazy, wyznania. Zawsze znajdzie się ktoś gotów zaświadczyć o grzechach możnych. Lenistwo, opieszałość, chciwość, próżność, pożądanie każdej kobiety, która wpadnie mu w oko.

Ostatecznie Potiomkin zawsze zwycięża. Tureckie fortece padają. Stepy zmieniają się w żyzne pola. Miasta wznoszą się tam, gdzie niegdyś rosła tylko trawa. Plany knujących przeciwko niemu Prusaków zostają udaremnione.

– Nie kryję się ze swoimi namiętnościami, matuszko, ale kiedy coś biorę, zwracam z dziesięciokrotną nawiązką. To, co moje, zawsze będzie twoje.

Nieprzyjaciele rozpierzchają się. Do następnego razu.

Ostatnie przyjęcie, które Potiomkin wydał na jej cześć, było najwspanialsze. Jakby wiedział, że nie może pozwolić, by cokolwiek przyćmiło pamięć o nim.

Był to deszczowy dzień w Petersburgu, a jednak Pałac Taurydzki olśnił ją swym blaskiem. Niezliczone rzędy pochodni oświetlały kolumnadę; światło wylewało się z otwartych drzwi. Dziedziniec roił się od gapiów, wyciągających szyję, cisnących się, by lepiej widzieć. Dzieci siedziały na ramionach rodziców i machały rączkami. Po co tylu ludzi?, pomyślała Katarzyna. Przecież on wie, jak nie lubię tłumów.

– Niech żyje Jej Wysokość Jekaterina Aleksiejewna! – wykrzyknął ktoś, a ona przyjęła hałaśliwą odpowiedź tłumu wdzięcznym skinieniem dłoni. Ludzie zaczęli wiwatować.

Dostrzegła Potiomkina, jak tylko wysiadła z powozu. Jej jednooki olbrzym w szkarłatnym fraku, z czarno-złotą koronkową peleryną zarzuconą na ramiona. Diamenty zdobiące oba okrycia zabłysły i roziskrzyły się, kiedy zaczął iść w jej stronę pomiędzy dwoma rzędami lokajów. Głowę miał odkrytą, wyszywany klejnotami kapelusz spoczywał na poduszce, którą niósł za nim adiutant.

– Zbyt ciężki na jego głowę? Dalibóg, czyżby książę Potiomkin usiłował się przekonać, ile diamentów naraz jest w stanie unieść jeden człowiek? – tak brzmiały słowa Le Noirauda, ociekające jadem i zawiścią. Płaton Aleksandrowicz Zubow, ostatni z jej faworytów, nie najlepiej radzi sobie z cudzym splendorem.

– Dosyć – uciszyła go.

Przewrócił oczami i westchnął, ale usłuchał.

Kiedy Potiomkin podszedł do niej i ukląkł, dała mu znak, by wstał. Ujął jej dłoń, gotów poprowadzić ją do środka, ale wtedy ludzka fala nagle ruszyła naprzód. Ktoś krzyknął z bólu. Drewniana barierka się przewróciła. Tęgi mężczyzna, popchnięty czyimiś niewidzialnymi rękoma, ledwie uniknął zderzenia z Katarzyną.

Rewolucja?, pomyślała przerażona. Tutaj, w Rosji? Jak we Francji?

Przez moment naprawdę wydawało jej się, że to może być koniec. Że tłum stratuje ich wszystkich. Przeczytała tyle doniesień z Paryża, że umysł podsuwał jej teraz sugestywne obrazy. Mężczyźni i kobiety wyciągani z powozów, zrzucani na bruk z siłą, która gruchotała kręgosłupy i czaszki. Wrogowie rewolucji bici pałkami, rozdzierani na strzępy, skróceni o głowy, które obnoszono na ostrzach włóczni. Bezpańskie psy, pożerające ich krwawe szczątki.

Potiomkin zauważył błysk przerażenia w jej oczach.

– Nic się nie stało, Katinko – wyszeptał.

I rzeczywiście. Jakiś niezdarny służący zapomniał, co do niego należy, i za wcześnie otworzył stoiska z darmowym jedzeniem. Jej lud nie chciał mordować ani kaleczyć. Jej lud pragnął napchać sobie żołądki i kieszenie przysmakami znacznie bardziej, niż przyglądać się orszakowi carycy.

Nie zawsze było ją tak łatwo przestraszyć. Kiedyś uważała, że tłumy są łatwowierne, że może nimi bez trudu kierować tak, jak chce.

– Chodź, ukochana matuszko. Czekają na ciebie trzy tysiące gości.

Potiomkin poprowadził ją do pałacu. Wewnątrz, w Sali Kolumnowej stała cała jej rodzina, odświętnie wystrojona. Paweł i jego żona Maria, a po bokach Aleksander i Konstanty. Jej wnuczki w białych sukienkach z falbankami, z policzkami zaróżowionymi z przejęcia.

Płomienny blask bił od pięćdziesięciu ogromnych żyrandoli, a w każdym z nich płonęły tuziny świec, w sumie ponad dwadzieścia tysięcy, jak jej powiedziano. Do tego było jeszcze więcej pochodni, których światło odbijało się w lustrach na ścianach, w kryształowych kandelabrach, w pozłacanych ścianach i kolumnach.

Za Salą Kolumnową rozciągał się taurydzki ogród zimowy, emanując falami ciepłej, pachnącej wilgoci. Hiacynty i kwiaty pomarańczy. Róże i lilie. Kwitnące peonie obok przebiśniegów, subtelna aluzja do tego, że prawa natury można zawiesić, że da się wymusić pewne alianse. Lampiony były ukryte wśród kiści sztucznych winogron, gruszek i ananasów. Srebrne i szkarłatne rybki pływały w kulistych szklanych akwariach. Na sklepieniu wymalowane było niebo, z kłębiastymi białymi chmurami na pruskim błękicie. Kręte ścieżki wiodły do posągów bogiń.

W centrum ogrodu znajdowała się świątynia, z jej posągiem umieszczonym na wysadzanej diamentami piramidzie. Pod nią widniała tabliczka: „Dla Matki Imperium i mojej Dobrodziejki".

Cóż to był za czarodziejski wieczór! Piękne dzieci tańczyły kadryla, ubrane w różowo-niebieskie kostiumy skrzące się od klejnotów. Monsieur Aleksander zatańczył menueta z Aleksandrą. Oboje poruszali się z taką gracją, tak lekko! A potem, kiedy zapadła ciemność, Potiomkin zabrał ich wszystkich do Sali Gobelinowej, w której arrasy opowiadały historię Estery, i gdzie stał złoty słoń naturalnych rozmiarów, obsypany szmaragdami i rubinami. Kiedy zasiadła na przeznaczonym dla niej miejscu, wszystkie arrasy uniosły się jak za dotknięciem czarodziejskiej różdżki, ponieważ jej książę zamienił Salę Gobelinową w teatr. Najpierw wystawiono dwie komedie, potem balet, a na końcu odbyła się zachwycająca parada wszystkich ludów imperium.

– Spójrz, babuniu – zawołał z przejęciem Aleksander. – Tu są pojmani paszowie tureccy z Izmaiłu!

Bal nad bale, myślała Katarzyna. Tak właśnie postępuje się w Sankt Petersburgu. Pośród zamieszek, wojen i gróźb dyktatorów. Patrz, Europo!

– Nic jeszcze nie mów, Katinko – szepnął jej do ucha książę, kiedy się ku niemu zwróciła, by go pochwalić.

Poprowadził ją z powrotem do ogrodu zimowego, do posągu przedstawiającego ją jako boginię, gdzie znów padł na kolana. Po czym dał znak, a spośród krzewów rozległ się dźwięczny męski głos, recytujący *Grom pobiedy, razdawajsia!*

Niech rozbrzmiewa pieśń zwycięstwa!
Od dziś cały głosi świat
Rosyjskiego chwałę męstwa –
Muzułmanin nędznie padł!

Sława ci, o Katarzyno!
Czuła matko wszystkich nas!

Dopiero kiedy otarła łzy z oczu Griszy, kiedy objęła go i zapewniła, że żadna radość nigdy nie dorówna temu wieczorowi, tak długo jak będzie żyła, dopiero wtedy orkiestra zaczęła grać.

Zaczął się wielki bal. Katarzyna nie tańczyła.

Była zbyt zmęczona, bolały ją nogi. Grała za to przez jakiś czas w karty z Marią Fiodorowną, ignorując wymuszone uśmiechy swojego syna. Podziwiała dzieci, które zatańczyły dla niej raz jeszcze. Siedziała przy stole powleczonym złotem i oświetlonym kulą z biało-niebieskiego szkła. Potiomkin stanął za jej krzesłem i usługiwał jej, dopóki nie kazała mu spocząć obok siebie.

Nie musieli rozmawiać, żeby wiedzieć, o czym myślą. Zaszyfrowane depesze do Berlina i Londynu będą pełne drwin z rosyjskiej rozrzutności i nieznośnej pychy. Co za krzykliwy popis azjatyckiego gustu! Co za marnotrawstwo, jaka arogancja! Cóż za niepohamowana żądza! Ale monarchowie Europy nie dadzą się zwieść. Zrozumieją: Rosja, zjednoczona, zdyscyplinowana i nieustraszona, jest potęgą, z którą trzeba się liczyć.

O drugiej w nocy, kiedy zapewniła go, że oczy już same jej się zamykają, Potiomkin wreszcie pozwolił jej odejść. Przedtem jednak jej zwycięski książę, zdobywca Krymu, dał orkiestrze znak i zaintonował żałobną arię, którą dla niej skomponował: Jedyne, co liczy się na tym świecie, to ty.

„Żegnaj, przyjacielu, całuję Cię", napisała w liście przesłanym Griszy, który wyruszył na Południe wkrótce po tamtej nocy. To Zotow opowiedział jej, jak to następnego ranka po balu, już po tym, jak odjechali ostatni goście, Potiomkin nie chciał się położyć. Jak błąkał się między stołami, jadł z porzuconych talerzy, których służący jeszcze nie sprzątnęli, i maczał palce w winie, a potem je ssał. Później zaś, kiedy słońce stało już wysoko na niebie, napisał list, który czytała tyle razy:

> Aleksander, pierworodny spośród orląt, jest już opierzony. Wkrótce, po rozwinięciu skrzydeł, poszybuje nad Rosją, która rozpostrze się przed nim jako najrozleglejsza z map... poszerzone granice, wojska, floty i niezliczone miasta... zaludniony step... taki właśnie piękny widok roztoczy się przed nim, my zaś z radością ujrzymy w nim księcia, który posiada anielskie zalety, łagodność, uroczy wygląd i majestatyczną postawę. We wszystkich obudzi miłość do siebie oraz wdzięczność dla Ciebie za jego wykształcenie, które stanie się dla Rosji bezcennym darem.

To żaden wstyd kochać własnego wnuka. Ani widzieć go, jak triumfuje nad swoim ojcem.

Cierpliwość nigdy nie należała do zalet Grigorija Orłowa.

– Żadnego ograniczania swobody – powiedziała Aleksiejowi. – Żadnego polewania lodowatą wodą. Żadnego zamykania na klucz i puszczania krwi. Żadnych razów. Żadnej dyscypliny. Nie róbcie nic, co go drażni. Zostawcie go w spokoju.

Zotow dostał rozkaz wpuszczania księcia Orłowa do jej komnat o każdej porze.

– Niezależnie od stroju – dodała, toteż Grigorij Orłow może pojawić się w szlafroku albo w przedziwnie dobranych częściach munduru, jakby próbował sobie przypomnieć, które pasowały do czego.

Katarzyna cierpi, widząc go w tym stanie. Puste oczy, wpatrzone w jakieś strzępy przeszłości, które w nieoczekiwanych momentach mogą przeobrazić się w wyraźne wspomnienie. Jest zaledwie o pięć lat młodszy od niej. Nie jest już kochankiem, ale jest nadal przyjacielem.

Przyjacielem, który nie uciekł od niej, tak jak inni. Ani nie oskarżył o niewdzięczność.

Bracia usiłują go pilnować. Ale to Grigorij Orłow, zuchwały, sprytny i nie do okiełznania. Wystarczy chwila nieuwagi i znów wymyka się przez okno domu w Gatczynie, dosiada swojego ogiera, jedzie do Sankt Petersburga i pojawia się znienacka odziany w poplamioną bieliznę, z wyciągniętymi ramionami, mamrocząc w uniesieniu:

– Kochają cię tutaj, Katinko? Dbają o ciebie? Czy nie jesteś głodna? Nie chce ci się pić?

Dlaczego pozwala temu obłąkanemu hrabi włóczyć się po pałacu? Obnażać się. Gonić pokojówki. Straszyć jej wnuki. Zagraniczni ambasadorowie mają teraz do opowiadania niezliczone anegdoty.

– Na hańbę Rosji – szepczą jej do ucha dworzanie.

Kiedy im odpowiada, że to żadna hańba okazywać współczucie człowiekowi, który niegdyś był jej towarzyszem, zmieniają argumenty.

Orłow jest nadal bardzo silny. Wciąż potrafi zgiąć podkowę. Pogrzebacz. Widzieli, jak macha brzozą niczym szablą. W Gatczynie wyrwał okno z ramy. Zeskoczył z mostu do wodospadu i omal nie utonął.

Może wziąć ją za kogoś innego, jakiś wytwór swojego obłąkanego umysłu. Roztrzaskać jej czaszkę. Albo zepchnąć ją ze schodów.

– Nie – odpowiada Katarzyna. – Może nie wiedzieć, kim jestem, ale nigdy nie zrobi mi krzywdy.

Wierzy w to, co mówi.

Pewnego razu, kiedy jest sama i czyta coś w swoim gabinecie, wchodzi Grigorij Orłow i zbliża się do niej na palcach. Jego peruka z oderwanym warkoczem roi się od wszy. Zwraca się do niej naglącym szeptem.

– Chodź, Katinko – mówi. – W tej chwili. Musimy się spieszyć.

– Dokąd chcesz iść? – pyta go łagodnie.

– Na pielgrzymkę, Katinko. Musimy całą drogę iść pieszo. Trzeba się modlić.

– Dlaczego?

On wpatruje się w nią długo płomiennym wzrokiem. Nie ma w nim zmieszania, tylko smutek.

– Żeby odpokutować to, cośmy zrobili!

Kiedy taktyka zmieniła się tak diametralnie?

Katarzyna dalej wysyła Potiomkinowi swoje sugestie: „Spróbuj jak najszybciej zakończyć sprawę z Turkami; uprzedź ich, że jeżeli teraz nie przyjmą naszych warunków, nie zawahamy się zmienić ich na jeszcze bardziej uciążliwe. Przypomnij im, że należy pracować z tym, co jest, a nie z tym, co mogłoby być".

Jej myśli pochłaniają obliczenia. Emocjonujące obliczenia, jakie nadchodzą po bitwach. Depesze mkną tam i z powrotem. W rozszyfrowanych listach szuka się wskazówek, wymienia się groźby, dumnie obnosi z dawnymi aliansami i dąży do nowych. Polityczna awantura, w jakich oboje się lubują, która przyniesie im – już niebawem – kolejne wspaniałe zwycięstwo. Turcy mogą nie mieć ochoty przyznać się do porażki, ale naga prawda zawsze triumfuje nad iluzją wielkości.

Nie mam siły, matuszko. Jestem bardzo chory. Jestem zmęczony życiem, Bóg mi świadkiem.

Jest w Carskim Siole, kiedy odczytuje te słowa. W towarzystwie Le Noirauda, który, zaabsorbowany nowym teleskopem, ćwiczy posługiwanie się nim, podglądając postacie w ogrodach poniżej. Wykrzykuje z zachwytu, gdy udaje mu się dojrzeć skaczącą na skakance Aleksandrę i jej guwernantkę, miss Williams, która tłumi ziewnięcie.

– Twoja wnuczka już jest pięknością, Katinko. Spójrz, z jaką gracją unosi spódnice!

Katarzyna składa list i znów go rozkłada, jakby niepokojące słowa Potiomkina mogły zniknąć. Jest wrzesień. Jej ogrodnicy zajęci są sadzeniem krzewów i przygotowywaniem nowych klombów. Ostatni katalog nasion obejmuje nowe gatunki astrów, floksy, malwy i chryzantemy.

Siada od razu przy swoim sekretarzyku i pisze list, zachęcając przyjaciela usilnie, by dbał o siebie: „Bierz lekarstwa, Griszeńka. Wypoczywaj. Przestań tyle jeść. Daj mi znać, jak się czujesz. Powiedz swoim medykom, żeby przygotowali dla mnie sprawozdanie".

Napisanie tych słów nieco ją uspokaja. Gdyby była przy nim, odprawiłaby wszystkie jego kobiety, spuściła żaluzje i kazała mu spać jak najdłużej. Ale kobiety Potiomkina są próżne i samolubne. Dbają tylko o własną przyjemność.

To nie zazdrość dyktuje jej te myśli. To intuicja. Dar dostrzegania tego, czego inni naprawdę chcą, mądrości, która nie daje się zwieść pozorom. Przewidywania niebezpieczeństw w czasie pokoju.

Następny list zawiera sprawozdanie z postępów negocjacji. Idą dobrze, chociaż Potiomkin nie może ujawnić carycy szczegółów. Nie wierzy szyfrom ani posłańcom. Tureccy szpiedzy są wszędzie. Katarzyna będzie musiała zaufać jego osądowi, pozwolić mu na podejmowanie decyzji. Jest najlojalniejszym i najwdzięczniejszym spośród jej poddanych.

„Czuję się lepiej", pisze także. „Niebezpieczeństwo minęło, ale nadal jestem bardzo osłabiony".

„Jeśli przyjdzie kolejny atak, nie będę miał siły, żeby go przetrzymać".

Czuje się lepiej, myśli Katarzyna z ulgą. Nie będzie kolejnego ataku.

– Książę zbyt ciężko pracuje – mówi Le Noiraudowi, który, ku jej zadowoleniu, sam napisał list do Potiomkina. Może nie nazbyt wdzięczny czy serdeczny, ale bezpośredni. „Wszyscy wyczekujemy wieści o rychłym powrocie do zdrowia Waszej Wysokości".

Uśmiech igra przez chwilę na wargach Le Noirauda, ale ginie tak szybko, jak się pojawił. Teraz stroskane czoło jej kochanka przecinają zmarszczki. Niepokoi się nie tylko o księcia, jak mówi, ale także o nią. Czyż nie miała ostatnio kłopotów ze zdrowiem? Bolące gardło, kaszel, nawroty kolki, spuchnięte stopy. Ona także pracuje zbyt ciężko i nie zważa na własną wygodę. Nie pamięta o tym, że on co noc czeka na jej towarzystwo.

W jego oczach, spoglądających na nią z miłością, tai się niepokój. Nie dzielili łoża od kilku tygodni. Nie z powodu braku chęci z jego strony. Czy wycieczek do komnat, które Katarzyna kazała umeblować specjalnie na takie momenty. Jednak obrazy chutliwych nimf baraszkujących z satyrami i korki do wina w kształcie nagich pośladków wywołują zaledwie drżenie tam, gdzie dawniej szalał ogień.

– Tak – przyznaje Katarzyna, może nieco zbyt szybko. – Nie pamiętam o sobie. To ładnie z twojej strony, że się o mnie martwisz.

Le Noiraud niecierpliwie macha dłonią. Nie szuka pochwał. Jego słowa wynikają wyłącznie z troski o jej samopoczucie.

To dziecko, myśli o nim Katarzyna. Bywa trudne, czasem samolubne, ale się o mnie troszczy.

Meldunki z Południa są coraz krótsze. Jeden z nich zawiera listę dolegliwości: gorączka, ból głowy i brzucha, dreszcze, które nie chcą minąć. Kolejny jednak zapewnia ją, że poty przyniosły mu ulgę. A w następnym liście Potiomkin martwi się, że flota wiosłowa się spóźnia i że rzeka może zamarznąć, zanim się zjawi. Czy to nie znak, że odzyskuje siły?

Posyła mu jedwabny szlafrok. Zielony ze złotą lamówką, haftowany w pawie, żeby przypominał mu o jego podarunkach dla niej. Nalega, żeby na jakiś czas przestał się zajmować państwowymi sprawami. W myślach toczy swoją własną walkę nadziei ze strachem: Przecież w obozach wielu żołnierzy zapada na zdrowiu, ale potem nie umiera. Czyż Grisza nie jest silny? Ma zaledwie pięćdziesiąt dwa lata.

Tylko dlaczego nie pisze sam? Dlaczego Popow, jego sekretarz, spisuje jego słowa? Dlaczego podpis Potiomkina jest prawie nieczytelny?

> Ukochana matuszko, jeszcze trudniej jest mi żyć, nie widząc Ciebie.

> Matuszko, och, jakże jestem chory. Nie mam już siły, by znosić te cierpienia. Nie wiem, co się ze mną stało.

> Moim jedynym ratunkiem jest wyjazd.

Później, w Carskim Siole, Saszeńka Branicka zdaje jej sprawę z jego ostatnich godzin.

– Mój wozlublenny wuj – szlocha – rozkazał Kozakom, żeby zabrali go z Jass do jego ukochanego Mikołajowa. „Czy pojedziesz ze mną?", spytał, a ja przyrzekłam, że nigdy go nie opuszczę. Uśmiechnął się, kiedy to powiedziałam... Nie był w stanie sam iść, więc Popow zniósł go do powozu. Gdy wyruszaliśmy, mgła była tak gęsta, że niewiele widzieliśmy... Kiedy zatrzymaliśmy się na noc, miałam jeszcze nadzieję. Medycy zauważyli, że wuj lepiej wygląda. I że ma ciągle mocny puls.

Uroda tej kobiety jest wciąż świeża, pomimo jej trzydziestu siedmiu lat i czwórki dzieci. Pomyśleć, że Katarzyna kiedyś uważała ją za prowincjuszkę.

Dwie kobiety zamknęły się w srebrnym saloniku, którego lustrzane drzwi balkonowe odbijają ich odziane w czerń sylwetki. Niską i przysadzistą Katarzyny, smukłą i wdzięczną – Saszeńki.

Jest koniec października, zmrok zapada wcześnie.

– Siedziałam przy jego łożu do świtu – ciągnie dalej siostrzenica Griszy. – Dokuczał mu silny kaszel. Nie mógł spać. Drzemał przez kilka chwil, a potem się budził. Jakby ktoś go gonił. Nad ranem wydawało się, że czuje się lepiej.

Jak to możliwe, że to tak strasznie boli? Słuchanie o jego ostatnich godzinach.

– Wyruszyliśmy do Mikołajowa w pośpiechu, ale nie zdążyliśmy. On wiedział, że koniec nadchodzi. „Popow", rozkazał. „Zatrzymaj powóz. Nie chcę umierać w tej klatce". Upierał się, że chce położyć się na trawie, więc Kozacy rozłożyli na ziemi dywan. Popow wyniósł go z powozu. Wuj miał ciągle na sobie swój nowy zielony szlafrok. I trzymał w ręce listy od Waszej Wysokości. Nie był w stanie ich już przeczytać, ale ucałował każdy z nich. A potem po prostu... przestał oddychać.

Kiedyś Potiomkin napisał, że tylko śmierć może położyć kres jego służbie dla Rosji i jego carycy. Dotrzymał słowa.

Katarzyna dotyka policzka Saszeńki, wsuwa jej niesforny kosmyk włosów za ucho. Ulubiona siostrzenica Griszeńki błaga o przebaczenie za stan, w jakim się znajduje, i pyta, jak może dalej żyć. Nie chce spotkać się z nikim z dworzan. Jej powóz czeka na dziedzińcu. Teraz pragnie już tylko wrócić do Białej Cerkwi, swojego majątku na Ukrainie, gdzie będzie mogła w spokoju pielęgnować wspomnienia o zmarłym wuju.

– Czy Branicka odjechała, Katinko? Tak szybko? – pyta Le Noiraud tego samego dnia, kiedy nieco później ich drogi się spotykają. Jego spojrzenie wędruje od jej zaczerwienionych oczu ku dłoniom, które zaciskają się i rozluźniają, paznokciom obgryzionym do żywego.

Katarzyna ciągle jeszcze ma nadzieję, że on tego nie powie. Że powściągnie swoją zazdrość, że pozwoli jej oddać się żałobie.

Ale kształtne wargi Le Noirauda już się poruszają. Zwilża je językiem, przygotowując na jad, który ona będzie próbowała zignorować, ale na próżno.

– Słyszałem, że Branicka zabrała skrzynię z jego wszystkimi klejnotami. „Należą mi się", powiedziała. „Wuj chciał, żebym je miała". Ale skoro tak było, to czemu nie mogła zaczekać, aż otworzą skrzynię w twojej obecności, Katinko? Dlaczego nie chciała ci zaufać, że uszanujesz jego wolę?

Katarzyna wpatruje się w przystojną twarz Płatona. Jest w nim coś, czego nie potrafi wytłumaczyć, ta determinacja, by ciągnąć dalej, chociaż wszystko w jej postawie ostrzega go, by tego nie robił.

– Ja chcę jedynie – mówi, mrugając oczami – chronić twoje interesy, Katinko. Być ci przydatny. Jesteś zbyt wyrozumiała.

Katarzyna nie zamierza rozpamiętywać niedociągnięć chłopca, który jeszcze nie wie, jak być mężczyzną. Ale kiedy ministrowie pytają ją, kogo posłać do Jass, by przejął obowiązki Potiomkina, nie waha się.

– Biezborodkę – odpowiada.

CZĘŚĆ III

5 listopada 1796

9.40

Dłonie – silne, wprawne dłonie – próbują podnieść ją z podłogi, ale jej ciała nie da się poruszyć. Urosła. Stała się jak ta wiekowa skała z Karelii, którą wybrała na pomnik Piotra Wielkiego. Ogromna, masywna, pokryta odwiecznym mchem.

Powiedzieli jej, że takiej skały nie da się poruszyć. Nie wspominając nawet o ciągnięciu jej całymi milami przez lasy i bagna. Jest za ciężka, zbyt duża, powiedzieli. Zatonie w morzu. W Newie.

Mylili się.

Mylili się w wielu sprawach.

– Nie wolno nam wzywać nikogo więcej. Nikt inny nie może się dowiedzieć. A teraz wszyscy razem…

– Ostrożnie!

– Adrianie Mosiejewiczu, ciągnie pan za mocno. To wcale nie pomaga. Musimy zrobić to wszyscy naraz.

– Połóż materac na podłodze. W tej chwili! Na co czekasz?

– Na podłodze, powiedziałam, obok łoża!

– Tutaj?

– Nie, bardziej na lewo! Z dala od przeciągów.

Myśli rozpierzchają się jak beztroskie dzieci grające w ciuciubabkę. Katarzyna czuje ulgę, kiedy podnoszą ją z podłogi i niosą do jej sypialni.

Jest ciężka.

Słyszy zdyszane oddechy, stęknięcia, słowa przestrogi.

– Nie w ten sposób... obróć się... niżej... przez te drzwi... uwaga na suknię... nie potknij się.

– Na litość boską. Obciągnij jej spódnice!

– Wytrzyjcie krew.

– Nikt nie może tu wejść. Chyba że ja pozwolę. Gdyby ktoś pytał, powiedz, że Jej Wysokość musi odpocząć.

– Boże, zlituj się nad nami!

– Co teraz z nami będzie?

– Nie ma krwi... Żadnych obrażeń.

– Czy Jej Wysokość uderzyła się w głowę?

– Może zasłabła?

– Wytrzyjcie to, szybko!

Na zmartwiałych twarzach maluje się lęk. Ktoś z trudem łapie powietrze. O czym oni wszyscy myślą? Czy już opłakują jej śmierć?

– Na początku sądziłam, że to włamanie – tłumaczy komuś Queenie z naciskiem. – Dokumenty były rozrzucone po całym pokoju, stłuczona filiżanka leżała na podłodze, zegar spadł z półeczki.

Czyjaś dłoń przyciska lusterko do jej ust.

Za mocno.

Jej serce szarpie się naprzód, potyka, wali. Rozdrażniona mucha brzęczy przy jej uchu, zawzięta, wstrętna, nieustępliwa. Jak lęgną się robaki?

Wiszka mówi z błogą radością:

– Jej Wysokość żyje. Ma ciepłą twarz.

Queenie nalega:

– Dajcie Jej Wysokości oddychać. Nie tłoczcie się wokół niej. Odsuńcie się.

W jej głosie słychać ostrzeżenie. Ani słowo nie powinno wyjść poza ten pokój. Tymczasową słabość można wytłumaczyć. Przewróciła się. Pośliznęła na podłodze. Jej Wysokość nie porusza się już tak swobodnie jak kiedyś.

Odsuwają się rzeczywiście od posłania. Stopy szurają. Sapanie się oddala. Katarzyna przymyka oczy.

Zanim jej myśli zdążą nabrać sensu, zalewa ją przerażenie. A jeżeli postradała zmysły? Stała się obłąkana? Jak Grigorij Orłow, który pod koniec nie wiedział już, kim jest. Patrzył przed siebie niewidzącym wzrokiem, a ślina ciekła mu po brodzie.

Strach jednak nie trwa długo. Jej myśli są całkiem jasne. To tylko jej ciało odmówiło posłuszeństwa woli.

9.45

Ktoś musiał otworzyć okno. Powietrze, które wpada do środka, jest zimne i pachnie drzewnym dymem.

Wszyscy się nad nią pochylają. Zotow ustawia obok materaca parawan, podpiera go krzesłami.

Dlaczego położyliście mnie na podłodze?, chce zapytać Katarzyna, ale nie może. Do głowy cisną się jej inne pytania. Dokumenty na biurku są ważne. Najnowsza wersja traktatu rozbiorowego, której nie skończyła jeszcze opatrywać przypisami. Wstępna wersja listu do króla Szwecji, którą chciała pokazać Biezborodce z prośbą o komentarz, zanim ją dopracuje. Dokumenty, które należy ukryć przed ciekawskimi spojrzeniami. Czy Gribowski będzie wiedział, że ma ich nie archiwizować? Że ma je zamknąć w szufladzie jej biurka i zatrzymać klucz?

Zegar dzwoni. Cichy kurant oznacza, że upłynął kwadrans.

– Zawsze jest nadzieja – mówi Rogerson w odpowiedzi na czyjeś pytanie. – Większa, kiedy organizm jest silny. Kiedy jest wola wyzdrowienia.

Jak to się stało, że przegapiła moment przybycia medyka? Jego dłonie są lepkie, krótko przycięte włosy mokre od topniejącego śniegu. Pochylając się nad nią, mówi coś o śliskich drogach, ludziach przewracających się na chodnikach i o tym, że jego sanie miały kłopoty z przejechaniem obok Admiralicji.

To tam gromadzą się dzikie psy, myśli Katarzyna. Bezpańskie zwierzęta nikogo nie słuchają. Wytyczają własne granice, walczą z intruzami. Spędzają dni na grzebaniu w poszukiwaniu odpadków lub na polowaniu. Liżą rany. Parzą się. Wychowują szczenięta.

Odrzuciła wszystkie prośby, by je wyłapać i wybić.

– Apopleksja. – Krzywe zęby Rogersona są czarne od tytoniu. – Krew podeszła aż do głowy Jej Wysokości. Jej siła rozerwała jakąś żyłę. Podajcie mi moją torbę… lancet… bandaż…

Wiszka, która jeszcze przed chwilą cieszyła się, że jej pani żyje, teraz stoi bez ruchu obok parawanem, zasłaniając światło. Queenie także się nie rusza. Torba jednak w jakiś sposób pojawia się w rękach Rogersona, zamek otwiera się z trzaskiem.

– Szybko! – ostrze lancetu błyszczy w jego dłoni. – Przytrzymajcie rękę… mocniej przyciśnijcie.

Nie mówi nic więcej, ale otwierał jej żyły już tyle razy, że Katarzyna mogłaby powiedzieć to za niego: „Krew gęstnieje. Puszczanie jej zmniejszy ciśnienie. Humory trzeba zrównoważyć".

– Mamy posłać po hrabiego Biezborodkę? – pyta Zotow. – Czy Jej Wysokość wkrótce odzyska przytomność?

– Tak – odpowiada Rogerson. – To znaczy, trudno powiedzieć.

W jego głosie pobrzmiewa niepokój; Katarzyna to słyszy. Ale Rogerson zawsze był człowiekiem małej wiary.

Jest w stanie zrozumieć, że Queenie szlocha. Ale Wiszka?

Ból głowy już się zmniejszył. Wkrótce zupełnie zniknie. Ona go do tego zmusi. Ból dokuczał jej nieraz. Katarzyna myśli o koniach, które podążają za każdym ruchem swojego tresera. Krok za nim, zawsze za nim, zawsze wyczulone na najmniejszą zmianę kierunku.

Jej medyk mruczy:

– Zrobię wszystko, co w mojej mocy. Reszta jest w ręku Boga.

Biedny Rogerson, który nie potrafi wyleczyć nawet ugryzienia pchły, ogłasza teraz swoją niekompetencję. Dlaczego znosiła go tak długo?

Prawo zabrania mówić o śmierci cesarzowej, a nawet o niej myśleć. Ale myśli nie da się powstrzymać.

Kto w tym pokoju już ją opłakuje? Kto się z tego cieszy? I dlaczego?

Twardy żelazny pierścień zaciska się na jej czole. Jak metalowa obręcz, która obejmuje beczkę. Sen ją wabi, ale ona nie chce mu się poddać.

9.48

Wargi ma popękane z pragnienia. Jej służący rozmawiają między sobą, jakby jej tam nie było, jakby była czarną wroną, która wpadła do umazanego sadzą komina.

– Jej Wysokość to… Jej Wysokość tamto… za dużo pracy… za mało odpoczynku… ten straszliwy wstrząs… Może być teraz z siebie dumny… ten łajdak…

Dlaczego nikt nie podaje jej wody do picia? Co może być dla nich ważniejsze niż samopoczucie ich królowej?

Futra, którymi jest przykryta, wydzielają zapach bergamoty i jaśminu. Martwe zwierzęta chętnie darzą ją swym ciepłem. Hojne w dzieleniu się tym, co jest już – dla nich – nieprzydatne.

Ach, polowanie, osaczanie ofiary. Pościg, który przynosi prawdziwe emocje. Możliwości ucieczki, które trzeba przewidzieć i udaremnić. Nieoczekiwane zwroty. Nieruchome chwile przestrachu, które – gdyby je przetrzymać – mogłyby uratować kuropatwę przed wzrokiem myśliwego. Choć nie przed czułymi nosami psów.

Nie przypuszczałem, że właśnie ty, spośród wszystkich kobiet, mogłabyś się zmienić, Zofio.

Stanisław, kochający i kochany. Niegdyś. Dawno temu. Dlaczego miałaby się tym przejmować? Co w przyrodzie pozostaje takie jak zawsze?

Czy ty jesteś tym samym człowiekiem co kiedyś?

9.50

Dwa pistolety skałkowe. Kiedyś trzymała je pod ręką, czyszczone po każdym strzale. Z kolbami z kości słoniowej i wygrawerowanymi jej inicjałami. Co się z nimi stało?

Wokół niej jest tyle gadania, mamrotania, jęczenia. Pałac jest w ciągłym ruchu. Drobne fale idą przez wszystkie pokoje, korytarze. Czuje je, tak jak królowa pszczół musi wyczuwać ruchy wszystkich swoich robotnic, żołnierzy i budowniczych.

Kiedy zmarł jej ojciec, Elżbieta nie pozwoliła jej nosić żałoby po człowieku, który nie był królem. Matka umarła w Paryżu. Sama. W nędzy, nękana przez wierzycieli. Jej ostatnie listy były takie powierzchowne, jakby pisała je uczennica, która nie ma nic do powiedzenia. „Dzień jest ładny… pada mniej, niż w zeszłym roku… ale więcej niż rok wcześniej".

Tron to samotne miejsce. Przyjaźń ucieka od monarchów. Uprzedzano ją o tym. Ostatni list Warwary przyszedł z Warszawy.

„Do rąk własnych Jej Wysokości Imperatorowej Wszechrusi". Imperatorowej – powinna była dodać – która tyle zamierzała zrobić dla swojej dawnej przyjaciółki i jej córki. Widziała je u swojego boku, otoczone przepychem. Popełniła błąd, wyobrażając sobie ich radość, a nawet – po cóż zaprzeczać? – ich wdzięczność.

> Pragnę zacząć od drobnego nawiązania do monsieur Voltaire'a, wiedząc, jak wysoko ceni go Wasza Wysokość. Dotarłam w swoim życiu do takiego etapu, kiedy tęsknię za prostotą. Niczym starzec pod koniec *Kandyda* pragnę w spokoju uprawiać swój ogródek.

Plaga wolterianizmu, myśli Katarzyna, szerzy się niczym czarna plamistość wśród jej róż. Czy ci, którzy chcą ją opuścić, nie potrafią wymyślić innych wymówek? Na przykład przyznać się do egoizmu? Czy nawet zwykłego strachu, że nie są wystarczająco dobrzy? Po co się upierać, że szczęście można znaleźć tylko pośród marchwi i kapusty?

> Błagam Waszą Wysokość, by raczyła zwolnić mnie ze służby na dworze. Moja córka Daria i ja do końca naszych dni będziemy pielęgnować wspomnienia o Rosji.

Nie należy źle mówić o zmarłych, powiadają.

Łoże śmierci Elżbiety tonęło we krwi. Krzyki zagłuszały modlitwy. Ręce młóciły na oślep. Nawet święta ikona nie była bezpieczna.

Tak długo czekałam na ten dzień, myślała wówczas Katarzyna. Wspominając swoje rany i upokorzenia.

Swój pusty brzuch. Odebranego syna.

Szpiegowanie, szturchańce i węszenie wokół jej ciała, przekleństwa, policzki, szydercze pytania carycy: A więc wszystko już sobie zaplanowałaś, Katarzyno? Myślisz, że wywiodłaś mnie w pole?

Jesteś hipokrytką, Katarzyno. Obłudnicą. Złodziejką i uzurpatorką.

Przysięgłaś na świętą ikonę, że uczynisz swojego syna carem. To, co nosisz na głowie, to korona Pawła.

On o tym wie! Zawsze wiedział!

Głos umierającej kobiety łamie się i słabnie. Śmierć zabiera wszystko. Ostatnie słowo należy do żyjących.

10.00

Jej ręce są wyciągnięte w poprzek materaca. Nogi rozrzucone, i żadne napinanie mięśni nie złączy ich z powrotem. Usta ma ciągle spierzchnięte. Czemuż nikt tego nie widzi?

– W mózgu jest nadal za dużo krwi – tłumaczy Rogerson komuś, czyja postać ginie w cieniu.

Mózg, ciało. Łuszcząca się skóra, mięśnie badane zimnymi, spoconymi palcami. Ciało, które ją zdradziło. Powstało przeciw niej i odmówiło posłuszeństwa. Nie po raz pierwszy.

– Otwórzcie okno!

– Nie. Przeciąg zaszkodzi Jej Wysokości.

– Jej Wysokość mruga.

– Jej Wysokość cię nie słyszy.

– Oczy Jej Wysokości się ruszają.

Owszem, słyszy. W oddali wyje pies, którego ktoś przepędza. I nawet przez na wpół otwarte oczy Katarzyna widzi ich bezużyteczne gesty, czuje ich obezwładniający strach.

Wiszka, która klęczy przy materacu, szepcze:

– Próbowałam sprowadzić Płatona Aleksandrowicza. Ale kiedy mu powiedziałam, że Wasza Wysokość zachorowała, on tylko zakrył głowę rękami i wymamrotał coś, czego nie byłam w stanie zrozumieć.

W głosie Wiszki drwina miesza się ze współczuciem. Nigdy nie przepadała za cesarskim faworytem, nie życzy mu jednak zguby.

Tak długo o mnie dbałaś, Wiszko. I – inaczej niż tylu innych – nigdy mnie nie opuściłaś.

– Płaton Aleksandrowicz uważa, że to wszystko jego wina!

Nie ma w tym żadnej zagadki. Płaton ją rozgniewał. Nic dziwnego, że się boi. Katarzyna jeszcze mu nie wybaczyła.

Czy to zrobi?

Być może.

Kiedy będzie gotowa.

Jeszcze nie.

Wiszka przestaje mówić i odchodzi na bok. Czy wrócił Rogerson ze swoimi medykamentami? Zawsze to samo. Proszę pożuć rabarbar, madame, lekkie wymioty doskonale pani zrobią.

10.05

W podeszwach stóp czuje mrowienie. Łaskotliwe – niemalże figlarne. Potem jednak skóra zaczyna robić się coraz gorętsza i podrażniona. Pewnie tworzą się na niej pęcherze.

Co Rogerson jej robi?

Czy nie dość ją już skrzywdził?

Oczy ma zaledwie odrobinę uchylone. Czy gdyby otworzyła je szerzej, zobaczyłaby, co knuje dworski medyk? Ale powieki są jak z ołowiu. Wnętrze jej ust ma smak zaśniedziałego mosiądzu. W uszach słyszy dźwięk małych srebrnych dzwoneczków. Pod sobą czuje zimną mokrą plamę. Czyżby nieświadomie oddała mocz? Kiedy?

Ostre smagnięcie bólu na ramieniu oznacza, że otwarto kolejną żyłę. Krew ledwie się sączy, ciemna i gęsta, oznajmia Rogerson. Jego głos brzmi prawie jak niecierpliwe szczeknięcie.

– To coś bardzo poważnego? – pyta ktoś. – Czy puszczanie krwi pomoże?

– Nie wiadomo – odpowiada medyk, a Katarzyna słyszy stłumiony łoskot czegoś upadającego na podłogę pokrytą dywanem.

Jej dworki i jej medyk. Pełni dobrych chęci, lecz, ostatecznie, bezużyteczni. Mogła się domyślić, że nie powinna się po nich za wiele spodziewać.

– Wasza Wysokość! Czy Wasza Wysokość mnie słyszy?

Czy to głos Biezborodki? Jej zdolny minister, człowiek, który zna jej myśli i jej wolę. Biezborodko uspokoi ich rozgorączkowane umysły. Biezborodko sprowadzi jej wnuka. Będzie wiedział, że nie ma czasu do stracenia.

Przeszywa ją nagła myśl. Gdyby musiała uciekać z tego pokoju, byłoby to niemożliwe. Ogień by ją pochłonął. Przygniotłaby ją spadająca belka. Mocno przyciśnięta poduszka by ją udusiła. Sztylet wsunąłby się pod jej żebro i wysunął z powrotem.

Hrabia Biezborodko klęczy przy jej materacu, twarz ma szarą z niepokoju. Jego oczy przyglądają się jej badawczo, szacując, co jest jeszcze możliwe, co można zachować, a co musi odejść. Niewiele może ujść ich uwadze, tym bystrym oczom lisa.

Sprowadź tu Aleksandra, usiłuje powiedzieć Katarzyna. Musi się dowiedzieć, że upadłam. Nie zostawiaj mu wyboru. Jeśli się go nie przyciśnie, zacznie za dużo myśleć, położy na szali uczucia przeciw obowiązkowi. Młodzi mądrzeją, kiedy jest już za późno.

– Czy Wasza Wysokość mnie widzi? Czy może dać mi znak?

Patrzę na ciebie! Wiesz, co masz robić. Czy to nie wystarczy?

Biezborodko marszczy brwi. Przesuwa dłonią po brodzie. Czyżby wątpił w to, że wnuk okaże posłuszeństwo jej woli? Sądził, że zapomni o obowiązku?

Sprowadź Aleksandra. Teraz. Powiedz mu. Wszystko.

Wyobraża sobie wnuka zgiętego z bólu na myśl o tym, co się z nią stało. To jednak nie czas na ból. To czas na działanie. Czasem trzeba zmusić się do zrobienia czegoś, a pomyśleć później.

To jak walka z hydrą. W miejsce jednej odciętej głowy wyrastają dwie inne. Trzeba wypalać kikuty ogniem, zanim zdążą odrosnąć. Pogrzebać tę nieśmiertelną głowę, tę, której nie da się zniszczyć, pod ogromną skałą, i mieć nadzieję, że nigdy się stamtąd nie wyrwie.

Dokonałam tego, myśli Katarzyna.

10.10

– Czy Jej Wysokość coś mówiła? Czy Jej Wysokość mnie wzywała? Otwierała oczy?

Twarz młodzieńca, który się nad nią pochyla, jest niezwykle wdzięczna. Rzeźbiona kopuła jego czoła ma odcień alabastru. Czarne brwi ocieniają oczy w kształcie migdałów.

Młodzieniec ściska jej dłoń jak dziecko, które boi się ciemności.

– Katinko – szlocha jej do ucha. – Wybacz mi, proszę.

Co mam ci wybaczyć?

Jej ciało go pamięta. Jej sutki, podbrzusze pamiętają jego powolne, leniwe pocałunki. Dotyk jego jedwabistej skóry, ciepłego języka, który sprowadzał dreszcze rozkoszy.

Dawno temu.

Na imię ma Płaton.

Znam cię, myśli Katarzyna. Wiem, jak masz na imię.

Strach wylewa się z czarnych oczu Płatona, sączy się z jego białej skóry. Jego ręce czepiają się jej dłoni. Palce ma zimne. Twarde. Kościste, myśli Katarzyna. Czy on za mało je?

Gdzieś w swojej grocie śpi Endymion, piękny kochanek Selene, bogini Księżyca. Śpi, żeby nigdy nie musieć się zestarzeć.

Przez moment Katarzyna widzi rzeszę otaczających ich twarzy. Żadna z nich nie wygląda znajomo.

Słychać też szepty. Potok szeptów.

Ona jest stara, a ty młody, dręczą. Ona jest brzydka, a ty piękny. Ona jest potężna, ty jesteś niczym. Jesteś jej zabawką, maskotką, rozrywką. Teraz, kiedy ona odchodzi, ty także znikniesz. Ale w odróżnieniu od niej zapłacisz za nasze rozczarowanie, za to, jak ci nadskakiwaliśmy. Za wszystko, co musieliśmy cierpieć w twojej obecności, za wszystkie pochwały, które spijałeś z naszych ust. Dla ciebie zdradziliśmy siebie samych, a teraz ty zapłacisz za nasze upokorzenie.

– Co ze mną będzie, Katinko? – szepcze jej księżycowy kochanek. – Jeśli mnie opuścisz, Paweł każe mnie zabić.

Ręce wygładzają jej włosy, wycierają jej usta. Czyjeś ręce odciągają Płatona od jej łoża. Jego protesty i zawodzenie wsączają się w jej obolałe ciało. Płyną żyłami do jej serca, wątroby, śledziony.

Jej mięśnie się napinają.

W kończynach czuje lekkie mrowienie. Serce jej wali. Przez moment wydaje się możliwe, że uda jej się podnieść z łoża. Dostrzega drzewo ze złamaną gałęzią, z której cieknie żywica. Wyciąga rękę w jego stronę. Proszę przeć, Wasza Wysokość, słyszy głos jakiejś kobiety. I znowu przeć, tym razem wolno. Proszę mnie posłuchać. Wasza Wysokość musi robić to, co każę. Teraz!

– Jej Wysokość próbuje coś powiedzieć. Nie widzicie? Usta Jej Wysokości się poruszają. Patrzy na mnie.

10.15

Blask światła padającego z okna oznacza, że jest rano. Pokój robi dziwne wrażenie, bo ona leży na podłodze. Jej wielkie łoże z baldachimem znajduje się dokładnie za nią. Jest w Sankt Petersburgu, w Pałacu Zimowym.

Powinnam teraz pracować. Dlaczego nie jestem w gabinecie?

Coś ją powaliło. Cios skrytobójcy? Czy ktoś się w końcu odważył? Kto? Ten francuski rewolucjonista, przed którym ostrzegał ją Biezborodko? Jakiś obłąkany Polak żądny zemsty? A może Turek albo Kozak?

Powodzenie przysparza wrogów. Wyplenia fałszywych przyjaciół.

Czy przyjaźń ucieka od władców, czy to władcy uciekają przed przyjaźnią?

10.25

W jej myśli wdziera się jęk. Dochodzi z zewnątrz. Ktoś za drzwiami rozpaczliwie błaga, by go wpuścić.

Aleksander?

– Kto był matką Hektora? – przypomina sobie, jak go kiedyś pytała. – Jaką pieśń śpiewały syreny? Którzy bogowie pomagają Herkulesowi?

Jej wnuk pewnie recytuje odpowiedzi.

– A teraz, monsieur Aleksandrze – mówi – powtórz to samo z większym przekonaniem. Mdła słabość łagodnego głupca nie pasuje do ciebie.

10.30

Czyjeś ręce pod jej pachami ciągną ją w górę, żeby ułożyć ją wygodniej. Poduszki pod głową są miękkie, wypełnione gęsim puchem. Jej głowa tonie w nich z wdzięcznością.

Nowe ułożenie przynosi uczucie przyjemnego chłodu, jak świeża woda z bani, którą Potiomkin polewał jej gorące, spocone ciało. Ale język jest spuchnięty, powleczony gorzkim, ołowianym smakiem. Rogerson dźga ją w żebra, szuka pulsu. Jego ruchy sprawiają wrażenie gwałtownych i nerwowych. Czy martwi go to, jak wali jej serce?

Powinna uważać na to, co się dzieje, ale jej wzrok przyciąga coś migoczącego. Napina mięśnie twarzy, a jej powieki unoszą się odrobinę, akurat tyle, żeby móc dostrzec lusterko, które trzyma przed nią Rogerson. Kamienie w jego ramie odbijają kaskadę oślepiającego blasku, łańcuszek lśni złotem. Twarz w lusterku jest spuchnięta i czerwona.

Czy to ja?

Otwarte usta, ślina cieknie mi po brodzie?

To wszystko sprawka Rogersona. Nigdy nie ufała medykom. Miała rację.

Głupi staruch.

Morderca.

Dureń.

Po czyjej jesteś stronie? Po mojej czy mojego syna, który chciałby widzieć mnie w grobie? Który chciałby, żeby odziane w czerń staruchy płakały po mnie i zawodziły.

– Patrzcie. Tam! Spójrzcie na lusterko! Jej Wysokość nadal oddycha.

12.00

Grzmią armaty w Twierdzy Pietropawłowskiej. To tam spoczywa Elżbieta. I Piotr Wielki.

Okna drżą, szyby brzęczą. Wrony rozpierzchają się po niebie, protestując głośnym krakaniem. Skoro są takie mądre, to dlaczego przejmują się tym, co dzieje się codziennie?

Hrabia Biezborodko wydaje rozkazy. Nikomu nie wolno oddalać się od pałacu. Nikomu nie wolno do niego wejść. Nikomu nie wolno opuszczać miasta, żadnych posłańców, żadnych meldunków. Wszystkim gościom w pałacu należy powiedzieć, że Jej Wysokość jest zajęta niecierpiącymi zwłoki sprawami wagi państwowej. Mają czekać, aż zostaną wezwani. W milczeniu.

Nie jest to Potiomkin, ale też się nada. Powinien sprostać wymogom chwili. Mieszek srebra jest czasem lepszy niż sztaby złota – nabita kabza przeciwko bogactwom, których nie sposób użyć. Losowi trzeba pomagać. Kiedy wróci jej głos, będzie miała dla swojego ministra doskonały podarunek. Wysadzany diamentami kompas. Z inskrypcją: „W uznaniu tego, iż zawsze pamiętasz o celu swej podróży".

– Wpuśćcie mnie. Co się dzieje?

Czy może to być Aleksander? Za drzwiami? Ale skąd ten proszący ton? Car nie prosi, Aleksandrze. Car wchodzi tam, gdzie chce się znaleźć. Któż ośmieliłby się go powstrzymać?

– Najjaśniejsza Pani teraz odpoczywa, Wasza Wysokość. Nie wolno jej przeszkadzać.

12.10

Griszeńka, szepcze, i Potiomkin znów się przed nią zjawia, starszy, niż go zapamiętała, i zniszczony życiem. Na jego nosie i pod zapuchniętymi oczami widać pęknięte naczynka. Nad czołem zwisa mu strąk rudych włosów.

– Co ty robisz, Katinko? – krzyczy.

Katarzyna nie rozumie, dlaczego Griszeńka jest taki zdenerwowany. Dlaczego zmusza ją, żeby usiadła w fotelu, i rykiem przyzywa służącą.

Klęka i ujmuje jej spuchniętą stopę. Paznokcie u jej stóp zrobiły się tak twarde i pokryte brzydkimi zgrubieniami, że trzeba je przycinać specjalnymi cążkami, ale Griszeńka nie zwraca na to uwagi. Podniósł jej prawą stopę i wyciera ją chusteczką.

Jest poplamiona krwią.

– Nic nie czułaś, Katinko? – pyta Grisza.

Katarzyna kręci głową.

– Jak to możliwe?

Nie rozumie, o czym on mówi, dopóki nie pokaże jej szklanego odłamka, który wyciągnął z podeszwy jej stopy. Poprzedniej nocy strąciła karafkę z bocznego stolika. Wieczorna pokojówka zamiotła podłogę, ale przeoczyła ten kawałek szkła.

– Nie widziałam go – mówi Katarzyna.

W zdrowym oku Griszeńki dostrzega strach. Nie dlatego, że nie zauważyła kawałka szkła leżącego na dywanie, ale dlatego, że stanęła na nim i nie poczuła, jak wbija się jej w stopę.

Że szła dalej.

15.00

Sen, w który zapadła, jest ciężki, rozdarty na strzępy. Nie ma sensu, nie poddaje się żadnemu porządkowi. Studnia pełna wody, kangur, który boksuje swoimi małymi przednimi łapami, ptak dziobiący szybę w oknie, rozwścieczony jakimś widmowym odbiciem, które nie chce ustąpić.

Studnia, okolona kamieniami, pokryta jest miękkim, gęstym mchem. Jest taka skazka o żabach, skazka, której jej wnuki nie mogły się oprzeć. Dwie żaby, których domy na mokradłach wyschły, rozważają wskoczenie do studni.

– Czekaj – mówi mądrzejsza z nich. – A jeżeli wyschnie tak jak mokradło? Jak się wtedy wydostaniemy?

Budzi się na drażniący dźwięk głosu Konstantego.

– Byliśmy na przejażdżce saniami. Z Aleksandrem. Lokaj kazał nam wracać jak najszybciej. Nie chciał powiedzieć dlaczego. Po prostu proszę się pospieszyć, powiedział. A potem nie chcieli nas tu wpuścić.

Jej młodszy wnuk żąda sprawozdania z tego, co działo się od rana. Gribowski spełnia jego prośbę, opowiadając mu o drzwiach, które musieli wyważyć, i o bezwładnym ciele jego babki, rozciągniętym na podłodze obok sedesu. O sześciu lokajach, którzy dźwignęli je z podłogi. O mozolnym pochodzie do sypialni. O straszliwych przeczuciach i łatwych do przewidzenia protestach: Skąd mogliśmy wiedzieć? Nikt inny nie może o tym usłyszeć.

– Dlaczego Jej Wysokość nadal jest na podłodze? – krzyczy Konstanty. – Czy chcecie, żeby mój ojciec zobaczył ją w takim stanie?

Paweł tu idzie?

Gdzie jest Aleksander?

Słowa Konstantego pobudzają służących do działania. W gorączkowym poruszeniu Katarzyna zostaje podniesiona i przeniesiona na łoże. To lepsze miejsce. Wyżej położone. Ponad nią, na spodniej części baldachimu, znajduje się wizerunek Minerwy utkany z jedwabiu. Bogini odpoczywa, hełm ma przekrzywiony, a resztę zbroi odrzuciła na bok.

Konstanty ma na sobie mundur galowy gwardii konnej, biała wełniana kurtka z czerwonymi mankietami. W Pałacu Zimowym wybór barw pułkowych nigdy nie jest bez znaczenia. Gwardia konna to pułk cesarski, a to wystarczy, by jej syn go nie znosił. Biała kurtka to deklaracja, ślub lojalności.

Konstanty siada przy niej na łożu. Kręci się niespokojnie. Z widocznym wysiłkiem stara się coś powiedzieć. Światło świec zmiękcza ostre rysy jego twarzy. Wnuk rozumie powagę sytuacji. Będzie wspierał swojego brata.

Katarzyna raz jeszcze próbuje mówić – tak samo jak wcześniej na próżno. Myśli o zimowym targu. Tusze świń, krów, baranów i wołów stojące na sztywnych, zamarzniętych nogach. Konstanty mruży oczy, kiedy spogląda na nią z góry, a potem odwraca wzrok, jak gdyby nie chciał być świadkiem jej upokorzenia.

– Wasza Wysokość – rozlega się donośny głos kapelana. – Już czas. Czy możemy zaczynać?

Wiatr jęczy w kominie. Konstanty kiwa głową i wstaje. Zotow podaje mu szklankę wody, którą ten opróżnia jednym haustem. Twarz ma nadal zasępioną, a ona czuje nagły przypływ współczucia dla swojego młodszego wnuka. Współczucia dla dziecka osaczonego przez pragnienia, rozdzieranego przez namiętności, których nie potrafi opanować.

Boli ją głowa. Ktoś grzebie w kominku, dorzuca drew do ognia. Iskry fruną w górę, do komina; węgielki wyskakują z paleniska. Przez chwilę w pokoju robi się jaśniej.

Konstanty rozpiął kołnierz kurtki. Policzki ma zarumienione. To musiała być wódka, myśli Katarzyna, a nie woda.

„Jestem chlebem żywym... Jeśli kto spożywa ten chleb, będzie żył na wieki".

Płyn, który sączy się z jej ust, ma taki gorzki smak. Oddech jest bardzo powolny.

Kapelan robi znak krzyża.

„O Lekarzu i Pomocy cierpiących, o Odkupicielu i Zbawco nieszczęśliwych... zmiłuj się nad tą, która ciężko zgrzeszyła, i wybaw ją, o Chryste, od jej niesprawiedliwości, tak by mogła wysławiać Twoją boską potęgę".

Konstanty żuje coś nerwowo. Na brodzie ma zadraśnięcie, ślad zaschniętej krwi.

– Zaraz tu będą – mówi. – Wszyscy. Papa. Maman. Moje siostry.

Nie wspomina nic o Aleksandrze.

Przez chwilę Katarzyna jest przerażona, że stało się coś okropnego. A jeżeli francuski zamachowiec obrał go sobie za cel? Jeżeli Aleksander leży gdzieś zakrwawiony, z rozbitą czaszką? Niezdolny do wzięcia na siebie tego, do czego się zobowiązał?

Wraca do niej wspomnienie Konstantego. Ma cztery lata, miota się jak sam diabeł. Tratuje kwiaty. Jej piękne tulipany, których tak troskliwie doglądali ogrodnicy. Czerwonobiałe płatki pokaleczone, zdeptane, a wśród ich szczątków stoi Konstanty i szarpie zielone łodygi zębami. Krzyczy:

– Patrzcie na mnie! Na mnie!

Dziecko zazdrosne o kwiaty.

Nie chce teraz na niego patrzeć. W gęstniejącej ciemności dostrzega jakieś długie, faliste smugi tuż nad nim. Czy to cienie tak ją mamią? Faliste linie mnożą się i robią coraz grubsze. Kiedy się wreszcie prostują, przypominają pręty gigantycznej klatki.

15.05

Nić jej życia jeszcze się nie przerwała.

Sześćdziesięciosiedmioletnia kobieta może mieć atak apopleksji i wrócić do zdrowia. Mogą pozostać po nim jakieś blizny, ale ona nauczy się z nimi żyć. Jeżeli nie będzie w stanie chodzić, będzie jeździła na wózku. Jeżeli nie będzie mogła mówić, będzie pisała.

Mam jeszcze czas, myśli Katarzyna. Usłyszę grom; zobaczę błyskawicę. Grad może położyć tulipany w ogrodzie, ale i tak zjawi się tęcza.

Ból albo przejdzie, albo będę z nim żyła.

Przez zasłonę własnych rzęs znów dostrzega lusterko, przyciśnięte do swoich warg. A w nim pomarszczona twarz i usta zastygłe w grymasie, które powoli znikają za wilgotną mgłą.

To mój oddech, myśli. Żyję.

15.40

Le Noiraud kuli ramiona i głośno wzdycha. Ostrożnie, jakby była porcelanową lalką, dotyka jej ręki leżącej na kocu, którym przykrył ją Zotow. Skóra na kostkach dłoni jest zaczerwieniona. Odmrożona dawno temu zimą, nie może odzyskać tego odcienia woskowej bieli, którą szczyci się jej właściciel.

Łzy płyną po uróżowanych policzkach jej kochanka. Ociera je grzbietem dłoni. Którą z kolei wyciera w klapę swojej kurtki. W kolorze kości słoniowej, teraz poplamionej różem.

To ja dałam ci tę kurtkę.

Jej nozdrza wychwytują zapach spalonego papieru. Do włosów i bokobrodów Le Noirauda przylgnęły drobinki popiołu.

Co spaliłeś? Swoje rachunki, księgi, listę podarunków ode mnie? Moje słowa? Moje rozkazy?

Przy drzwiach słychać poruszenie, szuranie stóp; rozgniewany głos domaga się czegoś.

Dłonie Le Noirauda drżą. Jego spojrzenie biegnie ku drzwiom, a potem znów do niej.

Nie do twarzy mu ze strachem.

– Nie umierasz, Katinko – mruczy. – Oni wszyscy się mylą.

Wtedy przychodzi do niej wspomnienie z popołudnia w Carskim Siole, tuż po godzinie kochanków. Galeria skąpana jest w cętkach światła. Czarne żelazne krzesła ustawione są w krąg; aromatyczną gorącą herbatę osłodzono astrachańskim miodem, tym samym, którym kucharz skropił ogórki. Płaton siedzi obok niej, olśniewający w swoim stroju oblamowanym srebrem, na podbródku widać cień czarnego zarostu.

Zatopiony we wspomnieniach jej rozkoszy?

Paweł i Maria Fiodorowna właśnie do nich dołączyli. Na ich wyszorowanych twarzach Katarzyna czyta postanowienie, by zachowywać się układnie i nikogo w żaden sposób nie urazić. Paweł stwierdza, że ostatnia renowacja przyniosła korzystne zmiany.

– Mniej przepychu, więcej elegancji – mówi z uznaniem, zauważając, że złocenia Elżbiety zniknęły, zastąpione przez dyskretną wedgewoodowską plecionkę. Oto lojalność skradzionego dziecka. Żyjąca caryca zwycięża nad martwą.

Jej synowa posłusznie podziwia posągi w galerii. Demostenes i Cycero, tacy myślący i cudownie spokojni, wykrzykuje.

– Nic dziwnego, że chłopcy tak bardzo lubią się tutaj bawić. Mam tylko nadzieję, że nie narobią szkód.

Młodzi książęta nie marnują tu czasu. Nigdy nie bawią się bez opieki. Ich babka dba o to od momentu, kiedy się urodzili. Bo choćby synowa nie była w stanie przyjąć tego do wiadomości, ważnych rzeczy najlepiej uczy się przez zabawę.

Katarzyna nie zamierza jednak mówić tego na głos. Po co psuć przyjemne popołudnie.

Rozmowa schodzi na temat obrazu, który właśnie zakupiła. Bukiet tulipanów w kryształowym wazonie, białe płatki ze smużkami żółcieni i różu. Jeden z nich opadł już na obrębioną koronką serwetę. Lśni na nim kropla rosy. Obraz vanitas, jak określił go marszand, przedstawiający ulotność życia. W tle, na tej samej serwecie można rozróżnić kształt klepsydry i okruchy chleba.

Le Noiraud porusza się na krześle. W oczach ma iskierkę, zapowiedź psoty, która ożywi nudną w jego przekonaniu chwilę. Zza pazuchy wyciąga tom myśli o moralności Holberga. Nabrał zwyczaju otwierania tej książeczki na – zdawałoby się – przypadkowych ustępach, choć Katarzyna wie, że pozaznaczał je wstążeczkami, na różne okazje. Czerwona oznacza przestrogę dotyczącą jakiejś ludzkiej słabości. Żółta – przewrotnie dowcipne, cyniczne spostrzeżenie. Zielona – myśl pełną nadziei.

„Jesteś szczęśliwy, kiedy wyobrażasz sobie, że taki jesteś", czyta na głos.

– Czy tak właśnie robisz? – pyta Katarzyna, uderzając go figlarnie wachlarzem. – Po prostu wyobrażasz sobie, że jesteś ze mną szczęśliwy?

Filozofia i dowcip nie należą do najmocniejszych stron Le Noirauda, ale on sobie poradzi. Wywinie się z typowym dla siebie wdziękiem. Za pomocą jakiejś kwiecistej deklaracji, która ją rozśmieszy.

Już widzi tę iskierkę w oczach kochanka.

Ale nie to wydarzy się za chwilę, tego nakrapianego słońcem popołudnia, na oczach spoglądających na nich marmurowych popiersi mędrców.

Paweł, jej syn z nosem mopsa, macha rękami niczym ptaszysko z mokradeł, które zbiera siły.

– Zgadzam się w pełni z Płatonem Aleksandrowiczem! – oznajmia.

Le Noiraud odchyla się do tyłu na krześle. Długie nogi wyciąga przed siebie, dłonie splata na karku.

– Czyżbym powiedział coś głupiego? – pyta.

Czy to właśnie przypomina sobie teraz? Czy to na myśl o tym ciarki przechodzą mu po plecach?

16.05

Parawan przysunięto bliżej. Stoi teraz w nogach jej łoża, powstrzymując ciekawskie spojrzenia przechodzących osób. Ktoś pomyślał o jej wygodzie. To na pewno Aleksander. To on musiał zażądać parawanu. Jej wdzięczność jest tak wielka, że aż ją dławi. W takich właśnie drobnych gestach kryje się prawdziwa wielkość.

Jej dzielny rycerz, jej wojownik, jej dziedzic.

Zza parawanu dobiega pochlebny głos hrabiego Biezborodki – wicekanclerz usiłuje kogoś udobruchać.

– Wasza Wysokość – słyszy Katarzyna – moje bezgraniczne, nieustające oddanie.

Aleksander – bo to, co majaczy niewyraźnie obok łoża, musi być sylwetką jej wnuka – jest ubrany w zielony mundur Pułku Preobrażeńskiego z czerwonymi wyłogami. Mundur, który ona sama miała na sobie w dniu przewrotu.

Aleksander, jej prawdziwe dziecko, jej książę, wygląda na wstrząśniętego.

Na twarzy ma wypisany strach.

Strach trzeba pokonać, Aleksandrze, zamknąć głęboko w sobie. Z dala od twarzy.

Strach roztapia wolę.

16.08

– Czy cesarzowa bardzo cierpi, doktorze? – pyta Aleksander. Nie siedzi już przy niej. To dlatego jego głos jest przytłumiony.

– Nie potrafię powiedzieć, Wasza Wysokość – odpowiada Rogerson. Rozkłada ręce jak dziecko, które chce pokazać, że porządnie je umyło.

– Czy można mieć jeszcze nadzieję?

– Zawsze jest nadzieja, Wasza Wysokość, bo miłosierdzie Boże nie zna granic – mówi medyk.

Dlaczego Rogerson na nią nie patrzy? Dlaczego mówi tak, jakby już jej tu nie było? Jakby życie było tajemnicą, z której ją wykluczono. Durak, myśli. Głupiec. Dla niego jest już naczyniem pełnym żółci, krwi, humorów i wydzielin. Zgnilizny, ekskrementów, kwaśnych wymiocin.

To także spotkało ją już wcześniej.

Tej nocy, kiedy rodziła. Była łonem, nie kobietą.

Przeszłość grozi, że znów ją schwyta, wessie w swój mrok. Obok niej, na bocznym stoliku stoi lusterko w srebrnej oprawie, jedna z niewielu rzeczy z Zerbst, które udało jej się zachować. Prezent od jej ukochanej guwernantki, Babette. Babette, która tak gorzko płakała tej zimy, kiedy nadeszły wieści o czekającej Zofię podróży.

– Do Berlina. – Tylko tyle wolno było jej powiedzieć. Rosja była jeszcze tajemnicą, jej los w tym kraju – nieznany. – Ale nie możesz pojechać ze mną. Będę pisać, przyrzekam. Będę ci opowiadać o wszystkim, co zobaczę i usłyszę.

Wspomina teraz spojrzenie Babette. Urazę, ból, rozczarowanie, wszystko zlane w jedno.

– Wrócę za kilka tygodni.

Same kłamstwa.

Wszystkie niezbędne.

Czy tak właśnie kończą się przyjaźnie? Jednym spojrzeniem? W milczeniu?

Queenie zanurza w misce ręczniczek i ociera jej usta.

Nie jest dobrze wyżęty; krople wody ściekają jej po szyi, na ramię i wsiąkają w materac. To uczucie nie jest przykre.

Biedna, droga Queenie. Wierci się nerwowo. Nie może się uspokoić, wzrok ma oszołomiony.

Jak to się stało, że nasze życia tak się splotły?

Pamięta pojawienie się Queenie na dworze, te dawno minione dni, kiedy ona była jeszcze tylko Anną Stiepanowną Protasową, brzydką kuzynką Orłowów, trzydziestoczteroletnią starą panną. Jej przedstawieniu towarzyszyła pewna niezręczność, jakieś obawy, że może być szpiegiem Orłowów, ale wszystko to z czasem zniknęło.

Palce Queenie poprawiają poduszki, wygładzają fałdy na kocu. Silne, ciepłe palce kochającej osoby. Delikatne. Kojące.

Dotykają jej.

Gdzieś w oddali pies wyje z bólu, napełniając ją tak wielkim smutkiem, że czuje, jakby coś przygniatało jej pierś. Jakby między jej ciałem a tym bólem nie było żadnej granicy.

16.10

Tyczkowaty mężczyzna z nosem mopsa zbliża się do nóg jej łoża.

To mój syn. Ma na imię Paweł. Nie lubię go.

Jej syn rozsiadł się w pokoju przy cesarskiej sypialni, gdzie Katarzyna trzymała kiedyś swoje najukochańsze książki. Pokój nie ma osobnych drzwi, więc wszyscy, którzy tam wchodzą lub wychodzą, muszą przejść obok jej łoża. Służący biegają, nosząc meble: stolik do pisania, fotele, leżankę.

Paziowie w jasnoczerwonych liberiach kręcą się przy drzwiach, gotowi do wykonywania poleceń i przekazywania wiadomości. Wzrokiem omijają jej łoże. Czy już ją opuścili? Czy też nadal robią zakłady, co może przynieść przyszłość?

Paweł, z twarzą sztywną niczym maska, zwraca się ku żonie, która głośno szlocha.

– Caryca Rosji umiera! Niech Bóg Wszechmogący prowadzi nas w tym trudnym czasie!

16.15

Szelest spódnic, błysk białej koronki. Czyjaś ręka kładzie kwiaty na jej poduszce. Chmura białego kwiecia.

– Czy mnie słyszysz, babuniu? To ja, Aleksandra. Proszę, babuniu, spójrz na mnie.

Świeży, naturalny zapach, słodkie migdały zmieszane z płatkami róży.

Dziecko pochyla się i całuje jej dłoń, choć nie jest to wcale konieczne. Potem składa jeszcze jeden pocałunek, tym razem na jej policzku. Delikatna, ciepła pieszczota, muśnięcie skrzydła motyla.

Jej wnuczka ubrana jest w nietwarzową suknię ze sztywnej brązowej tafty. Włosy ma sczesane z twarzy i upięte z tyłu.

Katarzyna wspomina chwilę, w której Aleksandra, jeszcze małe dziecko, chwiejnym krokiem opuszcza ramiona niańki, idzie prosto do stawu w Carskim Siole, potyka się i przewraca. Zanim opiekunka zdąży ją podnieść, twarzyczka dziecka robi się sina, pomazana błotem. Do jej policzka przykleiła się łodyga lilii wodnej. Przez jedną straszliwą chwilę Katarzyna myśli, że jej wnuczka nie żyje. Ale wtedy Aleksandra chwyta powietrze i zaczyna krzyczeć.

Żyje. Przeraziło ją tylko to, czego nie była w stanie pojąć.

16.20

– Nie pozwolę ci odejść, Katinko.

– Zbudź się! Przypomnij sobie, co się stało, zanim upadłaś!

– Myśl!

Ostatni wieczór pełen był radości. Katarzyna miała na sobie naszyjnik z trzydziestu czarnych pereł. Chciała, żeby zobaczył je hrabia Cobenzl, ambasador Austrii. Była tam także Aleksandra. Jej smukłe białe palce, z których jeden był lekko poplamiony atramentem, bawiły się rąbkiem mankietu.

Oglądali wszyscy francuską komedię w Teatrze Ermitażu. O knujących intrygi służących i niewydarzonych kochankach, którzy zostają koniec końców połączeni.

– Na tym świecie – powiedziała caryca do swoich aktorów, kiedy zbliżyli się, by oddać jej pokłon – nad każdym życiem zapada noc. Ale w moim teatrze słońce zawsze powraca, by oświetlać nasze dni.

Czy to wtedy Aleksandra skuliła drobne ramiona i wybuchnęła szlochem?

– Jesteśmy dziećmi opatrzności – szepcze Potiomkin. – Wszystko będzie dobrze. Jest jeszcze czas. To jeszcze nie koniec. Przecież ci mówiłem, Katinko.

– Mówiłeś.
– Więc teraz mi wierzysz.
– Tak.

I wie, że on ma rację, bo jej mięśnie się poruszają. Palce zaciskają się na czymś miękkim i ciepłym.

Wszyscy biegną do jej łoża. Aleksander, Rogerson, Konstanty, Zotow. Potykają się jeden o drugiego, spiesząc, by zobaczyć, co kazało Queenie wykrzyknąć z taką radością, takim zapamiętaniem.

– Zmiłuj się, Panie Boże! – słyszy Katarzyna. – Hospody, pomyłuj! Jej Wysokość ścisnęła przed chwilą moją rękę!

Pomyśl uważniej. Skup się.

Mówią o niej: największa ladacznica Europy. Lubieżna. Plugawa. Caryca Rosji, która zadziera spódnice, rozkłada nogi od Konstantynopola do Warszawy i wsysa całe armie.

Nienasycona.

Anglicy rysują ją, jak siedzi na tronie zdobnym w dwugłowe orły, otulona w gronostajowy płaszcz: pochłonęła Portę Otomańską i teraz bezzębnymi ustami wypluwa resztki w kształcie półksiężyców. Francuzi przedstawiają ją, jak wydziera Polskę z mapy Europy zakrwawionymi kłami. Lub jak wyciąga pusty kubek, by napełniono go nasieniem wydojonym od pokonanych mężczyzn.

Kiedy oni to robią, to cnota. Kiedy ja to robię, to grzech.

Oni są ambitni. Ona jest żądna chwały.

Oni są zręczni. Ona jest przebiegła.

Oni inspirują innych do szlachetnych wysiłków. Ona pozwala innym zrobić wszystko za siebie, by potem przypisać sobie zasługi.

Oni są walecznymi królami, zdobywcami, bohaterami. Ona to Meduza, wampirzyca, wiedźma. Potworna czarownica, gotowa spółkować z samym diabłem.

Z oszczerstwem nie da się dyskutować. Lęgnie się jak robactwo. Roi się w ciemnych zakamarkach, zatruwa wszystko, czego dotknie. Przemycane w fałdach podróżnych płaszczy, pomiędzy kartami książek, w kufrach z podwójnym dnem, wprowadza jad prosto do serca.

Jej wrogowie, ci, którzy jej źle życzą – podrażnieni tym, że z parweniuszowską Rosją, którą kiedyś lekceważyli, teraz należy się liczyć albo wręcz się jej bać – chcą, by caryca zapomniała, że narody są jak kupcy, którzy zawierają i zrywają sojusze zgodnie z rachunkami zysków i strat.

Imperia muszą rozrastać się lub ginąć.

Coś jednak poszło zupełnie nie tak, Griszeńka. Dlaczego?

Wiesz dlaczego. Pamiętasz. Wróć do początku. Pomyśl o wszystkim, co się wydarzyło.

Tego sierpniowego poranka Katarzyna wychodzi z łoża powoli, bo jej prawa noga jest spuchnięta i ciężka.

Pani, jej włoska charciczka, już wstała, gotowa podjąć swoje obowiązki. Zimny, wilgotny nos węszy za zapachami, które pozostawiła po sobie noc, analizuje ich nieme exposé.

– Grzeczna sunia, Pani – mruczy Katarzyna, poklepując ją po łbie.

Pokojówki przygotowały dla niej prosty strój poranny, luźną suknię z białej satyny, czepiec z krepy i parę miękkich pantofli z niedźwiedziej skóry. Katarzyna ubiera się szybko, nie chce tracić czasu. Queenie i pokojówki będą miały go później dość, żeby trząść się nad jej wyglądem. I bardziej uważać. Z tyłu głowy czuje jeszcze lekkie pieczenie w miejscu, w którym wczoraj żelazko do kręcenia włosów zanadto zbliżyło się do jej skóry.

Carski gabinet mieści się w przyległym pokoju. Obok stosu sztywnych teczek, przewiązanych wstążkami, na srebrnej tacy czeka dzbanek parującej kawy. Podchodzi do niego powoli, starając się nie obciążać zanadto chorej nogi, a Pani kroczy u jej boku.

Lato 1796 roku jest męczące, upalne i parne. W Carskim Siole ogrodnicy rozpaczają nad czarnymi plamkami na krzewach różanych. Codzienne spryskiwanie sfermentowaną herbatą kompostową nic nie dało. Liście na klombach, jeden po drugim, żółkły, więdły i usychały. Za to tutaj, w Sankt Petersburgu, to młode brzózki w Ogrodzie Letnim mają się nie najlepiej. Korzenie, mówią ogrodnicy, owijają się wokół podstawy pnia, nie dopuszczając do niego życiodajnych substancji.

Ale lato dobiega już końca. A tego, co minęło, nie powinno się rozpamiętywać. Żale nie pobudzają imperium do wzrostu.

Wśród papierów na jej biurku leży kolejna seria ćwiczeń kaligraficznych, o które prosiła. Jej najstarszej wnuczce, Aleksandrze, bardzo potrzeba praktyki. W obecnym stanie jej pismo pasowałoby do leniwego uczniaka, ale nie do wielkiej księżnej Rosji, która niebawem ma wyjść za mąż.

W tej próbce, inaczej niż w poprzednich, linijki są wprawdzie równe, ale litery nadal są za małe, zbyt niepewne:

> Zaczął już sypać się popiół, początkowo jeszcze rzadki. Obejrzawszy się, zobaczyłem, że zaczyna nas otaczać gęsty mrok, który podobny do potoku, rozlewał się w ślad za nami po ziemi. „Skręcimy z drogi – powiedziałem – dopóki jest widno, żeby nie zgubić się po drodze i żeby nas nie rozdeptali

> w ciemnościach nasi współtowarzysze". Ledwie podjęliśmy taką decyzję, gdy nastała ciemność, nie taka jak w bezksiężycową lub pochmurną noc, ale taka, jaka bywa w zamkniętym pomieszczeniu, kiedy zgaśnie ogień*.

Katarzyna robi na marginesie pospieszne uwagi dla miss Williams, carskiej guwernantki. Należy staranniej dobierać fragmenty, które przepisuje Aleksandra. Po co dawać dziewczynce relację o katastrofie w Pompejach, skoro odpowiedniejszy byłby wiersz miłosny?

Zegar wybija siódmą. W antyszambrze pewnie zbierają się już jej ministrowie, ale hrabia Aleksander Andriejewicz Biezborodko, szef jej rządu, jeszcze nie przyszedł na poranną odprawę.

Spóźnienie? To do niego niepodobne.

Wiele już razem przeżyli, Biezborodko i ona, odbyli wspólnie niejedną podróż. Tacy ludzie są w jej otoczeniu coraz rzadsi. Śmierć to okrutny żniwiarz. Podobnie jak dezercja pod sztandarem słusznego oburzenia. Przyjaźnie, porzucane z błahych powodów. Oskarżenia o zdradę, kiedy nie miała na myśli nic podobnego.

Pani goni własny ogon. Warczy, kręci się coraz szybciej, kłapie zębami. Co dzieje się w głowie psa w takich chwilach? Czy zabawa to po prostu próba przed polowaniem? Czy wybuch czystej radości, zwierzęcej siły żywotnej, która pcha Panią do wysiłku, aż wyczerpanie weźmie górę?

„Pani" to polskie słowo. Oznacza damę. Katarzyna wymyśliła to imię w odwecie na męczącym gościu. Zupełnie niewinnym. W każdym miocie jest takie szczenię. Skwapliwie pragnie zadowolić wszystkich, bezustannie domaga się dotyku i pieszczot, różowym językiem liże każdą rzecz, której tylko jest w stanie

---

* Fragment *Relacji o wybuchu Wezuwiusza* Pliniusza Młodszego, tłum. I. Mikołajczyk, cyt. za: Fundacja „Traditio Europae", http://www.traditio-europae.org/Przeklady/I._Mikolajczyk_Relacja_Pliniusza_Mlodszego_o_wybuchu_Wezuwiusza.html (dostęp: 30 czerwca 2014).

dosięgnąć. Polska księżna, która bawiła w gościnie w Pałacu Zimowym akurat wtedy, kiedy ten szczeniak się urodził, też taka była. Służalcza. Stale złakniona uwagi. Bez przerwy usiłowała zrobić wszystko, żeby zostać zauważona. Cóż to była za przyjemność karcić szczeniaka w jej obecności.

– Trochę umiaru, Pani. Nie sikaj z radości na sam mój widok, Pani.

W dodatku księżna nigdy nie zrozumiała tej aluzji!

– Wystarczy, Pani! Waruj!

Pani zastyga w środku gonitwy za własnym ogonem i spogląda na właścicielkę ze zdziwieniem. Jakby przez moment nie wiedziała, czego się od niej oczekuje. Psy jednak są niezrównanymi mistrzami w sztuce zadowalania innych. Porzucony ogon kuli się, a Pani powoli rusza w stronę swojego ulubionego miejsca spoczynku. Tuż przy nogach swojej właścicielki.

Pałacowa mądrość głosi, że psy są wierne, a koty fałszywe i podstępne. Koty miauczą i wrzeszczą nocami na dachu. Albo, co gorsza, płaczą jak porzucone niemowlęta. Albo jak czarownica w rui. Służące wspominają wiejskie opowieści o wiedźmach, które zmieniają się w koty, żeby wypić krowom całe mleko z wymion lub udusić dziecko w kołysce.

Takie są mroczne granice ignorancji, nierozjaśnione światłem rozumu.

Katarzyna upija jeszcze jeden łyk kawy. Czarnej, bo jest jeszcze rano, chociaż później pozwoli sobie na odrobinę śmietanki. Czuje ucisk w piersi. Mija chwila, zanim udaje jej się rozpoznać, co on oznacza. To ból czułości i szczęścia. Wkrótce pierwsza z jej wnuczek wyjdzie za mąż.

Z antyszambru dolatują głosy jej dworek. Queenie i Wiszka rozmawiają o Le Noiraudzie.

– Aleksander Wielki sypiał z *Iliadą* pod poduszką.

– Nie każdy jest Aleksandrem Wielkim. Z tym się chyba zgodzisz!

– Łaszczymy się na więcej, niż potrafimy przełknąć. Chcemy tego już, natychmiast.

– Niewielu mężczyzn wie, jak stać się kimś wybitnym. Przecież już ci tłumaczyłam.

Ich rozmowa jest przewidywalna, kolejny wybuch małostkowej zawiści, którą żywią się mieszkańcy pałacu. Pogarda wobec carskiego faworyta to jedyny temat, co do którego Queenie i Wiszka mogą się zgodzić. Wiszka nikomu nie ufa, toteż nie ma w tym nic dziwnego. Queenie, która do tej pory popierała Płatona Zubowa, najwidoczniej zmieniła zdanie. Stąd jej lista największych przywar Le Noirauda:

Urządza poranne audiencje niczym król Francji. Zjawia się w szlafroku i każe wszystkim stać i patrzeć, jak służba ubiera go i układa mu fryzurę, gdy tymczasem ci, którzy nie dość dobrze opłacili się jego lokajom, tłoczą się na zewnątrz. Trawi wiele czasu na czczej paplaninie ze swoją siostrą plotkarką. Uważa, że Pigmalion to wielki grecki filozof. Nabył lornetkę polową i w czasie, kiedy powinien czytać, wypróbowuje jej działanie na podglądaniu pokojówek.

Sprytna Queenie osładza zjadliwość śmiechem. Swoje opowieści wybiera jednak starannie. Każda kolejna nowinka, czy to błaha, czy zabawna, jest rozwinięciem poprzednich. Teraz Queenie podaje w wątpliwość aspiracje rodziny Le Noirauda. Siostra Płatona odesłała dopiero co sztukę atłasu, który uznała za zbyt pospolity i niegustowny. Kto inny mógłby nie dostrzec w tym nic godnego uwagi, lecz Queenie ma talent do odkrywania kolejnych pokładów opowieści. Bo czyż wielka księżna Elżbieta nie kupiła właśnie takiego samego materiału do Pałacu Aleksandrowskiego w Carskim Siole? Czy to jedynie zbieg okoliczności?, zastanawia się głośno Queenie. A może siostra księcia Zubowa pragnie przyćmić swym blaskiem kogoś bez porównania ważniejszego od niej?

Wiszka śmieje się. To dla niej żadna nowina, że życie każdego człowieka, kiedy przyjrzeć mu się z bliska, okazuje się całkowicie i brutalnie banalne.

Każdego.

Energiczne pukanie do drzwi brzmi niczym werbel. Pani podnosi łeb i posyła swojej właścicielce uspokajające spojrzenie. Czynności, które się nie powtarzają, nie zasługują na psią czujność.

– Szwedzi przybyli, Wasza Wysokość – oznajmia Biezborodko, wchodząc w pośpiechu, w rozpiętej kurtce i prosząc o wybaczenie za tak późne przybycie. – Czekałem na najnowsze wieści. Wiedziałem, ze Wasza Wysokość zechce o nie pytać.

Przyniósł ze sobą lekki zapach jaśminu, nie do końca zagłuszony wonią piżma i tabaki.

– Mamy słabość do aktorek – mówi Queenie, która prowadzi rejestr wszystkich nadwornych miłostek. – Zgrabna kostka u nogi odbiera nam rozum.

– Odetchnij najpierw, Aleksandrze Andriejewiczu – odzywa się caryca z uśmiechem. – Usiądź. Nie skończyłam jeszcze swoich porannych zajęć.

Hrabia skłania z wdziękiem głowę i pomimo swej tuszy zamaszyście siada na swoim zwykłym miejscu. Na jego czole pod brzegiem peruki lśnią perełki potu. Sądząc po zaczerwienionych, podpuchniętych oczach, prawdopodobnie spędził bezsenną noc.

Pani wita Aleksandra Andriejewicza wyszukanym tańcem – kręci zadkiem, podskakuje, macha ogonem. Kończy się on dopiero, kiedy ten pozwala jej oprzeć przednie łapy na swojej szerokiej, niedźwiedziej piersi.

– Jak mógłbym zapomnieć o mojej ślicznotce – mruczy, wyciągając kawałek kaszanki z czarnego pudełka z laki, które nosi w kieszeni. – Możesz ją zjeść, Pani, ale tylko za pozwoleniem Jej Wysokości.

– Jej Wysokość nie zgłasza sprzeciwu – odmrukuje caryca, nie podnosząc oczu znad raportu o żydowskich prawach religijnych, o który prosiła. Zanim granice Rosji przesunęły się na zachód, w imperium nie było Żydów. Teraz wśród jej poddanych są ich tysiące.

Słyszy, jak Pani pożera przysmak i węszy za kolejnym.

– Trochę godności, Pani – beszta ją hrabia. – Dostaniesz, co ci się należy!

Przed odłożeniem pióra caryca dodaje ostatni komentarz, prosząc o pełny opis sądów w kahale. Gribowski, jej sekretarz, winien pamiętać, że streszczenie nie oznacza pomijania podstawowych faktów.

Teczka Biezborodki z pozłacanej skóry wygląda imponująco, lecz minister najpewniej nawet jej nie otworzy. Podobnie jak Griszeńka potrafi cytować całe dokumenty po jednokrotnym przeczytaniu. Nigdy nie notuje, pewien, że jeszcze kilka godzin później będzie w stanie podyktować swojemu sekretarzowi jej dyrektywy, nie przekręcając ani jednego słowa.

Pani, stworzenie w okowach nawyków, skomle raz jeszcze i natychmiast otrzymuje drugą porcję kaszanki. Niemądry pies o mało się nie dławi, żarłocznie pochłaniając przysmak.

– Kiedy przyjechali?

– Dobrze po północy, Wasza Wysokość – odpowiada Aleksander Andriejewicz, sięgając do górnej kieszeni po białą chustkę. Najpierw osusza sobie czoło, a potem wyciera nią zatłuszczone palce, jeden po drugim, i starannie składa chustkę we czworo. – To ze względu na zorzę polarną, którą szwedzki król zapragnął podziwiać bite dwie godziny. Niepomny na to, jak rzadki i cenny rosyjski klejnot czeka tu na niego. I jaka gościnność.

Biezborodko, wytrawny pochlebca, używa delikatnych kolorów i miękkiego ołówka. Nie zamaże obrazu, który pragnie przyozdobić, zbyt grubym pędzlem i nadmiarem bielidła. Niczym zręczny medyk dozuje leki stosownie do stanu pacjenta. Wie, kiedy posłużyć się porównaniem i aluzją, kiedy zaś lepiej być bezpośrednim. Płaton powinien przestać się dąsać i brać z niego przykład.

– Król, jego wuj regent, dwudziestu trzech dworzan i ponad setka służących – ciągnie dalej hrabia. – Wszyscy są w szwedzkim poselstwie. Młody król obudził się o świcie i czytał Pismo Święte przez godzinę, po czym poprosił o proste śniadanie: chleb z masłem i mocną kawę.

– Przystojny? – pyta ona.

– Nad wyraz – odpowiada Biezborodko, wykrzywiając pełne, czerwone wargi w pobłażliwym uśmiechu.

– No, no, Aleksandrze Andriejewiczu – przynagla ona. – Opowiadaj. Prędko.

Biezborodko podnosi palec wskazujący i wygłasza z namaszczeniem:

– Pan rzekł: dawajcie, a będzie wam dane. Płacz nadchodzi z wieczora, a rankiem okrzyki radości. Przeznaczenie jest wolą Boga… Oto są perły szwedzkiej mądrości.

Jego Szwedzka Wysokość, niech Bóg błogosławi jego słodkiej młodości, rości sobie prawo do wygłaszania wszelkich myśli, jakie mu się spodobają. Dotychczas te maksymy moralne najbardziej przypadły mu do gustu. Jest to skutkiem być może nie tyle nazbyt pobożnej natury, ile raczej smutnego braku bardziej godnego zajęcia. Gustaw Adolf to rodzaj nie do końca oszlifowanego światowca, przyjemnego, choć wciąż nieśmiałego i pełnego wahań.

Jego wuj, regent, sądzi, że potrafi go kontrolować.

– Wiem z zaufanego źródła, że regent Szwecji jest słaby, łatwowierny i goni za przyjemnościami – ciągnie dalej minister. – Pełen nabożnej czci zwłaszcza dla wszystkiego, co pachnie tajemnicą i mocami nadprzyrodzonymi. W Sztokholmie odwiedza Mademoiselle Arfvidsson, tę samą wróżkę, która twierdzi, że przewidziała zabójstwo ostatniego króla.

– Słaby? – pyta caryca. – Czy przebiegły?

Biezborodko kiwa głową. On także jest zdania, że regenta stać na dokuczliwe, choć zmyślne fortele, które mogą podnieść stawkę i wywrzeć nacisk na Rosję. Zaręczyny Gustawa Adolfa z księżniczką Luizą z Meklemburgii były takim pomysłem. Konieczność zerwania wcześniejszych zobowiązań jest teraz wykorzystywana jako karta przetargowa. Sami Meklemburgowie nie mają znaczenia. Zbyt słabi, by pozwolić sobie choćby na dąsy. Szwedzi jednak nie zawahają się przed zażądaniem fortuny w zamian za odmianę królewskich uczuć.

– Pozwoliłem sobie zapewnić przychylne proroctwo ze strony Mademoiselle Arfvidsson – głos Biezborodki wznosi się teatralnie. – Za cenę stu rubli zarówno fusy z kawy, jak i karty tarota przepowiedziały zaręczyny Gustawa Adolfa pod koniec długiej podróży oraz dostarczyły kilku pomyślnych znaków dla wspólnej przyszłości Szwecji i Rosji. – Kiedy się uśmiecha, cała jego twarz się rozjaśnia, a oczy błyszczą. Niewielka przerwa między przednimi zębami nadaje mu psotny wygląd.

Absolutna doskonałość, jak ona, caryca, lubi przypominać swoim dwóm wnukom, jest nieosiągalna, niemniej niektórym udaje się bardzo do niej zbliżyć. Przed sobą ma doskonałego dworzanina. Żartuje z żartownisiami, z ludźmi poważnymi rozmawia poważnie, potrafi zawsze dostosować się do tych, co nadają ton, a jednak pod tym wszystkim kryje się człowiek ze stali, ostry jak damasceńska klinga.

Jeszcze przez chwilę rozmawiają o bardziej bieżących kwestiach.

W Twierdzy Pietropawłowskiej polskim więźniom rozdano kolejne broszury z pytaniami. Jako że ostatnia seria przyniosła niewiele poza pompatycznymi deklaracjami na temat podeptanych praw ich ukochanej ojczyzny, tym razem pytania zastąpiły proste instrukcje: Podajcie nazwiska tych, którzy pomagali wam w spisku, dostarczali broni, jedzenia, pieniędzy i drukowali wasze manifesty. Ich przywódcy, Kościuszki – trzymanego w wygodnym pokoju w domu komendanta twierdzy – dogląda najlepszy chirurg. Jego rany dobrze się goją. Pogłoski, szerzone najprawdopodobniej przez Amerykanów, są bezpodstawne. Nie ma najmniejszego niebezpieczeństwa amputacji.

– Za kilka miesięcy, Wasza Wysokość – zapewnia ją zausznik – w polskim kotle przestanie wrzeć.

Caryca potwierdza skinieniem głowy.

Biezborodko prosi o pozwolenie, by odejść. Jego sprawozdania przyjdą – jak zawsze – wraz z porannymi meldunkami.

– Idź!

Hrabia jest już przy drzwiach, gdy nagle zatrzymuje się, jakby właśnie coś sobie przypomniał.

– Pozwoliłem sobie na jeszcze jedno w imieniu Waszej Wysokości. W Szwecji istnieje zwyczaj wykładania podłogi świeżo ściętymi gałązkami sosnowymi przed przyjazdem gości, by nadać powietrzu słodki zapach. Dwa dni temu wysłałem do szwedzkiego poselstwa wóz pełen sosnowych gałęzi. – Na zmysłowych wargach Biezborodki wykwita uśmiech samozadowolenia. – Król, jak słyszałem, był wzruszony subtelną gościnnością Waszej Wysokości. Do łez.

Aleksandra jest najładniejszą ze wszystkich jej wnuczek, ze swoimi czystymi błękitnymi oczami i włosami, które spadają jej na ramiona w miodowych kędziorach. Posiada płynny wdzięk baletnicy. Łatwo zapomnieć, jakim była brzydkim niemowlęciem, z kępką włosów, które nie chciały ani wypaść, ani urosnąć.

– Najlepiej pozwolić, by natura zrobiła swoje – poradziła Queenie.

Służąca uważa się za specjalistkę od wszelkich spraw dotyczących miłości. Twierdzi, że miewa sny zapowiadające zdrady. Wizje, które przewidują niespodziewane spotkania, ujawniają skrywane namiętności i potajemne schadzki. Uwadze Queenie nie uchodzą ślady po pocałunkach i przekazywane ukradkiem miłosne liściki. Prezenty zbyt hojne lub zbyt osobiste, by mogły być bez znaczenia. Ku swej niegasnącej satysfakcji, Queenie przewidziała zdradę Czerwonego Kubraka. Tylko co do siebie samej nie ma żadnych przeczuć.

– Czemu miałabym życzyć sobie męża, madame? – zapytała kiedyś. – Żeby rozstawiał mnie po kątach? Zabraniał tego czy tamtego?

W błękitnym salonie wzrok Aleksandry biegnie ku sufitowi i namalowanym tam postaciom Prawdy i Mądrości, otoczonym przez gromadkę pulchnych rumianych dzieci. Od kilku tygodni miss Williams zadaje jej do czytania teksty z historii i geografii Szwecji. Trochę opowieści o Wikingach, a potem, wykorzystując miłość Aleksandry do zwierząt, mnóstwo o łosiach, reniferach oraz zwyczajach fok.

Pod oknem stoją dwie ogromne donice, w których dwa kwitnące drzewka cytrynowe ukazują swoje żółte owoce na tle zielonego, błyszczącego listowia. Ogrodnicy powiedzieli carycy, że cytryna to niezwykły gatunek: potrafi jednocześnie kwitnąć i owocować.

Błękitny salon jest na tyle blisko sali Świętego Jerzego, że do ich uszu dobiega muzyka z zegara z pawiem. Kunsztowny złoty zegar był podarunkiem od Potiomkina i obiektem nieustannej fascynacji wszystkich wnuków Katarzyny. Aleksandra i jej bracia uwielbiali zakradać się do sali i patrzeć, jak sowa, paw i kogut wykonują swoje taneczne numery. Kogucik był ulubieńcem Konstantego, co jednak nie powstrzymało chłopca przed wetknięciem mu palca w dziób i uszkodzeniem go.

– Ja zawsze najbardziej lubiłam sowę – śmieje się Aleksandra. – Chociaż była w klatce. Podrzuca głową jak automat i macha rękami. Całkiem udatnie naśladuje maszynę; musiało to kiedyś zachwycać jej braci.

Aleksandrowi najbardziej podobał się paw, ponieważ był największy ze wszystkich.

– I – dodaje Aleksandra, prawą ręką rysując w powietrzu zgrabny półokrąg – kłaniał się tak majestatycznie, i rozkładał ogon. To takie zabawne, babuniu, ale kiedyś wyobrażaliśmy sobie, że moglibyśmy się zmniejszyć i zamieszkać tam razem z nimi.

Jej wnuczka mówi za szybko, nie pamięta o wadze starannej wymowy. Musi się jeszcze tyle nauczyć.

Dwór, zapewnia Katarzynę Queenie, aż kipi z radości i podniecenia. Wszyscy mówią, że wielka księżna Aleksandra zasługuje na wszelkie szczęście, jakiego człowiek może dostąpić na ziemi. Chociaż kiedy już wyjedzie do Szwecji, będzie im ogromnie brakowało kochanej dzieciny. Służący snują domysły na temat tego, kto pojedzie z nią. Nasza rosyjska szwaczka? Kucharka od konfitur? Cukiernik? Wytwórca czekoladek?

– Pamiętasz, jak zawsze wybierałaś portret Gustawa Adolfa? – Katarzyna przerywa paplaninę Aleksandry, poklepując miejsce obok siebie na otomanie. – Za każdym razem, jak ci go pokazywałam?

– Tak, babuniu.

Aleksandra siada ostrożnie, jej wesołość gaśnie tak samo nagle, jak wybuchła, a jej policzki są teraz karmazynowe z zakłopotania. Suknię z różowej satyny zdobią białe kokardy. Jedyna biżuteria, jaką ma na sobie, to pojedynczy sznur pereł. Wokół Aleksandry unosi się nikły zapach przypalonych włosów. Fryzjer powinien ostrożniej posługiwać się żelazkiem.

Kiedyś była to ich ulubiona zabawa, babka pokazywała najstarszej wnuczce portrety kandydatów na męża nadesłane przez zagraniczne dwory razem z listami przedstawiającymi szczegółowo korzyści płynące z potencjalnego związku. Wielkości królestw, siłę sojuszy, splendor koneksji i rodowodów.

– Kto ci się najbardziej podoba, Aleksandro? – pytała caryca, a jej wnuczka, z dołeczkami w pulchnych policzkach, zawsze wskazywała nieśmiało na następcę szwedzkiego tronu.

– Wkrótce go zobaczysz – mówi teraz Katarzyna. – W jego własnej szwedzkiej osobie. Cieszysz się, że przyjechał?

Oczy wnuczki uciekają ku miękkiemu anatolijskiemu dywanowi w ośmiokątny wzór słoniowych stóp.

– Tak, babuniu. Tylko...

– Tylko co, kochanie?

Następuje cisza, niezręczna i bolesna. Aleksandra walczy ze sobą, wiedząc, że jest już za późno, żeby ukryć myśl, o której napomknęła. Skąd to się bierze, myśli Katarzyna, u wszystkich jej wnucząt? To obciążenie bojaźliwą uległością? Dotyczy ono nawet Aleksandra, choć on przynajmniej stara się je ukryć, wiedząc, jak bardzo ją drażni. On, który jako dziecko nigdy nie był przesadnie opatulany ani rozpieszczany. Którego uczyła, by nie bał się ciemności. Pozwalała mu zgłębiać wszystko, co tylko go zainteresowało. Nigdy nie wyśmiewała jego pytań, zawsze cierpliwie na nie odpowiadała.

– Czy... król... nie jest już zaręczony?

– Ale nie jest żonaty, prawda? – odpowiada Katarzyna lekko. Nie trzeba mówić Aleksandrze więcej. Dziecku potrzeba tylko pociechy. Wystarczy kilka słów, proste rozumowanie: – Król nie dba o księżniczkę Luizę, Aleksandro.

– Skąd to wiesz, babuniu?

– Nawet nie próbował się z nią spotkać. A przejechał setki mil, żeby poznać ciebie.

Oczy Aleksandry mrugają.

– Dlaczego ja miałabym mu się spodobać?

Jak dotąd miss Williams nie udało się nauczyć Aleksandry przezwyciężania własnych obaw. Chociaż dzień wcześniej Aleksandra napisała w swoim pamiętniku, że zmusiła się do zatrzymania na mostku w Gatczynie, tym małym, drewnianym, nad wodospadem. Musiała naliczyć dwadzieścia pięć oddechów. A pod nią grzmiała woda. Po tym mostku zawsze przebiegała najszybciej, jak potrafiła. „Dlaczego miałby się zawalić akurat wtedy, kiedy tam stałam?", napisała. „Czyżbym była aż tak ważna? Czy może mój strach był tylko zasłoną, przykrywającą brak prawdziwej pokory wobec Boga?"

Katarzyna otacza wnuczkę ramionami i przyciąga ją do siebie. Policzek Aleksandry opiera się na jej piersi.

– Ponieważ jesteś piękna, słodka i wdzięczna, kochanie. I bardzo, bardzo ważna.

Ciało Aleksandry jest miękkie i gibkie. Drży teraz, bo wnuczka szlocha.

Niech sobie popłacze. Czy sama Katarzyna nie miała zawsze łatwości w ronieniu łez? Z radości i bólu. Frustracji i upojnego uczucia triumfu. Łzy to lekarstwo, ulga. Są lepsze niż słowa. Lepsze niż zapewnienia babki. Popłynie ich więcej, kiedy Aleksandra znajdzie się w Sztokholmie. Bez swoich braci i sióstr. Bez babuni, do której przybiegałaby w chwilach zwątpienia.

Kiedy szloch cichnie, Katarzyna unosi twarz wnuczki.

– Napluj tutaj – rozkazuje, podsuwając jej chusteczkę.

Aleksandra robi to ze wstydliwym chichotem. To jeszcze jeden rytuał z dzieciństwa. Zwilżanie chusteczki śliną, by wytrzeć zapłakaną twarz. Jej bracia wystawiali zawsze przy tym języki albo stroili głupie miny.

Śmieją się obie na to wspomnienie.

– Jak wyglądają tego lata róże w Gatczynie, Aleksandro? – pyta Katarzyna. – Namalowałaś jakieś?

– Te różowe. Znalazłam przepiękny krzew różany koło mostka.

Na policzku Aleksandry widać ślad w miejscu, w którym przycisnęła go do sukni babki. Żołędzie i liście dębu wyszyte złotą nicią.

– Tego drewnianego mostka przy wodospadzie?

Aleksandra milknie na chwilę, po czym kiwa głową i szepcze:

– Tak, babuniu. Właśnie tego. Jak to odgadłaś?

Kiedy Aleksandra wychodzi, Katarzyna dzwoni na Queenie.

Służąca dobrze zna jej zwyczaje, toteż przychodzi z miseczką ziarna dla ptaków i laską. Laska jest solidna, hebanowa z rączką z kości słoniowej oprawnej w srebro, wyrzeźbioną w kształcie głowy lwa.

– Styl wenecki – mówi o niej Le Noiraud tonem znawcy. Katarzyna nie zaprzecza ani nie potwierdza.

Przed otwarciem okna Queenie upiera się, że musi osłonić ramiona swojej pani grubym wełnianym szalem. Wszystko jest teraz niebezpieczne – chłód, nagły podmuch wiatru, wysiłek, nad którym kiedyś nie zastanawiałaby się ani chwili.

Caryca cierpliwie poddaje się zabiegom Queenie.

– Czy jest pani pewna, madame, że da sobie radę? – pyta, podając jej laskę. Oddech Queenie pachnie czekoladą.

– Zupełnie pewna. Otwórz okno.

Zużywamy się dopóty, dopóki nie możemy się już bardziej zużyć. Wtedy się rozpadamy.

Aleksander przychodzi w południe. Ma na sobie zielony kaftan, ostatni prezent od niej, z dwugłowymi rosyjskimi orłami wyhaftowanymi na rękawach. Jej przystojny monsieur Aleksander, jego lekki uśmiech dyskretnie sugeruje wesołość, zupełnie jak u jej ojca.

– Mam coś dla ciebie, babuniu – mruczy, muskając wargami jej policzek. Kiedy był mały, lubił go lizać, zaciekawiony smakiem jej kremów do twarzy. Migdałowy to był jego ulubiony. A może pomarańczowy?

Przeczesuje palcami gęste włosy wnuka. Przepada za ich rudawym połyskiem, ale on domaga się, by nazywać je kasztanowymi. Rudzi, podkreśla, w odróżnieniu ode mnie są impulsywni i niestali.

– Co to takiego, kochanie?

Aleksander wyjmuje z kieszeni kartkę papieru, rozkłada ją i kładzie na biurku.

– Proszę, babuniu, przeczytaj.

Katarzyna nadwyrężyła wzrok w służbie imperium. Okulary już nie wystarczają. Do przeczytania tak drobnego pisma potrzebuje lupy.

Aleksander siada na krześle obok niej. Rozsiewa woń tabaki, koni i wilgotnej skóry. Pomimo tego, co słyszała o dobroczynnym wpływie jego nowego przyjaciela, jej wnuk znów pojechał do Gatczyny.

Dla mojej siostry, ku jej rozrywce w tak wyjątkowym dniu.

Królowa Serc

Sztuka w jednym akcie

Przerywa lekturę, by zerknąć na Aleksandra. Rozłożył palce lewej dłoni i udaje, że przygląda się złotemu sygnetowi na palcu. Prawą dłoń ma zaciśniętą w pięść.

Głos młodej kobiety śpiewa za sceną:

„O czułe serce,
jakżeś okrutne,
żądasz ode mnie tak wiele…"

Wchodzi młody mężczyzna w stroju do konnej jazdy. Słysząc głos śpiewającej, mówi:

– Słyszałem, że piękne głosy zawsze towarzyszą brzydkim twarzom. Że być pięknym i pięknie śpiewać to przywilej aniołów.

Kiedy ona czyta, Aleksander odwraca twarz. Zawstydzony czy zmartwiony? Aleksandra zawsze była jego ulubioną siostrą. Pewnego razu, kiedy wbił sobie do głowy, że zamieszka na bezludnej wyspie, to tylko ją zaprosił, by mu towarzyszyła.

– Będziesz musiała rozstać się z mamą i papą. I z babunią. I ze swoim psem. Zrobisz to?

– Tak – odpowiedziała bez wahania Aleksandra. – Zrobię.

Wchodzi ubrany z przepychem starszy mężczyzna. Twarz kobiety wyraża przestrach. Mężczyzna zaciera ręce i mruczy:

– Moja Drina, moja ukochana. Muszę jej powiedzieć o swoim oddaniu.

Katarzyna szybko czyta dalej. Sztuka jest krótka, to raczej interludium niż dramat. Aleksander dobrze zna jej gusta. Bogaty zalotnik zostaje odrzucony; młoda miłość triumfuje. W scenie finałowej panna młoda, promienna i szczęśliwa, wkracza na scenę witana chórem dobrych życzeń.

– Znakomita – mówi Katarzyna i patrzy, jak nikły uśmiech zamienia się w większy, rozkwita ulgą. – Chciałbyś ją wystawić, Aleksandrze? Z okazji wesela? Gdybyś chciał, mógłbyś to zrobić sam. W Ermitażu, tak jak kiedyś.

– Nie wiem – odpowiada on.

Pomysł go jednak pociąga. Katarzyna widzi to w oczach wnuka. Już sobie wyobraża, jak wybierze odpowiednią aktorkę, o słodkim, dziewiczym wyglądzie, jak jej usta będą wypowiadać jego tekst.

– A jak ostatnio miewa się Aleksandra? – pyta wnuka.

– Jest niespokojna. Szczęśliwa. Wystraszona. I znów szczęśliwa. Konstanty jej dokucza. Kiedy Aleksandra bawi się z psem, mówi jej, że będzie cuchnęła tak jak on.

– A to psotnik!

– Nazywa króla „jej przeznaczonym". Ona mówi, że to nieprawda. I że król jest już zaręczony z księżniczką meklemburską. „To po co tu przyjeżdża?", pyta Konstanty. „I dlaczego się czerwienisz?"

Aleksander śmieje się, opowiadając o sprzeczkach między rodzeństwem.

– Przyszedłem cię strzec, babuniu – powiedział jej jako niespełna pięcioletnie dziecko. Wymachując drewnianym mieczem, wskazał na gwardzistów stojących pod jej drzwiami. – Więc możesz odesłać już ich wszystkich, proszę! Ja cię obronię!

Noga jej dokucza. Rogerson zaleca zastosowanie kolejnego plastra gorczycznego, by wywołać powstanie pęcherzy. Żeby wyciągnąć humory, wydobyć to, co ukryte. Jej skóra już jest poraniona, pokryta krwawiącymi wrzodami. Dlaczego kolejny pęcherz miałby cokolwiek pomóc? Jednak na to pytanie jej medyk nie zna odpowiedzi, toteż, jak to ma w zwyczaju, udaje, że jest nim zbulwersowany.

Aleksander spogląda na nią w zamyśleniu, zatroskanym wzrokiem. Jak dziecko w lesie, niepewne, którędy ma iść, czekające wciąż na podpowiedź. Dla dziewiętnastolatka świat pełen jest skrajności. Cicha godzina z żoną jest wystarczającym powodem, by popaść w rozpacz. Wyznania przyjaciela także mogą go martwić. Jej najstarszy wnuk, jej prawdziwy następca musi się jeszcze nauczyć, że nie każda miłość trwa wiecznie i że, koniec końców, większość przyjaźni ucieka od władców.

– Jeszcze nie skończyłaś, babuniu – mówi Aleksander, wskazując na stronę, którą Katarzyna trzyma w dłoniach, po czym odczytuje głośno ostatnie wersy:

Niech czyste pragnienie, co przepełnia jej pierś
Rośnie z dnia na dzień tak,
By zrodziła wiele owoców miłości!

– To piękne, Aleksandrze – odzywa się Katarzyna, chociaż wie, że ten utwór jest tylko pretekstem dla wizyty jej wnuka. W jego wymownym spojrzeniu kryje się prośba.

– Słyszałam, że król Szwecji to poważny młodzieniec o dobrym sercu – mówi, nadając głosowi wesołe, beztroskie brzmienie.

Aleksandra doskonale się sprawdzi w roli królowej Szwecji. Ten związek przyniesie liczne korzyści. Zapewni im ważnego sojusznika na Północy. Odwróci groźbę przyszłych wojen. Połączy Rosję ze Szwecją. Nie ma jednak potrzeby skupiać się na tym, co Aleksander już wie. Biedny chłopiec poznał już pierwsze rozczarowania małżeństwa. Słabnące pożądanie, niecierpliwość i nadmiar oczekiwań. Gorzkie łzy swojej żony.

Nadal spogląda na nią z niemą prośbą w oczach. Jej niemądry wnuk nie chce zadać pytania, z którym do niej przyszedł.

– Aleksandra nie musi wychodzić za Gustawa Adolfa, jeżeli jej się nie spodoba – Katarzyna sama odpowiada na niezadane pytanie. – Wie o tym. Odbyłyśmy na ten temat rozmowę, twoja siostra i ja, i powiedziałam jej to.

Oczy Aleksandra rozjaśniają się.

– Naprawdę, babuniu? – pyta, nie potrafiąc ukryć ulgi, jak dziecko, którym tak naprawdę jest. – Mówisz poważnie?

– Mówię poważnie.

– Wobec tego wszystko jest dobrze.

– Wszystko jest dobrze.

Najwyraźniej to chciał usłyszeć, bo składa na jej policzku zdecydowany pocałunek i wstaje. Przez chwilę opiera się na niej, jakby zapomniał, jaki jest duży.

– Pamiętasz, jak chciałeś strzec mojego pokoju, Aleksandrze? – pyta Katarzyna.

– Ciekaw jestem, co się stało z tym mieczem – odpowiada on, śmiejąc się. – Bardzo go lubiłem.

– Konstanty go złamał. Był zazdrosny.

W jej głowie pojawia się wspomnienie dziecka sztywnego z wściekłości. Krzyku, który niósł się po pałacowych korytarzach. Katarzyna odpędza to wspomnienie.

– Tak, teraz już pamiętam – odpowiada Aleksander, kręcąc głową.

A potem wychodzi.

Każdy przyrost imperium pociąga za sobą kaskadę nasilających się problemów. Poszerzające się granice nie oznaczają tylko konieczności zamówienia nowych map. Dawne prawa, które stanowią część zdobytych ziem, muszą zostać dostosowane do kodeksu rosyjskiego lub zniesione, nowe jednostki administracyjne oficjalnie uznane, nowe podatki ustanowione.

Oto, co czeka ją podczas dnia pracy: ustalić, czy wszyscy Polacy mieniący się szlachtą zasługują na ten status. Co z tymi, którzy są właścicielami połowy wioski i paru krów i nie mają żadnego pisemnego potwierdzenia swojego szlachectwa? Co z Żydami, którzy pod polskim panowaniem zachowali własne prawa i zwyczaje? Czy teraz, kiedy są rosyjskimi poddanymi, powinno się im pozwolić na osiedlenie w dowolnym miejscu imperium? Czy raczej trzymać ich w tych rejonach, gdzie ludzie są przyzwyczajeni do ich obecności?

Przy nowo utworzonej granicy Prusacy proponują wymiany. Mogą być skłonni odstąpić Warszawę w zamian za zdobycze na Północy.

– Nie słuchasz mnie. – Le Noiraud patrzy na nią z wyrzutem.

Ogród Zimowy, w którym siedzą, jest o kilka kroków od carskiego gabinetu. W sierpniu nie ma tego uroku, który roztacza zimą, jako ucieczka od zamarzniętego świata na zewnątrz. Niemniej strumyczek szemrze radośnie i wije się wśród wawrzynów i mirtu, wśród krzewów, w których gnieżdżą się przepiórki. Są tu też małpy i króliki, i białe świnki morskie – niektóre są uwiązane, inne biegają wolno.

Ptaki fruwają swobodnie po jej rajskim ogrodzie, dziobią ziarna rozsypane dla nich wśród kwiatów. Tylko te duże są na uwięzi. Orzeł, bocian i żuraw. Teraz, latem, Katarzyna pozwala zabierać je na zewnątrz, na otwartą przestrzeń przykrytą siatką o drobnych oczkach, tak by nie mogły odlecieć.

– O czym myślisz? – pyta Le Noiraud z lekkim rozdrażnieniem.

– O naszych gościach ze Szwecji.

Gustaw Adolf i jego wuj wyprawili się poza obręb szwedzkiej misji, tylko we dwóch, przebrani za zwykłych kupców. Według ostatniego sprawozdania Biezborodki regent nazwał Sankt Petersburg nędzną imitacją stolic europejskich.

– Czy zwróciłeś uwagę – powiedział do króla – że podróżnicy, którzy powinni opiewać piękno rosyjskich pałaców, zawsze wymieniają, ile jest w nich korytarzy, pokojów i klatek schodowych? Jakby zostali wynajęci, żeby je wysprzątać!

Młody król, niech Bóg ma go w swojej opiece, odpowiedział, że nie lubi wyrabiać sobie opinii na podstawie wrażeń innych osób. I że chciałby dowiedzieć się więcej o rosyjskich obyczajach.

To mniej więcej mówi Katarzyna swemu kochankowi, choć nie wspomina, rzecz jasna, o Biezborodce. Ale i to niewiele pomaga.

Nietrudno prześledzić drogi, jakimi przemierzają myśli Le Noirauda. Podążyć zawiłym szlakiem zazdrości i niepewności, które każą mu zapytać:

– Czy to znów Biezborodko? Opowiada ci o mnie jakieś kłamstwa?

Jego palce szarpią za haftowany brzeg kamizelki, rozluźniając złotą nić. Le Noiraud kuli ramiona, jakby chciał się osłonić. Subtelny gest, ale Katarzyna zawsze go zauważa.

Le Noiraud, jej przystojny, posępny sokół. Jego twarz jest taka spokojna, taka patrycjuszowska, z tym jego wysokim czołem i rzymskim nosem. Biała skóra, oczy wciąż pełne zamyślonej słodyczy, choć teraz widzi w nich niepokój. Większość ludzi jest taka brzydka. Zwłaszcza mężczyźni. Przysadziści, ze skórą jak u cebuli i złuszczonym naskórkiem w jej fałdach. Z kępkami włosów wystającymi z uszu.

– Nikt nie opowiada mi o tobie kłamstw – odpowiada Katarzyna, wiedząc, że słowa rzadko przynoszą mu spokój.

Le Noiraud marszczy czoło. Jego ręka przykrywa jej dłoń, palce przyciskają ją mocno. Dręczy go zazdrość. Fantastyczne domysły, które kiedyś by jej pochlebiały.

– Co teraz opowiada ci o mnie pan Ósmy Cud Świata? – nalega Le Noiraud łamiącym się, żałosnym głosem.

– Że darzy cię najszczerszym i najgłębszym szacunkiem.

Od lat już ci dwaj prowadzą ze sobą subtelną grę afrontów. Zbyt lekki ukłon, zauważony drwiący uśmiech, mrugnięcie okiem. Dyskretny odwrót, by nie znaleźć się w pobliżu rywala. Żadnemu z nich nie można zarzucić nic konkretnego.

– Darzę Jego Wysokość najszczerszym i najgłębszym szacunkiem – powtarza niezmiennie Biezborodko za każdym razem, kiedy Katarzyna porusza ten temat.

– Hipokryta!

Płaton wciąż jest przekonany, że to intrygi jej ministra sprawiły, że nie pozwoliła mu walczyć w polskiej kampanii, choć tyle razy zapewniała go, że było inaczej. Że chciała, by był bezpieczny, przy niej.

Katarzyna wzdycha. Nie chce lekceważyć obaw Le Noirauda, ale inne kwestie bardziej ją martwią. Na przykład uwaga Wiszki, że żona Konstantego, Anna Fiodorowna, spędza zdecydowanie zbyt dużo czasu z żoną Aleksandra. Może Anna Fiodorowna czuje się samotna. W ciągu kilku miesięcy zmieniła religię, kraj i rodzinę. Jej matka i siostry wyjechały do Coburga, i być może nigdy już ich nie zobaczy. Można zrozumieć samotność. I konsekwencje zbytniego odosobnienia, niepewność, która zwielokrotnia szepty i sprawia, że wszystkie zdają się dotyczyć tylko twoich własnych niedociągnięć. Niemniej – jeśli będzie się to utrzymywać – trzeba będzie powiedzieć Aleksandrowi, że takie zachowanie nie wpływa dobrze na jego młodą żonę. Anna zostanie – pewnego dnia – cesarzową Rosji. Musi dawać dobry przykład wszystkim wielkim księżnym.

– Wszystko w porządku, Katinko? – szepcze Le Noiraud.

Obsypuje jej dłoń pocałunkami, które niegdyś oblewały żarem jej policzki i szyję, teraz jednak tylko łaskoczą. Oto, czego on pragnie najbardziej. Upojenia swoją władzą nad jej ciałem, zapłatą za jej rozkosz.

Jej kochanek jest jeszcze taki młody. W wieku lat dwudziestu siedmiu człowiek nie rozumie, że pożądanie przemija. Nie poznał jeszcze starości, która smakuje popiołem.

Wokół nich trzepoczą motyle. Niektóre z nich są wielkości kwiatu róży. Mają na skrzydłach niezwykłe wzory. Karmią się kawałkami słodkiego melona, które służący podają na talerzach.

Katarzyna nie chce, żeby on cierpiał. Wszystko jest jak najlepiej. Nikt go nie zastąpi. Nikt by nie potrafił.

Trudno powiedzieć, co bardziej ją wzrusza. Zuchwała swawolność jego dotyku? Bezruch jego głowy na jej kolanach, zrezygnowanej, bezbronnej, oddanej jej bez reszty? Będzie bił się w piersi, nałoży cierniową koronę. W swojej komnacie trzyma naoliwiony pistolet, gotowy do strzału.

– Jeśli rozkażesz mi odejść, palnę sobie w łeb – zaklina się.

– Pamiętasz, jak pokazywałeś dzieciom na łące swoje sztuczki karciane? – pyta Katarzyna. – Nigdy nie widziałam, żeby Konstanty był tak czymś oczarowany. I nie on jeden!

Iskierka nadziei w jego czarnych oczach mówi jej, że wygrała.

Cała trójka dyga. Załamują ręce. Aleksandra, która weszła pierwsza, ma przekrwione oczy i spuchnięty, czerwony nos. Jej siostry, dwunastoletnia Helena i dziesięcioletnia Maria, podążają tuż za nią.

Aleksandra zaczyna opowieść. Były na spacerze w ogrodzie. Jej pies gonił królika. Zawołała za nim. Bolik, Bolik!

Nie usłyszał jej.

Nie zawrócił.

Nie wrócił na noc do domu, jak zapowiadał ogrodnik.

– Szukałyśmy wszędzie – dodaje Helena z nutą ponurej satysfakcji.

To dziecko rozkoszuje się złymi wiadomościami, jakby nieszczęścia dowodziły prawdziwości jakiegoś głębokiego przekonania, którego nie potrafi ujawnić w żaden inny sposób. Maria przytakuje z pełnym powagi wigorem; na policzku ma smugę sadzy.

– Wołałam i wołałam, babuniu – powtarza Aleksandra. – Ale Bolik nie wrócił.

Trzy pary oczu są teraz utkwione w niej. Jest carycą. Może wszystko naprawić, rozesłać służących, żeby szukali ukochanego psa. Kilka lat wcześniej jej wnuczęta były gotowe uwierzyć, że Katarzyna ma latający dywan i czapkę niewidkę, które pozwalają jej być wszędzie i słyszeć wszystko, co się mówi.

Bolik to biały bolończyk. Jego sierść jest masą wełnistych białych kędziorków. Bystry mały piesek, który nigdy nie sprawiał kłopotów. Dlaczego miałby nagle czmychnąć i nie wrócić?

Ogrodnik, donoszą jej wnuczki, widział Bolika przy bramie. Próbował przyprzeć go do muru, ale piesek był zbyt szybki.

– Jakby gonił go sam diabeł – Helena powtarza słowa ogrodnika powoli, ważąc ich znaczenie.

W zeszłym roku, po tym jak zmarła ich siostrzyczka Olga, Helena zaczęła domagać się opowieści o duchach i czarownicach. Niemądre służące uczyniły zadość jej prośbie, opowiadając o czarnych kotłach, w których warzą się trucizny, i o bladych widmach, które nocami nawiedzają puste pałacowe korytarze.

– Opętana – mówiły o Oldze, która przed śmiercią nie mogła przestać jeść. – Jakby jej żołądek zamienił się w dziurę bez dna.

– Bolik zawsze przybiegał do mnie, kiedy tylko wołałam – przypomina Aleksandra.

– Znajdziemy go – mówi Katarzyna i obiecuje wysłać po niego ekipę ratunkową.

Ostrzega Aleksandrę, że czerwone oczy nie będą się ładnie prezentować na balu w Ermitażu, który zaplanowała na jutro.

Nie wspomina o królu Szwecji.

Aleksandra ciągnie się za warkocze; kapryśny, nerwowy gest, który burzy jej naturalny spokój. Helena kreśli stopą kółko, obrysowując wzory na mozaikowej podłodze. Maria wkłada palec do nosa. Wszystkie trzy się garbią, a studiując ich wygląd, Katarzyna zauważa poplamione mankiety, dłonie uwalane atramentem, obgryzione paznokcie. Oto, jakie rezultaty daje zaufanie ich matce i guwernantkom, że wychowają je, jak należy.

Nie wtrącała się w wychowanie swoich wnuczek. Chłopcy byli wystarczająco dużym obowiązkiem. Jej synowa powinna sobie poradzić z dziewczynkami. Teraz jednak Katarzyna żałuje, że nie była czujniejsza. Żona Pawła jest zbyt pobłażliwa, zbyt wiele zaufania pokłada w ich dobrych skłonnościach.

– Kiedy ja byłam dziewczynką – mówi Katarzyna do wnuczek – nie wolno mi było się garbić. Ani dłubać w nosie jak dojarka.

Maria chowa ręce za sobą. Jest krzepkim dzieckiem, silniejszym niż jej siostry. Buzię ma rumianą, jakby całe dnie spędzała na wałęsaniu się po ogrodzie niczym wieśniaczka. Helena prostuje się natychmiast i wygładza śliczną sukienkę z indyjskiego muślinu z haftowanym brzegiem, żółtą jak jaskier. Znacznie ładniejszą niż różowa suknia Aleksandry.

– Proszę, babuniu – udaje się wymówić Aleksandrze, zanim jej głos załamie się i przejdzie w szloch.

– Cicho, kochanie – mówi Katarzyna. – Wystarczy tych łez.

W duchu przeklina Bolika, niewdzięczne stworzenie. Myśli o dzikich psach, włóczących się po nabrzeżu. Pałacowe pieski nie potrafią sobie radzić z ulicznymi kundlami. Bolik może już być tylko zakrwawionym skrawkiem białego futra, ogryzioną kością.

Katarzyna dzwoni na Zotowa i każe mu zacząć szukać psa. Pokojowiec z powagą kiwa głową, kiedy Helena i Maria wyliczają szczegółowo okoliczności ucieczki. Tylko Aleksandra milczy.

– Obiecuję – cichy, kompetentny głos Zotowa dźwięczy w powietrzu, gdy pokojowiec odprowadza dziewczęta na zewnątrz. – Znajdziemy go.

Po wyjściu dziewczynek Katarzynie trudno jest skoncentrować się na pracy. Skąd to się bierze, ten niedziecięcy smutek w oczach Aleksandry? Ten upór, by osobiście wręczać pielgrzymom jałmużnę, nie zważając na ich brudne ręce pokryte wrzodami, na smród łachmanów owijających ich gnijące stopy? Przekonanie, że jeśli opuści poranne pacierze, to zdarzy się jakieś nieszczęście?

– Robisz tak, bo jesteś głupia – powiedział kiedyś Konstanty, a Aleksandra odparła na to:

– Na świecie potrzeba też i głupich ludzi.

Nawet zamknięte okna Pałacu Zimowego nie potrafią wyciszyć okrzyków i wrzasków, odgłosów miasta. Psy szczekają, handlarze zachwalają swoje towary. W Sankt Petersburgu nigdy nie jest się daleko od tłumu. Ulica Milionowa zapycha się służącymi i pochlebcami. Powozy grzęzną w błocie, woźnice przeklinają nawzajem swoją gapowatość i niezdarność. Konie, spłoszone nagłymi ruchami, gryzą i kopią. To miasto nigdy nie jest spokojne i nigdy nie cichnie.

Obok niej doktor Rogerson omawia swój ulubiony temat.

– Z natury, Wasza Wysokość, kobiety są znacznie bardziej kochliwe niż mężczyźni. Uściski małżeńskie dają im więcej przyjemności. Taka jest budowa kobiecego ciała. Oznaka sił witalnych, działania zwierzęcego magnetyzmu.

Społeczeństwo, dodaje, przeważnie nie bierze pod uwagę tej obfitości kobiecej energii.

Katarzyna przygotowuje się na wykład. Mężczyźni lubią pouczać ją, jak zaradzić wszelkim problemom. Jeszcze jeden carski ukaz, Wasza Wysokość! Kilka stanowczych rozkazów! Mądrzejsi od Rogersona wierzą, że rządzenie narodem jest proste i sprowadza się do napisania kilku zdań naszpikowanych wykrzyknikami.

Rogerson jest dziś jednak w pokorniejszym nastroju, pragnie informować, nie zaś oferować rozwiązania.

Opowiada jej o elektryczności statycznej, którą nazywa „jeszcze jednym dowodem na istnienie życiowej siły witalnej". Opisuje eksperyment, podczas którego palec pewnej kobiety wysyłał kłujące iskierki, którym towarzyszył trzaskający odgłos.

Wykłady jej doktora służą Katarzynie znacznie lepiej niż jego mikstury i puszczanie krwi. Żeby się do nich przygotować, Rogerson ślęczy nad książkami w cesarskiej bibliotece i koresponduje z angielskimi medykami. Pod tym względem dobrze sobie radzi. Wie, że caryca ocenia rozmowy na podstawie ilości informacji, które z nich uzyskuje. Na ciekawość nie ma lekarstwa, jak lubi mawiać.

– To okropne marnotrawstwo – Rogerson kręci głową, podając medyczne przykłady szkód spowodowanych przez tłumienie tego, co naturalne. Zablokowane przewody sił życiowych wywołują erupcję czyraków. Zmniejszają wydajność w innych dziedzinach. Zaburzają sen, prowadzą do suchości w ustach oraz passages intimes. To, co niewykorzystywane, albo obumiera, albo ulega podrażnieniu. Z jednego i drugiego wynikają ostatecznie wielkie nieszczęścia.

Rogerson spogląda w górę, szukając spojrzenia carycy, podczas gdy jego dłonie zajęte są jej chorą nogą.

Wrzody nie chcą się goić. Brzegi ran robią się czerwone i wydzielają żółtawą ropę. Opatrunki trzeba zmieniać codziennie. Opuchlizna nigdy nie schodzi. Czy to dlatego pojawia się niecierpliwość? Potrzeba wytknięcia ograniczeń wiedzy medycznej?

– Dlaczego ważę coraz więcej? – Katarzyna przerywa zadumę Rogersona. – Nigdy wiele nie jadłam. I nie piłam nic ponad to, co pan mi zalecał, monsieur. Jakie procesy zachodzą w głębi mojego ciała?

Podbródek doktora Rogersona nosi ślady tępej brzytwy lub nieuważnego balwierza. Wiszka donosi, że doktor wysyła pieniądze do Szkocji. Jego kuzyn ze strony matki szuka tam majątku. Kilka lat temu Katarzyna myślała, że z Rogersona byłby całkiem niezły mąż dla Queenie. Dopóki Biezborodko nie wskazał jej zdania w liście medyka do przyjaciela w Edynburgu: „Caryca pragnie, abym starał się o rękę kobiety, która wyraźnie nie jest tym zainteresowana".

Rogerson uważa, że winowajcą jest tlen.

– Chemia pneumatyczna, Wasza Wysokość – odpowiada. – Drogi oddechowe zbierają tlen z organizmu i łączą go z węglem z pokarmów.

Zazwyczaj węgiel powinien być wydalany, ale w niektórych organizmach proces ten zostaje zakłócony. Lekarstwem na to jest wprowadzenie do organizmu większej ilości tlenu.

– Jak? – pyta Katarzyna.

– Poprzez wdychanie specjalnie uzdatnionego powietrza, madame.

– Dlaczego miałabym panu wierzyć?

– To mądre pytanie, Wasza Wysokość. Wasza Wysokość wie więcej niż ja o słabościach ludzkiego umysłu.

Rogerson to mądry dworzanin. Nie każe jej wierzyć w swoje teorie. Twierdzi, że ma do tego naukowe podejście: Póki nie zostanie dowiedzione, że jest inaczej, będę przyjmował to założenie za prawdopodobne.

Rogerson nieśpiesznie rozpakowuje swój kuferek. Lancet do przecięcia żyły na jej nodze, miseczka na krew. Rozkłada je starannie na czystej lnianej serwetce, pilnując, żeby lancet leżał dokładnie tak, jak powinien. I medycyna ucieka się czasem do magicznych sztuczek.

Abrakadabra?

Ludzkość lubi się oszukiwać?

– Czy można, madame? – pyta medyk, po czym zdejmuje jej pantofle i uważnie przygląda się palcom u nóg. Jeden z nich zwraca jego szczególną uwagę. Rogerson wyławia z kuferka lupę.

– Leczenie specjalnie uzdatnionym powietrzem – Katarzyna wraca do przerwanej rozmowy. – Jak się to osiąga?

Ze wzrokiem nadal wbitym w jej palec, Rogerson opisuje komorę, do której pompuje się lub z której wypompowuje powietrze za pomocą miechów zapewniających wzrost bądź spadek ciśnienia. Zgodnie z prawem Boyle'a, kiedy ciśnienie wzrasta, zmniejsza się objętość gazu. Przypomina jej eksperyment, który kiedyś widziała: tykający zegar umieszczony w szklanym cylindrze. Po wypompowaniu powietrza z cylindra ruch wskazówek widać, ale go nie słychać.

– To doktor Beddos, madame – mówi, odkładając wreszcie lupę – proponuje tę angielską terapię.

Katarzyna słucha z uwagą. Elastyczne właściwości powietrza zawsze ją intrygowały. Materia, którą można kształtować, urabiać.

– Ale czy to nie byłoby niebezpieczne? – pyta, przypominając sobie pokazowe doświadczenie, które przeprowadził kiedyś preceptor jej wnuków. – Widziałam, jak szybko próżnia doprowadza do śmierci gołębia.

Doktor Beddos, zapewnia ją nadworny medyk, nie tworzy w swoich komorach próżni, lecz tylko zmienia ciśnienie powietrza. Kiedy jednak Katarzyna pyta z całą powagą:

– Czy wobec tego powinnam spróbować? Czy mam sprowadzić tu doktora Beddosa? – Rogerson radzi jej, by nie marnowała pieniędzy i cennego czasu.

– Doktor Beddos, madame – mówi – jest tak niebywale gruby, że nazywają go chodzącym piernatem.

Lancet ma rzeźbioną rączkę z kości słoniowej.

Doktor posługuje się nim tak sprawnie, że Katarzyna nie zauważa momentu, w którym ostrze lancetu rozcina jej skórę.

– Tylko dwie uncje, madame – mówi Rogerson. – Umiar to najlepsza taktyka.

Dopiero kiedy bandażuje jej nogę, Katarzyna pyta:

– Utraciłam wszelką przyjemność płynącą z pożądania. Czy da się ją przywrócić?

Rogerson marszczy brwi.

– Czy stało się to niedawno, madame?

Chwila wymaga otworzenia przed nim serca. Przyznania się do kolejnej straty. Trudniejszej do zniesienia, niż Katarzyna kiedykolwiek przypuszczała. Nie stało się to niedawno. Były przypływy i odpływy. Teraz jednak i to się skończyło, a ona zwiędła tam, w środku, obumarła. Czuje się tak, jakby jakaś nieostrożna służąca zbyt mocno wyszorowała jej skórę popiołem. Nic nie jest w stanie przywołać dawnych słodkich rozkoszy. Nawet w Carskim Siole, w pokojach miłości, które wyposażyła tak starannie, ciało stawia jej opór. Nimfy i satyry mogą się parzyć, ile zapragną. Rzeźby można otwierać, ujawniając ich sekretne namiętności. Książki mogą opisywać przypływy żądzy, w niej jednak nie wzbudza to niczego z wyjątkiem wspomnień o tym, co było kiedyś.

– Dlaczego? – pyta swojego medyka.

Ale Rogerson nigdy nie daje zadowalających odpowiedzi. Potrafi mówić tylko o tym, że jej łono się kurczy, o tym, że jeden humor wzmacnia się kosztem innego.

Spośród swoich licznych środków tonizujących wybiera trzy buteleczki z białymi etykietami: „Teriac Farook". „Tribulus Terrestris". „Ekstrakt z Imbiru i Epimedium".

Ma pić po trzydzieści kropli każdego, z wodą, trzy razy dziennie.

Jeśli to nie przyniesie efektów, otrzyma świeży zapas salepu, wzmacniającej marmolady z korzenia storczyka. I cukierki z mikołajkiem, które doktor przywiózł z ostatniej podróży do domu.

– Wiadomo coś o Boliku? – pyta Katarzyna Queenie.

– Ani widu, ani słychu.

Queenie podchodzi do okna, żeby przewietrzyć pokój po wizycie medyka. Podejrzliwie przygląda się buteleczkom, które Rogerson ustawił od najwyższej do najniższej. Samo ich wąchanie, twierdzi służąca, przyprawia ją o ból głowy.

– Czy Aleksandra ciągle płacze?

– Bez przerwy. Nos czerwony. Oczy spuchnięte. Paznokcie obgryzione.

Nie są to dobre wiadomości. Nie teraz, kiedy jej wnuczka musi wyglądać jak najlepiej.

Aleksandra jest ulubienicą Queenie, toteż to, co służąca mówi teraz, jest tym bardziej niepokojące:

– Kochana dziecinka znów pytała mnie o Ksenię.

Błogosławiona Ksenia jest bohaterką wielu opowieści, starych i nowych. Nagła śmierć lekkomyślnego męża, który nie miał czasu na przedśmiertną skruchę, sprawia, że młoda żona przywdziewa jego preobrażeński płaszcz, zielony ze szkarłatnymi wyłogami, i rozdaje całą swoją ziemską majętność, by wędrować ulicami Sankt Petersburga, pokutując za jego grzechy. Teraz Ksenia jest już staruszką, ma długie siwe włosy i chodzi boso czy to lato, czy zima przez śniegi i błota, ulice i pola, nie zważając na ostre kamienie ani rżyska. Kiedy Ksenia każe ludziom wracać do domu i smażyć bliny, ktoś w rodzinie umrze. Ksenia czyni cuda. Matki chodzą za nią i proszą, by pobłogosławiła ich dzieci.

– Błogosławiona Ksenia widzi przyszłość – upiera się Aleksandra.

Dla Aleksandry błogosławiona Ksenia to temat zakazany. Nie zawsze tak było, teraz jednak jest, po nazbyt licznych prośbach o pozwolenie na spotkanie się z obłąkaną. Niektóre dusze trzeba chronić przed nimi samymi. Dla ich własnego dobra.

– Młody umysł, Wasza Wysokość, łatwo ulega wpływom – pociesza ją Queenie. – Wkrótce zajmą ją inne troski.

W jej głosie brzmi jednak wątpliwość. Queenie jest na dworze zbyt długo, by lekceważyć zagrożenia niewinności. Czy pragnienie świętości, które wiedzie do wyrzeczeń. W rzeczy samej, niebezpieczniejsze niż inne, bo umocnione wiarą.

Nietrudno zrozumieć, dlaczego Aleksandrę urzekła historia Kseni. Wnuczka boi się nagłej śmierci. Gromu z jasnego nieba. Nieoczekiwanego wezwania na tamten świat. Zdania rachunku ze swojego życia. Wytłumaczenia się ze wszystkich swoich uczynków.

Wezwania, które otrzymała jej biedna siostra, Olga.

U tak młodej osoby ból i strach głęboko zapuszczają korzenie. Zwłaszcza jeśli jej spowiednik nie robi nic, by je złagodzić. Kiedy ja byłam w wieku Aleksandry, myśli Katarzyna, to ekscytowało mnie życie, a nie świątobliwe umartwienia. Moje lęki nie dotyczyły wieczności, tylko tego świata.

Zofia Anhalt-Zerbst nie urodziła się wielką księżną Wszechrusi. Zofia Anhalt-Zerbst mogła dokonać żywota w lodowatej wieży jakiegoś prowincjonalnego zamku, władając polami kapusty i stadami bydła.

Nic nieznacząca, zapomniana.

Sama.

Na jej prośbę to Le Noiraud, przepasany granatową wstęgą Orderu Orła Białego, eskortuje szwedzkich gości do Diamentowej Komnaty. Jesteś teraz zadowolony?, myśli Katarzyna, patrząc, jak spojrzenie Płatona biegnie ku gablotom, w których na czerwonym aksamicie lśnią klejnoty koronne. Dyskretna wskazówka dla gości, żeby i oni rzucili na nie okiem. Czego jednak nie robią.

Siedemnastoletni król Szwecji jest w istocie niezwykle przystojny, gładką, świeżą urodą młodych. Wysoki, pełen wdzięku, o jasnej pociągłej twarzy, z długimi włosami opadającymi na ramiona, odziany w czarny aksamit, zbliża się do niej z wyjątkową godnością.

– Drogi hrabio! Wszyscy witamy pana w Rosji!

Katarzyna nazywa go hrabią, bo Gustaw Adolf IV, król Szwecji, podróżuje incognito. Podczas wyprawy do Rosji król nazywa się hrabią Hagi. Wuj, który stoi tuż obok niego i ledwo sięga bratankowi do ramienia – regent do czasu osiągnięcia przez króla pełnoletniości – wybrał dla siebie nazwisko hrabiego Wazy.

Katarzyna siedzi na pozłacanym fotelu, ozdobionym rzeźbami dwugłowych orłów. Jest uróżowana i upudrowana, odziana w złotogłów, skrzy się od drogich kamieni. Jej suknia jest ciężka i sztywna niczym zbroja. Kropelki potu zbierają się na plecach carycy, by strumyczkiem spłynąć wzdłuż kręgosłupa. Jest wczesne popołudnie, upalne pomimo otwartych okien i wietrzyku znad Newy.

Caryca rozkazała Płatonowi przyprowadzić tu szwedzkich gości przez Loggie Rafaela. Ta galeria to arcydzieło Quarenghiego, ale według jej pomysłu, zainspirowanego Biblią Rafaela w Pałacu Watykańskim. Freski przedstawiające sceny od stworzenia świata aż do Ostatniej Wieczerzy, obramowane stiukami, wśród mnóstwa kwiatów, owoców i ptactwa, zwą szkołą malarstwa dla całej Europy. Sceny przepojone są błogim spokojem. Rafael, podobnie jak ona, cenił sobie szczęśliwe zakończenia. Tylko obraz Ostatniej Wieczerzy przywodzi na myśl śmierć i zmartwychwstanie.

Goście przeszli też przez bibliotekę Ermitażu, której ściany pokryte są portretami Romanowów. Płaton miał dopilnować, by król zatrzymał się przed podobizną siedmioletniej Aleksandry, ubranej w rosyjski kokosznik i wyglądającej wyjątkowo słodko i dziewiczo.

– Wasza Cesarska Wysokość! – Para płomiennych brązowych oczu podnosi się, by napotkać jej spojrzenie. Gustaw Adolf schyla się, by ucałować jej dłoń.

– Nie mogę na to pozwolić – mówi Katarzyna z uśmiechem. – Nie potrafię zapomnieć, że hrabia Hagi jest królem.

Król znów skłania się ze swobodnym wdziękiem.

– Skoro Wasza Wysokość nie chce zezwolić mi na ucałowanie jej cesarskiej dłoni, niech będzie mi przynajmniej wolno uczynić to wobec damy, której winienem tyle szacunku i podziwu.

Mówi doskonałą, elegancką francuszczyzną. Przyjemność płynąca ze znalezienia się w obecności władczyni Rosji to zaszczyt, który będzie długo wspominał. Kryterium, którym będzie odtąd mierzył wszystkie przyszłe zaszczyty i niewątpliwie uzna je za niewystarczające.

Słońce wlewa się przez rozsunięte zasłony, rozjaśnia kunsztowne wzory na mozaikowej podłodze, odbija się od pozłacanych wazonów na marmurowej półce nad kominkiem.

Dłonie króla są białe i bardzo miękkie. Czy potrafiłby utrzymać konia na wodzy? Powściągnąć go, by nie poniósł?

Po chwili wahania Le Noiraud wypina pierś i staje tuż obok niej. Król i regent nie zwracają już na niego uwagi, co będzie wystarczającym powodem do dąsów.

Król nie wspomina o Bogu ani przeznaczeniu, ale – to skromność czy ostrożność? – nie pyta również o Aleksandrę. Zamiast tego przywołuje pochwały Pałacu Zimowego, jakie słyszał z ust swego nieżyjącego ojca. Jednak żadne opisy nie są w stanie dorównać temu, co właśnie miał przywilej oglądać własnymi oczyma. Zwrócił uwagę na Loggie Rafaela.

– Cóż to musi być za przyjemność – wykrzykuje – posiadać to, co chciwy Watykan uważa za swój wyłączny skarb.– Regent kiwa głową, wtórując zachwytom bratanka. Pulchny i ciastowaty, myśli o nim Katarzyna, jak niedopieczona bułka. – Szczególnie wybór tematów – ciągnie dalej król. – Co za rozkosz patrzeć na sztukę, która angażuje umysł ludzki tak głęboko w piękno duchowych przemian!

Słowom tym towarzyszy szczere, poważne spojrzenie. Ten człowiek nie będzie się płaszczył. Ani drażnił jej bezustannymi pochlebstwami.

Zza drzwi Diamentowej Komnaty dobiegają niecierpliwe odgłosy dworu, który czeka na gości. Głosy wznoszą się i opadają, uciszane, by za chwilę zabrzmieć szmerem udawanej obojętności. Przed przejściem do sali bankietowej Katarzyna wskazuje na gabloty i na ogromny rubin w swoim berle.

– Wielkości kurzego jaja – mówi z figlarnym uśmiechem. – Wspominam o tym wyłącznie dlatego, że nieżyjący ojciec Waszej Wysokości podarował mi go podczas swojej ostatniej wizyty. Nie miał jeszcze wtedy syna, a ja nie miałam wnuczek, niemniej jego życzeniem było już wówczas, by nasze rody zostały pewnego dnia połączone.– Czyżby dostrzegła rumieniec na policzkach Gustawa Adolfa? – Zanim jednak przejdziemy dalej, muszę coś wyznać – kontynuuje caryca. – Mojej najstarszej wnuczce, Aleksandrze, przydarzyło się nieszczęście: straciła ukochanego pieska. Musi więc pan jej wybaczyć, jeżeli będzie sprawiać wrażenie nieobecnej i smutnej. To nie z pańskiego powodu, chociaż obawiam się, że mógł pan nieświadomie stać się przyczyną tego niefortunnego zdarzenia.

– Ja, Wasza Wysokość?

– Moja wnuczka obwinia się o to, że pozwoliła pieskowi uciec. Jej myśli były nazbyt zaprzątnięte dzisiejszym balem, który, jak pan wie, wydajemy na pańską cześć. Biedne dziecko płakało cały dzień.

– Oznaka czułego serca – odpowiada król.

Caryca klaszcze w dłonie i drzwi Diamentowej Komnaty otwierają się na oścież. Zwraca się ku królowi, który momentalnie staje u jej boku, zmuszając Płatona, żeby się odsunął. Katarzyna opiera się na ramieniu Gustawa Adolfa i wstaje. Jej kroki są niespieszne, ale celowe; ignoruje ból.

Płaton zerka na siebie w oprawnym w srebro lustrze. Ukradkiem, jakby potrzebował potwierdzenia, że nadal tutaj jest.

W sali audiencyjnej czekają dworzanie. Kiedy Katarzyna ich mija, wszystkie oczy skierowane są na nią, szacują ilość jej uwagi, miarę tego, jak daleko zaszli lub jak nisko upadli. Czy zasłużyli na pełne przywitanie? Lekkie skinienie głowy? Czy zaledwie pocieszający uśmiech? Kiedy caryca już przejdzie, będą się potrącać, odpychać tych, co przegrali, zabierać drogocenne cale ich przestrzeni, wypatrując czujnie tych, którzy mogliby chcieć ich podsiąść.

Zaczyna się lśniąca przepychem parada. Jej liczna rodzina, ustawiona w rzędzie. Syn: Paweł z nosem mopsa, w swoim preobrażeńskim mundurze, stoi sztywno na baczność. Synowa: Maria Fiodorowna o płaskiej twarzy i szerokim siedzeniu, nadal osłabiona po ostatniej ciąży, wsparta na ramieniu Pawła. Mniejsza o nich. Uroda mogła ominąć jedno pokolenie, ale niewątpliwie upodobała sobie jej wnuki. Po prawicy rodziców stoi chwacki Aleksander ze swoją Elżbietą. Po lewicy – Konstanty ze swoją Anną. Za nimi nowy przyjaciel Aleksandra, książę Adam, w haftowanej kurtce barwy dojrzałych śliwek. To o nim Biezborodko mówi, że jest „nieco zbyt poważny". Jakby czytanie i rozmawianie z Aleksandrem o książkach można było uznać za wadę.

A dziewczęta! Trzy wnuczki stoją obok siebie, a ich świeże twarzyczki wyglądają niczym wiosenna jutrzenka. Aleksandra znajduje się pośrodku. Jej czoło zdobi wieniec z róż. Na piersi ma przypięty portret babki, którego rama lśni od diamentów. Biały muślin jej spodniej sukni ożywia wspaniała różowa suknia, wykończona złotą koronką. Dłonie ma złożone na piersi, oczy spuszczone. Dziewicza królewna elf, oczekująca swego przeznaczenia.

Król skłania się zamaszyście przed wielką księżną. Nie potrafi oderwać od niej wzroku. Luiza Meklemburska nie będzie już długo zaręczona.

Aleksandra leciutko unosi podbródek. Jej szybkie, ukradkowe spojrzenie spotyka się z zachęcającym uśmiechem. Król mówi coś do Aleksandry, po czym milknie, by wysłuchać jej odpowiedzi. Powinien przejść dalej, ale tego nie robi, zadaje więcej pytań. Odpowiedzi Aleksandry muszą mu się podobać, bo nawet nie próbuje od niej odejść. Ostatecznie Aleksander interweniuje, wskazując na rząd dworzan, czekających, aż zostaną przedstawieni, zwłaszcza nadgorliwa jak zwykle madame Lebrun, która przepycha się do przodu. Król kłania się jeszcze raz i składa ręce, błagając o wybaczenie. Aleksandra uśmiecha się i kiwa główką, wyrażając zrozumienie dla królewskich obowiązków.

Urok skromności jest równie potężny jak błyskotliwy dowcip.

– Jest już nasz – szepcze Katarzyna z triumfem do ucha Le Noiraudowi, kiedy ten prowadzi ją ku wygodnej otomanie, z której będzie obserwowała rozwój wieczoru. – Już stracił dla niej głowę.

Kiedy poprosiła Aleksandra, by pełnił obowiązki gospodarza, jej syn skrzywił się, jakby ukłuła go szpilka, którą szwaczka zostawiła niechcący w fałdach jego koszuli.

– Czy papie nie będzie wtedy bardzo nieprzyjemnie? – zapytał.

Lecz teraz Aleksander jest absolutnie czarujący, z Elżbietą u boku, jaśniejącą w satynowej sukni koloru kości słoniowej. Suknia jest jednak zbyt mocno zasznurowana. Elżbieta powinna myśleć o macierzyństwie, a nie próżności. Która jest równie złym znakiem jak przesadna melancholia, wyrażana w jej listach do domu: „Każdy smutek jest jak kropla atramentu, która wpada do szklanki z wodą i zmienia to, co kiedyś było przejrzyste, w brudną szarość".

Gustaw Adolf płynnie przemieszcza się od jednej grupki dworzan do drugiej. Ze swojego punktu obserwacyjnego Katarzyna śledzi jego ukłony, jego eleganckie kroki. W jego gestach nie ma nieśmiałości ani wahania. Nago musi przypominać masywną marmurową rzeźbę. Z lekkim ukłuciem żalu Katarzyna musi przyznać, że nawet Aleksander i Konstanty, jej dwaj postawni wnukowie, bledną przy tym młodzieńcu.

Odziany w czarny aksamit ambasador Prus zbliża się, by złożyć cesarzowej uszanowanie i – niewątpliwie – wybadać jej najnowsze przemyślenia na temat traktatu rozbiorowego Polski, w czym Katarzyna nie zamierza mu pomagać: Prusacy zawsze chcą więcej, niż im się należy. Okazuje się jednak, że ambasador podszedł po prostu, by wyrazić swój podziw dla wdzięków jej wnuczki.

– Wielkiej księżnej Aleksandrze – wzdycha – udało się zabłysnąć nawet w takim morzu piękna.

Płaton siedzi obok niej w milczeniu, bawiąc się wstęgą na piersi. Mars przecina jego idealnie wyrzeźbione czoło. Le Noiraud czuje się dotknięty, ponieważ ambasador Prus zwrócił się do niego per „mon prince" – zniewaga, której nigdy nie zapomni ani nie wybaczy. Książę Zubow nie zasługuje, zdaniem ambasadora, by nazywać go mon seigneur czy Votre Altesse, ponieważ jego tytuł jest zbyt świeżej daty.

Syn Katarzyny stoi po przeciwnej stronie sali balowej i wytrzeszcza oczy, otoczony pustką niczym magicznym kołem, którego nie ośmiela się przekroczyć nikt poza jego żoną i dziećmi. Wzrok Katarzyny szybko prześlizguje się po tyczkowatej sylwetce Pawła, po małej głowie, która wygląda, jakby miała spaść z jego ramion, gdy tylko jej właściciel poruszy się zbyt szybko.

Z Pawłem zawsze było coś nie tak. Jako chłopiec nigdy nie stał spokojnie, zawsze pchał się przed innych. Biegł do stołu, zanim podano posiłek. Jadł za szybko, kończył, gdy inni ledwie zaczęli, a potem narzekał na to, jak wolno im to idzie. Mówił bez przerwy. Kłócił się, kiedy nie było już takiej potrzeby. Uparciuch. Domagał się, żeby wszystko było tak, jak on chce, albo wcale.

– Niecierpliwość to częsta wada u osób bardzo młodych. Jego Wysokość z tego wyrośnie – zapewniał Katarzynę jego preceptor, ona jednak wiedziała swoje. Niecierpliwość jest jak rak duszy. Będzie się rozrastać i zatruje wszystko, czego dotknie.

Paweł przywodzi jej na myśl kukułkę. Nie jej rozbrzmiewający echem głos, który wróży jakoby, ile lat człowiek przeżyje, ale to, jak składa jajo w gnieździe innego ptaka. Jak kukułcze pisklę rośnie tak, że w końcu jest większe od oszukanych rodziców i nadal domaga się, by je nakarmić. Nie dlatego, żeby wierzyła w plotki, jakoby zabrano dziecko, które ona urodziła, i zamiast niego podłożono inne; jakoby Paweł był bękartem Elżbiety Piotrowny. Wystarczają jej prostsze wyjaśnienia. Przegrzany pokój dziecinny, głupie i bezmyślne nianki, które nabijały głowę jej syna bzdurami. Opowieściami o rosyjskich bohaterach, którzy przeskakują przez góry i uśmiercają słowiki potwory, albo o sprytnych wieśniakach, którzy przechytrzają podstępnych kupców i żenią się z królewnami. Albo że ona, jego matka, potrafi stać się niewidzialna i dzięki temu zawsze słyszy to, co on mówi.

Niańki na pewno uważały, że takie historie to nic wielkiego; dobroduszny żart bez żadnego znaczenia, z jakich składało się ich własne dzieciństwo. Jej syn jednak nie był krzepkim wiejskim chłopcem, który wyśmiałby takie koszałki-opałki. Jej syn krzyczał z przerażenia na jej widok.

Po spojrzeniu Pawła widzi, że ten ją dostrzega, ale nie zamierza znów do niej podchodzić. Wymienili już swoje zwyczajowe pozdrowienia. Drogi synu. Ukochana matko. Więcej nie potrzeba. Katarzyna nie będzie psuć sobie szampańskiego uczucia przyjemności. Popatrzy, jak młodzi tańczą. Podskakujące gibkie ciała, nadal zdolne do takich wysiłków. Aleksander wysoko trzyma głowę, jego kroki w tańcu są pewne i zdecydowane. Obok niego Elżbieta, której lśniące włosy zdobią czarne perły. Anna Fiodorowna, całkowicie zadowolona, gdy sunie po parkiecie sali balowej, i Konstanty, który trzyma ją za koniuszki palców.

Wachlarze trzepoczą jak skrzydła motyli. Spódnice wzdymają się i szeleszczą. Stopy wybijają takt. Woń kwiatu pomarańczy i jaśminu miesza się z zapachem piżma i tabaki.

Kiedy muzyka cichnie, Katarzyna słyszy brzęk monet, rzucanych na stół do gry w karty w pokoju obok. I łoskot kijów bilardowych, które nadają pęd drewnianym kulom.

Po obowiązkowym przedstawieniu się licznym dworzanom król Szwecji nie oddala się od Aleksandry ani na krok.

Aleksandra Pawłowna, przyszła królowa Szwecji, ciągle jeszcze nie może złapać tchu po ostatnim tańcu. Król zdjął swoją miękką aksamitną czapkę i bawi się jej zdobnym w klejnoty otokiem. Przez moment, króciutki i ulotny, Aleksandra także jej dotyka, ale po chwili wycofuje palce, jakby przestraszona. Król mówi, a ona słucha go z oczami utkwionymi w czubkach swoich satynowych pantofelków. Nie milczy jednak zupełnie, bo od czasu do czasu król wybucha serdecznym śmiechem w odpowiedzi na jej słowa. Wszyscy trzymają się z daleka od młodej pary. Nikt nie chce zakłócić tego, czego wyczekiwano w takim napięciu.

Regent także przygląda się młodym. A teraz, pokonany, zbliża się ku otomanie, na której siedzi caryca. Chrząka.

– Niektóre wydarzenia zdają się przesądzone, Wasza Wysokość – mówi. – Nie sposób się im oprzeć. Jak powodzi. Jak śniegom w zimie.

– Zdają się? – pyta Katarzyna. Nie ma ochoty przypominać temu szpetnemu, łysiejącemu mężczyźnie, że to nie ona naruszyła umowę przez tę meklemburską farsę, którą teraz trzeba będzie odkręcić.

Regent mamrocze coś o wrogach, którzy postawili na niewłaściwego konia, wywołali powódź, gdy zależało im tylko na łyku wody. Nie zostanie zapamiętany w Rosji jako mistrz metafory, jednak to, co usiłuje wyrazić, zasługuje na jej uwagę. Kiedy wspomina o „ważnych wydarzeniach, których implikacje nie są jeszcze w pełni rozumiane", ma na myśli najnowsze zdobycze Rosji. Mówi, że rozbiór Polski nie został w Szwecji dobrze przyjęty. Rosja się rozrasta, a Europa się boi. Który kraj pochłonie teraz?

– Niezbędne są jeszcze negocjacje – szepcze ochryple regent. Wydaje się przekonany, że w rozmowie z nią ogólniki sprawdzają się lepiej niż bezpośredniość. – Można zasugerować najrozmaitsze rozwiązania. Rozważyć pewne zabezpieczenia, naturalnie za obopólną zgodą.

Muzyka znów rozbrzmiewa. Aleksandra nachyla swoją słodką twarzyczkę ku królowi. Mówi coś, a on spogląda na nią z zachwytem. Potem przykłada palce do ust, jakby jej wnuczce udało się zadziwić go jeszcze bardziej, niż mógł przypuszczać.

Katarzynę zalewa fala wielkoduszności. Nie będzie nad nim triumfować.

– Słyszałam wiele zachwytów nad królewskim pałacem – mówi do regenta, otwierając swój wachlarz z koźlej skórki, obramowany czarnymi piórami. – Znajduje się tuż pod Sztokholmem, prawda? Tam, gdzie jest dobre powietrze?

Regent, niezadowolony ze zmiany tematu, ale nieskłonny nalegać, potwierdza zasadność jej pochwał. Powietrze jest istotnie doskonałe. Teren rozległy. Szwedzki pałac królewski jest wygodny i cieszy się dobrą opinią. Szczególnie czarująca jest biblioteka, na której ścianach znajdują się malowidła skopiowane z Herkulanum. Za oprawę pieca służy gotycki ołtarz. W ogrodach stoi chińska świątynia. Zaraz obok greckiej. Nikt nie może zarzucić Szwecji, że nie wie, iż chinoiserie to pozycja absolutnie obowiązkowa.

– A ile jest w nim pokoi? – pyta Katarzyna. – Ścisłe liczby zawsze wydają mi się istotne. Nie uważa pan?

Dobrze przed północą caryca udaje się do swych prywatnych komnat. Młodych należy zostawić samych. Jej obecność może z łatwością stać się przeszkodą, a ona nie chce psuć im radości. Zbyt dobrze pamięta te dni, kiedy sama była młoda. Kąśliwe uwagi matki do tej pory dźwięczą jej w uszach.

Towarzyszy jej tylko Le Noiraud, którego usta wykrzywia bolesny grymas. Przez cały wieczór Płaton nie próbował z nikim zatańczyć, choć księżna Dołgorukowa usiłowała namówić go na poloneza. Pozostał wiernie u boku swojej cesarzowej, zabawiając ją swoimi dowcipnymi powiedzeniami:

– Czasem trzeba udawać głupca, by nie dać się zwieść przebiegłym ludziom.

Albo, stawiając na rozrywkę, jaką niezmiennie zapewnia plotka: Żona regenta kocha się w grubej Francuzce. Książę Adam – „Dlaczego on czepił się Aleksandra jak rzep psiego ogona, Katinko?" – ma oczy i podbródek ambasadora Repnina, ale rzymski nos swojej matki.

Sam na sam z nią, Le Noiraud nie potrafi już ukryć furii.

Został upokorzony. Znieważony. Nie tylko ambasador Prus, ale nawet ten szwedzki cherlak, regent, zwrócił się do niego per „mon prince".

Gniew sprawia, że wydaje się wyższy, cyzeluje jego rysy. Płaton szarpie za swoją koszulę, odrywając guziki, które toczą się pod łoże. Z macicy perłowej, oprawne w złoto. Wiszka będzie musiała je rano stamtąd wydobyć.

– Mów ciszej – odpowiada Katarzyna ze zniecierpliwieniem. Nie przypuszcza, żeby małemu regentowi udało się przekupić kogoś z jej najbliższego otoczenia, ale wierzy w ostrożność. Chce odpocząć, a nie przeżywać kolejną wyssaną z palca zniewagę. Noga znów ją rwie, pulsuje na granicy bólu.

Le Noiraud przysiada na brzegu jej łoża. Z rozpiętej koszuli wychylają się ciemne kędziory.

– Katinko – mówi i głos mu się łamie. Otacza ją ramionami, by ją pocałować, ale ona gwałtownie odwraca głowę i jego wargi lądują na jej policzku.

Płaton mruga, zaskoczony, nagle bliski łez.

To jego bezbronność chwyta ją za serce. Beze mnie, myśli, on zginie.

Siada obok Le Noirauda i kładzie swoją dłoń na jego ręce. Jest późno. Nawet przy zamkniętych oknach i zaciągniętych zasłonach odgłosy balu przenikają do jej sypialni. Śmiech, tupot tańczących stóp. Trudno będzie jej zasnąć, a jutro od rana musi zabrać się do pracy.

– Madame Lebrun była pod dużym wrażeniem kształtu twoich ust – przypomina mu. – A może patrycjuszowskiej linii czoła?

Ręka Płatona ciągle jeszcze drży pod jej dłonią, ale on już się uśmiecha, jej kapryśny motyl, tak łatwo zadowalający się nawet małym zwycięstwem. Składa głowę na jej łonie.

– Czy pozwoliłabyś jej namalować siebie, Katinko? Gdybym cię poprosił?

– A czy to by cię ucieszyło? – Katarzyna zamyka oczy. Tęskni do ciemności. Zgaszonych świec. Odgłosu kroków Płatona, który wchodzi po schodach do swojego pokoju.

– Tak.

– W takim razie pozwolę.

– Kiedy?

– Jak tylko Aleksandra wyjedzie do Sztokholmu.
– Obiecaj.
– Obiecuję.

Konsekwencje zwycięstwa: Stanisław August Poniatowski, król Polski, z jej rozkazu przebywa w Grodnie. W ciągu ostatnich miesięcy jazda konna stała się jego niepohamowaną namiętnością. Krajobraz wokół Grodna jakoby pobudza do marzeń. Srebrna wstęga Niemna oczarowuje.

Książę Repnin, który odpowiada za królewskiego więźnia, ostrzega ją, że Stanisław pisze pamiętniki. Wyznania, jak je nazywa, na modłę tego obmierzłego Rousseau.

Caryca nie potrzebuje ostrzeżeń. Archiwista polskiego króla to jeden z jej najlepszych szpiegów.

Listy króla są otwierane i czytane, z dokumentów sporządza się odpisy. Wszyscy odwiedzający pałac w Grodnie, w tym rodzina i przyjaciele, są dokładnie przeszukiwani, a ich ruchy rejestrowane i zapisywane. Katarzyna wie, do kogo Stanisław napisał szyfrem, błagając o potępienie rozbioru Polski. Wie, kto – do tej pory – unikał odpowiedzi, a kto się zgodził i dlaczego. Wie, że Stanisław zamartwia się omdleniami swojej potajemnie poślubionej żony. Wie także, kto kradnie butelki bordeaux z jego piwnicy i ile metrów koronki w doskonałym stanie rzekomo niszczy się w praniu, po czym zostaje sprzedane w mieście.

Wyznania jak na razie skupiają się na okresie, w którym się poznali, czterdzieści jeden lat temu. On jest polskim hrabią odwiedzającym Sankt Petersburg, ona – wielką księżną o niepewnej przyszłości. „Zofia – pisze o niej – „(...) jej lśniące czarne włosy (...) usta, błagające o pocałunek (...) taka była moja kochanka, władczyni mojego losu (...) której oddałem się cały (...) ofiarowując jej to, czego nie posiadł nikt inny (...)”.

Stanisław wie, że ona czyta te słowa. O czym chce jej przypomnieć? O dawnych obietnicach? Dawnych marzeniach?

Caryca nie ma cierpliwości do marzycieli.

Kiedy spadały ostrza gilotyn, a paryskie rynsztoki spływały krwią lepszych od niego, Robespierre marzył o swojej Republice Cnoty. O wolnych ludziach, łagodnych i pełnych mądrości, przechadzających się jej ulicami. O dziewczętach w wiankach i kwiecistych sukniach, sunących poprzez kolumnady z białego marmuru. O wykorzenieniu wszystkich grzechów, o świecie bez zazdrości, hipokryzji i przesądów.

Marzyciele nie są nieszkodliwi. Ciągną za sobą cierpienie.

Przebiega wzrokiem listę wydatków króla: jedzenie, pensje, świece, zaopatrzenie piwniczki, słodycze i kawa, stajnie, opał. Kiedy Repnin zasugerował podwojenie „kieszonkowego" króla, zgodziła się. Na załączonych rachunkach widnieje podpis Stanisława, poświadczający odbiór trzech tysięcy dukatów miesięcznie: Stanislaus Augustus Rex.

Byłam szczodra, myśli Katarzyna.

Stanisław podpisał akt abdykacji. Nie zmuszała go do tego. Wybór był prosty. Uchwyć się symboli i wielkopańskich gestów, i zbankrutuj. Albo poddaj się, i twoje długi zostaną spłacone, a ty i twoja rodzina będziecie żyć wygodnie. Jednak jej szczodrość okazała się niewystarczająca, bowiem Stanisław zalewa ją petycjami. Czy obłożony sekwestrem majątek takiego a takiego mógłby zostać uwolniony? Skonfiskowane ziemie zwrócone? Kara za działania antyrosyjskie zmniejszona? Rosyjska renta przyznana? Najnowsi poddani rosyjscy czepiają się iluzji, że ich niegdysiejszy król ma jeszcze wpływy w Sankt Petersburgu. A on, nieszczęsny marzyciel, jakim zawsze był, także w to wierzy.

Uczyniłam cię królem, odpowiada mu w myśli, a ty co zrobiłeś? Pozwoliłeś rządzić sobą każdemu, kto tupnął nogą czy na ciebie krzyknął. Pozwoliłeś rewolucyjnej gorączce strawić twój lud! Usiłowałeś spiskować przeciwko mnie z Portą Otomańską i Francją!

Przerzuca plik papierów z coraz większym zniecierpliwieniem. To, co nużące i przyziemne, przysłania to, co może być ważne. Na przykład: każdego ranka o szóstej szambelan króla przynosi mu filiżankę gęstego bulionu. Codziennie przygotowuje się świeży, a kucharz zamyka na klucz drzwi do kuchni, kiedy go przyrządza.

Czy król obawia się, że może zostać otruty?

Stanisław codziennie wybiera się na przejażdżkę. Jego ulubiony cel to Łosośna. Kiedy tam dociera, zsiada zawsze z konia i przechodzi mostem na drugą stronę Niemna.

Dlaczego?

Dlaczego nikt nie zadaje tych pytań, póki ona tego nie uczyni? Ile razy ma podkreślać znaczenie czujności? Czy Biezborodko jest naprawdę jedyną osobą, której może w pełni zaufać?

Bierze czysty arkusz papieru, zamacza pióro w kałamarzu i odpowiada Repninowi, prosząc o wszczęcie dochodzenia. Nie nazbyt oczywistego czy obcesowego. Żadnych bezpośrednich pytań. „Obserwujcie i wyciągajcie wnioski".

A potem dodaje: „Od momentu abdykacji Stanisław August jest byłym królem. Pragniemy, by od tej pory ten fakt znajdował odbicie we wszelkiej korespondencji".

– Książę Repnin robi, co w jego mocy – odpowiada Aleksander Andriejewicz, kiedy podczas porannej odprawy dzieli się z nim swoim oburzeniem. – Na swój ostrożny sposób.

Katarzyna bierze te słowa za przypomnienie – czym w istocie są – że idealny dworzanin nie ujawnia swoich uczuć nikomu. Toteż powstrzymuje się przed zacytowaniem jeszcze jednej rewelacji Repnina na temat mężczyzn o podejrzanym wyglądzie, którzy pojawili się w Grodnie. „W czapkach frygijskich na głowie, Wasza Wysokość, co wskazuje na skłonności rewolucyjne".

Pani, pochłonąwszy kaszankę, sadowi się pod biurkiem i próbuje polizać nogę swojej właścicielki. Jej pysk węszy pod ubraniem, język naciska na podrażnioną skórę.

– A teraz, madame, w kwestii Gustawa Adolfa – zaczyna Biezborodko, zacierając ręce.

Król spędził kolejne przedpołudnie, przemierzając miasto pieszo w towarzystwie swego wuja, odrzuciwszy wszelkie propozycje powozów czy koni. Na ulicach wiele wesołości wywołał ubiór Szwedów, ich krótkie kubraki, peleryny i okrągłe kapelusze.

Goście udali się na Akademię, gdzie podziwiali woskową figurę Piotra Wielkiego, parę własnoręcznie wykonanych przez niego butów i pończochy, które sam zacerował. Zachwycali się manuskryptem kodeksu prawa Katarzyny. Król pragnął wiedzieć, ile z tych praw zostało wprowadzonych w życie. A potem pokiwał głową, kiedy mu powiedziano, że mądrzy monarchowie muszą w takich sprawach wykazywać się cierpliwością, czym innym jest bowiem pisanie na papierze, a czym innym – na ludzkiej skórze.

Jej minister wygłasza swoje sprawozdanie z pamięci, a na jego ustach igra uśmiech samozadowolenia. Nie otwiera teczki, która – jak Katarzyna dobrze wie – potwierdzi ścisłość jego słów.

– Mówiąc krótko, Wasza Wysokość, robimy świetne postępy. Mówi się otwarcie, że większa część świty króla już liczy hojne dary, które zazwyczaj towarzyszą królewskim zaślubinom.

Inne wydarzenia są nie tak korzystne.

Francuzi, którzy brutalnie zamordowali króla i królową, ogłosili swoje niezachwiane postanowienie, by walczyć o wyzwolenie całej Europy. Dziś oznacza to inwazję co najmniej na Włochy. A to budzi niepokój, pomimo lekceważących pogłosek o opłakanym stanie francuskich wojsk. Skoro francuska armia jest tak źle obuta, głodna i obdarta, jak się o niej mówi, to Austriacy powinni dawno ich pokonać.

– Wenecjanie są przerażeni, Wasza Wysokość – kończy jej minister. – Rozpaczliwie szukają wsparcia. Ale kto będzie teraz za nich walczył?

Pani, która wyczuwa koniec każdej wizyty, macha ogonem i przeciąga swoje smukłe, ruchliwe ciało i długą, wdzięczną szyję. W jej oczach widać grube krople ropy. Queenie musiała zapomnieć przemyć je wywarem z rumianku. Katarzyna czuje ukłucie irytacji.

Zapachy, które napływają do pokoju, woń usychających liści i drzewnego dymu, nie przynależą już do lata. Ciepłe miesiące są takie krótkie i ulotne. Tylko rosyjska zima ciągnie się bez końca.

– Jeszcze jedno, Wasza Wysokość – mówi Biezborodko, który poprosił już o pozwolenie, by odejść. – Wielki Książę Konstanty… – urywa ze zbolałym uśmiechem na twarzy.

– Co tym razem zrobił? I ile będzie mnie to kosztować?

Okazuje się, że Konstanty nabił działo żywymi szczurami i wystrzelił je w ścianę. W środku Pałacu Marmurowego. Zrujnował nową tapetę, którą Katarzyna zamówiła w Mediolanie. Przeraził swoją żonę tak, że straciła przytomność.

Dlaczego? Dlaczego młodzi gardzą tym, co się im daje? Skąd to się bierze, ta potrzeba niszczenia wszystkiego, co dobre? Marnowania czasu? Burzenia, a nie budowania?

Gniew kipi w niej nawet wtedy, gdy minister próbuje ją pocieszyć. Usprawiedliwienia są niemal te same, których używał, donosząc jej o rosnących długach jej młodszego syna Aleksieja i jego romansach w orłowowskim stylu.

– Większość młodych mężczyzn potrzebuje się wyszumieć, Wasza Wysokość. Ja sam byłem w jego wieku raczej nierozważny.

– Daj mi rękę, Katinko – nalega Le Noiraud.

Katarzyna wyciąga prawą dłoń, a on trzyma ją pomiędzy swoimi i rozciera, aż caryca czuje, że krew zaczyna szybciej krążyć.

Potem Płaton masuje każdy z jej palców, żeby rozluźnić stawy. Jego ręce są ciepłe i suche. Skóra miękka.

– Nie oszczędzasz się – mówi. – Protestuję.

– Czy twoja siostra dobrze się miewa? – pyta Katarzyna.

Oczy Le Noirauda spoglądają na nią z dziecięcym zdumieniem. Czy caryca jest wróżką? Czy potrafi czytać w jego myślach? Właśnie miał porozmawiać z nią o swojej siostrze.

Faworyt układa jej prawą dłoń z powrotem na jej kolanach i powoli ujmuje w swoje ręce lewą.

– Nie cierpię spędzać lata tutaj – mówi. – Nie powinniśmy byli tak wcześnie wyjeżdżać z Carskiego Sioła.

Dacza jego siostry to dla niego jedyny azyl w mieście. Odwiedził ją zaledwie wczoraj. Był tam także Lambro-Cazzioni.

– Na pewno go pamiętasz – dodaje. – Służył jako admirał pod księciem Potiomkinem. Grek.

Katarzyna go nie pamięta.

– Znam go już od jakiegoś czasu – ciągnie dalej Płaton – ale potrzeba kobiety, żeby poznać się na ukrytych talentach mężczyzny.

Katarzyna zamyka oczy. Palce Le Noirauda zatrzymują się dłużej przy opuchniętej kostce na jej lewej dłoni. W jego głosie nadal pobrzmiewa zdumienie wczorajszym odkryciem.

– Tak się świetnie złożyło – mówi.

To siostra Le Noirauda dowiedziała się, że były admirał jest także uzdrowicielem. Od jakiegoś czasu miała krosty na skórze ramienia, a admirał zauważył, że zaczynają się jątrzyć. Poprosił o pozwolenie, by spróbować ją wyleczyć. Kuracja była prosta. Nauczył się jej na morzu od starego greckiego żeglarza. Codzienne kąpiele w zimnej wodzie morskiej. Żadnego puszczania krwi, żadnego przykładania plastrów na pęcherze. Po tygodniu takiej kuracji krosty zniknęły bez śladu.

– Czy pozwoliłabyś mu obejrzeć twoją nogę, Katinko? – pyta Le Noiraud, całując jej rękę. – Jeśli cię bardzo poproszę?

Katarzyna kręci głową. Nie może sobie pozwolić na marnowanie czasu z jakimś szarlatanem, który – jak oni wszyscy – będzie dopraszał się o pensję.

Jednak Le Noiraud nalega. Składa ręce jak do modlitwy. Szepcze:

– Obiecałaś mi, że będziesz o siebie dbała. To nie zajmie dużo czasu. On czeka na zewnątrz. Zrób to dla mnie. Błagam cię.

Płaton zmienił się w ciągu ostatnich kilku miesięcy. Aura niepewności wokół niego zgęstniała. Jego ożywienie przygasło.

Miałeś co do niego wątpliwości, Griszeńko, myśli Katarzyna, ale spójrz. Nie chodzi mu tylko o samego siebie. Przejmuje się moim zdrowiem. Troszczy się o mnie.

– Nie jestem medykiem per se, Wasza Wysokość – mówi Lambro-Cazzioni swoją łamaną francuszczyzną. – Co pozwala mi twierdzić, że wyrządziłem ludzkości mniej szkód niż inni.

Pomimo jej wcześniejszych zastrzeżeń Katarzynie podobają się jego nieregularne rysy i żołnierski sposób bycia. Trzyma się prosto, porusza precyzyjnie. Dłonie ma zadbane, paznokcie czyste i przycięte. I nie usiłuje wkraść się w jej łaski, wspominając o dawnej przychylności Griszeńki.

– Może pan obejrzeć moją nogę, monsieur – mówi Katarzyna.

Lambro-Cazzioni klęka na podłodze i zręcznie zdejmuje bandaże Rogersona. Odsłonięta noga wygląda gorzej, niż Katarzyna ją zapamiętała. Skóra ma niebieskawy odcień, z wrzodów sączy się krwawa ropa.

Admirał obwąchuje bandaże. Rozsmarowuje na czubku palca krwawą wydzielinę i dotyka jej koniuszkiem języka.

– Słodka krew, Wasza Wysokość – oznajmia.

– Co to oznacza?

Wyjaśnienie, które jej podaje – w jej krwi jest za dużo cukru – nie ma zbyt wiele sensu. Inaczej niż Queenie, Katarzyna nie łaknie słodyczy. Rogerson przepisał jej jeden kieliszek słodkiej malagi dziennie dla uspokojenia i wzmocnienia organizmu. Katarzyna nie słodzi nawet kawy.

Admirał słucha z uwagą.

– Nie zawsze chodzi o to, co jemy, Wasza Wysokość. Ciało ma swoje tajemnice.

Katarzyna wzdryga się, słysząc to słowo. Może zbyt pochopnie uległa namowom Płatona. O czym teraz ten grecki szarlatan jej powie? O mocy pradawnych zaklęć? Czy o tym, że czarownica ukryła pod jej łożem zawiniątko z włosów i kości?

– Tajemnice są jedynie problemami, które nie zostały jeszcze rozwiązane – odpowiada admirał rzeczowym tonem. – Musiał wyczuć jej irytację, bo się prostuje. – Grecy mają niewątpliwie wiele wad, Wasza Wysokość, niemniej jesteśmy na tym świecie na tyle długo, że zdołaliśmy zgromadzić trochę niekwestionowanej wiedzy.

Ospa to jego dowód. Na długo przed tym, jak brytyjscy medycy odkryli cud szczepionki, greccy i tureccy wieśniacy znali sposoby chronienia swoich dzieci.

– Może pan wypróbować na mnie swoją kurację – decyduje Katarzyna pomimo swych wątpliwości, i patrzy, jak jego ogorzałą twarz rozjaśnia uśmiech.

– Woda morska musi być bardzo zimna, Wasza Wysokość – tłumaczy admirał, kiedy wchodzi jego pomocnik z dwiema miednicami.

Woda będzie zimna. Pływają w niej kawałki lodu.

Admirał stawia jedną miednicę na podłodze i umieszcza w niej nogę Katarzyny. Niedużym kubkiem nabiera wody morskiej z drugiej i polewa nią jej skórę.

Katarzyna zamyka oczy. Woda pachnie jeszcze morzem, przywołuje wspomnienia dziecięcych przyjemności. Bieg wzdłuż plaży nad Bałtykiem, poczerniała kłoda pokryta wodorostami, jej bose stopy, rozbryzgujące płytkie fale. Głos Babette, która przypomina jej o podarunkach przynoszonych przez morze. Ryby, sól morska, bursztyn.

– Jak się pani teraz czuje, madame? – pyta admirał.

– Lepiej – odpowiada Katarzyna. Noga, znieczulona zimnem, przestała boleć. – Jeżeli będzie tak dalej, może znów wyprawię się na Krym. Czy zalecałby to pan, monsieur?

– Doskonały pomysł – mówi admirał, cmokając językiem. – Za pozwoleniem Waszej Wysokości – dodaje – będę przychodził co rano ze świeżą wodą morską. Tak, żeby Wasza Wysokość mogła bez przeszkód kontynuować swoją pracę w służbie imperium.

Tymczasem odradza bandażowanie i wywoływanie pęcherzy. Caryca powinna wystawiać nogę na działanie powietrza, kiedy tylko jest to możliwe. Pozwolić skórze oddychać, a wrzodom schnąć. Bez względu na to, co wymyśli wielmożny Rogerson, żeby go skompromitować.

Czego zapewne nie omieszka spróbować.

Godzinę później noga nadal nie boli. Kiedy oznajmiają jej, że przybył Rogerson, wysyła do niego Queenie z wiadomością, że jego zabiegi nie są już potrzebne.

– Już nigdy, zapytał, czy nie dziś? – relacjonuje Queenie. – Więc powiedziałam, że nie dziś. A on na to: Dlaczego? Odpowiedziałam, że nie potrafię powiedzieć, co Wasza Wysokość myśli, ale że Wasza Wysokość musiała mieć swoje powody. A on zrobił taką minę, jakby właśnie połknął ropuchę.

Nic nie rozwesela Queenie bardziej niż drobny akt zemsty.

Szwedzki król, oznajmia Queenie, był pod szczególnym wrażeniem eleganckich konstrukcji rosyjskich mostów. Oczarowali go także tancerze na Wyspie Wasiljewskiej. I zadziwiła serdeczność ludzi na ulicach. Queenie, której musiało przybyć w pasie kolejne parę cali tylko przez zeszły tydzień, niemal skacze z radości.

– Jakiż to dobry, troskliwy młodzieniec – mówi. – A jego wuj nosi się jak prawdziwy bojar.

Doniesienia Biezborodki nie są aż tak naiwne. Regentowi nie spodobał się Miedziany Jeździec. Jego argumenty: gigantyczna święta skała, sprowadzona z Karelii na brzeg Newy z takim wysiłkiem, miała sześć metrów wysokości, trzynaście długości i pokryta była grubym mchem. Kiedy została wyczyszczona, ociosana i wypolerowana, przestała być ogromną świętą skałą, a stała się zwykłym sporym głazem. Piotr Wielki, który miał spoglądać na potężne imperium z jego wysokości, teraz może co najwyżej zajrzeć na pierwsze piętro okolicznych domów jak podrzędny miedziany szpieg.

Dworska suknia, którą Queenie pomaga jej włożyć, zastępuje luźną, poranną. Służąca wklepuje krem migdałowy w policzki swojej pani. Smaruje jej skronie olejkiem z werbeny, który wypełnia cały pokój swoim delikatnym cytrusowym zapachem. Jej paplanina ustanie, o ile nie podtrzymają jej pytania. To milczące porozumienie, do jakiego doszły wiele lat temu, wygodne jak te luźne suknie, jak pantofle z koźlęcej skórki. Odpowiada im obu.

– Czy Bolik wrócił?

– Jeszcze nie.

– Jak Aleksandra to przyjmuje?

– Kochane jagniątko stara się nie płakać, madame. Miała swoją lekcję malarstwa.

– Co maluje?

– Gaik brzozowy.

– Czy jest na tyle dobry, żeby pokazać go królowi?

– Jeszcze nie skończony.

– W takim razie zaczekamy.

Queenie, szurając nogami, przechodzi przez pokój, zbiera pozostałości po popołudniowych zajęciach, srebrną miskę, w której lód już prawie się rozpuścił, ręczniki, słoiczki z kremem.

– Czy jest pani pewna, madame, że da sobie pani radę? – powtarza swoje odwieczne pytanie, sięgając po laskę. Trudno jednak sobie wyobrazić, jak Queenie mogłaby pomóc, gdyby jej pani zasłabła. Na szczęście cesarską sypialnię dzieli od gabinetu zaledwie krótki korytarzyk. A chora noga Katarzyny nadal nie boli.

– Zupełnie pewna.

Szare gęsie pióro wygląda kusząco. Przyjemnie byłoby napisać do starego przyjaciela, Grimma, opowiedzieć mu o swoich planach zastąpienia prostokątnych klombów w Carskim Siole naturalnym stylem, który zdecydowanie woli. Ale Queenie już przedstawia jej listę gości czekających na audiencję. Co najmniej dwadzieścia nazwisk, całe popołudnie zmarnowane. Chwała Bogu nazwisko Chambersa jest na pierwszej pozycji. Sprawozdanie cesarskiego architekta na temat chińskiej wioski, którą buduje w Carskim Siole, miało zostać przedstawione już dawno temu.

Queenie na chwilę opuściła swoje stanowisko, przyciągnięta jakimś brzęczeniem w antyszambrze, zapewne kolejnym pałacowym dramatem.

Tak jest zawsze na dworze, w tym królestwie zajętych sobą. Częścią gry jest dać się zauważyć. Dlatego też wszystko jest oburzające, skandaliczne, obraźliwe, jest złośliwością ogromnych rozmiarów. Jakiś kawiarniany podróżnik do Rosji utrzymuje, że Grigorij Orłow został uduszony przez własnych braci? Albo że Potiomkin z zazdrości otruł Saszeńkę Łanskiego? Że on sam padł ofiarą aqua tofana? Być może z ręki Płatona Zubowa? Przynieście to wszystko przed oblicze carycy. Złóżcie u jej stóp w dowód czujności i przezorności. Oczekujcie pochwał i nagród. I zawsze, zawsze patrzcie, ile Katarzyna dała innym.

Co się stało z wolnymi duchami, nieważkimi, beztroskimi? Z kompanią odważnych? Z szerszymi perspektywami, sięgającymi poza granice tych pozłacanych komnat?

Queenie wraca, donosząc, że dwie cesarskie damy dworu czekają na przyjęcie. Chcą o coś poprosić.

– To ważne, Wasza Wysokość – mówi Queenie, najwyraźniej sowicie wynagrodzona za swoją wymowność w ich sprawie.

Kolejna opowieść o pragnieniu i zwłoce, pokrzyżowanych planach, przeoczonych zasługach? Udzielona łaska okazała się zbyt mało widoczna, uznana za zaścianek dworskich możliwości?

– Niech najpierw wejdzie monsieur Chambers – postanawia caryca.

Queenie obrzuca ją zranionym spojrzeniem. Jej wierna przyjaciółka, gruba i zdyszana po najmniejszym wysiłku. Jakiż to kuplet ułożył Płaton?

Ta szkaradna dworka, co brzuch ma tak wielki,
Że w lustrze ogląda własne pantofelki.

– Wasza Wysokość – mówi Chambers, skłaniając się nisko, by ucałować jej dłoń – oto, co proponuję.

Jej architekt jest wysokim zgrabnym mężczyzną. Ma słabość do wykwintnych ubrań. Ozdobione klejnotami sprzączki przy butach, koronkowe mankiety, białe jedwabne pończochy. Cieszy go połysk złota i gładkość aksamitu. Dziś jednak ubierał się w pośpiechu, bo Katarzyna dostrzega rozpięty guzik, białą smużkę pudru na ramionach.

Rysunki, które rozkłada, są pięknie wykonane na papierze pergaminowym.

Katarzyna nie może się nadziwić czystości linii. W jej chińskiej wiosce będą domki, mosty z poręczami pokrytymi geometrycznymi ornamentami, cynobrowa pagoda i obserwatorium. Chambers rozpływa się w zachwytach nad ogrodzeniami z pali, nad znaczeniem symetrii. Pokazuje jej szkice świątyń i pawilonów, do których prowadzą liczne ścieżki. Wychwala zalety ławek ogrodowych, kuszących pod koniec długiej przechadzki, oferujących gościom chwilę wytchnienia. Altanek, palisad i misternych kratownic. Ośmiokąty, mówi. Malowane panele. Wzory, które łączą styl chiński i gotycki.

Jaka to przyjemność widzieć, jak pomysł nabiera kształtu!

– Elewacje i lakierowane drewno to szczęśliwe połączenie, madame – ciągnie dalej Chambers, z pasją w głosie. – Chińscy ogrodnicy sadzą rośliny bez jakiegokolwiek porządku. Mają inne poczucie piękna. Asymetryczne.

Dlaczego takie chwile nie mogą zdarzać się częściej?, myśli Katarzyna. Słyszeć coś zarazem nowego i intrygującego. Takie rozmowy powinny stać się przykazaniem, carskim ukazem: „Nie będziesz nudził swego monarchy".

– Nazywa się sharawaggi – mówi Chambers. – To chińskie słowo, opisujące coś, co jest zaskakujące poprzez pełen wdzięku nieład.

Podróżni, którzy zatrzymywali się na jej dworze w drodze powrotnej z Chin, opowiadali jej o cesarskim pałacu, rozciągającym się na obszarze, który mógłby z powodzeniem pomieścić miasto, o jego zdobieniach, które zachwycają nie tyle kosztownymi materiałami, ile raczej zapierającym dech w piersiach kunsztem wykonania.

Tamtejsze kobiety, opowiadali podróżnicy, żyją w odosobnieniu. Liczne żony walczą między sobą o spojrzenie męża i wymyślają sposoby, by utrzymać jego zainteresowanie. Za wszelką cenę. Jedna z cesarskich konkubin udusiła swojego syna, by rzucić podejrzenie na pierwszą żonę cesarza. Plan się powiódł, kto bowiem mógłby przypuszczać, że matka poświęci własne dziecko? Kiedy Katarzyna pochyla się nad projektem, wraca do niej wspomnienie jej własnego syna parskającego z dezaprobatą nad czymś dawno zapomnianym.

– Błagam Waszą Wysokość o przyjrzenie się temu z bliska. – Chambers, mówiąc, podryguje i kręci głową jak ptak upatrujący robaków.

Naszkicował okazałą pagodę ze smokami. Mają w paszczach dzwony! Jego rysunki, podkreśla, to nie zabawne parodie chińskich budynków, jakie produkują inni architekci, ale staranne naśladownictwo stylu z jego cechami charakterystycznymi. Swobodne, lecz dokładne. Nie jednego konkretnego budynku, zaznacza z przejęciem, ale ducha wielu. Pragnie, żeby caryca zwróciła uwagę na przyjemny nieład panujący w ich otoczeniu.

– Projekt ogrodu powinien różnić się od natury – mówi Chambers – tak jak heroiczny poemat różni się od prozy. Natura nie może cieszyć, jeżeli nie towarzyszy jej sztuka.

Będzie mnie to niemało kosztować, myśli Katarzyna, kiedy architekt wychodzi zadowolony, że zwiększony budżet został po raz kolejny zaakceptowany. Ale wszystko, co ważne i piękne, ma swoją cenę. Chinoiserie jest teraz wszędzie modna. Rosja nie może zostać w tyle. Caryca nie chce słyszeć, że zadowala ją to, co mniej ważne, drugiej kategorii.

Queenie wraca, ale nie wspomina nic o damach dworu i ich misji. Widocznie chwilowo pogodziły się z losem. Mała rzecz, a cieszy! Jednak służąca przynosi inne przykre wiadomości.

Salonik, w którym Katarzyna lubi czytać po południu, roi się od much.

Pokojówki zostawiły otwarte okna, wyjaśnia Queenie. Jest zdenerwowana i wzburzona. Nieudolność, lenistwo i brak przezorności zawsze doprowadzają ją do pasji. W świecie Queenie są to najcięższe zbrodnie.

– Chcę to zobaczyć – mówi Katarzyna.

To chyba lekkość, którą czuje w nodze, skłania ją do pójścia do saloniku. „Roi się" to przesada, ale rzeczywiście są w nim muchy. Bzyczą, krążą po pokoju, podlatują irytująco blisko.

Wezwany na ratunek Zotow przemierza pokój. Gardzi zrolowanymi gazetami i pantoflami, zamiast nich woli własnej roboty packi na muchy, wykonane ze sztywnego brystolu i patyka. Porusza się zwinnie i z gracją. Potrafi strącić muchę w locie, chociaż większość z nich wpada w pułapkę zamkniętego okna, obijając się z brzękiem o niewidzialną barierę, która teraz odgradza je od miejsca, z którego przyleciały.

Rozwścieczona Queenie wychodzi, by natrzeć uszu winowajczyniom, które będą potem przez kilka godzin chodzić z żałosnymi minami, usiłując zwrócić uwagę wszystkich wokół na niesprawiedliwość, która je spotkała.

Jeszcze jedno pacnięcie i ostatni z niepożądanych gości leży bez życia na podłodze. Zotow zbiera wszystkie muchy i owija swoją kraciastą chustką.

– Wasza Wysokość może teraz czytać w spokoju – oznajmia.

W tym pałacu, gdzie śmierć tak bezlitośnie przerzedziła szeregi, Zotow jest jeszcze jedną twarzą, która dodaje otuchy. Urodził się w pałacu jako syn pokojowca i nigdy nie mieszkał nigdzie indziej. W momencie przewrotu, przypomina sobie Katarzyna, miał nie więcej niż dziesięć lat. Pamięta go, jak szedł za swoim ojcem, niosąc jej wachlarz, całkowicie zaabsorbowany powagą swojego zadania.

– Widziałam w ogrodzie kota, który wyglądał jak Puszok – mówi do niego Katarzyna. – Takie samo białe futerko, tak samo skręcony ogon. Ale Puszok przecież nie żyje już od dawna?

– Jeszcze jak dawna – potwierdza Zotow. – Zdechł, kiedy jego pani była jeszcze wśród nas.

Rozmawiają o potomstwie ulubionych kotów Elżbiety, Puszoka, Murki i Broni, które kryją się po piwnicach i klatkach schodowych, albo gnieżdżą się na strychu po tym, jak do pałacu wprowadziły się carskie psy.

– Bandy kotów – mówi Zotow. – Całe kolonie.

Jedzą to, co udaje im się zdobyć. Uciekają od ludzi.

Zotow zerka na nią ostrożnie, szacując jej poziom zainteresowania jego opowieściami. Przerwie, jak tylko wyczuje cień zniecierpliwienia. Idealny służący. Czujny. Niezastąpiony.

Katarzyna kiwa głową. Niech słowa płyną dalej.

Bawi ją wiadomość, że na terenie pałacu toczą się niewidoczne wojny. Koty z piwnicy walczą z tymi ze strychu. Biada temu, który zabłądzi poza granice swojego terytorium i nie jest dość szybki. Podczaszowie często natykają się w piwnicach na rannych. Jeżeli nie uda im się przeżyć, rozkładające się truchło zdradzi ich ostatnią kryjówkę.

Pałacowi służący, przypomina jej Zotow, mają długą pamięć. Pamiętają czasy, kiedy carskie koty nosiły aksamitne kubraczki i zajadały się pieczonymi kurczętami.

– Jak nisko upadli możni tego świata – mówią teraz, kiedy koty uciekają na ich widok. Chłopcy je gonią. Te koty, które nie są wystarczająco zwinne, kończą z podpalonymi ogonami. Albo z łbami wepchniętymi w worek, oślepione, biegają żałośnie w tę i we wtę.

Zotow milknie na chwilę, zastanawiając się, czy mądrze będzie mówić dalej, i stwierdza, że nie.

Katarzyna jest mu wdzięczna. Nie chce słuchać o wydłubywanych oczach czy wyrwanych kocich pazurach, żeby wyleczyć jakąś dolegliwość.

– Mam coś dla ciebie – mówi. – Madame Lievens przysięga, że Aleksandra rośnie każdej nocy. Co rano jest wyższa o cal.

Wielkie księżne co tydzień dostają nową parę bucików, szesnaście tuzinów par rękawiczek co roku. Dysponują niewyczerpanym zapasem pudru, myszek, wstążek, grzebieni i jedwabnych tamborków. Latem każda otrzymuje trzy kwieciste płaszczyki, trzy jedwabne suknie – gładkie lub w prążki, i jedną koszulę nocną. Madame generałowa Lievens, główna guwernantka wszystkich wielkich księżnych i ochmistrzyni, otrzymała polecenie, by przygotować skrzynię ubrań do oddania.

– Zaprowadź dziś do niej swoje córki – mówi Katarzyna Zotowowi. – Niech każda wybierze sobie nowy strój.

Jej dzisiejszą lekturą będzie Lukrecjusz: atomy, które nie znają spoczynku, bowiem ich ruch poprzez głębiny kosmosu jest nieprzerwany. Niektóre z nich zderzają się i odbijają daleko, inne się cofają. Omotane poprzez własne kształty, tworzą skałę lub grudę żelaza.

Moc przyciąga swoje przeciwieństwo. Czego nie da się pomniejszyć siłą, będzie powoli ociosywane.

– Atomy w próżni? – jęknąłby Potiomkin. – Czemu nie weźmiesz zamiast tego Platona, Katinko? Poczytaj o pięknym młodym ciele, które zwraca nasze myśli ku doskonałości.

Nie będzie jej jednak dane zbyt długo cieszyć się swoimi rozmyślaniami i samotnością.

– Wasza Wysokość – szepcze Wiszka, odsłaniając poczerniałe zęby, które tłoczą się w jej ustach jak żebracy na Wielkanoc.

W ciągu ostatnich miesięcy jej włosy posiwiały i przerzedziły się. Worki pod oczami nadają jej twarzy wyraz konsternacji. Druga służąca Katarzyny sprawia wrażenie niespokojnej, ale determinacja w jej wzroku dowodzi, że – przynajmniej w jej opinii – sprawa jest wystarczająco ważna. Podczas gdy Queenie się rozrasta, zajmuje coraz więcej miejsca, Wiszka się kurczy.

Książka zamyka się z głuchym odgłosem.

Skoro Wiszka przyszła, to znaczy, że pora omówić zbliżającą się przeprowadzkę do Pałacu Taurydzkiego. Jego pałacu, jak Katarzyna nadal nazywa go w myślach. Księcia Potiomkina. Griszeńki. Kupiła go dla niego, a potem od niego – żeby miał z czego zapłacić długi – po czym jeszcze raz mu go podarowała. Teraz znów należy do niej i jest jej ulubioną letnią rezydencją w Sankt Petersburgu; rezydencją, w której salwy z moździerzy nie oznajmiają każdego jej wyjścia czy powrotu. W której nie przyjmuje się petentów, a Katarzyna nie musi znosić czczej dworskiej paplaniny.

Wiszka ma ze sobą całą listę spraw, które czekają na jej decyzję. Wielki książę Aleksander prosi o pozwolenie na zaproszenie księcia Adama, a o ile je dostanie, chciałby zakwaterować przyjaciela w Błękitnej Komnacie. Aleksandra błaga, by wolno jej było wrócić na noc do Pałacu Zimowego ze względu na Bolika, który może się pojawić. Ochmistrz z Pałacu Taurydzkiego donosi, że wszystko jest gotowe na przyjęcie Jej Cesarskiej Wysokości, prosi jednak o zezwolenie na zatrudnienie tresera zwierząt. Kangury, wspaniały dar od króla Anglii, wywołują sensację. Nieopodal ich klatek wybudowano już specjalną platformę obserwacyjną. Niemniej oglądanie tych nadzwyczajnych zwierząt byłoby jeszcze bardziej niezwykłym doświadczeniem, gdyby treser mógł urządzić pokaz ich umiejętności bokserskich.

– Jest jeszcze jedna delikatna kwestia, która może zainteresować Waszą Wysokość – mówi Wiszka, kiedy wszystkie decyzje zostały już podjęte (książę Adam może przyjechać, Aleksandra nie może jeździć tam i z powrotem między dwoma pałacami, a ogrody Pałacu Taurydzkiego to nie żaden cyrk!). W odróżnieniu od Queenie, która ma się za specjalistkę od miłości i wzniosłych uczuć, Wiszka lubuje się w donoszeniu o drobnych grzeszkach: o lokaju, który kradnie jej wstążki, by odwiedzać herbaciarnie czy oberże, albo pokojówce, która owija się szalem carycy, kiedy myśli, że nikt jej nie widzi.

– Czy chodzi o Aleksandrę? – pyta Katarzyna.

– Nie, madame – mówi Wiszka z wahaniem. Tak jakby po czterdziestu latach służby wciąż nie do końca wierzyła w życzliwość swojej pani.

Ze starymi służącymi trzeba być cierpliwym. Powoli wyciągać od nich prawdę, nie wkładać im słów w usta. Ułamek sekundy decyduje o tym, czy to, co warto usłyszeć, nie zamieni się w to, co ich zdaniem sprawi jej przyjemność. Gesty są skuteczniejsze niż słowa. Uścisk dłoni, pogładzenie po policzku, a po nich spojrzenie w oczy, obietnica pilnej uwagi.

Tym razem jednak powodem poruszenia Wiszki jest wielki książę Konstanty, który ożenił się zaledwie w lutym tego roku, z wielką pompą i wielkim nakładem kosztów. Wiszka przechodziła obok Pałacu Marmurowego, w którym mieszka młoda para. Okna były otwarte i dobiegały z nich wrzaski.

– Jakby ktoś żywcem obdzierał kota ze skóry – wykrzykuje Wiszka.

Czy ona kiedykolwiek słyszała obdzieranego ze skóry kota?

Konstanty, któremu kiedyś ona, caryca, życzyła splendoru cesarstwa bizantyńskiego, który miał przywrócić światło prawosławia pogrążonemu w ciemnościach Wschodowi, poprowadzić rosyjskie wojska na Konstantynopol, pokonać Turków i przywieźć do Rosji złote runo, zawiódł jej nadzieje. Pijackie wieczory w oberżach, roztrzaskane meble, niespłacone długi, wierzyciele, którym grozi pobiciem – to wszystko nie skończyło się, pomimo licznych przyrzeczeń.

Z żalem spoglądając w stronę porzuconej lektury, Katarzyna uspokaja służącą. Konstanty to nieokrzesany niedźwiedź. Zawsze taki był, od dzieciństwa. Nawet jego nauczyciele uskarżali się, że wszystko robi gwałtownymi zrywami. W jednej chwili tłumaczy Plutarcha z greckiego, a w następnej ucieka strzelać do ptaków, jak tylko preceptor odwróci głowę. Nic dziwnego, że nie ma cierpliwości do żony.

Wiszka się upiera. W Pałacu Marmurowym wielki książę nie pozwala nikomu wchodzić do swojego gabinetu. Kiedy wydobywający się z jego wnętrza fetor robi się nie do zniesienia, wielki książę pali tam kadzidło odkażające. Służące błagają, by zezwolono im wysprzątać pokój, ale słyszą, że mają się do niego nie zbliżać. Ściany głównego salonu zachlapane są czerwonym winem. Portrety w galerii – podziurawione kulami. Z dwóch wycięto oczy. Dywany w sypialni są podarte na strzępy.

– A teraz wielka księżna Anna Fiodorowna płacze bez ustanku – dodaje chytrze Wiszka. – Nie chce powiedzieć dlaczego, Wasza Wysokość.

Anna Fiodorowna, prawdę mówiąc, nie jest najbystrzejszym spośród boskich stworzeń. Ładna twarz, owszem, ale jej ruchy są niezgrabne, a jej wykształcenie zostało zaniedbane. Jest w Rosji od siedmiu miesięcy i nie zrobiła praktycznie żadnych postępów w rosyjskim.

Katarzynie donoszono już na jej temat inne rzeczy. Queenie wspominała, że księżna dosłownie połyka francuskie powieści i roni łzy nad trudami wymyślonych kochanków. Czego Anna się spodziewa? Kwiecistych deklaracji namiętności od swojego męża? Spojrzeń pełnych zachwytu? Patrzenia w księżyc? Płaton najlepiej to podsumował:

– Ona ma kurzy móżdżek. Widzi tylko własne nieszczęście.

– Opowiedz mi o wszystkim – mówi Katarzyna do Wiszki.

Anna Fiodorowna skarży się, że mąż ją ignoruje. Konstanty skarży się, że jego żona wiecznie się dąsa.

Bardziej niepokojące jest to, że Anna Fiodorowna i żona Aleksandra nadal zbyt często się odwiedzają, mimo że zostały uprzedzone, iż Jej Wysokość tego nie pochwala. A ostatnio te odwiedziny nabrały potajemnego charakteru. Służące bywały już nieraz przekupywane, by przeprowadzić Annę tylnymi schodami, z twarzą zakrytą woalką. Elżbieta, która powinna odmówić udziału w takich podstępach, zgadza się na nie. Słyszano, jak księżne szepczą między sobą po niemiecku.

No cóż, myśli caryca. Niemądre dziewczęta lgną do siebie.

– To minie, Wiszko.

– Tak nie powinno być, Wasza Wysokość – upiera się Wiszka. – Wielka księżna Elżbieta ma takie czułe serce. Tak łatwo obarczyć ją problemami, którymi nie potrzebuje się zajmować.

Wierna Wiszka, mistrzyni sugestii i niedomówień. Tak naprawdę jej służąca chce powiedzieć, że Elżbieta powinna skoncentrować się na poczęciu dziecka. I że powinna więcej myśleć o swojej pozycji na dworze. Stawiać się ponad szwagierką, utrzymywać odpowiedni dystans. Elżbieta, która pewnego dnia zostanie małżonką cara, powinna uważać na zwierzenia, które słyszy, i szepty, którym nadstawia ucha.

Jest jeszcze lato, ale na zewnątrz ptaki wędrowne zbierają się już w trzepoczących gromadach. Z przykrytej siatką części ogrodu zimowego słychać zgiełkliwe poruszenie wśród jej stadka. Jaskółki, turkawki i wilgi przefruwają nerwowo z jednej gałęzi na drugą.

Katarzyny nie cieszy myśl o zimie, butach ocieplanych futrem i ciężkich pelisach. Dusznych pokojach, perfumowanych gorącym octem i miętą. Jej obolałe kości nie wchłonęły jeszcze dość słonecznego ciepła.

– To dlatego Konstanty złości się na żonę – ciągnie dalej Wiszka, nie zwracając uwagi na świergoczące ptaki. – Nasza napuszona księżna nie wie, kiedy powiedzieć sobie dość. Oczekuje uwagi, lecz ile sama poświęca jej mężowi?

Szczęśliwie Wiszka nie spodziewa się odpowiedzi na te pytania. Zadowolona z efektów swojego wyznania, przyznaje, że może ostatecznie nie wszystko wygląda tak czarno.

– To, że się kłócą – mówi Katarzyna – to dobry znak. Pokazuje, że nie są sobie obojętni.

Przez następne kilka tygodni na cześć króla Szwecji zostanie wydanych wiele balów i wystawnych kolacji. Pierwszy z nich odbędzie się w Pałacu Taurydzkim.

– Czy Pałac Zimowy nie byłby dogodniejszy? – zapytał już Le Noiraud.

– Jedno piętro, żadnych schodów – odparła Katarzyna. – Kolana wszystkich gości z pewnością to docenią.

Muszę kłamać temu pięknemu dziecku. Wiesz o tym, Griszeńka, myśli i – w jej wyobraźni – książę taurydzki chichocze w odpowiedzi na te słowa.

Po tym, jak dotarła do niej wiadomość o śmierci Potiomkina, przychodziła do Pałacu Taurydzkiego codziennie, choćby na kilka wykradzionych chwil. Wydawało jej się, że Griszeńka może się wyłonić zza marmurowej kolumny, z półprzymkniętym chorym okiem i mokrymi włosami, które właśnie polewał wodą z pompy.

Piękność Le Noirauda zadziwia ją za każdym razem, kiedy na niego spogląda – tutaj, w korytarzach Pałacu Taurydzkiego, albo na pozłacanych sofach w jej prywatnych komnatach, gdzie Płaton lubi się rozsiadać, ubrany w swoje połyskliwe aksamity, pachnący piżmem i drzewem sandałowym, ze stopami zanurzonymi w puszystym dywanie i oczami tonącymi w odległych pejzażach na starych malowidłach.

Teraz Le Noiraud odepchnął na bok Zotowa i Queenie, którzy drepczą kilka kroków za nim, i popycha jej fotel na kółkach wzdłuż głównej galerii, zabawiając ją swoimi opisami gości ze Szwecji. Przedrzeźnia regenta, który zawsze drobi nogami, jakby usiłował przejść po świeżo umytej podłodze, nie mocząc sobie butów.

W jego monologu pojawia się także król: Gustaw Adolf stanowczo nie pochwala lekkomyślności. Gustaw Adolf preferuje poważne dyskusje, nie zaś czczą paplaninę, dobrą dla bawidamków.

– Jak bardzo poważne? – pyta Katarzyna.

– Ach, no wiesz – odpowiada beztrosko Le Noiraud. – O naturze człowieka. O granicach rozumu.

– Aż tak poważne – śmieje się Katarzyna.

Na pochwałę Płatona trzeba powiedzieć, że ani razu nie wspomniał o Potiomkinie.

– Nie trzeba być zazdrosnym o zmarłych – mówiła mu nieraz, lecz dla Le Noirauda nie jest to takie łatwe.

Jego narzekania na Pałac Taurydzki przybierają pozory troskliwości. Nie lubi go, bo jego pokoje są tutaj zbyt daleko od jej komnat. Kanał cuchnie zgnilizną. Inaczej niż swobodnie płynąca Newa, zapycha się odpadkami. Płaton wspomina o wyziewach, niezdrowych waporach, podrażnionych płucach.

Pałac rozbrzmiewa odgłosami biegnących stóp i podłych nastrojów spieszącej się służby. Lokaje rozwieszają ostatnie kryształy na żyrandolach. Pokojówki polerują klamki i wypatrują smug na szybach. Stoły pokryte są białymi obrusami i przyozdobione girlandami kwiatów i wstążek. Z ogrodu dobiegają dźwięki orkiestry, która ćwiczy kontredansa.

Służący kłaniają się, kiedy mija ich niewielki orszak Katarzyny, ale nie porzucają swoich zajęć. Po drugiej stronie holu stara ochmistrzyni, madame Bolańska, karci za coś jedną z pokojówek, a jej zrzędzący głos daje się słyszeć mimo rozgardiaszu.

Bolika nadal nie ma. Dziś rano Aleksandra zadała miss Williams pytanie, czy Bóg wystawia ją w ten sposób na próbę. A potem zapytała, jak to możliwe, że czuje się jednocześnie radosna i nieszczęśliwa.

Fotel na kółkach przypomina jej stale o porażce. Nawet w tym pałacu, gdzie nie trzeba pokonywać schodów, Katarzyna nie potrafi przejść dalej niż długość pokoju. Nachodzi ją wspomnienie: caryca Elżbieta Piotrowna, zasapana po kilku krokach, z zaczerwienionymi policzkami i spuchniętymi stopami, wylewającymi się z pantofli. Co by powiedziała, gdyby ją teraz zobaczyła?

– Przeznaczenie tropi cię jak pies gończy, Katarzyno.

Na pewno uśmiechałaby się drwiąco i taksowała Płatona wzrokiem.

– Nosimy stare rękawiczki, póki nie dostaniemy nowych, co?

W ciągu ostatnich lat Katarzyna dokonała w pałacu pewnych zmian – dodała teatr i kaplicę – ale większość pomieszczeń, sala z malowidłami, salon gobelinowy, sala chińska, wygląda tak, jak zostawił je Potiomkin. Katarzyna nie ruszała ich dawnych sypialni. W obu są wąskie łoża, gładkie tapety i kwadratowe stoły z brzozowego drewna. W jej sypialni – większej z tych dwóch – po suficie biegają kozy i pasterze, a prócz tego przylega do niej antyszambr, którego Katarzyna używa jako pokoju do spotkań. Jego sypialnia to cela mnicha: na ścianie wisi duży drewniany krzyż, podłogę pokrywa wytarty dywan. Jak dotąd Płaton nie prosił o pozwolenie, by tam spać. Katarzyna i tak nigdy by się na to nie zgodziła, lepiej jednak, aby nie musiała mu tego oznajmić.

W sypialni nadal unosi się nikły zapach przypalonego octu z kadzidła, pomimo zapewnień Queenie, że pokój został starannie wywietrzony. Katarzyna zostawia fotel na kółkach na progu. Dodała tutaj tylko regał na książki i porządne biurko.

Le Noiraud zerka z ciekawością na regał, przesuwając palcem po cienkich tomach, które Katarzyna sprowadziła tu ze swojej biblioteki. Żadnych francuskich prowokacji do mordu pod przykrywką filozofii, mówi swojemu kochankowi.

– Te są moje ulubione – dodaje, wskazując na cztery tomy rozważań o samotności, z uwzględnieniem jej wpływu na umysł i serce. Informuje Le Noirauda, że autor, monsieur Zimmermann, jest medykiem Jego Wysokości króla Anglii w Hanowerze. Nie mówi natomiast, że myśli nad zatrudnieniem Niemca na miejsce Rogersona.

– Czy on w takim razie zaleca samotność? – pyta Le Noiraud, przechylając głowę jak zaciekawiony ptak albo skwapliwy szczeniak. Doskonale wie, że Katarzyna nie będzie umiała oprzeć się pokusie małego wykładu. – Chce, żebyśmy zostali pustelnikami? Przyłączyli się do dzikich zwierząt?

– O, nie – protestuje ona. – Mówi tylko, że w spokojnym cieniu samotności umysł się regeneruje, a zmysły nabierają nowych sił.

Le Noiraud mruży oczy i wyraża sprzeciw, potrząsając głową.

– Nie chcę samotności – mruczy. – Chcę być z tobą.

Katarzyna uśmiecha się do niego.

Kiedy zostaje sama, spogląda przez okno na ołowiane niebo. Wolałaby, żeby nie było deszczu, bo powstrzymałby gości przed przechadzaniem się po ogrodzie. Znacznie lepiej byłoby dać młodym pretekst do spacerów w świetle księżyca.

No, cóż. Nie wszystko da się kontrolować. Lepiej skupić się na tym, co się da.

Na jej sekretarzyku leżą dyspozycje dotyczące wieczoru. Kolejność tańców, rozkład miejsc przy głównym stole i przy stolikach do gry w karty. Le Noiraud będzie siedział obok niej, razem z Lwem Naryszkinem. Będą ją zabawiać, podczas gdy młodzi zajmą się tańcem. Na zewnątrz odbędzie się pokaz fajerwerków: koła Katarzyny i spadające gwiazdy, przy których będzie można wypowiadać życzenia. Caryca sprawdza wybór kwiatów, win, koniaków i porcelany. Talerze z serwisu Green Frog najbardziej sprzyjają sielankowemu nastrojowi. Pozłacane filiżanki zawsze dobrze wyglądają w świetle świec. Na środku stołu będą stały porcelanowe figurki z jej kolekcji „narody Rosji". Kilka wybranych zostanie umieszczonych wokół postaci jej, imperatorowej, zasiadającej na tronie.

Mimo wszystkich tych wysiłków Katarzyna wie, że bal nie będzie mógł się równać z tymi, które wydawał niegdyś Griszeńka. Bez niego przepych to tylko cień słowa.

Przez długie miesiące po tym, jak nadeszła wiadomość z Jass, widziała go wszędzie: w ludziach, których kiedyś kochał, w miejscach, w których mieszkał, w przedmiotach, których dotykał. Jego obecność przywoływała książka z obgryzionymi brzegami – nigdy bowiem nie udało się Katarzynie powstrzymać Griszy przed gryzieniem wszystkiego, co wpadło mu w ręce – albo rozbity porcelanowy koszyk, posklejany z miłością, by odpokutować napad gniewu. Długo budziła się ze wspomnieniem Griszy, który stoi nad nią, twarz ma szarą w półmroku, potężne ciało – zgarbione. Wpatruje się w nią dłuższy czas, a potem bezgłośnie robi nad jej głową znak krzyża.

Teraz, pięć lat później, pamięta go tylko takim, jaki był ostatniego dnia, kiedy go widziała. W butach do konnej jazdy, z czarną przepaską na martwym oku. Wchodzącego do jej pokoju chwiejnym krokiem. Jest młodszy niż ja, powtarzała sobie, patrząc na jego niepewne ruchy i wymizerowaną twarz. On mnie pochowa.

Jedynie w tym pałacu Katarzyna potrafi przywołać niekiedy całe bogactwo przeszłości. Tylko tu, w jakiejś przypadkowej chwili jak ta, w tej małej sypialni czy w rozległym ogrodzie zimowym, gdzie niegdyś Griszeńka posadził szczodrze oleandry i bugenwille, ona jest w stanie poczuć jego obecność przy swoim boku.

Ukochana matuszko, jeszcze trudniej jest mi żyć, nie widząc Ciebie...

Le Noiraud, wezwany widocznie przez Queenie, odkorkowuje buteleczkę z solami trzeźwiącymi i podsuwa pod jej nos. Gryzący zapach amoniaku przyprawia ją o mdłości. Katarzyna ogania się od niego jak od natrętnej muchy.

Le Noiraud otacza ją ramionami.

– Znowu o nim myślałaś – mruczy jej kochanek. Ale w jego głosie słychać tylko troskę.

Katarzyna kiwa głową.

– Płacz, Katinko – zachęca ją ciepłym głosem. – Płacz.

Dobrze jest móc przyznać się do żalu. Pozwolić płynąć łzom, które potem otrze z policzków czyjaś delikatna dłoń. Zobaczyć własne odbicie w roziskrzonych oczach Le Noirauda.

Koniec końców praca jest zawsze najlepszym lekarstwem.

Katarzyna sięga po najnowsze sprawozdanie Biezborodki na temat polskiego przyjaciela Aleksandra, księcia Adama, z którym jej wnuk spędza ostatnio tyle czasu. Widywano ich pogrążonych w ożywionej rozmowie na nabrzeżu. Jeździli też razem na wieś, w okolice Carskiego Sioła, gdzie całe dnie spędzali, wędrując po polach i łąkach. Siedem razy w samym sierpniu.

Strzelali do ptaków?

Rozmawiali, pisze w swoim raporcie sprawozdaniu Biezborodko. O Rousseau, amerykańskiej demokracji i jedzeniu.

Książę Adam przyjechał do Petersburga na jej rozkaz. Jego rodzina, Czartoryscy, niemądrze poparli powstanie Kościuszki, wskutek czego ich majątki zostały poddane sekwestrowi. Kiedy zwrócili się do niej, błagając o przebaczenie, caryca napisała: najpierw wyślijcie do Rosji swojego syna.

Czartoryscy to stara polska familia. Ich rodowód sięga daleko wstecz, ich koligacje, czy to poprzez krew, czy małżeństwo, są bez zarzutu. A ich ambicje – ogromne. Teraz – po rozbiorze – stali się poddanymi Rosji. Porażka zawsze rodzi urazę.

Czartoryscy, zapewnia ją minister, szybko się uczą. Przyjęli do wiadomości to, co widać gołym okiem. Od tej pory władza pochodzi wyłącznie z dworu carskiego.

Być może.

To prawda, że książę Adam nie przypomina już tego nieufnego gościa, którym był po przyjeździe. Uprzejmy, owszem, ale przy tym sztywny i pełen rezerwy. Teraz Dołgorukowie są nim oczarowani, a Woroncowowie zachwycają się jego dowcipem i elegancją. I, naturalnie, Maria Fiodorowna uważa Adama za crème de la crème. Choć okrzyki jej synowej należy traktować z pewnym dystansem. Jedna z córek Czartoryskich wyszła za mąż za brata Marii.

O czym zatem Aleksander i Adam rozmawiali ze sobą podczas tych długich spacerów?

Tutaj relacja szpiega nie wnosi zbyt wiele. Dwaj wędrowcy odprawili służących. Sami nieśli swój ekwipunek. Świadectwa kilku wieśniaków, w których chatach zatrzymali się, by coś przekąsić, są krótkie: wielcy panowie zajadali się czarnym chlebem ze śmietaną, i zachwycali świeżym kwasem prosto z piwnicy.

Wnioski?

Sprawozdanie nie pozostawia tu wątpliwości. Ujemne strony tej przyjaźni: Aleksander ma czułe serce i skłonność do idealistycznych wzlotów wyobraźni. Jakież to polskie bzdury może książę Adam usiłować wmówić przyszłemu carowi? Na dworze pojawiły się także głosy zazdrości, że wnuk imperatorowej nie wybrał sobie na towarzysza rosyjskiego księcia krwi.

Zalety? Dla przyszłego cara Rosji wpływowy przyjaciel Polak to cenny atut. Zwłaszcza starannie wykształcony i o błyskotliwym umyśle, dzięki czemu jego towarzystwo nie będzie dla Aleksandra pokusą do udziału w jakichś młodzieńczych wybrykach. Z cesarskiej biblioteki wypożyczono już książki: Rousseau. Tacyt. Plutarch. Cycero. Zaledwie poprzedniej nocy, donoszą jej szpiedzy, dwaj młodzieńcy godzinami omawiali podstawy amerykańskiego systemu rządów.

Jeżeli taka ożywiona wymiana myśli się utrzyma, być może Aleksander przestanie wymykać się z pałacu, by brać udział w paradach swojego ojca w Gatczynie. Już są tego pierwsze oznaki. Gatczyński mundur Aleksandra spoczywa co prawda nadal w zamkniętej na klucz szufladzie w jego sypialni, ale nie czyszczono go od tygodnia.

„Doradzałbym więc cierpliwość połączoną z ostrożnością – kończy swój raport Biezborodko. – Szczególnie że w dzisiejszych czasach młodzi nie potrafią się oprzeć pokusie zwierzeń".

Biezborodko ma rację. Na dworze niewiele da się zataić. A to, co skrywane, prędzej czy później zostanie powierzone listowi bądź pamiętnikowi. Cierpliwość zawsze była przyjaciółką Katarzyny.

Spojrzenie carycy wraca do streszczenia całonocnej dyskusji Aleksandra i Adama. Najpierw postawili sobie zasadnicze pytanie: co uratowało rewolucję w Ameryce przed okrucieństwami francuskiej klęski? Aleksander opowiadał się za przeznaczeniem i wolą ludu. Adam podkreślał wagę rozległości terytorium amerykańskiego i brak tradycyjnych struktur.

Jej syn Paweł to kompletny nieudacznik, źródło nieustannych utrapień, za to wnuk wynagradza jej to tysiąckrotnie. Jej bystry, mądry, przystojny wnuk, którego umysł Katarzyna kształtuje od dnia, w którym się urodził. Obietnica, której spełnienie przeszło najśmielsze oczekiwania.

Jej monsieur Aleksander.

Krew z jej krwi, kość z jej kości.

Ponieważ Katarzyna widzi w nim siebie.

On jest przyszłością Rosji.

Jest jeszcze pogrążona w tych myślach, kiedy nagle przerywa je stłumiony szloch, dobiegający zza drzwi pokoju.

– Księżna Anna Fiodorowna błaga o przyjęcie. Na kolanach – mówi Queenie z ironicznym uśmiechem na pulchnej twarzy.

Queenie pachnie ciastem. Śliwkami, jagodami i roztopionym masłem. Pewnie znów była w kuchni, gdzie nie potrafi się oprzeć bulgoczącym garnkom i słodkiej pianie na świeżych konfiturach.

– Teraz? – pyta Katarzyna, rzucając spojrzenie na biurko.

Szloch nie ustaje.

– Anna Fiodorowna nalega – mówi Queenie. – Mówiłam jej, żeby przyszła jutro, ale nie chciała słuchać. To do niej niepodobne, Wasza Wysokość.

– Wpuść ją więc – wzdycha Katarzyna. Jeżeli teraz odprawi Annę, ta pójdzie ze swoimi zgryzotami do Elżbiety albo Aleksandry. Zepsuje im humor.

Queenie otwiera drzwi. Żona Konstantego wpada do środka. Jej czarne włosy zostały upięte w pośpiechu; z tyłu trzepoczą czerwone wstążki. Na rękawach białej sukni dziennej ma plamy z sadzy. Czyżby próbowała rozpalić ogień? W sierpniu? Pod orzechowymi oczami ma sine kręgi, splata dłonie i przyciska je do piersi, szarpiąc za chustę narzuconą na ramiona.

Słodkie, śliczne dziewczę, drobniutke. Piquante, jak ktoś ją określił. Kiedy pojawiła się w Rosji, twarz miała pełną życia i radości. Teraz zalana jest łzami.

– Wasza Wysokość – mamrocze, całując z szacunkiem dłoń Katarzyny.

– Cóż to się stało, Anno?

Anna nie odpowiada.

– Usiądź, moje dziecko – mówi Katarzyna, podając jej chusteczkę.

Zamiast osuszyć oczy, Anna trze je tak, jakby chciała usunąć jakąś uporczywą plamę. Te oczy były kiedyś jej największym atutem. Robiły wrażenie śmiałych i wymownych, sugerując hart ducha, który mógłby jej się przydać. Teraz jednak po Annie tego nie widać.

– Tak mi przykro, Wasza Wysokość! Proszę mi pomóc!

– Czemu jest ci przykro? Czy zrobiłaś coś złego?

– O, nie – wykrzykuje. Wyraziła się tak tylko dlatego, że spodziewała się, iż to się spodoba carycy. Rozplata dłonie i składa je na podołku. A może jest enceinte? Prześcignęła Elżbietę!

Na twarzy Anny Fiodorownej nie widać jednak niepewności przyszłej matki.

Takich wyznań nie ma się ochoty słuchać. Katarzyna wolałaby trzymać się z dala od drastycznych szczegółów małżeństwa swojego wnuka. Wolałaby, by oszczędzono jej błagań i łez. Przypomina sobie czas, kiedy Anna przybyła do Rosji, te uroczystości, te wieczorki, te niekończące się eskapady poprzez komnaty Pałacu Zimowego, aby obejrzeć cesarskie klejnoty lub ogromne żyrandole w sali balowej. Można by się spodziewać, że mała gąska została uprzedzona o tym, z czym wiąże się małżeństwo z członkiem rodziny panującej.

Dlaczego więc ona, caryca i ich babka, zmuszona jest, by oglądać kolejną błahą scenę z rodzinnego dramatu?

– Nie ma dobrego sposobu na powiedzenie tego, z czym przyszłaś, Anno – mówi Katarzyna najbardziej bezosobowym i oschłym tonem, na jaki może się zdobyć, nie sprawiając wrażenia rozgniewanej. – Więc po prostu to powiedz.

Anna się waha.

– Wasza Wysokość jest dla mnie taka dobra...

Mężatka już od czterech miesięcy. Czas, by zdała sobie sprawę z tego, jak daleko od rzeczywistości są jej dziecinne marzenia. Żeby odłożyła swoje niemądre romansidła na półkę.

– A zatem, moje drogie dziecko – mówi Katarzyna. A jednocześnie myśli: marnujesz mój czas, zabierasz cenne minuty, które są mi potrzebne na sprawy znacznie ważniejsze niż jakaś tam żona, oczekująca mnóstwa szczęścia tam, gdzie da się osiągnąć tylko pewną jego ilość.

– Mój mąż mnie nie kocha – mówi w końcu Anna.

A zatem część marzeń małej księżniczki legła w gruzach. Bóg rozdał ci całkiem przyzwoite karty, moje dziecko, ma ochotę jej powiedzieć, ale musisz dobrze je rozegrać. Zamiast tego pyta:

– Dlaczego tak sądzisz?

– Często bywa przybity.

– Dlaczego cię to martwi? Jego usposobienie się nie zmieniło.

– Mówi dziwne rzeczy.

– Jakie rzeczy?

– Że chciałby uciec i żyć wśród żołnierzy. Że wykopie sobie ziemiankę i w niej zamieszka.

– Czy często tak mówi?

– Tak. I czasem znika na całą noc i nie mówi mi dlaczego. Ani dokąd chodzi.

– A dlaczego ty musisz wiedzieć o każdym jego kroku?

W oczach Anny widzi coraz więcej wahania. Głupia kobieta, zapomina, jak niewiele wniosła do tego małżeństwa. Czemu ludzie domagają się, by im przypominać, jak mało znaczą? Dlaczego, kiedy pozostawi się ich samym sobie, oddają się nierealnym marzeniom? Jej szpiedzy donoszą, że Anna niezbyt stanowczo opiera się awansom niektórych urodziwych dworzan.

Czy Konstanty to zauważył? Czy to dlatego ona próbuje go teraz oczernić?

– Wasza Najdroższa Wysokość, błagam – chlipie Anna.

To nie wszystko. Konstanty powiedział jej, że ożenił się z nią tylko po to, by babka przestała zrzędzić.

– To jakieś dziecinne brednie! – wykrzykuje Katarzyna. – Nie znasz go tak dobrze jak ja. Musiałaś go czymś zdenerwować. W złości potrafi być porywczy. Ale ma dobre serce i z czasem cię pokocha.

Anna spuszcza głowę i wbija wzrok w podłogę.

A więc to o to chodzi. Anna Fiodorowna chce, żeby ktoś ją pocieszył.

– Dobrze cię rozumiem. Ja też byłam w podobnej sytuacji – mówi Katarzyna żonie Konstantego. – Przybyłam tu, by poślubić obcego człowieka. Mój mąż początkowo nie był we mnie zakochany. Musiałam sprawić, by mnie pokochał. Znaleźć dla siebie miejsce na dworze. Jako wielka księżna musiałam stać się dla niego użyteczna. Dzielić jego zainteresowania. Pomagać mu w obowiązkach, które uznawał za nużące. Nauczyłam się wszystkiego, co było dla niego ważne. Zdobyłam jego zaufanie.

Anna Fiodorowna wpatruje się w podłogę, bojąc się przerwać. Być może coś z tych wynurzeń przeniknie do jej niemądrych marzeń. Może to wystarczy.

Ale nie. Mała księżna kręci głową i podciąga rękawy swojej sukni, odsłaniając żółtoniebieskie siniaki na ramionach. Potem rozpina suknię i obciąga halkę. Skórę na jej piersiach przecinają pręgi.

Na chwilę zapada cisza. Czas na zastanowienie, co jest możliwe, co wolno powiedzieć, a co trzeba jedynie zasugerować.

– Czy rozmawiałaś z kimś o tym, Anno? – pyta Katarzyna ostrożnie.

Żona jej wnuka kręci głową, ale czy to cała prawda? Nieskładne listy, które pisze do matki, wypełniają głównie drobne błahostki.

Czy udało jej się wysłać inne, takie, których nie przechwycili szpiedzy? A może te pozornie niewinne słowa, których używa, są częścią szyfru? Choć z drugiej strony, cóż innego mogłaby poradzić maman swojej córce, jak nie cierpliwość, pogodzenie się z losem i wypełnianie małżeńskich obowiązków?

– Cieszę się, że zachowałaś to dla siebie – mówi Katarzyna. – Że miałaś wzgląd na niewinność innych osób. – Teraz Anna szlocha, zanosi się rozpaczliwym płaczem – wymowny znak, że pewne rzeczy zostały jednak zasugerowane, pewne wyznania poczynione. – Jesteś mądrą kobietą – ciągnie dalej Katarzyna. Jej głos jest teraz twardszy. – Mogę zabronić mu się do ciebie zbliżać. Czy tego chcesz? Rozdzielenia po zaledwie kilku miesiącach małżeństwa? Konstanty jest drugi w kolejności dziedziczenia tronu, wiesz o tym.

Jeżeli zależy ci na balach, tańcach, dworskim przepychu, musisz zdobyć się na pewne poświęcenie. Musisz milczeć. Musisz być wobec mnie lojalna. Musisz znaleźć sposób, by poradzić sobie z tą sytuacją. Zajdź w ciążę, daj mu syna i weź sobie kochanka. Pozwól mężowi na jego przyjemności, a sama zajmij się swoimi. Tak żyje większość ludzi. I to nie tylko w tym kraju.

– Czy chcesz wrócić do matki?

Anna Fiodorowna w milczeniu rozważa te słowa. Trudno zgadnąć, dokąd biegną jej myśli. W stronę przyjemności czy przykrości związanych z byciem wielką księżną? A może Anna nadal wierzy, że ona, jej caryca, potrafi zmienić zachowanie jej męża? Że może oszczędzić jej kolejnych dramatów?

Katarzyna wyciąga rękę i wsuwa niesforny pukiel pod ozdobiony wstążkami czepiec Anny.

– A jak twoje postępy na lekcjach kontredansa, kochanie? – pyta. – Elżbieta mówiła mi, że masz więcej gracji niż ona. Dziś wieczorem chciałabym zobaczyć, jak tańczysz.

Pałac Taurydzki, wypolerowany, wysprzątany i ozdobiony girlandami kwiatów i świeżych sosnowych gałązek, roi się od gości. Queenie donosi, że wszyscy podziwiają porcelanowe figurki ludów Rosji i pomysłowe aranżacje przekąsek. Mus z jesiotra w kształcie ogromnych ryb z łuskami z plastrów ogórka. Butelki wódki zamknięte w lodowych blokach, w których zdają się unosić białe pączki róż.

– Kucharz nie chce nikomu powiedzieć, jak to robi – skarży się Queenie.

Oczy króla Szwecji udają, że prześlizgują się po zgromadzonych wokół bogactwach, ale to tylko gra. Zanim złożył jej uszanowanie – nazywając Petersburg wspaniałą Wenecją Północy – zatrzymał się przed kolekcją starych ikon Griszeńki i szepnął coś do swojego wuja.

Bal na cześć gości ze Szwecji to odpowiednia sceneria dla rodzącego się uczucia. Podłogi lśnią od wosku, by tańczyło się łatwiej. Wykwintne suknie wabią tęczą barw; klejnoty migoczą w blasku świec. Przyroda to nasza nauczycielka, myśli Katarzyna. Obnoś się z kolorami, przyciągaj wzrok, kuś. Wszyscy tańczymy ten sam taniec.

Ze swojego podium w sali balowej caryca patrzy, jak Gustaw Adolf podchodzi do Aleksandry. Wnuczka ubrana jest w różową satynę, muślinowy szal zakrywa smukłe ramiona. Włosy opadają jej na szyję złotymi lokami. Kiedy podnosi wzrok, oczy ma pełne blasku, ponieważ jednak jest nieśmiała, przez większość czasu patrzy w podłogę.

Kochane dziecko. Tyle jeszcze przed nią. Słodycz pierwszego pocałunku. Budzące się pożądanie, ekstaza zaspokojenia. Przyjmij to wszystko, najdroższa, myśli Katarzyna. Wypij z tej czary, ile tylko możesz, bo wszystko tak szybko przemija. Pożądanie jest błogosławieństwem natury. Kiedy odchodzi, pozostawia po sobie pustkę i smutek. Zgniliznę i ból.

Aleksander obrzuca króla Szwecji ponurym spojrzeniem. Zazdrosny, myśli Katarzyna, zazdrością starszego brata. Adam pociąga go za rękaw, wskazując na orkiestrę, która zajmuje miejsca na podium. Zachęcając przyjaciela do tańca, Adam podsuwa rękę pod plecy wyimaginowanej damy, zręcznie naśladując wirującego motyla, jedną z figur kontredansa.

Aleksander kiwa głową i śmieje się.

Paweł przybył właśnie z Gatczyny i kroczy dumnie ku Katarzynie. Jak zawsze jest tu niechętnym gościem, podejrzliwym wobec wszystkiego, co go otacza. Caryca słyszy, jak chrapliwie wciąga powietrze. Ten odpychający odgłos, choć znajomy, nigdy nie przestaje jej irytować. Nawet oddychanie stanowi problem dla jej niewydarzonego syna.

Ma na sobie zielony mundur Pułku Preobrażeńskiego, co jest ukłonem w jej stronę. Paweł wolałby obcisły niebieski mundur pruski. W Gatczynie syn mówi o jej gwardii carskiej, że jest rozpuszczona i nie wie nic o prawdziwej dyscyplinie wojskowej. W odróżnieniu od carskiego feldmarszałka Suworowa, Paweł wierzy w siłę upudrowanych peruk i wypolerowanych guzików. To istota jego natury, ta nienasycona miłość do muszkietów, dział, mundurów, hejnałów i koni. To pragnienie, by widzieć żołnierzy maszerujących w równych szykach, niczym tryby w jakiejś olbrzymiej maszynie. Dryl pruski, krok defiladowy, obcisłe niebieskie mundury. Być może Suworow pokonał Turków i Polaków, ale jej syn i tak uważa, że Rosjanie nie są godni, by lizać Fryderykowi buty.

Wymieniają pozdrowienia. Katarzyna pyta syna o zdrowie; Paweł opowiada jej o planach żony, by przebudować ten czy inny pokój w Gatczynie.

Na parkiecie taniec właśnie dobiegł końca. Aleksandra skłania się z gracją i pozwala szwedzkiemu królowi odprowadzić się do guwernantki. Po obojgu widać niewątpliwe znaki wzajemnego zauroczenia. Ich głowy przechylają się ku sobie.

– Czy Aleksandra nie jest nieco zbyt młoda? – odzywa się Paweł. – Czy nie byłoby roztropnie przełożyć zaręczyny jeszcze przynajmniej o rok?

– Dlaczego? – pyta Katarzyna bez ogródek.

Paweł mruga oczami, marszczy mopsi nos i pociera go knykciami.

– Moja żona i ja pomyśleliśmy...

– Co nie podoba się Marii Fiodorownie? – przerywa mu Katarzyna. – Czyżby wiedziała coś o innych znakomitych kandydatach, o których ja nie słyszałam?

– Nie ma innych kandydatów – jąka się jej syn. A potem zmienia temat. Krzewy w ogrodach Gatczyny są w tym roku wyjątkowo bujne. Róże rosną wspaniale.

To także ją irytuje. Paweł tak szybko daje za wygraną. Jak on sobie wyobraża, że miałby rządzić Rosją? Ustępując każdemu, kto tylko krzyknie głośniej od niego?

Jej syn mówi dalej, lecz ona już go nie słucha.

Wierna, spostrzegawcza Wiszka krąży w pobliżu, zawsze gotowa, by przyjść swojej pani z pomocą. Wystarczy jeden gest, a już biegnie ku nim ze zmartwioną miną na pomarszczonej twarzy.

– Czy mogę zamienić z Waszą Wysokością słówko? – pyta.

Wielki książę Rosji, następca tronu, pozwala się odprawić jak uczniak.

Szwedzi, donosi Wiszka, stoją w holu, oszołomieni prezentami, które otrzymali od carycy, dyskutując nad najlepszym sposobem wyrażenia jej swojej wdzięczności.

– Doskonale. – Katarzyna kiwa głową, kiedy Wiszka przerywa, by nabrać tchu. – A teraz przyślij mi Konstantego. Muszę z nim porozmawiać.

Kątem oka widzi Pawła pochylonego nad Marią Fiodorowną, która z niedowierzaniem kręci głową. Kiedy żona zadaje mu jakieś pytanie, Paweł wzrusza chudymi ramionami i obrażony odchodzi.

Duma, myśli caryca, kolejna wada ludzi słabych.

Młodszy wnuk podchodzi do niej, spocony po tańcu, jego szeroką twarz rozjaśnia uśmiech, który odsłania dwa rzędy mocnych zębów. W myśli Katarzyny wkrada się wspomnienie. Dzieci zostały do niej przyprowadzone przez niańki, by opowiedzieć o tym, co działo się w ciągu dnia, i życzyć jej dobrej nocy. Chłopcy musieli już chodzić w spodenkach, bo pamięta Konstantego, jak stoi za Aleksandrem i ciągnie go za spodenki. Pamięta, jak jaśniały ich buzie, jak ich ramionka zaciskały się wokół jej szyi i jak słodko pachniały ich ciałka.

Teraz Konstanty nie jest tak przystojny jak Aleksander, ale – podobnie jak starszy brat – domniemany następca rosyjskiego tronu, wdał się w matkę. Nie ma ani śladu mopsiego nosa Pawła czy jego patykowatych kończyn.

– Potrzebuję twojego Pałacu Marmurowego, Konstanty – mówi mu. – Chcę umieścić w nim Kościuszkę. – Wyjaśnia wnukowi, że pokonany przywódca polskiej insurekcji choruje i wymaga lepszych warunków, niż może mu zapewnić jego dotychczasowa kwatera w Twierdzy Pietropawłowskiej. – Ty wraz z żoną możecie tymczasem zamieszkać ze mną w Pałacu Zimowym. – Katarzyna chce, by wnuk pomyślał, że okazuje mu zaufanie w obliczu naglącej konieczności. Nie powinien podejrzewać żony o zwierzanie się carycy ze swoich trosk. – Niektórzy będą ci zazdrościć przebywania tak blisko mnie – ciągnie dalej. – Wiem, że nie uderzy ci to do głowy, nie mam jednak takiej pewności co do twojej młodej żony, dlatego będę cię musiała poprosić, abyś był czujny.

Anna Fiodorowna, wyjaśnia, jest kapryśna i nieco próżna. Nietrudno będzie jej zrozumieć tę przeprowadzkę niewłaściwie, jako oznakę własnej wyższości.

– Oczekuję, że codziennie będzie mi dotrzymywać towarzystwa, nie dlatego, bym chciała wynieść ją ponad szwagierki, lecz by nauczyć ją więcej ogłady i powściągliwości. Anna potrzebuje w tym mojej pomocy. Więcej, niż przypuszczałam.

Konstanty chrząka.

– W dodatku jest złośliwa, babuniu! I głupia. Powinnaś usłyszeć, co ona czasami wygaduje!

Katarzyna puszcza te słowa mimo uszu. Nie chce, aby wnuk rozwodził się nad wadami swojej żony. Kościuszko to znacznie lepszy temat. Konstantemu także przyda się lekcja rządzenia.

Kościuszko to wichrzyciel, bardziej niebezpieczny niż Pugaczow ze swoimi Kozakami. Gdyby go nie powstrzymała, miałaby teraz na karku drugą rewolucję francuską. Ciała szlachciców kołyszące się na latarniach. Gilotynę w Warszawie. Chłopów podrzynających gardła swoim panom.

Za granicą Kościuszko wzbudza emocje, uczucia antyrosyjskie. Trzeba znosić oburzenie i świętoszkowate protesty. Niektóre skargi jednak da się rozbroić, zneutralizować i obrócić w atuty. Katarzyna jest wściekła na zbuntowanego generała, ale będzie się z nim obchodzić w jedwabnych rękawiczkach.

– Na pewno sam to doskonale rozumiesz, Konstanty – dodaje.

Wnuk kiwa głową, zadowolony, że obdarzyła go zaufaniem.

– Pozory nie są bez znaczenia – przypomina mu Katarzyna.

Nie chce, by oskarżano ją o perfidię ani okrucieństwo. Przede wszystkim nie życzy sobie, by Kościuszko stał się bohaterem, nie chce stwarzać mu sposobności do męczeństwa w rosyjskim więzieniu. Pałac Marmurowy będzie dla niego idealnym miejscem. Generał będzie tam zażywał wszelkich wygód, a jednocześnie z okien będzie widział twierdzę. Widok, który przypomni mu o klęsce. Przeprowadzka ta będzie mieć też inne zalety. Polscy więźniowie z twierdzy będą mu zazdrościć. Pojawią się oskarżenia o współpracę z wrogiem. Sugestie na temat oddawanych Rosjanom przysług, może nawet zdrady.

– Nie muszę ci tłumaczyć, Konstanty – dodaje – jak bardzo posłuży to sprawie rosyjskiej.

Wnuk spogląda na nią rozpromienionym wzrokiem. Zaciera ręce. Duże, szerokie dłonie porośnięte rudawymi włoskami.

Paznokcie ma okropnie brudne, ale Katarzyna powstrzymuje się od przypomnienia mu o cnocie schludności.

– Nie, babuniu – mówi Konstanty, z przejęcia podnosząc głos. – Nic nie musisz mi tłumaczyć.

Pod marmurową kolumną hrabia Biezborodko rozmawia z ambasadorem Austrii. Caryca przywołuje go gestem, lecz ku jej zaskoczeniu to uprzykrzona madame Lebrun, która uznała, że gest skierowany był do niej, kłania się nisko i z pośpiechem zbliża do tronu.

– Pozbędę się jej – proponuje Le Noiraud z ujmującą skwapliwością. Kiedy tylko Konstanty wrócił na parkiet, Płaton pojawił się u jej boku. Inaczej niż jej wnuki, on zawsze wie, gdzie powinien się znaleźć.

– Nie trzeba – odpowiada Katarzyna, kiedy Lebrun podchodzi ku nim z błogim uśmiechem na uróżowanej twarzy. Nad jej kunsztowną fryzurą kiwają się dwa strusie pióra. – To byłoby zbyt okrutne.

– Wasza Cesarska Wysokość wygląda jak Minerwa Zwycięska – oznajmia madame Lebrun, schylając się, by ucałować dłoń carycy, i chwaląc „niezrównaną grę błękitów i ciepłej ochry" na cesarskiej mantyli. Znów urzeka ją patrycjuszowski profil Płatona, zwłaszcza szlachetna linia czoła. – Votre Altesse musiał mieć jakichś wybitnych greckich przodków – wykrzykuje.

Madame Lebrun jest malarką. Przyjechała do Sankt Petersburga rok temu uzbrojona w imponujące listy rekomendacyjne i dopilnowała, by wszyscy się dowiedzieli, że portret Marii Antoniny jej pędzla okrzyknięto arcydziełem na każdym europejskim dworze. To dokonanie oraz kilka portretów carskiej rodziny, które pozwolono jej namalować, zapewniło jej zamówienia z najlepszych rosyjskich domów.

Przeszłość madame Lebrun obfitowała w przygody, które ich uczestniczka opisuje do bólu szczegółowo, jeśli tylko się jej na to pozwoli. Ucieczka dyliżansem z Paryża do Lyonu i przez Alpy do Włoch w przebraniu plebejuszki i towarzystwie jedynie własnej córki oraz jej guwernantki. Wszystko to ze strachu, by nie zostać zaciągniętą na gilotynę jako jedna z najbardziej lojalnych przyjaciółek Marii Antoniny.

– Moja ukochana królowa, niech jej święta, udręczona dusza spoczywa w pokoju – mówi teraz, ocierając z oczu nieistniejącą łzę – odwiedziła mnie tej nocy we śnie. Jadła galettes z kremem migdałowym. Była szczęśliwsza niż kiedykolwiek na tej ziemi.

Każdy francuski emigrant w Rosji był bliskim przyjacielem Marii Antoniny. Podobnie jak każdy Polak, który przybywa do Petersburga błagać o łaski, zapewnia Katarzynę, że tylko tych kilku szalonych narwańców, których teraz trzyma w twierdzy, brało udział w nieudanym powstaniu. Wszyscy inni w Polsce zawsze chcieli znaleźć się pod rosyjskim panowaniem. A każdy z nich stracił tony srebrnych naczyń, sterty bezcennych gobelinów i piwniczkę znakomitych win, jeżeli noga choćby jednego rosyjskiego żołnierza postała w jego majątku.

Madame Lebrun rzuca wokół ukradkowe spojrzenia, sprawdzając, ile par oczu dostrzegło jej wywyższenie. Kłania się raz po raz, opisując piskliwym głosem niestrudzone wysiłki, jakich nie szczędzi, by oddać piękno swoich wykwintnych modeli.

– Muzę jest czasem tak trudno przywabić. Często muszę po prostu odstawić paletę na bok, położyć się z mokrymi okładami na oczach i po prostu czekać.

Madame wierzy w moc nieustannej paplaniny i zwrotów pełnych zachwytu. Każda osoba, którą kiedykolwiek malowała, posiada niezrównany wdzięk, anielską słodycz bądź nieopisaną grację, których niemal nie da się uchwycić na płótnie.

Znajomość carycy i madame nie zaczęła się najlepiej. Aleksandra i Helena pozowały malarce jako pierwsze, a ich babka uznała obraz za rozczarowujący. Madame Lebrun udało się do pewnego stopnia uchwycić świeżość i żywotność dziewcząt, ale portret ma w sobie także coś drewnianego.

Płaton, zadowolony z tego, że malarka zwróciła się do niego per „Votre Altesse", pyta, kto teraz jest jej modelem.

– Księżna Dołgorukowa – odpowiada madame. – Gdybym jednak mogła liczyć na siłę perswazji monseigneura, pozwoliłabym sobie na znacznie śmielsze nadzieje.

I za chwilę usłyszymy, myśli Katarzyna, nieuniknioną prośbę. W rzeczy samej, po kolejnym kunsztownym ukłonie, wprawiającym w drżenie strusie pióra, madame Lebrun wyraża żarliwą nadzieję, że Imperatorowa Wszechrusi zechce pewnego szczęsnego dnia obdarzyć ją największą z łask.

– Bym mogła namalować boskie oblicze Waszej Cesarskiej Wysokości.

– Może za kilka miesięcy – odpowiada Katarzyna. – Kiedy będę miała więcej czasu na pozowanie.

Wachlarz w dłoni madame trzepocze gorączkowo. Jej wargi rozchyla błogi uśmiech.

– Ach, Wasza Wysokość – wzdycha Lebrun, gotowa dostrzec zwycięstwo nawet w mglistej obietnicy. – To doprawdy najszczęśliwszy dzień mego życia.

Caryca dostrzega swojego wnuka, który przez otwarte okno wpatruje się w grafitową ciemność. Aleksander nie porusza się, najwyraźniej nieczuły na coraz głośniejszą wesołość na balowej sali, na śmiech, na kołyszące tony poloneza.

Chętnie zobaczyłaby jego twarz, ale wnuk stoi do niej plecami, więc Katarzyna może ją sobie tylko wyobrażać. Ściągnięta lękiem, pełna napięcia. Biedny monsieur Aleksander zawsze marzy, by cofnąć wskazówki zegara i powrócić do chłopięcych czasów. Najlepszego czasu w jego życiu, myśli Katarzyna nie bez dumy.

Jej daru dla niego, dla wszystkich jej wnuków. Czasu zachwytu, temperowanego rozumem. Czasu zdrowej radości i wartościowych rozrywek.

Nie da się zawsze być dzieckiem, Aleksandrze, mogłaby mu powiedzieć, ale tego nie uczyni.

Robi się późno. Deszcz ustał, noc jest gwiaździsta. Na kanale musi widzieć unoszące się łódki, skąpane w świetle lampionów. I zaciekawionych pasażerów spoglądających w stronę Pałacu Taurydzkiego, pragnących przyjrzeć się pełnemu blasku balowi.

– Ilu jest ludzi, babuniu, których nigdy nie widziałem, i którzy nigdy mnie nie zobaczą? – zapytał ją kiedyś monsieur Aleksander. Jakim on był dociekliwym dzieckiem. I bardzo, bardzo mądrym.

Bal rozwija się na swój własny, nietrudny do przewidzenia sposób. Co chwila ktoś podchodzi do niej, by ucałować jej dłoń i zamienić kilka słów. Pod koniec wieczoru dłoń jest spuchnięta.

Książę Adam prowadzi Elżbietę w menuecie, każdy z jego posuwistych kroków jest precyzyjny, niczym ruchy genewskiego zegara. Katarzyna ogląda przez lorgnon szczupłą, pełną skupienia twarz księcia. Co się dzieje z dzisiejszymi młodymi? Skąd ta skłonność do poważnych nastrojów?

Z ulgą zauważa, że Aleksander opuszcza swój samotny posterunek i z autentyczną radością na twarzy przyłącza się do tańczących. „Piękne, otwarte oblicze – opisał go niedawno w liście jeden z gości na dworze. – Wszyscy dobrze o nim mówią".

Tańczy teraz z Aleksandrą, trzymając ją za koniuszki palców i prowadząc tak, że siostra zatacza wokół niego kręgi. Trzeba przypomnieć Wiszce, żeby posłała nauczycielowi tańca jakiś odpowiedni prezent. Z ostatniego zamówienia zostało chyba jeszcze dość tabakierek. Z profilem carycy wyrzeźbionym w kości słoniowej. Nauczyciel nie zasługuje może na te najokazalsze, ale jedna z wysadzanych mniejszymi diamentami powinna być w sam raz.

Aleksandra, ze złotymi włosami kunsztownie zaplecionymi i ozdobionymi różami i niezapominajkami, wygląda na starszą niż czternaście lat. Uciekinier Bolik nie został zapomniany. Ktoś widział go niedaleko Admiralicji, co doprowadziło wnuczkę niemal do szaleństwa, ale niewdzięcznemu zwierzęciu ponownie udało się umknąć służącym.

Po menuetach orkiestra zaczyna grać poloneza. Książę Adam musiał zauważyć spojrzenie carycy, bo kłania jej się teraz, przykładając do piersi dłoń w rękawiczce. Czy tylko Katarzyna dostrzegła, że obecność Elżbiety wywołuje u niego rumieniec?

Gustaw Adolf znów tańczy z Aleksandrą, przechwyciwszy jej dłoń z rąk brata. Dziewczynka potulnie daje się prowadzić. Tworzą zachwycającą parę, dwie smukłe, młode sylwetki, które suną po parkiecie sali balowej.

Król nie ukrywa tego, że cesarska gościnność zrobiła na nim ogromne wrażenie. Ujęły go nie tylko wspaniałe rozrywki, w których bierze udział, ale także drobne, wymowne gesty życzliwości. Zwłaszcza sosnowe gałązki, wysłane do misji szwedzkiej, by jego pokój pachniał igliwiem.

Aleksandra, z twarzą oblaną ślicznym rumieńcem, wykonuje obrót wokół króla. Kiedy się pobiorą, Katarzyna dopilnuje, żeby zimą wnuczka otrzymywała najlepszy astrachański kawior i swoje ulubione warieniki. W miesiącach letnich, postanawia, będzie wysyłać jej rosyjski jedwab i porcelanę, i porządny zapas tabakierek wysadzanych diamentami – zwykłe błyskotki, lecz zarazem bezcenne przynęty, by zdobyć czyjąś lojalność.

Na szwedzkim dworze Aleksandra będzie potrzebowała wielu dobrych przyjaciół.

Bal potrwa jeszcze co najmniej do północy. Po zakończonych tańcach młodzieńcy udadzą się do przyległych komnat. Będą się siłować i wyciągać z wody płonące świece ustami. Takie proste rozrywki dobrze im zrobią. Aleksander w nich celuje. Podobnie jak i Konstanty. Król Szwecji będzie musiał się porządnie postarać, aby pokonać swoich przyszłych szwagrów.

– Dowiedz się, o czym rozmawiają – poleca Katarzyna Le Noiraudowi, bo Gustaw Adolf podszedł do Aleksandra i razem przeszli pod ścianę sali.

Gdy tylko jej faworyt odchodzi, przybiega do niej Aleksandra, pytając bez tchu:

– Patrzyłaś, jak tańczę, babuniu?

– Tak – odpowiada żartobliwie Katarzyna. – Ależ byłaś niezgrabna.

– Wcale nie – mówi Aleksandra. – Wszyscy mówią co innego.

– Wszyscy? Czy tylko jedna osoba? – droczy się Katarzyna. – Co jeszcze powiedziała ci ta osoba, poza pochwałami twoich umiejętności tanecznych?

– Że mam niezwykle melodyjny głos. Że jestem najpiękniejsza ze wszystkich młodych dam… – paple zachwycona Aleksandra.

Cóż to za przyjemność widzieć ją tak ożywioną i radosną. Od jakiegoś czasu nie było mowy o błogosławionej Kseni ani innych męczennikach czy oblubienicach Chrystusa. Gdyby nie Bolik, radość wnuczki byłaby niezmącona.

– Ależ ci zazdroszczę tych wszystkich rzeczy, które zobaczysz w Sztokholmie – mówi Katarzyna do Aleksandry. – Słyszałam, że to bardzo piękne miasto.

– Ale, babuniu – protestuje Aleksandra – król nic nie wspominał o tym, że chce mnie tam zaprosić.

Jakie śliczne zęby ma to dziecko, drobne i równe. Jak perełki. Słodka księżniczka, która będzie – Katarzyna jest o tym przekonana – bardzo szczęśliwa. Której życie będzie spokojne i długie. Widzi swoją wnuczkę otoczoną dziećmi, u boku męża, który ją uwielbia. Wizja jest tak wyrazista, że Katarzyna zaciska powieki.

– Źle się czujesz, babuniu? – pyta z przejęciem Aleksandra.

– Dziś czuję się bardzo szczęśliwa, kochanie – odpowiada Katarzyna i ściska rękę wnuczki. Drobną, kształtną dłoń młodej kobiety, rękę, którą już wkrótce będzie musiała oddać.

Le Noiraud wrócił, spełniwszy polecenie, i czeka, aż Katarzyna pozwoli mu podejść.

– Idź już – mówi caryca do Aleksandry. – Nie możesz zbyt długo zostawiać swojego konkurenta samego. Wokół czyha wiele pięknych księżniczek, gotowych ci go skraść.

– Wcale nie – protestuje Aleksandra, zupełnie tak samo jak kilka lat temu, kiedy mówiło się jej:

– Ojej, przegapiłaś właśnie jednorożca. Pospiesz się, jest jeszcze w ogrodzie. Jeżeli pobiegniesz, uda ci się go zobaczyć.

Płaton donosi, że król Szwecji i Aleksander rozmawiali o rosyjskiej bani.

– Czy to coś takiego jak fińska łaźnia? – chciał wiedzieć król.

W Szwecji, powiedział Aleksandrowi, była kiedyś moda na bastu. Prowadziła do marnowania drwa na opał i rozluźnienia obyczajów. Choroby weneryczne szerzyły się tam w zastraszającym tempie. Król cytował szwedzkich medyków, którzy ostrzegają, że takie kąpiele wywołują konwulsje, utratę wzroku i nowotwory. Dlatego też, wyjaśnił, rozprawili się z tym zwyczajem.

– Nic tak nie oczyszcza ciała jak porządne poty – odparł na to Aleksander.

– A kobiety? – zapytał król. – One też chodzą do tej rosyjskiej bani? Czy gorąca para nie zniekształca ich ciał? Nie sprawia, że ich skóra robi się brązowa i pomarszczona?

W odpowiedzi na to Aleksander zaproponował, że zabierze króla ze sobą do pałacowej bani.

– Poczujesz się jak bóg rzeki – obiecał.

– A co król na to? – pyta Katarzyna Płatona.

– Że spróbuje kąpieli w Carskim Siole. Jak tylko będzie miał okazję, by się tam wybrać.

Wielki zegar w sali balowej wydzwania jedenastą. Urządzenie jest stare i nie zawsze można na nim polegać.

– Po co to trzymać? – skarży się Le Noiraud.

Katarzyna nie zgadza się jednak na wymianę zegara, bo pamięta on czasy młodości Piotra Wielkiego. Zawsze kochała antyki, a teraz stare rzeczy są dla niej podwójnie cenne. Oparły się niebezpieczeństwom i zmiennym kolejom losu.

To był dobry dzień. Katarzyna wykorzystała swój czas z pożytkiem dla imperium. W Pałacu Zimowym Anna Fiodorowna będzie zmuszona co rano zjawiać się u niej ubrana w dworskie suknie z dekoltem. Nie będzie więcej sińców. Gustaw Adolf znów tańczy z Aleksandrą, a nawet w chwilach, kiedy tego nie robi, nie potrafi oderwać od niej wzroku.

Caryca może teraz odpocząć.

– Pozwolę młodym się bawić – mówi do swojego kochanka. – Możesz zostać, jeśli masz ochotę.

Płaton kieruje czujne spojrzenie w stronę miejsca, gdzie jego brat Walerian opiera się o marmurową kolumnę, otoczony przez najładniejsze dworki. Od czasu jego powrotu z kampanii w Polsce każde pojawienie się Waleriana na dworze wywołuje małą sensację. Jest przystojniejszy od Płatona, barczysty i bardziej męski. Fakt, że stracił nogę, dodaje mu tylko szczególnego uroku. Rosyjski bohater ma prawo do łupów.

Biedny Le Noiraud, tak boleśnie świadomy, że każdy ma jakieś przewagi w grze namiętności. Gdyby tylko mógł dawać jej rozkosz, tak jak kiedyś, kiedy jej ciało potrafiło jeszcze odczuwać pożądanie. Gdyby mógł sprawić, że rozpłynie się w jego ramionach, pod jego językiem. Gdyby wiedział, że czeka na jego dotyk.

Toniki Rogersona nie wywołują u niej nic prócz gazów. Albo gorzkiego posmaku w ustach, który nie chce ustąpić. Katarzyna nie czuje nic poza spopielałym wspomnieniem tego, co niegdyś było rozkoszą.

Na dziedzińcu pałacowym służący spryskali bruk wodą. Zamiatają pozostałości po balu: podarte chusteczki, wygniecione wstążki, końskie łajno, rozsypany obrok i trociny, kawałki potłuczonego szkła. Szurają wierzbowe miotły. Kosze napełniają się i odjeżdżają na wózkach. Gdzieś dalej ktoś ostrzy narzędzia. Katarzyna słyszy dźwięk metalu ocierającego się o osełkę.

Wiszka doniosła jej o piętnastu zaginionych klejnotach i jednej skręconej kostce. Ślady schadzek widoczne są na otomanie w bibliotece, na stole bilardowym i schodach dla służby. Jeden z pijanych gości wdrapał się do klatki z kangurami i umieścił czapkę na łbie jednego z nich.

– W dodatku czapkę frygijską. – Symbol skłonności rewolucyjnych, oznajmiła Wiszka z cierpką miną.

Skłonności rewolucyjne przypominają carycy o polskich więźniach, nieustannym źródle irytacji. Potiomkin mógł mieć rację, kiedy argumentował przeciwko rozbiorowi Polski.

– Lepiej utrzymywać ten kraj słabym, ale przy życiu – upierał się. – Niech kłócą się między sobą; wtedy nie zjednoczą się przeciwko nam.

Czasem to wszystko jest ponad jej siły.

Na domiar złego pieniądze odpływają stanowczo zbyt swobodnym strumieniem. Wodociągi w Carskim Siole pilnie wymagają naprawy. Koszty szacuje się na 68 193 ruble.

Sekretarz odpowiedzialny za carskie rezydencje, Piotr Turczaninow, przedstawia jej swoje propozycje dotyczące nowego umeblowania do chińskich pagód. Jego koszt to ponad 25 000 rubli.

– Dlaczego aż tyle? – pyta Katarzyna.

Turczaninow, niepokaźny mężczyzna, który bez ustanku gnie się w ukłonach i szura nogami, jest przerażony.

– Jakość kosztuje, Wasza Wysokość – mamrocze, zerkając ukradkiem na jej twarz, by sprawdzić, ile ma jeszcze do niego cierpliwości. Jego służalczość wywołuje u Katarzyny pragnienie, by go spoliczkować.

Pośród zakładanych kosztów najwyżej plasują się święte ikony, skórzane fotele, nowe toaletki i komody. Frędzle i chwosty podwajają cenę kotar.

– Możemy obejść się bez nich – decyduje caryca, a Turczaninow znów się kłania. – I tak nikt nie zauważy.

Turczaninow nie jest zadowolony, ale nigdy nie zdobędzie się na odwagę, by spróbować wpłynąć na jej opinię. Jego myśli przypominają mrówki na nieznanym terytorium, które wystawiają czułki, badając powietrze, sprawdzając, dokąd można się bezpiecznie wypuścić.

Pozostałe koszta można obciąć przynajmniej o połowę, mówi mu caryca. Święte ikony muszą być najmniejsze, jakie można znaleźć. Wystarczą imitacje, namalowane przez ludowych artystów. Żadne z luster nie powinno kosztować więcej niż dwadzieścia pięć rubli. Nie potrzeba foteli. Czarne skórzane krzesła nadadzą się znakomicie. Na strychu na pewno jest dość starych toaletek, komód i umywalek.

– Poza tym – dodaje Katarzyna – kiedy będziecie wyposażać nowe pokoje gościnne, używajcie mebli, którymi już dysponujemy. Przynoście je z innych pokoi i odstawiajcie na miejsce, kiedy nie będą już potrzebne.

Turczaninow sprawia wrażenie, jakby jeszcze bardziej się skurczył, niemal skarlał pod ciężarem papierów, na których gryzmoli poprawki. Co sobie myśli? Że caryca Rosji traci rozum? Jak może wydawać setki tysięcy na pałace dla innych i żałować sobie odrobiny luksusu? Co to mówi cudzoziemcom, którzy przyjeżdżają, by się przyjrzeć, jak żyją rosyjscy carowie?

Cudzoziemcy. Niemilknący chór krytyków. Ich słowa są lustrami, w których przeglądają się Rosjanie.

Turczaninow skończył gryzmolić i teraz patrzy na swoje buty. Wygląda na to, że chce coś powiedzieć. Na twarzy ma złowróżbny grymas, jakby dysponował wiedzą na temat nadciągających katastrof. Co jej powie? Że bydło przestało się rozmnażać? Że ciasto na chleb przestało rosnąć?

Turczaninow nie ma na sobie peruki, a jego włosy wysmarowane są grubą warstwą pomady. Jeżeli wyjdzie na słońce, myśli

Katarzyna, pomada się rozpuści i spłynie mu za kołnierz. Wizja sekretarza ze strugami pomady spływającymi po szyi wydaje się carycy szalenie zabawna. Udaje jej się jednak powściągnąć wesołość.

– Powiedzcie mi, co was trapi – mówi Katarzyna i czeka.

Jej prośba wyzwala potok słów.

Chodzi mu o Pawła. Kiedy tylko król Szwecji przyjął jego zaproszenie do Gatczyny, jej syn zarządził wycinkę starych drzew. Co do jednego. Ogromne dęby, które pamiętały czasy Piotra Wielkiego, wszystkie wywiezione przez chłopów.

Po co?

By zrobić miejsce na defiladę.

– Pomyślałem po prostu, że Wasza Wysokość powinna wiedzieć – dodaje Turczaninow żałobnym tonem. – Drzewa rosną tak bardzo, bardzo powoli.

Admirał Lambro-Cazzioni czeka już w antyszambrze z miednicą wody morskiej.

Queenie, która wchodzi tuż po wyjściu Turczaninowa, ciężko sapie.

Rozłożyła tylko ręczniki i rozpostarła je na dywanie w sypialni, ale nawet to przy jej rosnącej tuszy zdaje się zbyt dużym wysiłkiem.

– Kupuje te marcepanowe świnki – sarka Wiszka. – Ustawia je sobie na nocnym stoliku, jak ozdoby. A potem za każdym razem jak się budzi, zjada jedną.

– Odpocznij – mówi Katarzyna do Queenie – i przyślij go tutaj.

Admirał wchodzi do pokoju, pyta carycę, czy dobrze spała, ustawia miednicę na ręcznikach rozłożonych przez Queenie i zaczyna polewać chorą nogę Katarzyny wodą morską. Filiżanka po filiżance.

Jej stopy wyglądają okropnie. Paznokcie są grube i pożółkłe; skóra sina i pokryta jątrzącymi się ranami. Pomimo obietnic admirała kąpiele w morskiej wodzie nie powstrzymały krwawienia.

Choć zimna woda przynosi pewną ulgę, to trwa ona zaledwie chwilę. Kiedy tylko polewanie ustaje, ból powraca.

Admirał zdążył już poznać zwyczaje carycy. Nie usiłuje zostawać dłużej czy wciągać jej w rozmowę. Do tej pory nie poprosił też o żadną łaskę. Być może dlatego Katarzyna pozwala mu się nadal sobą zajmować, chociaż traci wiarę w jego kurację.

Niesforne włosy admirała przypominają ptasie gniazdo. Jego czoło żłobią zmarszczki; skronie prezentują wachlarze z kurzych łapek. A jednak w tym starym człowieku jest coś radosnego. I tak bardzo się stara, by ona poczuła się lepiej.

– Turecki pasza mówi do swojego doktora: „Boli mnie, kiedy naciskam na stopę. I kiedy naciskam na ramię. I kiedy naciskam na żebra. Powiedz mi, co mi dolega". Medyk więc długo bada paszę i wreszcie mówi: „Wasza Wysokość złamał swój królewski palec!".

Kiedy tylko Katarzyna wybucha śmiechem, admirał zabiera swoją porcelanową miednicę i wychodzi. Queenie już pokazuje służącym, że mają wynieść ręczniki.

Na drewnianej pandorze, którą tego ranka przysłano Katarzynie do wglądu z cesarskiej garderoby, widnieje luźna suknia z satyny, haftowana w złote liście dębu i żołędzie. Zielony materiał i czerwone wyłogi to barwy Pułku Preobrażeńskiego, nawiązujące do jej zawadiackiego munduru z czasów przewrotu.

Sam mundur już od dawna jest na nią za ciasny, ale Wiszka zapewnia Katarzynę, że jest w dobrym stanie, leży w cedrowej skrzyni, posypany pieprzem. Niewątpliwie znajdzie się dla niego jakieś zaszczytne miejsce.

Może w Kunstkamerze? Obok wypchanego konia Piotra Wielkiego?

Twarz pandory z wypolerowanego drewna nie ma oczu, ust ani uszu. Jest w niej coś niepokojącego, jakieś uparte wspomnienie czegoś, czego się żałuje.

– Czy ta suknia się nada? – pyta Queenie, doniósłszy, że cesarskimi szwaczkami owładnął szał przygotowań. – Wielka księżna będzie miała olśniewającą garderobę.

Powinna powiedzieć „wyprawę", ale Queenie, której oczy błyszczą radością na samo wspomnienie o Aleksandrze, nie chce kusić losu.

– Naturalnie, że się nada – decyduje Katarzyna.

Małpka Płatona drży w jego ramionach. To zuchwałe stworzonko lubi łapać dworzan za peruki i ciskać je na ziemię. Albo szczypać ręce, które usiłują ją pogłaskać. Wiszka przysięga, że zwierzę z lubością wypróżnia się na podłogę i smaruje sobie palce nieczystościami.

Za oknem pokoju Katarzyny w Pałacu Taurydzkim rechoczą żaby. Powinna kazać Zotowowi zawieźć się do parku na fotelu na kółkach. Świeże powietrze może jej dobrze zrobić.

Le Noiraud sadza małpkę na jednym z foteli i przywiązuje do niego smycz. Zwierzątko natychmiast siada, zrezygnowane, i zwija się w kłębek do snu.

– Spójrz – mówi Płaton i wyciąga z górnej kieszeni kartki welinowego papieru.

Niejaki pułkownik Uspieński przyszedł do niego dziś rano, prosząc o przyjęcie.

– Starszy oficer, którego nie rozpoznałem – mówi Le Noiraud, podczas gdy Katarzyna bierze kartki, które okazują się petycją. – Nie dworzanin. Nie ktoś, kto siedział w antyszambrze, czekając na swoją szansę. Ktoś, kogo relacji można wierzyć. – W jego głosie Katarzyna słyszy napięcie. Ta historia nie jest niewinna. Jest wymierzona przeciwko komuś.

Katarzyna zakłada okulary i zaczyna czytać. Pułkownik Uspieński najwyraźniej nie wie, jak zabrać się do przedstawienia sprawy. Zbyt długo rozwodzi się nad swoimi dawnymi dokonaniami. Był z księciem Potiomkinem podczas szturmu na Izmaił. Walczył w obu wojnach tureckich. „Przeżyłem pojmanie przez wroga. Pogodziłem się ze śmiercią, choć moja ofiara nie została przyjęta".

Dopiero w połowie następnej strony okazuje się, że Uspieński pisze w imieniu swojego syna. Syna, który nie miał szansy służyć swojej ojczyźnie. Syna, który był na tyle niemądry czy pechowy, by zaciągnąć się do jednostki w Gatczynie.

Na wzmiankę o Gatczynie zniecierpliwienie Katarzyny ulatuje.

> Mój syn nie wie, że to piszę, lecz ja nie mogę dłużej milczeć. On jest wszystkim, co mam. Jego honor to mój honor.

Syn, kapitan Dmitrij Władimirowicz Uspieński, został wtrącony do więzienia i zdegradowany. Nazwany hańbą rodziny i zdrajcą swojej jednostki. Pytania ojca o charakter jego wykroczenia pozostawały bez odpowiedzi.

> Kiedy nie otrzymałem pozwolenia na widzenie z dowódcą mojego syna, udałem się do wsi Gatczyna. Zatrzymano mnie przy bramie i kazano wyjaśnić, co mnie tam sprowadza. Uprzedzony o tym przez życzliwe osoby, przebrałem się za kupca i byłem w stanie okazać rozmaite narzędzia kowalskie.
>
> Wpuszczono mnie i zanotowano godzinę mojego przybycia. Usłyszałem, że mam opuścić Gatczynę przed zmrokiem i że nie wolno mi odwiedzać żadnych domów ani korzystać z niczyjej gościnności.
>
> Szybko sprzedałem swój towar, lecz na moje pytania o sprawę syna ludzie odwracali wzrok i milkli. Zrozpaczony wyjechałem z wioski, ale zrządzeniem opatrzności kilka mil za osadą zobaczyłem idącego pieszo młodzieńca. Jako że wyglądał na zmęczonego i spragnionego, zaproponowałem, że podwiozę go swoim powozem. Przyjąwszy tę propozycję, młodzieniec potwierdził, że jest mieszkańcem Gatczyny, któremu zezwolono na podróż w interesach i spędzenie dwóch nocy poza wioską. Zaprosiłem go, by posilił się wraz ze mną w przydrożnej gospodzie, gdzie wkrótce

język mu się rozwiązał. Udało mi się skłonić go do wyznania, że gatczyńscy żołnierze są karani za każde odstępstwo od reguł, które zmieniają się często i bez uprzedzenia. Młodzieniec przysięgał, że sam wielki książę obserwuje swoje oddziały przez lornetkę z pałacowego balkonu i że nic nie uchodzi jego uwadze.

Dowiedziałem się, że mój syn, Wasza Najjaśniejsza Wysokość, został pobity i zdegradowany, ponieważ jego harcap był za długi o pół cala.

Le Noiraud przygląda się jej. W oczach ma i nadzieję, i chytry odcień zadowolenia. Brakuje mu umiejętności ukrycia tego, o czym rozsądek każe mu milczeć. Jej syn, Paweł, który nigdy nie słynął na tym dworze jako błyskotliwy geniusz, jest małostkowym, mściwym tyranem.

Katarzyna zawsze uważała, że dwór to najlepsza próba charakteru. Żyzna ziemia, na której ludzie mogą wzrastać i kwitnąć. Albo więdnąć i gnić.

– Słusznie zrobiłeś, że przyszedłeś z tym do mnie – mówi Płatonowi.

Obiad jest podany tak, jak lubi. Proste jedzenie. Gotowana wołowina. Zupa rybna. Ogórki z miodem. A na środku stołu danie, o które zawsze prosi: ziemniaki. Dziś zaserwowano je na dwa sposoby: gotowane, tłuczone i polane masłem, oraz chrupiące ćwiartki usmażone na smalcu

Ziemniaki mogą poskromić głód znacznie skuteczniej niż zboże. Łatwiej je uprawiać, są bardziej pożywne i odporne na wiele chorób, którym ulegają zboża. Nie jest to jej opinia, tylko zwykła prawda, poparta naukowo. A jednak, pomimo jej wysiłków, Rosjanie nie dają się przekonać.

Ta sama rodzina co mandragora, tłumaczyli jej kiedyś. Trujące rośliny ciemności. Teraz już nie nazywają ziemniaków trucizną czy pokarmem diabła. Nadal jednak pytają, jak jedzenie wykopane z błota może być lepsze od zboża, które dojrzewa w słońcu. I dlaczego Pismo Święte nic nie wspomina o ziemniakach? Wieśniacy ciągle jeszcze spluwają, patrząc na niekształtne bulwy. Dlaczego nie zostawić ich świniom i innym zwierzętom?, pytają.

Katarzyna w każdym ze swoich warzywników ma grządki z ziemniakami. Upiera się, że ziemniaki należy podawać na dworze podczas każdej uroczystości, jako przykład dla innych. Ale to nie możni i wpływowi potrzebują ziemniaków, tylko biedni. Dlaczego niesienie postępu musi być takie trudne? Dlaczego ludzkimi umysłami tak uparcie rządzi przyzwyczajenie? I dlaczego ci, którzy najmniej mogą sobie na to pozwolić, najgoręcej się mu opierają?

Podczas tego skromnego rodzinnego obiadu Aleksander znajduje się po jej prawicy. Elżbieta siedzi obok niego, troskliwa, jak przystało żonie. Dalej Konstanty z Anną, która dziś jest szczególnie milcząca. Najwyraźniej teraz żałuje, że musiała opuścić Pałac Marmurowy.

– Tak prędko? – zapytała, kiedy lokaje przyszli spakować jej rzeczy.

Po lewej stronie Katarzyna ma Le Noirauda, który je jak ptaszek. Parę kawałków wołowiny. Łyżka tłuczonych ziemniaków. Queenie jest przekonana, że Płaton martwi się swoim trawieniem. Je świeżą miętę i natkę pietruszki, żuje rabarbar i pije herbatę z senny.

Aleksandra przyszła w towarzystwie madame Lievens. Główna guwernantka księżniczek nie wygląda dziś najlepiej. Dyszy od upału. Strużka potu zostawiła krzywy ślad na jej uróżowanym policzku.

Rozmowa przy stole toczy się na temat gości ze Szwecji. Ich taktu i delikatności. Madame Lievens oznajmia, że to ujmujące, jak niczemu nie szczędzą zachwytów. Zwłaszcza król chwali wszystko, co tylko widzi.

– Kiedy znów wybierasz się do Gatczyny, Aleksandrze? – pyta Katarzyna wnuka.

– Jutro – odpowiada Aleksander.

Obrzuca babkę czujnym spojrzeniem, szacując prawdopodobieństwo jej niezadowolenia. Katarzynie trudno ukryć przed nim swoje uczucia. Udaje jej się jednak sprawić, by jej kolejne słowa zabrzmiały swobodnie:

– Twoja obecność będzie dla rodziców wielką radością – mówi. – Pozwoli oderwać matce myśli od maleństwa. Słyszałam, że zamartwia się zupełnie bez potrzeby.

Mikołaj, najnowszy członek rodziny Romanowów, jest duży i silny. Mamki śmieją się, że ssie ich mleko jak ogromna pijawka. Twarz ma niezbyt ładną, ale zdrową, jak u matki. I takie pogodne usposobienie! Żadnego niepotrzebnego płaczu, żadnych awantur, kiedy nie ma powodu.

– Aleksandrze – odzywa się Katarzyna do wnuka – po obiedzie chciałabym, żebyś przeszedł ze mną do gabinetu. Potrzebuję twojej rady w pewnej sprawie.

Aleksander szybko upija łyk wody, po czym kiwa głową.

Obiad upływa wesoło, jak zawsze. Aleksandra musi bronić się przed docinkami na temat przystojnego króla Szwecji. Anna niepokoi się opóźnioną dostawą czepeczków. Elżbieta bierze Aleksandrę za rękę i obiecują sobie, że wymkną się do ogrodu, gdy tylko ich obecność przy stole nie będzie już wymagana. Katarzyna niepotrzebnie się martwiła tymi tête-à-tête. Rozmawiają o takich błahostkach, te jej dwie księżne. Zamartwiają się niewidocznymi wypryskami na skórze. Zawiłością kontredansa. Koniecznością wypoczynku przed wieczornymi rozrywkami. Potrafią tak paplać godzinami.

Czy to dlatego Aleksander ma dość swojej żony? Wychowywał się na rozmowach, które zaspokajają ciekawość, przynoszą satysfakcję. Elżbieta, podobnie jak Anna, uwielbia historie o przeklętych przez gwiazdy kochankach, płomienne wyznania namiętności i tęsknoty. Żona Aleksandra robi znakomite postępy w rosyjskim, jest bystra, ale we wszystkim, do czego się bierze, brakuje pasji, a jeszcze bardziej celu. Jak gdyby ostatecznie wszystko było tak samo ważne, czy to rozmowa z uczonym, czy ploteczki ze szwagierką.

Elżbiecie nie uda się długo utrzymać uwagi Aleksandra, jeżeli dalej będzie się tak zachowywać, myśli Katarzyna. Będzie musiała zakosztować bólu zdrady i rozczarowania. Chyba że pojawią się dzieci i nadadzą sens jej dniom.

Aleksander podąża za nią do gabinetu, rozglądając się wokół, jakby się spodziewał, że ktoś do nich dołączy.

Katarzyna układa wargi w najbardziej matczyny z uśmiechów.

– Dostałam to zaledwie wczoraj – mówi, podając wnukowi list pułkownika Uspieńskiego.

Aleksander czyta uważnie, z zaciśniętymi ustami. Listowi towarzyszy raport, potwierdzający reputację Uspieńskiego i zasadność jego prośby. Młody Uspieński rzeczywiście został pobity i wtrącony do więzienia za długość swojego harcapa.

Wnuk zaciska szczęki; jego dłonie lekko drżą.

– Proszę, Aleksandrze – odzywa się łagodnie Katarzyna. – Może udałoby ci się użyć swoich wpływów w Gatczynie, by pomóc człowiekowi, który na to zasługuje. Jeżeli ja się tym zajmę, zostanie to niewłaściwie odebrane. Czy zrobisz to dla mnie?

Aleksander kiwa głową, a babka patrzy, jak wychodzi, złożywszy szybko list i wsunąwszy go do kieszeni.

– Czy myślisz, że mała Olga czasem tu wraca, żeby na nas popatrzeć? – zapytała ją raz Aleksandra.

Olga Priekrasna, Piękna Olga. Święta Olga z dawnej Rusi, która pomściła śmierć męża, która podpaliła domy wrogów, wysyłając do nich gołębie z przyczepionymi do nóżek skrawkami płonącego papieru.

– Nie, Aleksandro – odparła Katarzyna. – Zmarli nie wracają. Co pamięta jej wnuczka? Pokój pełen świec, małą trumnę, stojącą na okrytym aksamitem katafalku. Powietrze ciężkie od zapachu mięty, rumianku, i słodkiego, odurzającego ladanu, ziela zmarłych. Główkę dziecka, ubraną w czepek ze wstążkami i spoczywającą na poduszce z różowej satyny, wykończonej koronką. Z ustami, które są niemal białe i cienkie jak papier.

– Za dobra na ten świat – mruczy ktoś.

Olga Pawłowna, siostrzyczka Aleksandry, nie żyje. Miała tak szerokie ramiona, że wyjście z łona matki zajęło jej całe dwa dni. Kolejna dziewczynka, którą będę musiała wydać za mąż, pomyślała wtedy Katarzyna.

Przez cztery tygodnie przed śmiercią mała Olga nie mogła przestać jeść. Jak tylko kończyła jeden posiłek, krzyczała o następny. Jajka na twardo, grube pajdy chleba z masłem, kawałki wędzonego śledzia. Zupa szczawiowa, buraki, pieczone ziemniaki, tłuste połcie słoniny.

– Jeszcze – krzyczała, nienasycona w swoim głodzie, jak tylko zabierano od niej talerz. – Jeszcze – krzyczała, kiedy nianki protestowały, mówiąc, że zjadła już dość.

Usiłowały odwrócić jej uwagę opowieściami o świętych ptakach. Syrinach, kanganach alkonostach, wspaniałych rajskich ptakach, stworzeniach o kobiecych twarzach, potrafiących uspokoić morze i zaczarować tych, którzy usłyszą ich pieśń.

Ale Olga zatykała uszy. A potem przyszła gorączka. Uporczywa, z potami. Szkliste oczy, karmazynowe policzki. Głowa miotająca się po poduszce, krzyki bólu. Dzień po dniu, godziny bólu tak okrutnego, że śmierć była wybawieniem.

Żałoba także jest nienasycona, myśli Katarzyna. Jak korniki przegryza się żarłocznie przez to, co wygląda na pozór solidnie. Śladem, który zostawia, są korytarze bólu. Osłabia konstrukcję.

W innych stratach kryje się ziarno możliwości. Stracone bogactwa można odzyskać. Niezaspokojone ambicje mogą znaleźć sobie inne ujście. Ale zmarli nie wrócą do życia. Smutek pozostaje z człowiekiem na zawsze.

Myśli te przerywa ciche pukanie do drzwi biblioteczki. To Queenie, która szepcze, że madame Lebrun czekała przez całe popołudnie i błaga o przyjęcie. Twierdzi, że ma niezwykle ważne wiadomości.

– Odmawiam jej raz po raz, Wasza Wysokość, ale ona nalega – oznajmia Queenie, składając dłonie w błagalnym geście. Czyżby dostała właśnie kolejną sutą łapówkę?

– No dobrze – mówi Katarzyna. – Przyjmę ją, ale powiedz, że mam mało czasu.

Nikły zapach terpentyny snuje się wokół madame Lebrun, pomimo hojnej dawki drzewa sandałowego.

– Wasza Cesarska Wysokość! Znów dostąpiłam ogromnej łaski! – madame Lebrun dyga i pochyla się, by ucałować dłoń carycy, mamrocząc coś o anielskiej słodyczy. Nigdy wcześniej nie była w Pałacu Taurydzkim, i teraz rzuca łakome spojrzenia na obrazy wiszące na ścianach.

Anielska czy nie, caryca chrząka, by mieć pewność, że jej zniecierpliwienie zostało zauważone.

Zostało. Wielka księżna Maria Fiodorowna, zaczyna madame Lebrun, pozwoliła jej raz jeszcze namalować wielką księżną Aleksandrę.

– Tym razem, Wasza Wysokość, maluję wielką księżną samą. W muślinowej sukni. Na razie to tajemnica. Bezcenny prezent dla jej ojca.

– Jeżeli prezent ma być tajemnicą – droczy się Katarzyna z nieproszonym gościem – to czy mądrze jest mi o nim mówić?

Madame Lebrun protestuje, składając ręce jak wiewiórka, która żebrze o orzechy. To przenigdy nie miało być sekretem przed carycą Rosji. A nowy portret, choć jeszcze nieukończony, stał się ośrodkiem nieoczekiwanego, lecz cudownego zdarzenia.

– Jakiego zdarzenia?

– Chodzi o króla Szwecji, Wasza Wysokość – wykrzykuje madame. Blade promienie słońca igrają z perłami w jej włosach. – Młodzieńca o niezrównanym wdzięku, jeśli wolno mi tak powiedzieć. Oraz nieopisanej gracji.

Ten znakomity młody monarcha wstąpił wczoraj do jej pracowni, przerywając w tym celu swój codzienny spacer przez miasto. Z którego urokiem – w jego mniemaniu – nie może się równać żadne inne.

– Doprawdy? – pyta Katarzyna ze świadomością, że głos zdradził jej zainteresowanie, i teraz madame Lebrun wykorzysta to do maksimum.

– W rzeczy samej, Wasza Wysokość. Nadzwyczajny młodzieniec. Żywo zainteresowany sztuką.

Katarzyna z rezygnacją wysłuchuje, jak szwedzki monarcha chwalił talent madame. Jak madame pytała go o szczegóły słynnego portretu koronacyjnego jego ojca, którego sama nigdy nie miała okazji podziwiać. I jak czarujący młody król osobiście zaprosił madame do Sztokholmu, by obejrzała to zdumiewające dzieło, kwintesencję inspiracji.

– Wasza Wysokość niewątpliwie o nim słyszała.

Wreszcie opowieść dochodzi do puenty.

– Król, Wasza Wysokość, zapragnął zobaczyć, nad czym pracuję. Jak mogłam odmówić? Och, jakże bym pragnęła, by Wasza Wysokość zobaczyła, z jakim zachwytem wpatrywał się w boskie oblicze wnuczki Waszej Wysokości.

Czy to wszystko?

O, nie. Madame Lebrun potrafi budować napięcie. Zaróżowiona, pozwala sobie na przyjemność nakreślenia tej sceny tak, jak się wydarzyła. Król, ubrany na czarno, z długimi włosami opadającymi łagodnie na ramiona. W dłoniach ściska aksamitny kapelusz.

Jedna z dłoni się unosi, przyciska do serca monarchy, po czym kapelusz wypada mu z rąk, na podłogę. A potem te słowa:

– Zawładnęła moim sercem. Nie mogę wyjechać z Rosji, póki nie będę pewny, że zostanie moją żoną.

Jaka to radość patrzeć, jak spełnia się życzenie, jak starannie ułożone plany przynoszą owoce! Dla jej najdroższej dziewczynki nie będzie już melancholijnych rozmyślań, tylko rozkosze dobrego małżeństwa. Dla Rosji – długo oczekiwany sojusz. Szwecja wróci na łono Rosji.

W takich chwilach da się wytrzymać nawet paplaninę madame.

Kiedy madame Lebrun wreszcie wychodzi, Katarzyna bierze pióro i zdecydowanym ruchem otwiera kałamarz. Na górze strony pisze: „Dwa główne warunki, które muszą zostać spełnione, zanim dojdzie do zaręczyn Aleksandry z Gustawem Adolfem".

Potem bierze linijkę i pod spodem kreśli równą linię, pilnując, by kończyła się dokładnie na marginesach. Potem pisze dalej:

Całkowite zerwanie więzów z księżniczką Meklemburgii.

Pisemna gwarancja, że Aleksandra będzie miała wszystko, co potrzebne do praktykowania prawosławia.

Oba warunki wydają się jej oczywiste, ale w ważnych sprawach bezpośredniość nigdy nie zaszkodzi. Żadne nowe zaręczyny nie będą możliwe przed zerwaniem obecnych. A wielka księżna Rosji to nie jakaś poślednia pruska księżniczka, która wychodzi za imperatora. Religia to jej więź z Rosją, więź, którą należy podtrzymywać i wspierać, nie zaś zrywać.

Katarzyna dzwoni na sekretarza. Gribowski wchodzi natychmiast, w swoim zwykłym ciemnoszarym stroju, który robi się za ciasny. Podobnie jak Queenie, sekretarz nie potrafi się oprzeć pałacowym przysmakom.

Poleca Gribowskiemu rozwinąć te dwa punkty w oświadczenie długości jednego akapitu, zostawiając pod spodem dużo miejsca na podpis króla, tak by Katarzyna mogła mieć ten dokument stale przy sobie.

Sierpień dobiega końca.

Katarzyna z żalem postanawia wrócić do Pałacu Zimowego, do lawiny papierów. Tylko na kilka dni, mówi sobie, wiedząc, że tak nie będzie. Wszelki czas, którego nie zajmą jej sprawy państwowe, pożrą przygotowania do zaręczyn. Już niedługo wszyscy będą ją nękać, oczekując decyzji. Czy sala Świętego Jerzego będzie odpowiednia na ceremonię? Jakie należy przygotować dekoracje? W jakich kolorach? Główna garderobiana już prosi o audiencję. Zotow wspominał, że złoty zegar z pawiem zacina się przy wejściu sowy. Czy wystarczy czasu, żeby rozebrać cały mechanizm i go wyczyścić?

Jakby żadnej decyzji nie można było podjąć bez niej.

Jedynie Aleksandra z ulgą wraca do Pałacu Zimowego. Bolika nadal nie ma, chociaż co chwila ktoś gdzieś go widuje. Być może – choć nie powinno się być nazbyt cynicznym – dlatego, że każde takie doniesienie wiąże się z nagrodą. Pokojówkom Aleksandry trzeba powiedzieć, by zawijały płatki jaśminu w jej bieliznę. To otoczy dziewczynkę wonną mgiełką, znacznie delikatniejszą niż zapach perfum.

– Co o tym myślisz, Pani?

Pani zgodnie macha ogonem, nieświadoma szykującej się zmiany miejsca zamieszkania. Gdziekolwiek na podłodze znajduje się jej aksamitna zielona poduszka, suczka układa się na niej z taką samą radością. Póki Biezborodko obdarza ją swoimi tłustymi porannymi podarunkami, w świecie psa wszystko jest tak, jak należy.

Teraz, kiedy zaręczyny Aleksandry są już niemal faktem, zagadnienie sukcesji staje się palące. Katarzyna już dość długo odkładała zajęcie się tą sprawą. Miała za dużo na głowie. Poza tym – to także najlepiej jest przyznać – wzdragała się przed nieprzyjemnościami związanymi z tą kwestią.

Ale utrzymywanie jej decyzji w tajemnicy nie przyniesie żadnych korzyści.

Oficjalny komunikat wyjaśni sytuację. Aleksander musi zaakceptować jej decyzję, że zajmie miejsce ojca. Musi zacząć uczestniczyć w zebraniach rady, patrzeć i się uczyć.

Kiedy?

Cały wrzesień upłynie zapewne wokół zaręczyn. Październik z kolei zajmie wyjazd Aleksandry do Szwecji.

– Listopad? – podsuwa Biezborodko. – W dniu imienin wielkiego księcia?

To, stwierdza caryca, jest doskonały pomysł.

Z jej nogą jest coraz gorzej. Pod koniec dnia zmienia się w fantomową kończynę, bezużyteczną, lecz wciąż dręczoną falami pulsującego bólu. Z otwartych ran pomiędzy palcami sączy się krwawa ropa. Skurcze bólu przebiegają wzdłuż goleni aż do biodra.

A jednak nie chce tego przyznać, jeszcze nie. Rogerson, donosi jej Queenie, rozgłasza wszędzie, ze Lambro-Cazzioni to niebezpieczny szarlatan, który zawrócił Jej Wysokości w głowie swoimi czarami. Jakby sprzedawał jej łzy Jana Chrzciciela! Głupi Rogerson, coraz głębiej pogrążony w długach karcianych, przerażony, że caryca go zwolni i odeśle z powrotem na te ponure szkockie wrzosowiska. Jakie nużące są te ludzkie słabości. Jakie łatwe do przewidzenia.

Boli ją też ręka. Nie podczas pisania, ale kiedy tylko uniesie pióro znad papieru. Czasem ból powraca następnego dnia w najbardziej nieoczekiwanych momentach. Kiedy otwiera tabakierkę albo coś podnosi, nawet zupełnie lekkiego.

Jej ciało się poddaje. Zużyte w służbie imperium. Trzydzieści cztery lata odcisnęły na nim swoje piętno.

Starość bierze nas z zaskoczenia. Czy to dlatego, że to jedyny okres w życiu, po którym już nic nie ma? Nikomu nigdy nie udało się spojrzeć na własną starość wstecz, z dystansu.

Wiek nie zamienia nas w mędrców, lubi zauważać Katarzyna, tylko w starych mężczyzn i kobiety, niepewnych, dokąd zmierzają. Właśnie dlatego chce się otaczać młodymi. Pełnymi życia, elastycznymi, podatnymi na wpływy. Przyszłością rasy ludzkiej. W ich duszach widać jeszcze kolor.

Przed zapadnięciem zmroku Katarzyna kątem okna dostrzega z okna Ermitażu dobrze ubraną kobietę na moście na Mojce. U jej boku idzie młoda kobieta w szarym czepku. Coś mówi, a ta druga – zapewne jej matka – kręci głową i z rozdrażnieniem unosi dłoń. Córka podnosi ręce i zasłania sobie uszy. Czyżby matka beształa ją za jakieś błahe wykroczenie?

Chwilę później, kiedy Katarzyna znów patrzy w tamtą stronę, dwie kobiety się pogodziły i idą teraz pod rękę. Córka pochyla się ku matce, pochłonięta opowiadaniem czegoś.

Warwara Nikołajewna?

Daria?

Bawi ją absurdalność tej myśli. Kobieta, która odchodzi, jest zdecydowanie za młoda, i znacznie zgrabniejsza, niż Warwara była kiedykolwiek. Dziewczynka lekko utyka, to także się nie zgadza.

A jednak…

Nawiedza ją wspomnienie chwili, w której Warwara odeszła, chwili pełnej złości i ostrych słów. Nieporozumienie. Oskarżenie, na które nie zasłużyła. Wielkie oczekiwania, które zawsze zakładają, że można dostać jeszcze więcej. Wzajemne pretensje, które rozprzestrzeniają się jak czarne plamy na jej różach.

„Wzorem bohatera z Kandyda pragnę uprawiać swój ogródek".

Granica między przyjaźnią a zdradą jest cienka. Jak ta rozdzielająca oczarowanie od nierealnych oczekiwań.

Nie byłaś jedyna, mówi do Warwary w myśli. Ale byłaś pierwszą, która mnie zostawiła. Nie chciałaś przyjąć tego, co ci proponowano szczodrze i z wdzięcznością. Z powodów, których nigdy nie spróbowałaś wyjaśnić.

Katarzyna przygotowała się starannie na ten moment.

Bycie carem, powie Aleksandrowi, często może wydawać się ciężkim brzemieniem. Jednak we właściwych rękach władza jest jedynym środkiem do zapewnienia największego szczęścia największej liczbie ludzi.

We właściwych rękach, powtórzy.

Trzeba strzec dobra, które zostało już dokonane.

Czasem syn musi przewyższyć ojca.

– To moje prawdziwe królestwo – mówi do Aleksandra, pokazując na książki w swojej bibliotece.

Rzędy tomów ustawione są według tematyki, autora i języka. Wyróżniają się książki z kolekcji Diderota, ze swoją wymyślną czcionką na miękkiej brązowej cielęcej skórze. Katarzyna osobiście zawsze wolała prostą skórzaną oprawę. Nie za wiele złoconych tłoczeń, żadnych brzegów ozdobionych klejnotami – to treść ma znaczenie, a nie okładka.

Nie dalej niż wczoraj znalazła między wysłużonymi stronicami Monteskiusza pożółkły list, napisany dziecinnym pismem: „Czujemy się dobrze. Mamy nadzieję, że Ty też czujesz się dobrze. Całuję Twoje ręce, stopy i mały paluszek. Twój mały wnuczek Aleksander".

– Czy mogę obejrzeć medale, babuniu? – pyta Aleksander ze swoją dawną, dziecięcą gorliwością. Wysuwa płytkie szuflady jedną po drugiej, wykrzykując przy każdym nowym odkryciu. – O, ten pamiętam – mówi, zbliżając do światła Wiktorię pod Czesmą.

Katarzyna przez całe życie kolekcjonowała różne przedmioty. Obrazy, porcelanę, figurki, kamee, książki. Półki w archiwum uginają się pod ciężarem starych zielników i pudełek z muszlami i skamielinami. Kamieniami z mroźnych pól Syberii. Powykręcanych korzeni w kształcie ludzkich kończyn.

Dawno minione pasje, myśli Katarzyna, patrząc, jak wnuk nurkuje wśród jej starych skarbów. Nie puste wspomnienia o przeszłości, lecz dowody na to, że żyła i kochała. Że nie przechodziła obok tego, co ją pasjonowało. Dlatego właśnie trzyma to wszystko. Jako dowód.

Usiadła w fotelu przy oknie biblioteki. Jej chora noga spoczywa na aksamitnym podnóżku. Boli, czasem znacznie bardziej niż przed rozpoczęciem kuracji wodą morską.

– Znów byłeś w Gatczynie – mówi.

Aleksander, schylony nad otwartą szufladą, nieruchomieje na moment, po czym zwraca się ku niej. Nie jest to pytanie, nie wymaga więc odpowiedzi, zatem jej wnuk milczy.

– Czy twoi rodzice czują się równie dobrze, jak wyglądają? – ciągnie dalej Katarzyna. – Na balu miałam tak mało czasu, żeby z nimi porozmawiać.

– Całkiem dobrze – odpowiada Aleksander, prostując się. – Chociaż maman się zamęcza, bo stanowczo za często sprawdza, co u małego.

Zostawił szufladę otwartą.

Caryca wskazuje wnukowi gestem, żeby zajął miejsce w fotelu obok niej. Aleksander siada i natychmiast mruży powieki, bo znajduje się dokładnie na linii promieni zachodzącego słońca. Oczy ma przekrwione z niewyspania. Kiedy jednak Katarzyna mówi mu, by przesunął fotel na prawo, protestuje, że nie warto robić sobie kłopotu. Słońce zajdzie za kilka chwil. Nie będzie mu długo przeszkadzać.

Babka pozwala mu mówić o małym braciszku, którego edukację już planuje, chociaż – przy dwóch starszych braciach – jego szanse na tron są niewielkie. Duży Mikołaj, podkreśla Aleksander z czułością. Stale głodny, zamęcza mamki. Ale nigdy nie płacze bez ważnego powodu.

– Słyszałam, że z dziedzińca w Gatczynie zniknęły drzewa – mówi Katarzyna, kiedy wnuk milknie.

– Naprawdę? – odpowiada Aleksander, mrugając oczami ze szczerym zaskoczeniem.

Jak można nie zauważyć, że zniknął szpaler starych drzew? Wyciętych nie z powodu choroby, tylko po to, żeby te niedorzeczne gatczyńskie pułki miały więcej miejsca na swoje niekończące się defilady. Dowodzone „bez śladu rozprzężenia, lenistwa czy pobłażliwości", jak lubi mawiać jej syn, dając do zrozumienia, że w jej pułkach panują wszystkie te grzechy. W świecie Pawła mundury, stukające obcasy, podzwaniające szabelki i ostrogi triumfują nad starymi, rozłożystymi drzewami.

– Słyszałam, że zniknęły wszystkie. Dęby też. Ale nie rozmawiajmy o tym – ciągnie Katarzyna. – Chciałam zapytać cię o tego nieszczęsnego kapitana Uspieńskiego. Jego ojciec znów wysłał petycję do Płatona Aleksandrowicza.

Aleksander krzywi się na dźwięk imienia Le Noirauda. Ci dwaj nie piją sobie z dzióbków, i nic dziwnego, bo Aleksander nigdy nie lubił żadnego z jej faworytów. Gdyby jednak miała przejmować się każdym przypadkiem dziecinnej zazdrości, byłaby całkowicie sparaliżowana. I zupełnie sama.

– Ale papa już wybaczył kapitanowi Uspieńskiemu! – Aleksander posyła jej zwycięski uśmiech. Z przyjemnością relacjonuje, co się wydarzyło. Kapitan Uspieński został wezwany, aby Aleksander mógł go osobiście przesłuchać. – Tak długo, jak chciałem, babuniu – podkreśla Aleksander. – Nie było nikogo oprócz nas dwóch. – Kapitan przyznał się do zaniedbania swojego munduru i włosów. Błagał o wybaczenie zawodu, jaki sprawił swojemu dowódcy. – Chodziło nie tylko o długość harcapa – dodaje szybko wnuk, uprzedzając drwiące spojrzenie Katarzyny. – I nie było to jego pierwsze wykroczenie.

– Bardzo się cieszę, że tak szybko rozwiązałeś ten problem. – Katarzyna postanawia nie wypowiadać na głos przypuszczenia, że nieszczęsny kapitan mógł otrzymać instrukcje, co ma powiedzieć gorliwemu młodemu księciu.

– Kiedy ja nic nie zrobiłem – protestuje Aleksander. – Papa wybaczył mu, zanim zdążyłem o nim choćby wspomnieć. Papa miał zresztą rację. Musiał po prostu dać innym przykład. Dyscyplina jest ważna, prawda, babuniu?

Katarzyna nie odpowiada. Zegar w bibliotece wydzwania godzinę. Upłynęło już dość czasu.

– Jest jeszcze jedna rzecz, o której chciałabym z tobą porozmawiać, Aleksandrze, rzecz ogromnej wagi – Katarzyna bierze głęboki oddech: – Bycie carem…

Wnuk nie pozwala jej dokończyć.

– Nie, babuniu, proszę!

Słowa, które wybrała, odfruwają niewypowiedziane. Ale to nic nie szkodzi, bo cieszy ją, że Aleksander wie albo odgadł, co chce powiedzieć. Zdolność przewidywania dobrze wróży przyszłemu carowi.

– To zabije papę… Nigdy mi nie wybaczy.

Twarz Aleksandra obwieszcza emocje niczym manifest, rozlepiony na bramach miasta. Wzdraga się na myśl o gniewie ojca. O wrzaskach, oskarżeniach o zdradę. Albo wpędzanie ojca do grobu. Chociaż nie, Paweł by raczej powiedział: A może od razu uwiążesz mi kamień u szyi i wrzucisz mnie do Newy? I będziesz skakać z radości, kiedy ja będę wydawał ostatnie tchnienie?

Kochany monsieur Aleksander, ze swoim miękkim sercem. Zapomina, że zadowolenie jednej osoby ostatecznie zawsze oznacza skrzywdzenie innej.

– Co ty opowiadasz, dziecko – strofuje go łagodnie, ignorując ciemny rumieniec na policzkach wnuka.

Zranienie kogoś, kogo kochamy, nigdy nie jest dla nas łatwe. Ona jednak podjęła już decyzję.

– Kiedy umrę, Aleksandrze, to ty – a nie twój ojciec – zostaniesz moim następcą. Nie proszę cię o zgodę. Chcę po prostu, żebyś o tym wiedział.

Zabrzmiało to może obcesowo, ale to pora na oznajmienie decyzji, a nie tłumaczenie się z niej. Żeby złagodzić nieco ten moment, Katarzyna obejmuje wnuka ramieniem. Czuje, jak on sztywnieje.

– Rozmawiamy o dalekiej przyszłości. Nie spieszy mi się na tamten świat, Aleksandrze.

Wnuk słucha, kiwa głową, choć twarz ma nadal zasępioną. Nieważne. Monsieur Aleksander pogodzi się ze swoim przeznaczeniem. Zawsze tak robił.

– Wrócimy jeszcze do tej rozmowy. Może po wyjeździe Aleksandry do Sztokholmu – mówi Katarzyna. Rudawe włosy wnuka są gęste i sprężyste pod jej palcami. Jak wełna.

– Tak, babuniu.

– Pamiętaj tylko, że nie jesteś odpowiedzialny za to, co myśli czy robi twój ojciec. Odpowiadasz jedynie za siebie.

Aleksander patrzy na nią swoimi niebieskimi oczami, w których babka dostrzega brązowe cętki. Oczy Anhalt-Zerbstów, dziedzictwo jej ojca.

– Masz rację, babuniu. Przyrzekam, że będę pamiętał o twoich słowach.

Kapitulacja? Tak szybko?

Ale to nie kapitulacja. Jej słowa go nie przekonały. Widzi to po jego twarzy, po drżeniu brody. Oddał po prostu na tyle dużo pola, by uznać, że potrzebuje posiłków. Wycofać się, udając zgodę. Na razie.

Niezła strategia, jak się nad tym zastanowić – nawet jeżeli ostatecznie nic mu to nie da.

Liczyła na to, że po kilku dniach odmowy przyjęcia go Rogerson będzie mniej pewny siebie, mniej skłonny do ferowania wyroków. Myliła się.

– W Szkocji ludzie wierzą, że koński włos wrzucony do wody zmieni się w węgorza – mruczy medyk, oglądając jej nogę przez szkło powiększające, cmokając językiem nad nową plamą zaczerwienionej skóry, która pojawiła się przez noc.

– Ból się jednak zmniejszył – upiera się Katarzyna.

Rogerson szturcha palcem zaczerwienione miejsce, jakby jej nie słyszał. Kiedy odkłada lupę na bok, czoło ma zmarszczone.

– I że wcieranie w skórę oleju z węgorza sprawia, że człowiek widzi wróżki.

Caryca pozwala nadwornemu medykowi ponarzekać. On nigdy nie przyzna, że nastąpiła jakaś poprawa, jeżeli to nie jego kuracja była jej przyczyną. Dla niego Lambro-Cazzioni to ciemny znachor.

– W Grecji – ciągnie dalej Rogerson – każdy jest medykiem.

Zaleca natychmiastowe przerwanie kąpieli w wodzie morskiej, zanim naprawdę jej zaszkodzą. Radzi wrócić do dawnej kuracji plastrami gorczycznymi, wywołującymi pęcherze i oczyszczającymi organizm z nagromadzonych jadów.

– Nie – mówi Katarzyna, przykrywając chorą nogę halką, zanim doktor zdąży owinąć ją swoimi bandażami.

Rogerson patrzy na nią zranionym wzrokiem. Jesteś carycą, mówią jego oczy. Zrobisz, co zechcesz. Zbiera swoje narzędzia i układa je w skórzanej torbie, pieczołowicie, każde na swoim miejscu.

Katarzyna nie chce, by Rogerson odszedł w gniewie. Jest nadwornym medykiem od blisko dwudziestu lat. Jej ciało nie ma przed nim tajemnic. Wydzieliny, wysypki, opuchlizny i siniaki po miłosnych ugryzieniach. Do tej pory był dyskretny. Dba o nią najlepiej, jak potrafi, a ona wciąż żyje.

– Dlaczego jady miałyby wywołać opuchliznę w nodze? – pyta. – Czy nie zaatakowałyby najpierw żołądka?

U doktora upodobanie do udzielania nauk jest silniejsze niż zazdrość i zraniona duma.

– Żołądek i jelita, podrażnione jadem, są w łączności z powłokami ciała, w tym skórą. To właśnie powoduje zapalenie. Podobnie jak infekcja jednego oka przenosi się na drugie.

Medyk wyjmuje z kieszeni kartkę i rysuje na niej system naczyń połączonych, które napełniają się, kiedy z jednej strony wleje się wodę. Tak właśnie dzieje się w jej ciele. Nic nie jest naprawdę oddzielne. Każda rzecz dotyka innej.

Katarzyna pozwala mu mówić, aż z jego głosu zniknie ostatnia nutka irytacji, i dopiero wtedy przyrzeka jeszcze raz przemyśleć jego zalecenia. Wychodząc, doktor kłania się nisko.

– Nic, czego bym się nie spodziewała – mówi swojemu ministrowi, relacjonując rozmowę z Aleksandrem. Potrzeba czasu, by się zahartować, myśli. Szczęśliwe dzieciństwo ma swoje wady. Nikt nie depcze ci po piętach.

– Czy mogę coś zasugerować, madame? – pyta Biezborodko, kręcąc dyskretnie głową. Podaje jej kartkę papieru. Tłusty ślad po kciuku to pozostałość po poczęstunku dla Pani.

Kartka okazuje się listem od Marii Fiodorownej, zaadresowanym do jej wnuka. Krótkim, bez żadnych ozdobników czy kwiecistych wstępów. Zapewnia Aleksandra, że przyjęcie przez niego tronu za plecami ojca jest nie tylko rozsądne, ale i nieuniknione. „Ocalisz swój ukochany kraj, głosi. Wypełnisz swoje przeznaczenie i zasłużysz na błogosławieństwo płynące z głębi serca Twej matki".

Sprytne!

W jednej chwili pojmuje intrygę Biezborodki. Jest może szyta nieco grubymi nićmi, ale właśnie coś takiego doskonale nada się do uśmierzenia wątpliwości Aleksandra, uspokojenia jego sumienia. Osłodzi gorycz tego, co on – młodziutki książę – tak niemądrze postrzega jako straszliwą zdradę.

Biezborodko to nie Griszeńka; jego nie zastąpi nikt. Ale niewiele mu ustępuje.

Natychmiast po wyjściu hrabiego Katarzyna bierze czysty arkusz ze stosiku, który położyła przed nią Queenie, i spisuje plan działania:

1. Jutro z samego rana poślę po Marię Fiodorownę. Poproszę, by przybyła sama, bo potrzebuję jej rady.
2. Pozwolę jej paplać o małym Mikołaju. Nie będę jej przerywać.
3. Powiem jej, że Szwedzi pytali o jej chiński pawilon, o którym mówi się nawet w Sztokholmie. Powiem, że Gustaw Adolf będzie zachwycony ogrodami w Gatczynie. Potem zapytam, czy ma w tej chwili jakieś własnoręcznie wyrzeźbione kamee, bo bardzo potrzebuję wyjątkowych, osobistych podarków od rodziny cesarskiej.
4. Pogratuluję jej dystynkcji Aleksandry. Powiem, jak bardzo jestem zadowolona ze sposobu, w jaki wychowała córkę. Omówimy ustalenia dotyczące wyjazdu do Sztokholmu.
5. Powiem jej, jak wysoko ceni ją Aleksander.
6. Wspomnę o napadach gniewu u Pawła. O związanej z nimi mojej matczynej trosce.
7. Kawę należy podać z jabłkami w cieście francuskim i makaronikami. Może także tortem linzeńskim.
8. Milczeć, dopóki Maria nie skończy jeść.

9. Wytłumaczę jej, co ma robić. Dlaczego musi napisać do Aleksandra list, by zapewnić go o swoim wsparciu, a potem wręczę jej szkic i poproszę, by przepisała go, zanim złoży pod nim swój podpis.

Maria Fiodorowna zjawia się, kiedy zegar w rogu sali pokazuje piętnaście po trzeciej. Ręce ma pulchne. Twarz – okrągłą. Przybyła uzbrojona w wymówki. Mały krztusił się i mrużył oczka. Mamka była przerażona.

– Mam nadzieję, że droga maman nie czekała na mnie zbyt długo – mówi.

– Nie spóźniłaś się, moje dziecko – odpowiada Katarzyna. Liczne twarze Marii Fiodorowny, odbite w ozdobnych lustrach w srebrnym salonie, odprężają się i pojawia się na nich uśmiech.

Siadają obok siebie na sofie.

– Mikołaj jest zdrów jak rybka – Maria Fiodorowna kontynuuje relację z pokoju dziecinnego. – Jest większy, niż Aleksander był w jego wieku. Większy nawet od Konstantego.

Służące wnoszą tace z przekąskami. Do kawy podano podgrzaną śmietankę i cukier. Wierzch tortu linzeńskiego zdobi kratka z paseczków ciasta, w środku kusi dżem z malin i czerwonych porzeczek, posypany hojnie migdałowymi płatkami. Ciasto pachnie skórką cytrynową i masłem.

– Tort linzeński – wykrzykuje Maria, składając ręce zupełnie tak samo jak Aleksandra. – Nie jadłam go od tak dawna. Gdzie to było? W Berlinie? A może w Wiedniu?

Ona, caryca, nie odpowiada. Nie zwraca też głośno uwagi na fakt, że w tej chwili nie ma większego znaczenia, gdzie Maria ostatnio jadła tort linzeński.

Maria z rozkoszą wpatruje się w solidny kawałek tortu, po czym wbija w niego widelczyk. Je powoli.

– Tylko dobrze pogryźcie jedzenie – powtarza wszystkim swoim dzieciom. Do tej pory się z tego śmieją, kiedy są same.

Wszystko to jednak, choć irytujące, to drobiazgi. Można je znieść.

Popołudnie rozwija się zgodnie z planem Katarzyny. Maria promienieje, usłyszawszy o tylu powodach do dumy. Gustaw Adolf pochwalił jej ogrody w Pawłowsku? Podobały mu się wyrzeźbione przez nią kamee? Kiedy król przyjedzie do Gatczyny, podaruje mu specjalnie wybraną kolekcję swoich ostatnich dokonań. Wszyscy nie mogą się doczekać tej wizyty.

– Jeszcze kawałek tortu?

– Doprawdy nie powinnam. Ale skoro maman nalega...

– Nalegam.

Maria jest taka przewidywalna. Nie zmieni tematu z własnej woli. Nie potrafi znieść ciszy, wypełni ją więc niekończącą się paplaniną. Nie zapyta, po co ją wezwano, choć przypuszcza rzecz jasna, że ma to związek z Aleksandrą i Gustawem Adolfem.

Rozmawiają zatem o Aleksandrze – temat, co do którego obie są w pełni zgodne. Jak pięknie młodzi wyglądają razem, tacy zgrabni, pełni gracji. Jakie znakomite maniery ma Aleksandra. Martwią się jej pierwszymi miesiącami w Sztokholmie. Kochana dziecinka będzie za nimi tak strasznie tęskniła! Nie da się uciec przed samotnością, nawet u boku najlepszego z mężów. Na zbudowanie nowego życia potrzeba czasu. Trzeba przywyknąć do nowego miejsca. Nowych służących. Nowych obyczajów. Szwedzki to trudny język.

Aleksandra będzie obserwowana. Każdy błąd, który zrobi, zostanie odnotowany. Czy mądrze byłoby poprosić księżną Daszkową, żeby jej towarzyszyła? Księżna, naturalnie, czeka na taką prośbę. Marzy tylko o tym, żeby na powrót wkraść się w łaski carycy. Miałoby to swoje zalety. Księżna od dawna jest przyjaciółką rodziny. Będzie mogła służyć radą i pociechą. Z tymi swoimi bystrymi oczami, którym nigdy nie uchodzi zniewaga. Czy to prawdziwa, czy wymyślona.

Śmieją się zgodnie.

W lustrach odbijają się ich postacie, siedzące na sofie koloru zielonego jabłka. Dosyć blisko, choć nieprzesadnie. Akurat tak, by mogły spoglądać sobie w twarz. W to ciche popołudnie ciepłych zwierzeń i wspólnych trosk. Łakomstwo starej, dobrej Queenie. Ropiejące oczy Pani.

A ten Bolik! Czemuż to niewdzięczne zwierzę uciekło? I to akurat teraz! Dla kochanej dziecinki mieć psa przy sobie byłoby taką pociechą. Czy to prawda, że kilka osób go widziało? Przy Admiralicji? Ale że Bolik za każdym razem czmychał? A może to wcale nie był Bolik?

Był takim słodkim szczeniakiem. Ciekawskim, a jednocześnie bojaźliwym. Bał się mioteł i cynowych kubłów. Jakaś służąca ze zmywalni musiała go śmiertelnie wystraszyć, że tak uciekł.

Wreszcie ostatnia smuga kremu z tortu została wyskrobana brzegiem widelczyka. Talerzyk wrócił na stół, propozycja kolejnej dokładki została odrzucona.

– Jeszcze jedna sprawa, moja droga – mówi Katarzyna. W lustrze widzi, że korpulentna sylwetka jej synowej zastyga w bezruchu.

W przypadku Marii nie ma co uciekać się do aluzji. Synowa nie jest głupia, musiała jednak dawno temu postanowić, że nie będzie niczego się domyślać, choćby nawet wydawało się to zupełnie proste i oczywiste – i do tej pory wychodzi na tym całkiem dobrze.

Gdybyż tylko ona, caryca, mogła rozkazać Marii, by wybrała syna, a nie męża! Tego jednak nie można zrobić. Musi spróbować ją przekonać. Chowa więc dumę do kieszeni i rozmawia z Marią Fiodorowną tak, jakby objaśniała swoją strategię Biezborodce.

– Przykro mi to mówić, ale mój syn nie nadaje się do rządzenia Rosją. Wiesz o tym równie dobrze jak ja.

To, co odbywa się w Gatczynie, to najlepszy przykład, ciągnie dalej Katarzyna. Paweł jest nieprzewidywalny, łatwo poddaje się wpływom, brak mu odpowiedzialności. Wierzy w rządy strachu.

Pragnie ślepego posłuszeństwa za wszelką cenę. Krytykuje ją, swoją matkę i carycę, za to, że zakazała klękania przed sobą.

Obróci Rosję w taką samą kolonię wojskową, jaką stała się Gatczyna.

Maria spuszcza oczy, swoją jedyną tarczę.

– Nie ma potrzeby rozwodzić się nad innymi powodami – kontynuuje nieubłaganie caryca. – Są one zbyt bolesne dla nas wszystkich.

Dłonie Marii zaciskają się.

– Kiedy umrę, moim następcą zostanie Aleksander – mówi caryca. – Chcę jednak, żeby zostało to ogłoszone wkrótce. Musi podjąć obowiązki, które przygotują go do objęcia tronu. Nie będzie to dla niego łatwe. Nie jest to zresztą łatwe dla nikogo. Dlatego właśnie potrzebuje naszego wsparcia w tych trudnych chwilach.

Milknie i czeka, aż synowa na nią spojrzy, lecz Maria nie podnosi głowy. Oddycha szybko, ale nie płacze. To dobry znak.

Katarzyna tłumaczy dalej:

– Aleksander zadręcza się wyrzutami sumienia. Nie chce zranić uczuć ojca.

Kolejna pauza, ostatnia przed decydującym ciosem.

– Aleksander, moja droga Mario, potrzebuje wsparcia swojej najdroższej matki. Musi wiedzieć, że matka stanie po jego stronie. Że przygotuje ojca na to, co musi się stać. Złagodzi jego rozczarowanie. Że pomoże ojcu dostrzec, iż nie zmieni się nic, co naprawdę się dla niego liczy. Że może mieć armię w Gatczynie dokładnie taką, jaką chce. Rządzić Gatczyną tak jak zawsze.

List jest w jej rękach. Prosty, lecz płynący z głębi serca list pełen otuchy. Matka mówi synowi, że rozumie, iż jest zmuszony przyjąć brzemię władzy dla dobra Rosji, i daje mu swoje błogosławieństwo i modlitwę.

– Proszę, moja droga Mario – mówi caryca. – Przeczytaj go. Powiedz mi, gdybyś chciała coś zmienić. Jeżeli ufasz mojemu osądowi, przepisz ten list i złóż pod nim podpis. Przynieś mi go, a ja zamknę go na klucz w mojej osobistej skrzynce. Sama wręczę go Aleksandrowi.

Katarzyna mówi: kiedy nadejdzie pora. Mówi: na razie to nasza tajemnica. Całkowite zaufanie, jakie pokładam w tobie. Nasza wspólna miłość do naszego księcia.

Maria bierze list do ręki, jakby to była filiżanka z najcieńszej porcelany z Sèvres, tak delikatna, że mogłaby się stłuc, kiedy tylko zamkną się na niej jej palce. Szybko przebiega wzrokiem zdania, poruszając wargami, jakby się modliła.

Czyż nie dość już zostało powiedziane? Co jeszcze chce usłyszeć?

– Aleksander potrzebuje słów spisanych ręką matki, które będzie mógł czytać, kiedy osaczą go wątpliwości. Matki, którą kocha i której osądowi ufa. Matki, która kiedy umrze jego babka, będzie tą, do której wszystkie żony i córki rodziny carskiej będą przychodziły po radę i wsparcie.

Maria podnosi twarz.

Ale Katarzyna widzi, że zamiast przenikliwych, kompetentnych oczu Biezborodki dwie kałuże wodnistego błękitu wpatrują się w nią z przerażeniem.

– A wtedy wielki książę Paweł zapytał króla Szwecji, czy się z nim zgodzi, że Pawłowsk jest zaledwie cieniem Gatczyny – mówi Queenie, kręcąc głową. – W obecności Marii Fiodorowny!

Oto wyobrażenie Pawła o dyplomacji: zachęcić przyszłego zięcia, by skrytykował radość i chlubę Marii Fiodorowny.

– A król?

– Powiedział, że oba są równie piękne – śmieje się Queenie.

Splotła razem trzy chustki i owinęła je sobie wokół głowy. Niebieską, czerwoną i żółtą. To połączenie kolorów ma w sobie coś radosnego i dziewczęcego. Wygląda całkiem pociągająco, nawet na Queenie, z jej owłosioną górną wargą i tłustymi policzkami.

Na propozycję, by usiadła, Queenie sadowi się na otomanie. Jej masywne ciało spoczywa na haftowanych poduszkach, z których każdą zdobi wizerunek ptaka. Pulchny łokieć wetknęła prosto w dziób dużej niebieskiej papugi.

Queenie przyszła tu z nowinkami z Gatczyny.

Usłyszała je od młodej damy dworu z otoczenia Marii Fiodorowny. Najnowszej z licznych protegowanych Queenie, wypatrzonej w jakimś wiejskim majątku i zwabionej do Sankt Petersburga obietnicami cesarskich względów i zamążpójścia. Wszystkie te nowiny to tylko plotki, niemniej nierozsądnie byłoby je lekceważyć. Queenie ma w sobie coś takiego, co zachęca do zwierzeń. Kobiety przychodzą do niej. Ze złamanymi sercami, pustymi kieszeniami i niepokojącymi snami. Nawet Maria Fiodorowna szukała u niej rady. W błahych sprawach, ale jednak.

– Wizyta Szwedów – ciągnie dalej Queenie – przebiegła całkiem dobrze, mimo wszystko.

Mimo co, Queenie?

Queenie marszczy brwi. Zamyślona, usilnie stara się przekazać to, co usłyszała, bez domieszki własnych spekulacji. Same fakty. Nie to, co twoim zdaniem miało miejsce, ale to, co widziałaś albo słyszałaś. Stare lekcje, pamiętają je tylko najwytrawniejsi szpiedzy.

Tort linzeński być może zapisał się we wdzięcznej pamięci Marii Fiodorowny, niemniej po powrocie do Gatczyny czekały ją spore nieprzyjemności. Wywołane przez wymijające odpowiedzi, jakich udzielała na pytania męża.

Jakie dokładnie pytania, Queenie?, myśli caryca, ale jej nie przerywa. To tylko opóźni to, co najważniejsze. Queenie nie słynie ze zwięzłości, lecz z szóstego zmysłu, który pozwala jej słyszeć to, czego inni nie słyszą.

Paweł, jak można się było spodziewać, chciał wiedzieć, o czym żona rozmawiała z maman.

Wygląda na to, że każdy na dworze potrafi naśladować głos Pawła: wysoki i przenikliwy, zdania wypowiadane obrażonym tonem. Imitacja Pawła przesłuchującego żonę w wydaniu Queenie jest zadziwiająca:

Rozmawiałyście w cztery oczy tylko o Aleksandrze?

I o Katii Daszkowej, która ma zostać poproszona, by z nią pojechała. Jeżeli się zgodzimy.

Pytała cię, czy się zgadzamy?

Tak.

Doprawdy! To dlaczego unikasz mojego wzroku?

Nie skończyłoby się na tym, oznajmia Queenie z falującą piersią. Tylko wtedy zjawili się goście.

Tuż przed południem. Siedem powozów. Król Szwecji, regent, ambasador i kilku innych wielmożów. Żadnych dam, więc Maria Fiodorowna czuła się niezręcznie.

Potem nastąpiły długie rozmowy o sprawach wojskowych: rozmowy w stylu Pawła, niezwiązane z bitwami czy kampaniami, tylko wykład o tym, jak to długość harcapa i zręczne użycie pudru do włosów to nie żadne fanaberie – jak utrzymują pewni rosyjscy dowódcy – lecz dowody dyscypliny. Odbyła się nieunikniona parada z pokazem ataku bagnetami. Oraz wojskowego drylu pruskiego.

Jakiż ten jej syn jest przewidywalny! Jak dalece niezdolny do wyjścia poza koleiny swego wątłego umysłu! Czy kiedykolwiek będzie w stanie czymś ją zaskoczyć?

Cóż, myśli Katarzyna kilka chwil później: należy uważać, czego sobie człowiek życzy.

Queenie, wzburzona, lecz w pełni świadoma efektu, jakie wywołują jej słowa, opisuje następującą scenę:

W wielkiej sali jadalnej w Gatczynie, z jej rzeźbionym sufitem i ścianami pokrytymi obrazami sławnych bitew, Paweł siedzi u szczytu stołu. Za dużo wypił, co często się zdarza, choć tym razem wino sprawia nie tylko, że staje się zuchwały i złośliwy, ale także sentymentalny. Albo może, zauważa niepoprawna Queenie, to nie tylko wino, lecz myśl o oczekiwanych zaślubinach

Aleksandry i obecność człowieka, z którym niebawem będzie dzieliła łoże. Chwila, która może napawać ojca przerażeniem, podsuwa Queenie.

Każdego ojca.

Wracając do rzeczy: Paweł sporo mówi. Za dużo – to odpowiedniejsze określenie. Praktycznie nie pozwala nikomu innemu dojść do głosu. Wspomina Aleksandrę, kiedy dorastała. Gdyż jego najstarsza córka – pragnie przestrzec swego znakomitego gościa – nie zawsze była tak słodka jak obecnie.

Katarzynę kusi, by dać się wciągnąć w opowieść Queenie. Wspomnienia Aleksandry, która wkłada zgniłe śliwki do butów Konstantego do jazdy konnej. Albo rysuje ślady kocich łapek na ścianach swojej sypialni. Własnymi usmolonymi paluszkami! I chowa ręce za plecami, twierdząc, że nie ma pojęcia, kto mógł to zrobić!

Perspektywa pośmiania się razem z Queenie jest także kusząca. Śmiać się i zapomnieć o upływie czasu.

Jednak nie w tym celu Katarzyna pozwoliła Queenie rozsiąść się na otomanie.

– Co stało się potem?

Queenie poważnieje. Obiad, mówi, dobiegł końca. Wszystkie obecne damy – na znak Marii Fiodorowny – wstały i wyszły.

Zaraz za drzwiami jadalni, wśród gwaru, który wybuchł po wyjściu dam, protegowana Queenie usłyszała to nazwisko: Kościuszko. A potem, w całkowitej ciszy, którą to słowo wywołało pośród Szwedów, Paweł Piotrowicz, który uważa się za księcia godnego tronu Rosji, nazwał tego polskiego buntownika, więźnia swojej matki, „bohaterskim generałem, dla którego żywię głęboki podziw".

– Nie mogłam uwierzyć własnym uszom – mówi Queenie, kręcąc głową i marszcząc nos. – Ale to nazwisko niełatwo pomylić z innym, madame.

Jak muchy do ścierwa, myśli caryca następnego ranka, przerzucając napływające codziennie petycje od jej nowych polskich poddanych, pragnących zyskać coś na nieszczęściach, które przydarzyły się ich rodakom.

Podboje przesuwają nie tylko granice. Zdławiona rebelia pociąga za sobą przetasowania w majątkach ziemskich. Ci, którzy popierali rebelię, tracą, ci, którzy się jej sprzeciwiali, zgłaszają się po nagrody. Każdy skonfiskowany majątek staje się przedmiotem czyjegoś pożądania. Motywacją do szczerego raportu. Przyczyną wyznań. Powodem do błagań.

Wrogowie zmieniają się w przyjaciół, przyjaciele we wrogów. Jednak Aleksander na razie nie musi tego wiedzieć. W tej chwili Katarzyna pilnuje, aby nie miał za dużo wolnego czasu. Koniec z wizytami w Gatczynie, z długimi dyskusjami z Adamem na temat natury demokracji amerykańskiej czy jakiejś innej młodzieńczej fantazji. Co rano Katarzyna posyła po wnuka, by dołączył do niej w gabinecie. W wypadku delikatnego charakteru, takiego jak u Aleksandra, najlepiej sprawdzają się małe kroki. Nawet nie zauważy, jak po kilku tygodniach będzie wciągnięty w coraz większą liczbę projektów.

– Rozważam wysłanie księżnej Daszkowej z Aleksandrą do Sztokholmu – mówi caryca wnukowi. – Co o tym sądzisz?

Dwór szykuje się do ceremonii zaręczyn. Radosne przygotowania, pełne śmiechu i nerwowego podniecenia. Aleksandra uczestniczy w przymiarkach zaręczynowej sukni z białej satyny, haftowanej w pączki róż. Jej siostra Maria jest zazdrosna i zastanawia się, kiedy ona sama się zaręczy.

– Czy król Szwecji ma brata? – chce wiedzieć.

– Czy księżna Daszkowa nie jest chora? – pyta Aleksander. – I czy ona cię czymś ostatnio nie rozgniewała?

– Owszem – odpowiada Katarzyna. Dla niego, swojego bystrego następcy, ma niewyczerpane zasoby cierpliwości. – Pozwoliła na publikację książek, które nie powinny były zostać wydane.

Daszkowa stoi na czele Akademii Rosyjskiej. Powinna zdawać sobie sprawę z wagi czujności. Przewidywać, co może sprzyjać działalności wywrotowej.

Czy powinna być bardziej bezpośrednia? Powiedzieć to wprost? Przypomnieć Aleksandrowi, jak król i królowa Francji jechali drewnianymi wozami na spotkanie śmierci, a tłuszcza przeklinała ich i wszystkich monarchów? Jak ciała arystokratów huśtały się na paryskich latarniach albo jak rozdzierano je na krwawe strzępy? Czy to był dobry moment, by opublikować sztukę, w której buntownik udziela nagany carowi? Albo taką, w której autor poucza carycę, jak rządzić Rosją? Nazywa ją ślepą! Naiwną ofiarą spiskujących dworzan!

Nie trzeba. Zbytnia dosadność nie sprawdza się w wypadku Aleksandra. Najlepiej pozwolić mu dojść do własnych wniosków.

– Czy to naprawdę takie ważne cenzorować podobne myśli? – pyta Aleksander. – Co daje spychanie ich do podziemia?

Katarzyna kiwa głową z uznaniem. Kiedy projektowała edukację Aleksandra, pewne sprawy uznała za rzeczy najwyższej wagi. Na przykład nauczenie go kwestionowania tego, czego się go uczy. I umiejętności posługiwania się różnymi stylami. Opowiedz fabułę bajki Ezopa prostym stylem. A potem górnolotnym. Napisz list, jakbyś był Achillesem na moment przed śmiercią.

– Informuj mnie, ale nie poniżaj – kontynuuje caryca swoje wyjaśnienia. – Jeżeli uważasz, że pod moimi rządami coś nie działa tak, jak należy, przyjdź bezpośrednio do mnie i powiedz, co i dlaczego wymaga zreformowania. Znasz mnie dobrze, Aleksandrze. Zawsze słuchałam głosu rozsądku. Ale Rosja nie jest gotowa na podżegaczy, rozgłaszających swoje wyświechtane idee na rogach ulic.

Spojrzenie Aleksandra prześlizguje się po jej biurku i spoczywa na bursztynowym kałamarzu, którego miedziany odcień współgra z jego włosami. Tak, młodemu sercu łatwo jest opowiedzieć się po czyjejś stronie. Uprościć to, co złożone. Zapomnieć o tym, że przyszły władca nie może mylić własnych życzeń z potrzebami kraju. Ale czuwanie nad wnukiem to obowiązek jego babki. Musi go napominać, kiedy błądzi w swoich sądach. Wskazywać mu pułapki, których on jeszcze nie potrafi dostrzec.

– Słowa nie są nieszkodliwe, Aleksandrze. Głośno wyrażone myśli potrafią rozzuchwalić ludzi. Zwłaszcza takie myśli, które obiecują łatwe rozwiązania.

Aleksander pochmurnieje i odchyla się do tyłu, jakby chciał odepchnąć od siebie jej słowa. Czy znów była zbyt bezpośrednia? Ale jej wnuk to nie żaden słabeusz.

– Co złego jest w daniu ludziom prawa do wyrażania swoich myśli, babuniu? Tak jak w Ameryce.

– Amerykanie w wielu sprawach żyją złudzeniami, Aleksandrze. Oni także przekonają się, że nie ma sensu zasięgać opinii ignorantów. Czemu miałoby służyć oddawanie głosu tym, których wizja jest ograniczona i pełna ich kalekich, oderwanych od rzeczywistości, ciemnych myśli?

– A co z szanowaniem godności natury ludzkiej?

– Ależ człowiek jest zwierzęciem, Aleksandrze. Instynkt popycha zwierzęta nie do życia w pokoju, lecz do grabienia i plądrowania. Dlaczego mielibyśmy na to pozwalać w imię wzniosłych ideałów? Jaki sens ma wzniosła klęska? Zresztą Rosja nie jest nowym krajem, jak Ameryka. Bardziej przypomina Francję, a nie sposób przecież popierać tego, co się tam dzieje.

Tym argumentem Katarzyna wygrywa dyskusję. Rozpoznaje to po przygarbionych ramionach wnuka, po nieznacznym skinieniu głowy.

– Pamiętaj o Pugaczowie, Aleksandrze. Możesz powiedzieć, że to było dwadzieścia lat temu. Nie było cię wtedy jeszcze na świecie, ale musisz pamiętać, że przelewano krew. Zdarzyło się to raz. Może zdarzyć się raz jeszcze. Ci „mądrzy i cierpiący" wieśniacy mogą znów zmienić się w żądną krwi tłuszczę. Powiesić mnie i ciebie na najbliższej latarni. – Jej głos płynie, szybuje. Katarzyna czuje się pewnie. – Lepiej, aby car był uważany za bezwzględnego i okrutnego, niż by pozwolił na kolejną taką tragedię.

Uśmiecha się, zadowolona z własnych słów. Tak właśnie wyobrażała go sobie, kiedy jeszcze był ząbkującym niemowlęciem. Jak przychodzi do niej po radę. Słucha jej argumentów. Wymyśla własne, by odeprzeć jej, kiedy to konieczne. Kształtuje własne opinie. Znajduje swoją drogę.

Czasem całe lata trwa, zanim marzenie ziści się i przyniesie owoce. Lecz jak słodka jest chwila, kiedy to się dzieje.

Ileż planów ma dla niego! Na następne parę lat! Codzienne konferencje, jak ta, będą kontynuowane, i staną się coraz bardziej poważne. Aleksander będzie się przyglądał, jak babka podejmuje decyzje. Przepytuje swoich doradców. Analizuje ich sprawozdania, ale zawsze wyciąga z nich własne wnioski. Aleksander będzie pojętnym uczniem. Kiedy nie będzie z nią, będzie nad nim czuwał Biezborodko. Szkolił go w sztuce zarządzania interesami imperium.

Jednak poważne sprawy będą musiały poczekać na oficjalne ogłoszenie sukcesji. Teraz mądrzej pokazać Aleksandrowi listę prezentów, które Aleksandra zabierze ze sobą do Szwecji. Lista jest starannie przemyślana, zwraca mu uwagę babka, tak by odzwierciedlała dokonania Rosji. Zastawa z carskiej manufaktury porcelany, srebro z Tuły, pończochy z krymskiego jedwabiu, tak cienkie, że można by je schować w skorupce włoskiego orzecha.

– Aleksandra będzie mogła chodzić po szwedzkim dworze z wysoko podniesioną głową – mówi caryca, uśmiechając się z triumfem.

Aleksandrowi udziela się jej podniecenie. On także chce dodać do listy swoje pomysły. Słyszał o ludowym malarzu, który tak zręcznie namalował Pałac Zimowy, że widać niemal każdą szczelinę w murze. Taki obraz byłby wspaniałym podarunkiem dla siostry. Aleksandra mogłaby na niego patrzeć za każdym razem, kiedy poczuje tęsknotę za domem.

Pracują razem, ramię przy ramieniu.

Kiedy nadchodzi czas, by Aleksander się oddalił, Katarzyna otwiera szufladę w swoim sekretarzyku i wyjmuje z niej haftowaną satynową saszetkę. W środku znajduje się tabakierka: na wierzchu ma kameę przedstawiającą pszczołę, która odfruwa z ula, by zapylić gałązkę drzewa owocowego.

– To dla ciebie, Aleksandrze – mówi Katarzyna. – Chcę, żeby przypominała ci o mnie za każdym razem, kiedy weźmiesz ją do ręki. I byś zapamiętał te słowa: „Po co być zdegustowanym, kiedy możemy naprawić to, co nas mierzi?".

W rachunkach Szwedów panuje bałagan, wynika z raportów Biezborodki. Regent prowadzi fałszywe księgi, by wyprowadzić wrogów w pole, ale często sam nie potrafi rozróżnić, które są prawdziwe. Stajnia Augiasza, i nie widać w niej żadnego Herkulesa!

Gustaw Adolf jak na razie jest zupełnie nieświadomy tego, jak znakomicie jego wuj potrafi się maskować.

Siedząc naprzeciwko niej w cesarskim gabinecie, król opisuje jej swoją wizytę w Gatczynie. Radosny, ożywiony sposób bycia młodzieńca sprawił, że Pani porzuciła swoją aksamitną poduszkę i przygląda mu się z uwagą.

– Gry, madame, były nadzwyczaj intrygujące – mówi król.

Szczególnie wciągnęła go gra w ćwiczenie pamięci, którą zaproponowała Maria Fiodorowna. Należało krótko popatrzeć na tacę, na której stało wiele przedmiotów, a potem spróbować przypomnieć sobie jak najwięcej z nich. Ulubiona gra, jak twierdziła, wszystkich jej dzieci.

– I jak panu poszło, monsieur – pyta caryca – w tej grze?

– Nie aż tak dobrze jak samej Marii Fiodorownie – wyznaje król. – Ale nie miałem okazji poćwiczyć.

Pani, która najwyraźniej stwierdziła, że nic jej nie grozi, opiera swoją wąską szarą łapę na kolanach króla, oczekując przysmaku, albo przynajmniej poklepania po łbie. Król z lekka sztywnieje. Nie jest miłośnikiem psów.

– Żałuję, że nie mam braci – ciągnie dalej. – Ani sióstr – dodaje tęsknie, jak dziecko, które za dużo czasu spędzało z dorosłymi.

– Samotności nie trzeba znosić – mówi Katarzyna i patrzy, jak młodzieniec gorliwie przytakuje.

Oczekiwany moment nadszedł. Król Szwecji jest gotowy wyznać swoją miłość do Aleksandry. Katarzyna widzi to w jego rozszerzonych źrenicach i zarumienionych policzkach.

– Zanim cokolwiek pan powie, monsieur – wtrąca – muszę wyjaśnić pewne kwestie.

Gustaw Adolf posyła jej wystraszone spojrzenie, jakby przyłapała go na napychaniu sobie kieszeni carskimi srebrami. Katarzyna jednak nie uspokaja go. Chce od niego niepodzielnej uwagi.

– Dusza mojej wnuczki jest czysta. Owszem, wychowała się na dworze, ale temu dziecku nigdy nie postałyby w głowie intrygi czy złe zamiary. Należy chronić ją od wszelkiej krzywdy.

Na te słowa twarz króla wyraźnie się odpręża. Jest przekonany, że znalazł się na pewnym gruncie. Jego brązowe oczy wilgotnieją, głos nabiera miękkości.

– Nikomu nie pozwoliłbym jej skrzywdzić.

– W to nie wątpię, monsieur – odpowiada Katarzyna. – Nie może pan jednak być stale przy jej boku. Pan także ma wrogów. Zamaskowany morderca pańskiego ojca nie mógł działać sam. Poza pańskim uczuciem i dobrą wolą Aleksandra w nowym kraju będzie potrzebowała swojej rodziny i niepodważalnej pozycji.

– Nie zamierzam jej tego odmawiać – przekonuje Gustaw Adolf. – Zapewniam...

– Proszę – przerywa caryca. – Niech pan pozwoli mi powiedzieć to, co muszę powiedzieć, i zrobić to wprost. Pan, monsieur, jest luteraninem. Moja wnuczka jest Rosjanką, wyznawczynią prawosławia. Czy rozważał pan kwestię wiary?

We wzroku króla odmalowuje się zaskoczenie i niedowierzanie. O czym sądził, że będzie z nim rozmawiała? O intymnych skłonnościach jego ojca? O jego igraszkach z baronem Munckiem?

– Czy żona – zapytuje Gustaw Adolf – nie przyjmuje zawsze religii męża?

– Rosyjskiej szlachcie nie wolno odchodzić z Cerkwi prawosławnej. Gdyby wielka księżna Rosji kiedykolwiek porzuciła swoją wiarę, odcięłaby się tym samym od swojej rodziny i od Rosji. A wtedy zostałaby sama.

Caryca milknie, pozwalając królowi Szwecji ocenić konsekwencje swoich słów. Chętnie przyjrzałaby się jego twarzy, ale młodzieniec spuścił głowę. Katarzyna widzi tylko prostą linię skóry w miejscu, gdzie jego lśniące włosy rozdzielają się, by opaść wzdłuż policzków. Ma nadzieję, że król wybiega myślą poza kwestie miłości i wiary, że oblicza własne korzyści, ma na uwadze przyszłość. Na co byłaby mu Aleksandra bez swoich wpływów w Sankt Petersburgu?

– Jeżeli pragnie pan mojej zgody na poślubienie mojej wnuczki, wydam ją, pod warunkiem że w Szwecji będzie mogła wyznawać swoją wiarę. Proszę nie odpowiadać od razu, monsieur. Zamierzam wyjechać do Carskiego Sioła na kilka dni. Proszę przemyśleć to, co powiedziałam. Jeżeli to niemożliwe, proszę jak najlepiej skorzystać z pobytu w Sankt Petersburgu, a kiedy wrócę, pan wyjedzie, nie wracając do tej rozmowy. Jeżeli jednak zostanie pan, będę wiedziała, że przyjął pan ten warunek.

Król podnosi głowę. Twarz ma bladą, ale opanowaną. Dziękuje jej za bezpośredniość, którą ceni sobie nad wyraz. A potem, z ciałem pozbawionym sprężystości, niczym balon, z którego spuszczono powietrze, wychodzi z pokoju.

Przy drzwiach Gustaw Adolf posyła jej jeszcze jedno spojrzenie, jakby nadal nie wierzył temu, co usłyszał.

Kłania się.

Drzwi zamykają się za nim i caryca znowu jest sama. Pani wraca na swoją poduszkę, okrążając ją kilka razy, zanim ułoży się do południowej drzemki.

Biedny Gustaw Adolf, nie jest jeszcze prawdziwym królem, a już rozdarty jest między tym, czego pragnie, a tym, co może mieć. Ale czy ona naprawdę prosi o tak wiele? Czyż dogmaty nie były zawsze kwestionowane? Wino czy krew? Ciało czy opłatek? Jeden Bóg w trzech osobach czy trzech bogów w jednym? Pieśń miłości i cierpienia czy gniewu i potępienia?

Czyż religia nie jest po prostu niedoskonałą ludzką wizją tego, czego ostatecznie nie da się poznać? Czy nie zmienia się z czasem? Z okolicznościami? Gdzie byli luteranie przed Marcinem Lutrem? Kalwiniści przed Kalwinem?

Czy nie najlepiej jest uznać, że są pewne rzeczy, których nigdy się nie dowiemy, i zająć się tym, co możemy zmienić?

A potem caryca zastanawia się, co stało się z laską, którą podarowała ojcu Gustawa Adolfa (kuzynowi Gu, jak go nazywała), kiedy po raz pierwszy przyjechał do Sankt Petersburga, w 1783 roku. Był jej kuzynem pierwszego stopnia, ze strony matki. Główkę laski stanowił pojedynczy diament o wartości sześćdziesięciu tysięcy rubli.

Natychmiast po wyjściu Gustawa Adolfa do jej gabinetu wchodzi Le Noiraud. Ma przekrwione oczy.

Wiszka donosi, że Płaton rozkazał jednemu ze swoich paziów donosić mu o wizytach króla. Informuje także carycę, że jej faworyt nie może spać.

– Jesteśmy niezbyt pewni siebie – zauważa z cierpkim uśmiechem. – Wygląda na to, że szczypta zazdrości dobrze nam zrobiła.

Le Noiraud nie siada, tylko chodzi po pokoju. Wyraźnie wyczuwalny powiew piżma zmieszanego z olejkiem migdałowym towarzyszy każdemu jego krokowi. Zbyt mocny, ale nie jest to dobry moment, by zwracać uwagę na taki drobiazg.

Zatrzymuje się przy kominku, jakby chciał przyjrzeć się chińskiemu wazonowi, a potem porcelanowym figurkom, które Katarzyna ustawiła w rzędzie: handlarka cebuli, rybak, szewc. Stare prezenty od króla Prus, które nadal ją rozczulają. Handlarka, utrzymywał zawsze Griszeńka, wygląda jak czarownica.

Nerwowość i milczenie Płatona obliczone są na to, by Katarzyna zapytała o ich przyczynę. Podobnie jak wystudiowana poza, którą przybiera przy kominku, opierając łokieć o marmur. Le Noiraud wie, że jego zgrabna sylwetka prezentuje się w ten sposób korzystnie. Chmura w jego oczach ciemnieje.

– Czy Gustaw Adolf się oświadczył? – wyrzuca z siebie wreszcie, pokonany.

– Prawie – odpowiada Katarzyna.

– Co się stało?

– Nie chcę, żeby się spieszył. Względy młodych bywają gorące, lecz niezbyt trwałe...

Le Noiraud przytakuje z wesołą skwapliwością, niczym uczeń, który wie, jak zadowolić nauczyciela.

– Wtedy trzeba je pochwycić i wzmocnić.

Kiedy Katarzyna wybucha śmiechem, faworyt zbliża się do niej i klęka u jej stóp. Jego głowa ciężko spoczywa na jej kolanach, bo Płaton przyciska ją desperacko. Czy to, co słyszy caryca, to szloch czy śmiech?

Unosi jego głowę. Na mokrej twarzy Le Noirauda widzi smugi rozmazanego różu.

– Co się stało mojemu niemądremu chłopczykowi?

Ciepło w jej głosie go rozbraja.

– Jestem niczym, Katinko – mamrocze. – Drwią sobie ze mnie.

Nie musi pytać, czyja obojętność jest przyczyną rozpaczy Le Noirauda. Drabina rangi ma wiele szczebli, a niektóre z nich są bardziej widoczne niż inne. Winowajcą jest Aleksander Andriejewicz Biezborodko. Griszeńka nazywał go geniuszem i przyjacielem, ale w oczach Płatona największe znaczenie ma obojętność

Biezborodki wobec niego. Cesarski minister nie uważa faworyta carycy za godnego przeciwnika.

– Nie masz ze mnie żadnego pożytku. Nie potrzebujesz mnie. Wszystko, co robię, niewarte jest najmniejszej uwagi. Przynoszę ci wiadomości, a ty je zbywasz... Daj mi szansę, Katinko – mówi. – Pozwól mi zrobić coś wartościowego. Tak jak mojemu bratu. – Lepiej nie pozwalać Płatonowi rozwodzić się nad najnowszymi podbojami Waleriana. Bracia ledwie ze sobą rozmawiają, odkąd Płaton uznał, że Walerian próbuje odebrać mu miejsce u jej boku. – Cokolwiek, co pozwoli mi udowodnić, że jestem coś wart – ciągnie dalej Płaton. Wpatruje się w jej oczy, błaga ją całym swoim ciałem. Słodkie wspomnienie, które przebiega jej przez głowę, ma gorzki posmak żalu. – Gdyby potrafiła jeszcze czuć cokolwiek, kiedy on bierze ją w ramiona, wszystko to nie miałoby znaczenia. – Proszę, Katinko. Błagam cię.

Ból w jego głosie jest prawdziwy. Sprawia, że serce w niej topnieje.

– Pomyślę o tym, Votre Altesse – przyrzeka i widzi, jak Płaton się uśmiecha. – A teraz idź już – dodaje. – Muszę popracować.

– Co to za zapach? – pyta Wiszka, wchodząc z kolejnym dzbankiem gorącej kawy pół godziny później. – Czy mogę otworzyć okno? – pyta i na próżno usiłuje stłumić kichnięcie.

Ciężka woń perfum Płatona wypełnia jej gabinet, pomimo wietrzenia, ale w odróżnieniu od Wiszki Aleksander Andriejewicz Biezborodko nie komentuje tego zapachu, kiedy zjawia się ze swoimi meldunkami.

Szwedów zabrano do Carskiego Sioła. Zachwycali się wiszącym ogrodem i przepychem Bursztynowej Komnaty. Gustaw Adolf zastanawiał się, czy mógłby odtworzyć złotą amfiladę w swoim pałacu. Nie aż taką długą i wystawną, powiedział, ale przynajmniej spróbować „stworzyć coś, co przypominałoby to niezrównane wnętrze".

– Czy wspomniał, dla kogo chciałby to zrobić? – pyta caryca, promieniejąc zadowoleniem.

– Dawał do zrozumienia, ale nie powiedział wprost, Wasza Wysokość – odpowiada Aleksander Andriejewicz. – Powinniśmy zacząć rozmawiać o projekcie umowy przedślubnej.

– Rozważałam zlecenie tego księciu Zubowowi – mówi Katarzyna i czeka. W wypadku jej ministra najlepszą strategią jest bezpośredniość. Zasługuje na nią i potrafi ją przyjąć. – Książę Zubow jeszcze o tym nie wie – dodaje. – Ty, Aleksandrze Andriejewiczu, powinieneś skoncentrować się na problemie sukcesji.

– Jak Wasza Wysokość sobie życzy.

W oczach Biezborodki nie ma zaskoczenia. Doskonały dworzanin wie, że caryca potrafi z milczenia wyczytać równie wiele, co ze słów: to decyzja Waszej Wysokości. Sam bym takiej nie podjął, ale o tę kwestię nie warto kruszyć kopii. To proste negocjacje kontraktu, który zasadniczo został już uzgodniony. Co może się tu nie udać?

A zatem sprawa jest zamknięta.

Na jednym z obrazów w sypialni w Pałacu Zimowym Sara, niemłoda i o przebiegłym spojrzeniu, przyprowadza Hagar do Abrahama. Patriarcha, z obnażonym torsem, siedzi na łożu, wpatrując się w różową, promienną cerę Hagar. Ta zaś odwraca oczy, znać po niej jednak podniecenie, z jakim wyczekuje chwili defloracji.

Jakie to proste, wydawałoby się, przewidzieć przyszłość. Dwie kobiety. Jedna młoda i płodna, druga stara i przekonana o własnej niepłodności, rozpaczliwie zazdroszcząca łona młodej kobiecie.

A jednak to syn zwiędłej Sary odziedziczy królestwo swojego ojca. A piękna Hagar znajdzie się na pustyni z synem wyrzutkiem.

Katarzyna lubi przyglądać się twarzy Sary na obrazie. Co myśli sobie ta staruszka, prowadząc piękną niewolnicę do łoża swojego męża? Że młodość i piękno nie trwają wiecznie? Że mądrość to znacznie pewniejsza inwestycja?

– Różne części ciała są bardziej skłonne do pewnych schorzeń, Wasza Wysokość – mówi Rogerson. – Piersi i jądra to siedlisko raka. Nogi dźwigają nasz ciężar, i dlatego mają tendencję do zmęczenia kości i skóry.

Medyk nie potrafi ukryć satysfakcji w związku z faktem, że stan jej nogi się nie poprawia. W dwóch miejscach skóra pomiędzy palcami u stóp zaczęła czernieć. Podobnie jak kłąb palucha po tym, jak do buta Katarzyny dostał się kamyk, a ona tego nie poczuła. Jej zgrubiałe, twarde paznokcie są teraz otoczone warstwą pożółkłej skóry, na którą Rogerson naciska palcem. Na twarzy ma wyraz triumfu. Stracono cenny czas. Trzeba teraz zminimalizować straty. Należy rozważyć radykalne kroki.

– Jak radykalne? – pyta caryca.

– Jest za wcześnie, żebym mógł coś powiedzieć, Wasza Wysokość.

– Jak radykalne? – powtarza Katarzyna ze złością. Dlaczego ludzie upierają się przy ukrywaniu przed nią prawdy?

– Niewykluczone, że będę musiał amputować palec, madame – odpowiada Rogerson. – O ile jego stan się nie poprawi.

Słowo „amputować" brzmi przerażająco. Wywołuje obraz piłki chirurgicznej, tnącej żywą kość. Mięśni rozkrawanych lancetem. Żył zawiązywanych i przyżeganych. Przeszywającego bólu, fontanny krwi. Żołnierze, którzy tracą kończyny na wojnie, są młodzi i silni, ale nawet Walerian, który obnosi się ze swoją drewnianą nogą jak z honorową odznaką, budzi się nocami z krzykiem.

Medyk unika mówienia wprost, że caryca sama jest sobie winna, ale nie potrafi oprzeć się zdemaskowaniu kuracji Lambro-Cazzioniego. To oszustwo. Pobożne życzenia, niepoparte żadnymi dowodami. Zwycięstwo siły przekonywania nad wiedzą i doświadczeniem.

Szarlatan, daje do zrozumienia Rogerson, zawsze pozostanie szarlatanem.

Katarzyna pozwala mu na wygłoszenie kazania, choć jej myśli błądzą między strachem a rozżaleniem. Rogerson pozuje na wielki autorytet, używa łacińskich terminów i skomplikowanych słów, ale pod jego opieką jej noga wcale nie miała się lepiej.

– Być może nie okaże się to konieczne, Wasza Wysokość – ciągnie dalej Rogerson. – Nie warto bać się tego, co jeszcze nie nadeszło.

Trzeba będzie wrócić do puszczania krwi i oczyszczania organizmu. Wrzody trzeba będzie poddać przyżeganiu. Będzie musiała także brać co rano pięć ziarnek proszku antymonowego i dwa ziarnka kalomelu.

– Proszku antymonowego? – pyta Katarzyna. – Czy nie mówi pan zawsze, że to dobre na gorączkę?

– I na dolegliwości reumatyczne – oznajmia Rogerson stanowczym, pewnym swego zwycięstwa głosem. – Antymon znany jest ze swoich właściwości zmniejszających zapalenie tkanki.

Katarzyna z rezygnacją kiwa głową. Widmo amputacji wystarcza, by skłonić ją do poddania się kuracji Rogersona. Wiszce powierzy się misję poinformowania Lambro-Cazzioniego, żeby więcej nie przychodził przed południem. Stosowny podarunek powinien osłodzić rozczarowanie admirała. Coś, z czego będzie mógł korzystać podczas dworskich spotkań, zrobić tym wrażenie na innych. Wysadzana klejnotami tabakierka z odpowiednią sceną marynistyczną? Najlepsze byłoby zwycięstwo pod Czesmą. Z ostatniej dostawy powinny zostać jeszcze co najmniej dwa tuziny.

– Jak najmniej chodzenia, madame – zaleca Rogerson. – Niepotrzebny nam dodatkowy nacisk na kości i więzadła. I najlepiej nie rozmyślać zbyt wiele nad źródłem pogorszenia. Umysł potrafi człowieka uleczyć, ale także podrażnić trującą materię. Pogodne usposobienie jest kluczowe. Rozrywki naprawdę pomagają.

Rogerson, donosi jej Wiszka, odrzucił propozycję kuzyna, by zakupić majątek w Anglii, ponieważ był nie dość okazały. „W Rosji – napisał – nauczyłem się mierzyć wyżej". Zyski pochodzą nie tylko z jego potężnych honorariów, ale także ze sprzedaży toników.

– Hrabina Becka opuściła Sankt Petersburg. Nie weźmie udziału w debiutanckim balu swojej córki – odzywa się Rogerson, zbierając swoje narzędzia.

Nogi Katarzyny, ciasno zabandażowane, wydają się mieć w sobie jeszcze mniej życia niż do tej pory. Wargi ma spierzchnięte, chociaż wypiła tyle wody. Dlaczego miałaby ją obchodzić hrabina Becka?

– Jej wole w ciągu ostatnich kilku miesięcy znacząco urosło. Jest teraz za duże, by dało się je ukryć pod krezami i chustkami – Rogerson składa ukłon. – Hrabina stwierdziła, że ten widok mógłby zagrozić szansom jej córki na dobre zamążpójście.

Caryca nic nie odpowiada.

Le Noiraud wchodzi w swoim haftowanym szlafroku, spowity drzewnym, korzennym zapachem kosztownego piżma. Przynosi jej koszyk świeżych jabłek. Jesienny dar.

Czoło ma zmarszczone. Serce mięknie Katarzynie na jego widok. Płaton jest jeszcze taki młody, nie sposób ostrzec go przed kaprysami fortuny.

Jabłka, które przyniósł, są czerwone i lśniące.

Nie powie mu, że nadal woli wiśnie, nie przypomni, jak to Potiomkin zawsze przysyłał jej miseczkę tych owoców. Nie latem, kiedy było ich pod dostatkiem, ale pierwszego dnia nowego roku, kiedy kupował je za małą fortunę w jakimś sadzie na południu i przesyłał do stolicy ogrzewanym powozem zaprzężonym w rącze konie.

– Pozwól, że to zrobię, Katinko – mówi Le Noiraud.

Powoli, srebrnym scyzorykiem obiera jabłko, tworząc jedną długą, nieprzerwaną obierzynę, która wreszcie spada miękko na dywan. Czerwona wstążka, której podniesienie Płaton zostawia służbie.

Powinna go skarcić. Powiedzieć mu, że nie tak zdobywa się lojalność służących, ale on nie zrozumie takich obiekcji. Marszczy brwi za każdym razem, kiedy ona robi coś ze względu na tego rodzaju skrupuły. Sama rozpala rano ogień albo pyta o dzieci palacza. Pamięta imiona swoich pokojówek, ich rodziców, rodzeństwa.

– To niewielki wysiłek – wyjaśniała mu już nieraz – a znaczy bez porównania więcej niż najkosztowniejszy podarek.

Le Noiraud uważa takie gesty za czarujące, za dowody jej anielskiej dobroci. Nie wierzy jednak w jej kalkulacje.

Teraz dzieli obrane jabłko na dwie połowy, wykrawa pestki i podaje Katarzynie jedną połówkę. Wygłasza wyświechtany żart o tym, jak to ona powinna kusić go jabłkiem, ale caryca uśmiecha się i tak. Przyjemnie jest widzieć go tak ożywionym.

– Jakiś człowiek w Londynie – mówi jej Płaton – wynalazł urządzenie nie większe od pudełka na wykałaczki, które jest w stanie zniszczyć cały budynek.

– Jak? – pyta Katarzyna.

– Zmienia go w zgliszcza.

– Mówisz zagadkami, Płatonie. Kto tak twierdzi?

– Nie znam jego nazwiska – przyznaje jej faworyt. – Ale to sławny wynalazca. Mogę to ustalić, jeśli sobie życzysz.

– To nie aż takie ważne.

Le Noiraud obrzuca ją zbolałym spojrzeniem i odwraca od niej twarz. To wystudiowany gest, obliczony na to, by go zauważono.

– Co się stało? – pyta Katarzyna. – Co takiego powiedziałam, co cię dotknęło?

– Nic.

Będzie musiała wyciągać to z niego – oto cena wykroczenia, które przed chwilą popełniła. Płaton najpierw będzie się wypierał, a potem błagał ją o przebaczenie za zbytnią bezpośredniość. Sama myśl o tych rytuałach napawa ją irytacją. Dlaczego ludzie nie mogą po prostu powiedzieć, o co im chodzi?

– Muszę usłyszeć, co cię trapi. Skąd inaczej mam wiedzieć, co tak naprawdę myślisz?

Le Noiraud wyznaje, że tak naprawdę chodzi o odprawienie admirała. Dlaczego musiała go odesłać? Czy nie mówiła, że dzięki kąpielom w wodzie morskiej czuje się lepiej? Czemu ich zaprzestała? Czy dlatego, że to był pomysł jego siostry?

– Kto ci to powiedział? – pyta.

– Mój pokojowiec słyszał pewne pogłoski.

– Twój pokojowiec powinien skupić się na stanie twojej garderoby – odparowuje Katarzyna.

Czuje przypływ gniewu, który przyspiesza bicie jej serca, ale właśnie wtedy Le Noiraud pada na kolana. Admirał wcale nie jest ważny. Gdyby wiedział, że ta jego głupia kuracja nie pomaga, sam wyrzuciłby go z pałacu.

– Na zbity pysk. Do rynsztoka – wykrzykuje Le Noiraud. – Pozwól mi stać się użytecznym, Katinko. Wyślij mnie w takie miejsce, gdzie będę mógł zrobić coś istotnego. Mówisz mi, że mam talenty. Zdolności. Ale jakie są moje zadania? Takie, jakim mógłby sprostać pierwszy lepszy dworzanin! Niebawem skończę dwadzieścia dziewięć lat. Chcę udowodnić, ile potrafię dla ciebie zrobić. Dni tak strasznie mi się dłużą, kiedy widzę, że moje zajęcia to tylko błahe rozrywki.

– Nie aż takie błahe – protestuje caryca.

– Wiesz, co mam na myśli. Potrafię przydawać się w drobnych rzeczach. Ale ja chcę czegoś więcej. – Katarzyna słyszy w jego głosie rozczulenie nad sobą.

– Zgoda – mówi. – Przygotuj umowę przedślubną. Wynegocjuj ostateczne sformułowanie klauzul. Morkow ci pomoże.

– To wszystko? – pyta Le Noiraud z nadąsaną miną. – Czy to pomysł Biezborodki? Czy on uważa, że nadaję się wyłącznie do czegoś takiego?

– Nie – odpowiada caryca, nie tracąc cierpliwości. – Mój. Ale nie oczekuję przeprosin. Za bardzo lubię jabłka, żebym ryzykowała, że się obrazisz.

Na twarzy Le Noirauda rozczarowanie walczy z rozbawieniem. Katarzyna bierze jabłko z jego ręki. Nie chce go ranić. Ani umniejszać. Nie trzeba było wspominać o Morkowie. Trzeba było pozwolić Płatonowi wybrać własnych doradców, ale na to już za późno.

– Zgadzam się, że nie jest to wyjątkowo trudne zadanie – ciągnie dalej, patrząc, jak mars na czole Płatona się pogłębia. Przyznaje, że warunki zostały zasadniczo uzgodnione. Jednak to zawsze ostateczne sformułowanie dokumentu jest sprawą kluczową. I to właśnie mu powierza.

Coś w jej słowach go uspokaja. Nie wstaje z klęczek, ale unosi wzrok. Jego oczy rozjaśniają się jakąś myślą, o którą caryca nie zapyta. A potem Płaton chowa twarz w jej podołku. Katarzyna czuje, jak jego gorący oddech przenika przez szlafrok. Le Noiraud łagodnie porusza głową, wtulając się w nią.

Pozwala mu się obejmować i przyciskać mocniej, głębiej. W jej wnętrzu nic nie drga w odpowiedzi. Tak jakby krew zatrzymywała się tuż przed dopłynięciem do krańców jej ciała.

– Zawsze cię rozczarowuję, Katinko – mruczy Le Noiraud.

– Nie rozczarowujesz.

Płaton podnosi głowę. W oczach ma strach. Strach, który ona odpędza pocałunkami, aż wreszcie on się uśmiecha.

Dopiero później, znacznie później, kiedy wszystkie jabłka zostały zjedzone, a oni patrzyli na Newę z pałacowego okna – rzęsiście oświetlone barki, na których wesołe tłumy buchają śmiechem i cygańskimi romansami – dopiero wtedy Katarzyna pozwala sobie na kilka napomnień:

– Fortiter in re: Nie rezygnuj z niczego. Nie zgadzaj się na żadne ograniczenie warunków, dopóki nie zmusi cię do tego konieczność. A nawet wtedy wycofuj się cal po calu, spierając się o wszystko. Jednocześnie jednak pamiętaj, by zdobyć jego zaufanie. Suaviter in modo. Skłoń ku sobie jego serce. A kiedy już tego dopniesz, wtedy wykorzystaj jego zrozumienie. Nie myl przeciwnika z wrogiem. Pamiętaj, że sposób jest tak samo ważny jak istota sprawy.

Płaton słucha.

Przytakuje. Pieści jej rękę, całuje każdy palec, przesuwa ustami po wnętrzu jej dłoni.

Przyrzeka, że zapamięta każde słowo z jej zaleceń.

A potem mówi, że kiedy skończą się negocjacje ze Szwedami, podbije dla niej Chiny.

– Przysięgam, Katinko. Będziesz miała prawdziwe pagody do swoich ogrodów. Drzewa, jakich nie widziałaś w całym swoim życiu. Kwiaty, które olśnią każdego gościa. Ptaki o barwach nie do wyobrażenia.

Katarzyna się śmieje.

– Jak ty to wszystko zrobisz?

Poprowadzi armię przez środkową Rosję. Wytyczył już szlak, przez góry Ural. Chińczycy nie będą się spodziewać ataku od północy.

– Walerian się ze mną zgadza – mówi, i dopiero kiedy pada imię jego brata, Katarzyna zdaje sobie sprawę, że to nie przekomarzanie się kochanków. Jej piękny Le Noiraud jest śmiertelnie poważny.

Chce być jak Potiomkin. Wicekrólem. Zdobywcą.

– Skoro Walerian się zgadza – mówi Katarzyna, usiłując ukryć najlżejsze oznaki rozbawienia – to o tym pomyślę.

Właśnie wtedy, przez krótką, niepokojącą chwilę czuje, jakby jej klatkę piersiową otoczyła żelazna obręcz, każąc jej walczyć o oddech. Rozbłysk światła, pochodzący gdzieś z wewnątrz, sprawia, że caryca mruga powiekami. Jej wargi drżą. W czubkach palców prawej dłoni czuje lekkie mrowienie.

Zmusza się do zaczerpnięcia głębokiego oddechu. A potem kolejnego.

To nic takiego, myśli. To przejdzie.

Przechodzi.

Nadal trudno jej uwierzyć własnym oczom. Czyżby Biezborodko otworzył swoją teczkę? Wyjął z niej jakieś papiery? Czy to możliwe, że czas nie pozostaje bez wpływu nawet na jego niezawodną pamięć?

Zamierza zażartować na ten temat, ale powstrzymuje ją coś w wyrazie jego twarzy.

– Te stronice zostały znalezione pod jedną z desek podłogi w pokoju księcia Adama – mówi Biezborodko. – Chciałbym przeczytać je Waszej Wysokości in extenso.

W naszych dawniejszych rozmowach zdarzały się chwile, kiedy wielki książę urywał w pół zdania i wahał się, jakby chciał coś powiedzieć, lecz się rozmyślał. Pojawiały się aluzje: „Nie zawsze się nam ufa, mój drogi Adamie, popycha się nas tam, dokąd nie chcemy iść". Pewnego razu, kiedy nie byliśmy w stanie pojąć pewnego aspektu amerykańskich zasad rządów, wykrzyknął: „Gdybyż tylko był tutaj La Harpe, on by nam wszystko wyjaśnił! Wiedziałby, jak pobudzać młody umysł! Bez niego jesteśmy ślepi jak krety!". Wielki książę wyznał mi ze łzami w oczach, jak bardzo tęskni za swym szwajcarskim preceptorem. Innym razem, kiedy obserwowaliśmy dokazujące kangury w ogrodzie taurydzkim, wielki książę wyraził pragnienie, by kupić niewielki majątek gdzieś w Szwajcarii, gdzie mógłby żyć z żoną jako zwykły obywatel i uprawiać swój ogródek. „Postanowiłem bowiem pozbyć się w przyszłości mojego brzemienia".

Nic wtedy nie powiedziałem.

Żarliwa nadzieja nie jest najlepszą doradczynią. Moi rodacy dobrze przyswoili sobie tę bolesną lekcję.

Wczoraj wielki książę zażyczył sobie, byśmy spotkali się w cztery oczy. „Nie marnujmy tak pięknego dnia, siedząc w pałacu", powiedział, kiedy przyszedłem do jego pokoju, i zaproponował przechadzkę po ogrodzie.

Szliśmy żwawym krokiem przez park, który, choć raczej niewielki, został przemyślnie zaprojektowany w stylu angielskim, z wijącymi się ścieżkami, gęstymi krzewami i niespodziewanymi polankami. Kiedy oddaliliśmy się od pałacu, jego głos zmienił się w naglący szept. „Nie zatrzymuj się, proszę, niezależnie od tego, co bym do ciebie powiedział. Idź w tym samym tempie, nie patrząc na mnie częściej, niż to czynisz zawsze".

Skinąłem głową na znak zgody.

„Od dłuższego czasu czekałem na moment, kiedy będę mógł odsłonić przed tobą moje prawdziwe myśli", powiedział. „Nie chcę, żebyś zrównywał mnie z tymi, którzy mnie otaczają. Między mną a tym dworem nie ma zgody".

Szedłem dalej tym samym tempem; nie spojrzałem na niego.

„Uważam, że zabieranie tego, co do nas nie należy, jest okrutne i niesprawiedliwe. Widzieć zachłanność, przybierającą pozory strategii, patrzeć, jak bezwstydni pochlebcy otrzymują majątki zrabowane ludziom znacznie godniejszym tylko dlatego, że tamci ośmielili się bronić własnego kraju przed zniszczeniem! Zauważyłem, że w moim towarzystwie jesteś ostrożny, że nie śmiesz wypowiedzieć słów, które nosisz w sercu. Tak być nie musi. Chcę, byś wiedział, jak wiele razy życzyłem Kościuszce i jego insurekcji zwycięstwa przeciwko naszym rosyjskim wojskom. Pragnę zapewnić cię o moim wielkim podziwie dla tego szlachetnego człowieka i powiedzieć ci, że jego przegrana głęboko mnie zasmuciła".

Mówił prędko, jakbyśmy mieli tylko ten krótki czas, by wypowiedzieć wszystko to, co naprawdę ważne. Mówił, a ja nie mogłem uwierzyć, że słowa, które słyszę, wychodzą z ust wielkiego księcia, który pewnego dnia zasiądzie na rosyjskim tronie.

„Ileż to razy marzyłem, by móc zakraść się do celi Kościuszki! Uścisnąć mu dłoń i wyznać swój podziw dla jego charakteru, jego odwagi w sprzeciwianiu się tyranii. Zapewnić go, że moje serce jest po stronie jego nieszczęsnych rodaków, którzy nie mogą stanąć w obronie swojego kraju, jeżeli nie chcą utracić wolności i majątku".

Uświadomiłem sobie, że w głosie wielkiego księcia pojawiła się nowa nuta goryczy. Zamilkł i na chwilę strumień jego wyznań – bo nie było to nic innego – ustał. Na jego twarzy odbiły się ślady zmagań głębokich emocji:

„Nie cieszę się pełnym zaufaniem... stale zaszczyca się mnie troskami... moje uczucia są zbywane jako dziecinne i przelotne".

Jakże pragnąłem zatrzymać się i ująć jego dłoń, zapewnić go o swej radości z tak szlachetnych słów – pozostałem jednak wierny obietnicy i pozwoliłem nogom nieść mnie dalej.

„Jestem z tobą szczery i mam nadzieję, że wkrótce i ty zaufasz mi na tyle, żeby pozwolić sobie na szczerość. Uwierz mi, szanuję twoje uczucia, dzielę twój smutek i ból. Spośród wszystkich na tym obmierzłym dworze jedynie moja żona myśli podobnie jak ja. Ją także myśl o niesprawiedliwości przejmuje dreszczem. Każda inna osoba by mnie zdradziła".

Wielki książę Rosji zatrzymał się w tym momencie i przelotnie dotknął mojego ramienia.

„Czy zaszczycisz mnie swoim pełnym zaufaniem i wiarą?", zapytał. „Tak jak ja zaufałem tobie?"

Skinąłem głową na znak zgody, zbyt wzruszony, by wyrazić swą radość. Carewicz, wychowany w nienawiści do wszystkiego, co polskie, otoczony pochlebstwami i marzeniami o władzy absolutnej, objawił się przede mną z nietkniętą duszą! Jakichże innych dowodów trzeba mi, by uwierzyć, że przed tyranią nie ma przyszłości? Że koniec niesprawiedliwości jest bliski!

W cesarskiej sypialni wisi obraz zwiastowania, któremu Katarzyna lubi się przyglądać. Zadziwia ją, jak niewiele potrzebuje zręczny malarz, by osiągnąć efekt przepychu. Perły na skraju sukni Maryi to po prostu plamki szarości, z których każda została wykończona maleńką kropką bieli – a jednak mają tak perfekcyjnie dobrany odcień, że wystarczy cofnąć się o krok, a każda kropla farby staje się klejnotem.

Nawet w tym kryje się nauka. Wzrok łatwo oszukać. Nie potrzeba dbać o wszystkie szczegóły – wystarczy sugestia. Wszystko inne może dopełnić pamięć lub pragnienie.

Wyciągnięta na łożu słucha, jak Le Noiraud zapewnia ją, że negocjacje ze Szwedami przebiegają dobrze. On i Morkow przygotowali projekt wszystkich klauzuli. Jutro spotykają się ze szwedzkimi gośćmi, żeby omówić ostateczne sformułowanie umowy.

To czas Rosji. Jej Rosji, która pokazała Europie, na co ją stać. To czas zdobyczy i niełatwych targów. W porównaniu z Portą Otomańską i Polską dobicie targu ze Szwedami zajęło najwięcej czasu. A regent ciągle jeszcze próbuje ułożyć się z Francuzami. Wszystko to się skończy, kiedy Aleksandra zostanie ich królową.

– Jutro? – pyta.

– Zaraz po śniadaniu – odpowiada Le Noiraud.

Katarzyna spogląda na zegar.

– Pokaż, co przygotowałeś do tej pory – mówi.

Ton jej głosu jest błędem, uświadamia sobie, jak tylko słowa spływają z jej warg. Płaton to nie Biezborodko. Dla niego te negocjacje to nie rządowe interesy, tylko szansa, by pokazać, na co go stać, udowodnić swoją przydatność. Katarzyna powinna być mniej bezpośrednia, łagodniejsza, mieć w głosie więcej zachęty.

– Czy nie ufasz mi nawet na tyle, Katinko? A może to Biezborodko znowu sączy ci jad do ucha? – Uraza w jego głosie sprawia jej ból.

– Nie rozmawiam o tobie z nikim – odpowiada z nadzieją, że to wystarczy, przynajmniej na razie.

Le Noiraud kiwa głową, ale na nią nie patrzy. Co będzie dalej, jeżeli ona nie powstrzyma tej dziecinady, nadąsanego milczenia, jego ostatecznej broni? Nie powinna mieć do niego pretensji, do tego swojego młodego kochanka. Bądź bardziej wyrozumiała, mówi sobie. On chce zrobić na tobie wrażenie.

Pora na kompromis. Katarzyna nie nalega na pokazanie projektu, nie potrafi jednak całkowicie wstrzymać się od udzielenia Płatonowi kilku przestróg.

– Powinieneś uważać na regenta – mówi. – Pomimo wszystkich swoich obietnic to on będzie próbował wysuwać zastrzeżenia.

– Uważam na niego. Wiem.

– To dobrze.

Drobne zwycięstwo, a przecież daje Płatonowi tyle radości. Rozkłada ramiona i obejmuje ją, z twarzą promienną niczym Gwiazda Polarna.

– Wszystko będzie dokładnie tak, jak chcesz, Katinko – mruczy.

Aleksandra, królowa Szwecji. Ukochana żona swojego męża. Przy jej boku prawosławny spowiednik i popi, szepczący jej rady. Polityka Szwecji stopniowo zmienia kurs, by wspierać i dbać o interesy Rosji.

Przez chwilę Le Noiraud naprawdę wygląda jak zwycięski wojownik, stojący na wzgórzu i oglądający pole bitwy, usłane ciałami pokonanych wrogów. Zakrwawione chorągwie, jęki umierających. Okrzyki wznoszone przez jego własne wojska, które go uwielbiają.

Gdyż on, kochany przez kobiety, pragnie, by to mężczyźni go kochali.

Przez głowę Katarzyny przemyka wspomnienie Potiomkina, jak wspólnie cieszyli się swoimi zwycięstwami i klęską Mustafy. Liczyli zdobyte fortece. Drwili z tureckich gróźb. Dzieci opatrzności. Wytyczające starannie zaplanowane kroki, które pomogą fortunie.

Ciepłe, wilgotne pocałunki, uściski młodych ramion nadal dają jej pewną przyjemność. Wzrok pełen uwielbienia, które wynosi ją ponad wszystkie kobiety. Duma w oczach faworyta, że ona, cesarzowa, wybrała go spośród tylu innych.

Le Noiraud wychodzi rozpromieniony. Po zamknięciu drzwi z antyszambru dobiega Katarzynę jego głos łający kogoś za powolność, a komuś innemu nakazujący zabrać się do roboty.

Uspokojona szczęściem kochanka, Katarzyna pozwala sobie na myślenie o zmarłych. Nie nazbyt długo, ale na tyle, by usłyszeć ich przestrogi.

Nie bądź naiwna, Katinko, beszta ją Griszeńka. On jest próżny. Ma o sobie zbyt wysokie mniemanie.

Czy on cię wystarczająco mocno kocha, matuszko?, rozlega się głos Saszeńki Łanskiego. Czy on w ogóle potrafi kochać?

Ale czyż zmarli zawsze nie zazdroszczą żyjącym?

To, czego nie jestem w stanie zmienić, osłabiam, myśli Katarzyna, kiedy anonsują jej księcia Adama.

Drzwi się otwierają i przyjaciel Aleksandra wchodzi do środka z wyrazem wystudiowanego zatroskania na twarzy, maskującym skrępowanie.

Książę Adam przybył do Rosji, bo ona sobie tego zażyczyła. Uczyniła jego pobyt na rosyjskim dworze warunkiem swojej przyszłej życzliwości wobec jego rodziny po tym, jak lekkomyślnie poparli powstanie. Majątki Czartoryskich nie zostały skonfiskowane, lecz tylko obłożone sekwestrem, ale stary książę Czartoryski słusznie odebrał jej decyzję jako ostrzeżenie. Dostarczcie mi jeszcze jednego powodu do niezadowolenia, a potężny ród upadnie. Jeżeli chcecie, abym wam wybaczyła i cofnęła swój rozkaz, dajcie swojemu dziedzicowi zobaczyć, czym Rosja jest naprawdę, pozwólcie mu patrzeć i się uczyć.

Tak wtedy myślała. Czy był to błąd?

Bo przecież można też bronić twierdzenia, że ta przyjaźń – ze wszystkimi swoimi młodzieńczymi szaleństwami – jest rzeczą dobrą. Dziedzic wielkiego polskiego rodu związany jest z następcą tronu Rosji. Więź stworzona tak wcześnie może być bardzo trwała. Przetrwać zmienne okoliczności. Ryzykowne zagranie? Owszem. Jeżeli jednak się powiedzie, tak silnych więzi nie da się kupić ani ustanowić prawnie.

Książę Adam kłania się z wytwornym wdziękiem. Pod oczami ma ciemne kręgi, zdradzające bezsenną noc. Kolejna długa rozmowa z Aleksandrem? Czy młodzi w ogóle sypiają?

– Pragnę powiedzieć panu, jak bardzo jestem wdzięczna za jego wpływ na wielkiego księcia – mówi Katarzyna.

Na wzmiankę o Aleksandrze twarz księcia Adama tężeje. Jeżeli miał nadzieję, że uda mu się ukryć swoje myśli, to jego maska ma szczeliny.

– Wnuk opowiada mi cuda o waszych letnich wędrówkach – ciągnie dalej caryca. – Wysiłek połączony ze stymulującymi rozmowami to najlepsze lekarstwo.

– Poznanie Jego Cesarskiej Wysokości było dla mnie zaszczytem – odpowiada książę.

– Jest pan z nami już od roku. A ja na temat pańskiego zachowania słyszę wyłącznie dobre rzeczy. Pan, monsieur, kocha książki, a ja cenię to wyżej niż cokolwiek innego. Interesują pana idee. Pragnie pan pogłębiać swoją wiedzę. Pańska matka powinna być dumna z takiego syna! – Książę Adam podnosi swoje niebieskoszare oczy. Caryca dostrzega w nich iskierkę. Rozbawienia? Strachu? Czy niepokoi się, że caryca Rosji usiłuje zastawić na niego sidła? – Ale to nie dlatego pana wezwałam – ciągnie dalej Katarzyna z życzliwym uśmiechem. – Pragnę poprosić pana o pomoc. – Nie dodaje: „w zamian za łaskę przebaczenia, o którą prosi pańska rodzina". Taka wulgarna dosłowność nie jest przecież konieczna.

– Jak mogę usłużyć Waszej Wysokości?

– Martwię się o Aleksandra.

Jego twarz znowu tężeje. Jest doprawdy zbyt przewidywalny.

– To, co chcę powiedzieć – kontynuuje – jest poufne i musi pozostać między nami. Ani słowo z tej rozmowy nie może zostać komukolwiek ujawnione. Jesteśmy oboje ludźmi rozsądnymi. Nie każę panu klękać i przysięgać na imię Dziewicy Maryi. Ale poproszę pana o słowo honoru.

Książę kiwa głową i szepcze, że się zgadza.

Teraz, kiedy caryca ma już jego słowo honoru, poparte walącym sercem, zaczyna:

– Nie ma dobrego sposobu na powiedzenie tego, niech pan zatem pozwoli mi mówić wprost. Mój wnuk Aleksander zostanie moim następcą. Nie jego ojciec. Nie chcę rozwodzić się nad przyczynami. Jest pan inteligentnym młodzieńcem i widział pan wystarczająco dużo. Tak będzie lepiej dla Rosji. Co dotyczy także pana i pańskiej rodziny, bo Rosja jest teraz waszą ojczyzną.

Robi pauzę. Na twarzy księcia Adama odbija się cała konstelacja zmian. Nieczęsto widuje się, jak tyle radosnej nadziei walczy, by wyrwać się spod maski ostrożności.

Słowa spływają z jej ust, a każde z nich jest klejnotem.

– Aleksander to rozumie. Jego rozsądny umysł przyjmuje moje argumenty, lecz serce jest niespokojne. Wzdraga się przed wywołaniem cierpienia, zniweczeniem nadziei swego ojca.– Książę Adam z zapałem kiwa głową. Co takiego on napisał w swoim pamiętniku? „Jakichże innych dowodów trzeba mi, by uwierzyć, że przed tyranią nie ma przyszłości, że koniec niesprawiedliwości jest bliski!" – Niech pan sam nie porusza tego tematu – ciągnie dalej caryca – gdyby jednak mój wnuk zwrócił się do pana o radę, choćby nawet nie wprost, proszę go uspokoić. Proszę mu powiedzieć, jakie to ważne, by kraj był rządzony z mądrością i odwagą, jakimi on dysponuje. Niech pan mu przypomni, że powinności ojca wobec syna nie są większe niż powinności księcia wobec jego ojczyzny.

Caryca mówi jeszcze przez chwilę. O przyjaźni i obowiązkach, jakie ona ze sobą niesie. O potrzebie służenia drugiemu wsparciem, kiedy sytuacja tego wymaga.

– Wiem, że zgadza się pan ze mną w ocenie cnót mojego wnuka. Jego umysłu i serca.

Kolejne skinienie głowy, uśmiech, który pojawia się, po czym ustępuje miejsca powadze. Jej młody gość potrzebuje czasu na zebranie myśli, ukrycie nadmiaru radości.

– Wasza Cesarska Wysokość może liczyć na moją pomoc – mówi uroczyście, jakby składał śluby zakonne.

– Ma pan moją wdzięczność – odpowiada Katarzyna.

Pozostało już tylko machnąć dłonią. Uśmiechnąć się. Wypowiedzieć kilka słów usprawiedliwienia. Nie ma już czasu. Imperium to wymagający przełożony.

Książę kłania się i idzie w stronę drzwi sprężystym krokiem młodzieńca, którego modlitwy zostały wysłuchane.

Później tego samego dnia Katarzyna stawia czoła nasilającemu się zalewowi papierów. Traktaty, petycje, listy tytułów do zatwierdzenia. Wszystkie wymagają poprawek, sugestii, zarządzeń dotyczących bardziej wnikliwego śledztwa. Na marginesach pojawiają się strzałki; komentarze carycy robią się coraz dłuższe i bardziej skomplikowane. Palce ma poplamione atramentem. Zużyła cały pęk gęsich piór.

Należy oddzielić domysły od faktów. Zaksięgować korzyści i straty. To także czeka Aleksandra, który musi wyrosnąć ze swojego młodzieńczego entuzjazmu dla buntowników. Czy powinna już zacząć go do tego wdrażać? Od najprostszych zadań?

Do sprawozdania z Grodna dołączono skonfiskowany list. Zaadresowany do Jego Wysokości Stanisława Augusta, króla Polski.

> Tylko dla oczu Jego Wysokości.

Pismo jest dosyć czytelne, ale litery są bardzo małe, czyta się je z trudem.

> Ufam, że ten list zastanie Waszą Wysokość w dobrym zdrowiu, pomimo uciążliwych warunków oraz niepewności ostatnich tragicznych miesięcy. Są to właściwie przeprosiny, jak Wasza Wysokość przekona się w swoim

czasie, zanim jednak ujawnię przyczynę tego aktu skruchy, muszę wyjaśnić okoliczności, które do niego doprowadziły.

Mam na imię Daria. Jestem córką Warwary Nikołajewny. Mam nadzieję, że Wasza Wysokość jeszcze nas pamięta, ja zachowałam bowiem we wdzięcznej pamięci te dni, które teraz wydają mi się raczej pięknym snem niż rzeczywistością.

Kiedy moje własne córki były małe, błagały mnie, żebym opowiadała im o czasach, kiedy bawiłam się w korytarzach Pałacu Zimowego z wielkim księciem Pawłem. Uwielbiały słuchać o tym, jak siadywałam na kolanach carycy Rosji i słuchałam jej opowieści. Od wielu już lat jednak nie mówiłam o tamtym okresie. Okoliczności, w jakich przyszło nam żyć, sprawiły, że takie wspomnienia nie są mile widziane.

Moja najdroższa mama zmarła w spokoju, blisko dwa lata po śmierci mojego ojczyma. Myślę o niej każdego dnia, choć staram się pamiętać ją taką, jaka była, nie zaś taką, jaka stała się w ostatnich miesiącach życia.

Na pewno będzie Waszej Wysokości przyjemnie usłyszeć, że życie mamy było szczęśliwe. Wraz z moim ojczymem prowadziła niedużą, ale dobrze prosperującą księgarnię w Krakowie. Byli sobie oddani, a mama nigdy nie wspominała o latach, które spędziłyśmy w Sankt Petersburgu. Nawet mnie często wydawało się niemożliwe, by żona księgarza, w swoich szarych sukniach bez żadnych ozdób i w praktycznych butach, była niegdyś hrabiną Malikiną.

Po raz pierwszy zdałam sobie sprawę, że dzieje się z nią coś dziwnego, tuż po pogrzebie ojczyma. Rozmawiała ze mną o moich córkach, a ja widziałam, jak jej spojrzenie błądzi, jakby temat jej nie interesował. Potem nagle biegła do innego pokoju, gdzie następnie znajdowałam ją, przetrząsającą szuflady.

– Zapomniałam, gdzie położyłam okulary – wykrzykiwała.

Albo:

– Chciałam się tylko upewnić, że nie zgubiłam kluczy.

Pomagałam jej odszukać zgubę, to jednak nie powstrzymywało jej na długo i wkrótce znów gdzieś wybiegała.

Sądziłam, że ten niepokój wynika z żalu po stracie męża, który był jej prawdziwym przyjacielem, i miałam nadzieję, że z czasem i przy boskiej pomocy mama znajdzie pociechę we mnie i mojej rodzinie. Odmówiła jednak wyjazdu ze mną, zostawiłam ją więc w Krakowie, obiecując, że wkrótce znów ją odwiedzę. Kiedy to zrobiłam, miesiąc później, wzięła mnie na bok i poinformowała szeptem, że służba ją okrada.

– Co zginęło? – zapytałam, ale ona tylko popatrzyła na mnie podejrzliwie.

– Po co ci ta informacja? – zapytała.

– Chcę pomóc ci to znaleźć – odparłam.

– Wszyscy tak mówią – powiedziała. – Ale nie jestem tak głupia, żeby im wierzyć.

Służący przysięgali, że nie dotykali niczego, czego nie należało, a wiedząc, jak bardzo oddani są mojej matce, wierzyłam im. Prawdę mówiąc, to właśnie jedna z pokojówek pokazała mi, że mama schowała srebrne łyżki pod własną poduszką, owinąwszy je najpierw w starą pończochę.

Było jeszcze wiele takich niepokojących przypadków i po tym, jak mama wróciła ze spaceru ścigana przez uliczników, którzy naśmiewali się z niej, bo mówiła do nich po rosyjsku, zabrałam ją do mojego domu. Przeprowadzka początkowo wytrąciła ją z równowagi. Nie mogła się przyzwyczaić do układu pokojów i potrafiła się zgubić w drodze z sypialni do salonu. Albo pytała mnie, co stało się z wejściem dla służby w jej pokoju, a kiedy jej tłumaczyłam, że nigdy nie mieliśmy drzwi dla służby, robiła dziwną minę i mrugała do mnie. Potem zaczęła chodzić nocami po domu i budynkach gospodarczych. Kiedyś służąca znalazła ją z jednym z kotów ze stodoły śpiącym na jej kolanach.

– Znalazłam kota carycy – powiedziała.

Moja starsza córka, która miała wówczas czternaście lat, przyszła do mnie pewnego dnia i powiedziała, że babcia nazwała ją Katarzyną.

– Ale ja jestem Barbara – odparła.

Mama spojrzała na nią, jakby moja córka postradała rozum.

– Nic podobnego – powiedziała rozgniewanym tonem.

Ta sama rozmowa powtórzyła się kilka razy, a ponieważ sprzeciwianie się mamie rozdrażniało ją tylko i niepokoiło, powiedziałam córce, żeby jej nie poprawiała. Przez wiele tygodni później mama wciągała moją córkę do swojego pokoju, rzekomo by coś jej powiedzieć. „Tajemnice", mówiła, ale były to same ostrzeżenia. Ktoś usiłuje ją skrzywdzić, musi być ostrożna, musi uważać.

– Ale kto próbuje mnie skrzywdzić, babciu? – pytała moja córka.

– Oni – szeptała mama.

„Oni" podsłuchiwali pod drzwiami. „Oni" podglądali je obie przez dziurkę od klucza. „Oni" wiedzieli o wszystkim.

– Uciekaj, Katarzyno – krzyczała mama. – Uciekaj, zanim będzie za późno. Uciekaj, zanim skradną ci duszę.

Z bólem serca patrzyłam na zachowanie mamy. Medycy nie potrafili nic pomóc i osłabiali ją tylko niepotrzebnym puszczaniem krwi. Moja ukochana matka – nawet teraz te słowa przejmują mnie dreszczem – z dnia na dzień traciła zmysły. Wkrótce nie rozpoznawała mojego męża, dzieci ani mnie. Mówiła do siebie – niekończące się monologi po rosyjsku, w których rozróżniałam urywki rozmów i błagań do duchów nawiedzających jej udręczony umysł.

– Idźcie do niej, proszę. Jest sama. Cierpi. Powiedzcie jej, że jej nie zostawiłam. Powiedzcie, że już idę.

Ostatecznie zabił ją lęk. Nadal uśmiechała się do mnie promiennie, kiedy rano wchodziłam do jej pokoju. Pozwalała mi na to, bym ją umyła i ubrała, ale wkrótce robiła się niespokojna i wzdragała się przy każdym dźwięku. Kiedy była w swoim pokoju, chciała wyjść na zewnątrz. Kiedy była na zewnątrz, zatrzymywała służących i błagała, żeby zabrali ją do domu. Kiedyś usłyszałam, jak przeraźliwie krzyczy w swoim pokoju. Kiedy wbiegłam do środka, zobaczyłam, jak mama szlocha, kołysząc w ramionach poduszeczkę, jakby była nowo narodzonym dzieckiem. To jeden z takich ataków wywołał gorączkę, która ją zabrała.

W pewnym sensie cieszyłam się, że Bóg oszczędził jej świadomości tragicznych wydarzeń minionego roku. Nic nie wiedziała o przegranym powstaniu i ostatecznym rozbiorze. Wasza Wysokość ma jednak znacznie głębszą wiedzę o tych smutnych wypadkach niż ja, toteż ograniczę się do prawdziwej przyczyny mojego listu.

Kiedy Nasz Pan w swoim miłosierdziu zabrał mamę do siebie, pojechałam do domu w Krakowie, by uprzątnąć jej rzeczy. Pod łożem miała starą cedrową skrzynię, którą pamiętałam z Petersburga. Było w niej wiele rzeczy, których się tam spodziewałam. Stara biała suknia z muślinu, która niegdyś należała do mojej babki, teraz rozchodząca się w szwach. Kawałek bursztynu z zatopionymi dwiema pszczołami. Listy mojego świętej pamięci ojca, związane wstążką. Moje własne rysunki i rysunki moich córek, wszystkie opatrzone datami i starannie poukładane.

Znalazłam także inne, dziwne i niechlujne kartki zapełnione pismem mamy; jak się okazało, były to jej upomnienia dla siebie samej, tak jakby usiłowała zapisać to, co było dla niej najważniejsze. Mam córkę, Darię, i dwie wnuczki, Barbarę i Anielę. Masza, rosyjska służąca, która przyjechała ze mną z Sankt Petersburga, nie żyje. Pochowałam ją w Warszawie, niedaleko mojego małego braciszka.

To właśnie wśród tych kartek znalazłam dwa listy, pisane ręką Waszej Wysokości, które pragnę zwrócić. Nie mam pojęcia, jak moja matka weszła w ich posiadanie. Są zaadresowane: „Do rąk własnych mojej Zofii". Pieczęć jest złamana, zostały zatem przeczytane i nie wiem, dlaczego mama ich nie dostarczyła. A może to zrobiła, ale została poproszona o pozbycie się ich, i zatrzymała je z sobie wiadomych powodów.

Odpowiedź na te pytania zabrała ze sobą do grobu, a jeżeli zgrzeszyła, odpokutuje za to na tamtym świecie, nie mnie ją zatem sądzić. Chcę tylko powiedzieć, że w którymś momencie musiała sama się nad nimi zastanawiać, bo na jednym z listów znalazłam nagryzmolony jej ręką zapisek: „Kim jest Zofia? Nie znam jej".

List się na tym nie kończy, ale Katarzyna go odkłada. Jej dłonie drżą, oczy swędzą.

Warwara Nikołajewna nie żyje.

Żegnaj, przyjaciółko, myśli.

Najwięcej bólu jednak sprawiają jej dokuczliwe wspomnienia. Warwara, w jasnoniebieskiej sukni, idzie żwawo pałacowym korytarzem, trzymając Darię za rękę. Biało-niebieski wir. Wybuch śmiechu, który zwiastuje kilka cennych, beztroskich minut. Zatrzymuje się, żeby wziąć na ręce kociaka i szepnąć mu coś do ucha.

Kiedy to się popsuło?

„Błagam Waszą Wysokość, by raczyła zwolnić mnie ze służby na dworze".

– Nie wszyscy przyjaciele dobrze przyjmują awanse – powiedziała Wiszka, kiedy przyszedł list od Warwary, już dawno temu. – Dla wielu łatwiej jest współczuć, niż podziwiać.

„We wdzięcznej pamięci... kiedy bawiłam się w korytarzach Pałacu Zimowego z wielkim księciem Pawłem..." Co pamięta dziecko, tyle lat później?

Chorowitego chłopca, grymaśnego, stale cierpiącego na kolki i łatwo wpadającego w przerażenie?

Jedenastego września, w dniu zaręczyn, panuje chaos. Posłańcy biegają tam i z powrotem, paziowie anonsują nowo przybyłych.

– Każdy chce się zobaczyć z Waszą Wysokością – gdera Queenie, odpierając kolejne prośby o audiencję.

Nawet w swoim gabinecie caryca słyszy gorączkowy rytm przygotowań. Powozy wtaczają się na pałacowy dziedziniec, służący wykrzykują rozkazy do chłopców na posyłki. Zaręczyny Aleksandry to wprawdzie prywatna uroczystość, ale stolica aż wrze z podniecenia. Ludzie już gromadzą się pod bramami Pałacu Zimowego, licząc, że uda im się wypatrzyć gości ze Szwecji.

Katarzyna daje za wygraną, odsuwa na bok nieprzeczytane sprawozdania i dzwoni na Zotowa, żeby pomógł jej przenieść się na fotel na kółkach.

W garderobie czekają na nią pokojówki, fryzjer i szwaczki. Rozłożono suknię dla carycy, robe à la française w kolorze kości słoniowej, haftowaną ciężką złotą nicią. Nadworny jubiler trzyma czarną aksamitną poduszkę z naszyjnikami i kolczykami do wyboru. W powietrzu unosi się woń kwiatu pomarańczy, migdałów i całej gamy lżejszych zapachów, wydobywających się z otwartych słoiczków z pomadami, kremami i pudrami.

Niedużej armii służących przygotowanie jej na wieczór zajmie co najmniej dwie godziny.

Queenie i Wiszka już są podenerwowane. Miss Williams pyta, co robić, bo Aleksandra nie zgadza się, by jej policzki choćby muśnięto różem. A Maria Fiodorowna przysłała pazia z prośbą o srebrne koronki, bo jej własne podarły się podczas podróży powozem.

– Czy Wasza Wysokość zechciałaby rzucić okiem na te próbki?

– Splendor to ciężka praca – mówi Katarzyna do Zotowa, który pomaga jej zejść z fotela i mruczy swoje bezbarwne:

– Istotnie, madame.

Szwaczka została wyprawiona z wystarczającą ilością srebrnej koronki, by wymienić cały rąbek sukni Marii Fiodorowny. Miss Williams słyszy, że ma pozwolić Aleksandrze samej zdecydować, czego chce w tym wyjątkowym dniu.

Jest czwarta, kiedy do jej uszu dobiega rozzłoszczony szept Le Noirauda.

– Chce omówić to z Waszą Wysokością w cztery oczy – donosi Queenie.

Caryca ma na twarzy rozsmarowaną mieszankę rozgniecionych ogórków i miodu, oczy przykrywają kompresy z rumianku. Garderobiana, która szczotkowała jej włosy, usuwa się na bok.

– Król? Co chce omówić? – pyta Katarzyna, zdejmując z oczu kompresy.

– Zadałem mu to samo pytanie – odpowiada Le Noiraud. Bębni palcami po oparciu jej fotela. Wspomina o „oślim uporze, głuchym na głos rozsądku". A potem o „przewrotności, której nie jest w stanie pojąć".

Powoli udaje jej się złożyć w całość relację Le Noirauda z ostatnich czterech godzin, choć wszystko to nadal zdaje się mieć niewiele sensu. Pełnomocnicy spotkali się, by podpisać układ. Na początku wydawało się, że wszystko jest jak należy, aż do momentu, w którym Le Noiraud zauważył, że brakuje strony z klauzulą zapewniającą Aleksandrze wolność pozostania przy swoim wyznaniu.

– Król ją zabrał – odpowiedzieli Szwedzi, kiedy zapytał, czemu jej nie ma. – Jego Wysokość pragnie przedyskutować to osobiście z carycą.

– Teraz? – pyta Katarzyna. – Dlaczego nie chciał rozmawiać o tym wczoraj?

Le Noiraud nie odpowiada na jej pytanie.

– Powiedziałem mu, że za późno na dyskusje – mówi. – Więc teraz chcą podpisać układ bez tego artykułu.

Niepokój w jego głosie budzi w Katarzynie czujność. Ta historia musi mieć jakieś drugie dno. Czy Płaton był zbyt ufny? Za bardzo mu zależało, żeby dobrze wypaść?

Wydobędę to z niego później, postanawia. Goście zaczynają się zjeżdżać. Jej włosy trzeba zakręcić, ułożyć i upudrować. Jest dopiero na wpół ubrana, a gorset ma zasznurowany zdecydowanie zbyt mocno. Garderobiana musi go rozluźnić, nie zaburzając linii robe à la française.

– Jeżeli teraz podpiszemy układ bez tego artykułu, potem będzie już za późno, żeby go dodać – mówi Płatonowi. – A to jest dokładnie to, na co Szwedzi liczą. – Powinien był sam na to wpaść, ale Katarzyna odgania tę myśl. – To podstęp – ciągnie dalej. – Usiłują wybadać, ile da się wyrwać w ostatniej chwili. Nie możemy ustąpić.

W oczach Le Noirauda błyszczy ulga. Zanim Katarzyna zdąży go powstrzymać, całuje ją w policzek i gwałtownie wciąga powietrze. Na wargach ma teraz miksturę z ogórków.

O szóstej, kiedy toaleta carycy dobiega końca, Queenie oznajmia, że Aleksandra chciałaby zaprezentować się babce.

Caryca kiwa głową, ale po otwarciu drzwi to hrabia Morkow wpada do pokoju, przepraszając za najście.

– Było ono jednakże konieczne – dyszy. – Jesteśmy bezradni.

Czy naprawdę nic już nie może pójść zgodnie z planem?, myśli Katarzyna. Na co jeszcze powinnam się przygotować? Brak śniegu na Syberii? Kolejny statek z moimi nabytkami idący na dno?

Queenie posyła swojej pani zmartwione spojrzenie. Wiszka powstrzymuje garderobianą, która właśnie zauważyła, że coś jest nie tak z robe à la française, i zbliża się do carycy z rzędem szpilek w ustach.

– Wyjdźcie stąd wszyscy! Prędko! – mówi Queenie do służących.

Hrabia Morkow mówi bez ogródek. Ostatnie dwie godziny nie przyniosły żadnych postępów w negocjacjach. Szwedzi upierają się przy tym, że klauzula dotycząca wyznania musi zostać przedyskutowana.

– Teraz? – zadaje Morkowowi to samo pytanie, co wcześniej Le Noiraudowi. – Dlaczego król nie chciał rozmawiać o tym wczoraj?

Morkow patrzy na nią skonsternowany.

– Ależ, madame – mówi. – Król nie miał wczoraj tej klauzuli.

Świat zatrzymuje się na moment, a potem zaczyna wirować jak szalony w jakimś niepojętym tańcu. Krew uderza Katarzynie do głowy. W uszach dzwonią jej maleńkie dzwoneczki, cały odległy chór.

– Płaton Aleksandrowicz – słyszy głos Morkowa – nalegał, by tak to przeprowadzić. Żeby uniknąć niepotrzebnych sporów, jak mówił. Zapewniał nas, że Wasza Wysokość wyraziła zgodę. Dopiero kiedy zauważyliśmy brak tej klauzuli…

Serce carycy rzuca się jak przyparte do muru zwierzę. Czuje przemożne pragnienie, by zerwać z siebie robe à la française, uwolnić się z gorsetu i halki. Słowa Morkowa na przemian cichną i wznoszą się.

– Płaton Aleksandrowicz rozkazał... Płaton Aleksandrowicz zażądał...

Szóstym zmysłem dworzanina ocenił już prawdziwą głębię jej gniewu i teraz wypatruje łupów. Jeden dworzanin upada, inny może pójść w górę. Im bardziej niespodziewany upadek, tym słodszy.

Wystrzela w niej myśl, jasna jak błyskawica, i pozwala jej odzyskać panowanie nad sobą. Popełniła błąd. Nie pierwszy i nie ostatni. Błąd, który musi naprawić najlepiej, jak potrafi.

Jej serce powoli wraca do normalnego rytmu. Katarzyna musi wyglądać już na spokojniejszą, bo w oczach Morkowa dostrzega coraz większe rozczarowanie. To, na co liczył, nie wydaje się już takie pewne.

– Proszę zapisać to, co powiem – rozkazuje i dyktuje Morkowowi zobowiązanie intencyjne: „Ja... Gustavus Adolfus... formalnie przyrzekam... zapewnić mojej przyszłej żonie... całkowitą wolność wyznania...". Proszę wrócić do króla – mówi hrabiemu. – Dopilnować, żeby na razie podpisał to. Proszę mu powiedzieć, że wspólnie uzgodnimy dokładne sformułowanie umowy po zaręczynach.

To kompromis. Nie jest nim zachwycona, ale nie ma wyboru. Le Noiraud postąpił głupio, delikatnie mówiąc, ale carycę irytuje też Gustaw Adolf. Szczeniak, który szczerzy mleczne zęby. Ona chyba wystarczająco jasno wyraziła swoje życzenia. Czemu ten chłopak się tak naprawdę sprzeciwia? Czy liczy na to, że swoimi dąsami uda mu się zapędzić ją w kozi róg?

W antyszambrze Maria Fiodorowna mówi córce, żeby trzymała się prosto. Trochę za późno na matczyne napomnienia, ale synowa Katarzyny zawsze była powolna.

Wchodzą wszystkie razem. Jej wnuczki i ich matka, gromadka pełna podniecenia i oczekiwań. Dłonie trzepoczą, chusteczki osuszają łzy. Aleksandra błyszczy w sukni z białej satyny, haftowanej w srebrne motyle, fruwające wśród kwietnych gałązek. Muślinowa chusteczka częściowo skrywa jej szyję. Pod koniec września będzie w drodze do Sztokholmu.

– Babuniu! – woła dziewczynka, zarzucając ramiona na szyję babki.

– Niech ci się przyjrzę – odpowiada Katarzyna.

Aleksandra pozwala dłoniom opaść i obraca się wokół własnej osi, by pokazać babce, jak pięknie kręci się jej suknia.

– Głowa do góry – szepcze do siostry Helena, a ona posłusznie unosi podbródek.

– Pamiętasz, co masz robić po błogosławieństwie, Aleksandro? – pyta Maria Fiodorowna. – Pamiętasz, żeby policzyć do sześciu, zanim zrobisz następny krok?

Przez całe rano powtarzały słowa i kroki, ale ćwiczenie to jedna rzecz, a pamiętanie wszystkiego, kiedy patrzy na ciebie cały dwór, to druga.

Aleksandra przewraca oczami i się uśmiecha. Oczywiście, że wie. Kilka dni wystarczyło, żeby to dziecko wyrosło.

Zaraz po zaręczynach odbędzie się oficjalne błogosławieństwo świętą ikoną Naszej Pani z Kazania, teraz jednak mogą sobie jeszcze pozwolić na kilka chwil w rodzinnym gronie. Po pierwsze ona, caryca, oznajmia swe życzenie, by przystroić wnuczkę odpowiednim podarunkiem.

Jeden z paziów przynosi klejnoty na pulchnej aksamitnej poduszce. Ametystowy naszyjnik w komplecie z kolczykami i klamrą do włosów, które fryzjer podpiął u niej luźno, pozostawiając na karku Aleksandry złote loki.

Katarzyna zakłada wnuczce naszyjnik. Fioletowe kamienie oprawne są w białe złoto, wysadzane diamentami. Jej ręce muszą lekko drżeć, bo z trudem radzi sobie z zapięciem.

– Zemdleje, jak cię zobaczy – szepcze wnuczce do ucha. – Ale nie powtarzaj tego maman.

Aleksandra chichocze, jej policzki robią się szkarłatne. Jakże te młode oczy lśnią, nawet bez belladony! Jakim bezcennym darem jest młodość. I jak krótkim.

Drzwi znów się otwierają, wpuszczając resztę Romanowów, którzy napływają do środka, wesoło uśmiechnięci. Trzy pokolenia carskiej rodziny. Jej syn ze swoją żoną, wnuki ze swoimi, i jej wnuczki. Jest tu nawet mały Mikołaj, śpi opatulony w ramionach mamki.

Następuje wymiana grzeczności. Wzajemne komplementy. Suknia carycy zostaje uznana za nadzwyczajną; satyna w kolorze kości słoniowej ma nader wykwintny połysk, haft przypomina najkunsztowniejsze mozaiki.

– Wasza Wysokość przyćmi nas wszystkich – wykrzykuje Elżbieta, żona Aleksandra.

Caryca obrzuca najstarszego wnuka krótkim, karcącym spojrzeniem. Biezborodko doniósł jej, że Aleksander niewiele spał tej nocy. Chodził tam i z powrotem po swojej sypialni. Wybuchnął szlochem, który usiłował stłumić. Długo coś pisał, a potem spalił wszystkie kartki i rozsypał popiół ze swojego okna. Aleksander cierpi, ale bólu nie zawsze da się uniknąć. To minie. Decyzja, którą podjął, da mu siłę. Choć jest jeszcze młody. Miękki. Na razie będzie musiała postępować z nim delikatnie.

Maria Fiodorowna podbiega, by uściskać Aleksandrę i obejrzeć ametysty.

Paweł chrząka, po czym z kieszeni na piersi wyciąga złożoną kartkę papieru.

– Jako że później nie będzie na to czasu – mówi.

Jej syn przygotował przemowę, którą teraz odczytuje nieznośnie wolno. Aleksandra zostaje pouczona, by być cnotliwą i wierną przyszłemu mężowi oraz posłuszną mu we wszystkim. By pamiętać o swoich obowiązkach jako kobiety, dbać o czystość myśli i świętość uczynków.

Katarzyna zastanawia się, kto napisał Pawłowi to przemówienie, bo słowa płyną stanowczo zbyt gładko, by mogły pochodzić od niego samego. Maria Fiodorowna? Mowa ma w sobie coś z jej wylewnej sentymentalności.

Aleksander obejmuje siostrę i szepcze jej coś do ucha. Aleksandra kiwa głową i oddaje uścisk. Konstanty szczypie ją w policzek i doprowadza do śmiechu. Helena składa na wargach siostry szybki pocałunek.

– Nie mogę uwierzyć, że naprawdę nas zostawisz – szlocha.

Maria pyta, czy ona też może pojechać do Sztokholmu.

– Tylko do Bożego Narodzenia – mówi. – Babuniu... proszę... mogę?

– Ty? – droczy się z nią Konstanty. – Ty nawet nie umiesz dygnąć!

– Umiem!

Paweł położył dłonie na ramionach Aleksandry i powtarza te same przestrogi, które przed chwilą przeczytał.

– Pamiętaj, moja droga córko, gdzie jest miejsce kobiety. Nigdy nie sprzeciwiaj się mężowi w niczym.

Katarzynę irytuje nawet ton jego głosu. Jak to możliwe, że ten człowiek nie ma w sobie nic ze mnie?, zastanawia się, odpędzając wspomnienia o ciągłych chrząknięciach swojego męża, uściskach jego lepkich rąk, o tych kilku dławiących chwilach, zanim jego spocone ciało się z niej zsunęło. Mdlący zapach pościeli poplamionej wódką i jego odorem, jako że Piotr odmawiał chodzenia do bani z pasją, która graniczyła z wściekłością.

– Nie będę się poddawał tym barbarzyńskim zwyczajom. Zawsze robisz to, czego chcą Rosjanie! Stałaś się podobna do nich, Zofio! Ja nie zamierzam.

Czy to możliwe, że Paweł jest jednak synem Piotra? Nie ma w sobie nic z urody Siergieja Sałtykowa. Nic z jego uwodzicielskiego wdzięku. Czy może się zdarzyć, żeby dziecko nie było podobne do żadnego z rodziców? A może te pogłoski były prawdą? Czy Elżbieta zamieniła jej dziecko na inne? Może na któregoś z własnych bękartów?

Paweł kończy swoje napomnienia, po czym robi krok w jej stronę, i jeszcze jeden. Czy wie, że o nim myśli? Najwyraźniej, bo jego skóra się czerwieni, a mopsi nos unosi się w żałosnej próbie, by wydać się choć trochę większy. Powinna pozwolić mu do siebie podejść, wymienić kilka grzecznościowych zapytań, ale nagle wydaje jej się to ponad siły. O ileż łatwiej rozmawia się z młodymi. Katarzyna łaknie teraz ich entuzjazmu, ich zaufania i nadziei.

– Chciałabym porozmawiać z Aleksandrą w cztery oczy – mówi.

Paweł się waha. Zanim zdąży przemyśleć swój następny ruch, Katarzyna ujmuje dłoń Aleksandry i prowadzi wnuczkę na stronę, do swojej garderoby.

Aleksandra podchodzi do lustra; nie może się napatrzeć swoim nowym klejnotom.

– Co za piękny odcień, babuniu – wykrzykuje. Ale zaraz odwraca się i pyta, sepleniąc po dziecinnemu: – Czy z miejsca, w którym będę siedzieć, będzie widać zegar z pawiem?

– Będzie. Czemu nie chcesz pozwolić służącej uróżować sobie policzków, chérie? – pyta Katarzyna. Buzia wnuczki wygląda blado.

– Bo Bóg chciał, żebym tak właśnie wyglądała, babuniu.

– Bóg chciał, żebyś wyglądała najładniej, jak możesz, moja niemądra dziewczynko – mówi Katarzyna i otwiera puzderko z różem. – Tylko odrobina koloru – ciągnie dalej, wklepując róż w gładką skórę Aleksandry. – Widzisz – mówi, wskazując na jej odbicie w lustrze. – Znacznie lepiej, prawda?

Woń roztopionego wosku świec rozświetlających salę Świętego Jerzego miesza się z ciężkimi zapachami perfum. To imponujące pomieszczenie, którego sklepienie wspierają wielokolorowe marmurowe kolumny, każda o białszarych, bladoczerwonych i niebieskich zabarwieniach.

Tron znajduje się na podwyższeniu. Katarzyna ma na głowie koronę, pieczołowicie wypolerowaną po tym, jak Wiszka rozlała na nią wosk ze świecy. Na jej ramionach spoczywa ciężki gronostajowy płaszcz, w dłoni caryca dzierży berło. Ponad nią rozpięty jest baldachim z dwugłowym rosyjskim orłem; za nią tarcza z jej inicjałami – J II, Jekaterina Druga, Imperatorowa Wszechrusi. Wzdłuż ścian stoją na baczność carscy gwardziści w swoich niebieskich kurtkach z krwistoczerwonymi wyłogami.

Lew Naryszkin szepcze coś do ambasadora Austrii, który z zapałem kiwa głową, tłumiąc śmiech.

Paweł jest po jej prawej stronie, Aleksander – po lewej. U jej stóp, na niskim stołku siedzi Aleksandra, smukłe dłonie ma złożone.

– Czy nie przestaniesz szukać Bolika, babuniu? – zapytała wnuczka. – Nawet jak będę już w Sztokholmie?

A jednak pełne irytacji myśli nie dają się odpędzić, rozpraszają, podsycają gniew. Czy doprawdy nie ma wokół niej nikogo z odrobiną oleju w głowie? Nikogo, komu mogłaby powierzyć choćby najprostsze zadanie? „Czy nie ufasz mi nawet na tyle?", pytał Le Noiraud.

Ceremonia zaręczyn zacznie się za kilka minut. Arcybiskup udzieli błogosławieństwa. Ona wygłosi mowę, rodzice pobłogosławią młodą parę, a potem – wreszcie – długo oczekiwana chwila wytchnienia. Jak tylko rozpocznie się przyjęcie, caryca poprosi Biezborodkę, by zajął się negocjacjami. Nie życzy sobie już żadnych opóźnień, żadnych niespodzianek.

Zegar z pawiem ożywa. U jej stóp Aleksandra wychyla się do przodu, żeby lepiej widzieć.

Jakie z niej jeszcze dziecko, myśli Katarzyna, ale za chwilę i ona wpatruje się urzeczona w rozgrywający się przed ich oczami spektakl.

Najpierw dzwoneczki na klatce sowy wydzwaniają swoje ostrzeżenie. Potem sowa, złoty paw i kogut rozpoczynają uroczysty taniec. Ptak mądrości, ptak jedności między tym, co jest, i tym, co odeszło, i ptak zmartwychwstania.

– Ilekroć na niego spojrzysz, pomyślisz o mnie – powiedział Griszeńka, pokazując jej ten zegar piętnaście lat temu. Promieniał z dumy jak magik demonstrujący swoją najnowszą sztuczkę. Tylko że nie ma go już tutaj i żadne czary nie są w stanie sprowadzić go z powrotem.

Ptaki zastygają nieruchomo, kiedy kończy się ich taniec.

Minęła siódma.

Po jej prawej stronie Paweł wypycha pierś do przodu i wciąga powietrze przez nozdrza z cichym gwizdem. Jej syn, który nadal uważa się za jej dziedzica. Ci, których aspiracje sięgają tronu, powinni najpierw stoczyć między sobą walkę o niego. W królestwie zwierząt młode walczą o swoje miejsce. Matka ma w sutkach ograniczoną ilość mleka. Przeżywają najsilniejsze.

Katarzyna nie uważa tego za okrutne. Taka jest natura. Ma to swój cel. Już wcześniej przeprowadzała te rachuby i zna niebezpieczeństwa, jakie niesie ze sobą łatwe miłosierdzie. Szczęście jak największej liczby ludzi jest tym, co się ostatecznie liczy.

Czas gęstnieje, nabiera ciężaru. U jej stóp Aleksandra zamyka oczy, jej słodka księżniczka, nieruchoma, jakby czekanie było zabawą w chowanego, a ona znalazła już sobie miejsce i postanowiła się nie ruszać. Jak przetrwa na obcym dworze? Wciąż jeszcze nie wie, że niewinność musi odfrunąć, skonfrontowana z prawami natury. Bo jeśli pozostanie, to cóż przyniesie? Tylko uległość i słabość.

Błogosławieństwo przygotowane przez nią, jej babkę, jest krótkie, lecz eleganckie. „Obyś zawsze była bezpieczna i wierna zasadom swego wychowania. Jesteś bowiem naszym ukochanym dzieckiem, promieniem słońca w tym domu, naszą radością i naszą nadzieją".

Król Szwecji ciągle jeszcze nie przybył. Podobnie jak Le Noiraud. Ile czasu może zająć nabazgranie paru podpisów?

Ceremonia, kiedy się już zacznie, będzie długa i nużąca. Dwie godziny, jeśli dodać do tego wszystkie nieuniknione toasty, przemówienia i gratulacje. Gorset wciąż jest za ciasny, pomimo wysiłków garderobianej. Wpija się w ciało Katarzyny. Kiedy wreszcie go zdejmie, będzie miała na skórze czerwone pręgi. Ciężar berła wbija jej łokieć w poręcz tronu. Katarzyna czuje miejsce, w którym niezdarny fryzjer przypalił jej skórę żelazkiem do kręcenia włosów.

Aleksander i Aleksandra wymieniają spojrzenia. Siostra posyła bratu nieśmiały uśmiech. Jej pierwsza wnuczka wychodzi za mąż. Jeszcze tylko dwie. Dzięki Bogu, że Mikołaj jest chłopcem.

Książę Adam, doniósł jej Biezborodko, wysłał list do swojego ojca z radosną nowiną, że caryca Wszechrosji zdjęła sekwestr z majątków Czartoryskich.

Drzwi powinny otworzyć się lada chwila.

Żeby przerwać nudę oczekiwania, Lew Naryszkin zabawia ich swoimi błazeństwami.

– Gdybym był księżną, która ma wyjechać do Szwecji, zabrałbym ze sobą etolę z lisów, kołdrę z niedźwiedzi, pelisę, tabakierkę, koło od powozu, wiadro wody, kota i rybę.

Nawet Aleksandra chichocze.

– Dlaczego rybę?

– Żeby mieć coś w wiadrze.

– Ale po co ryba w wiadrze?

– Żeby wyjmować ją z wody i wkładać tam z powrotem.

– Ale po co?

– Żeby ryba wiedziała, czym jest dla niej woda.

Aleksander przekręca się na swoim miejscu, jakby usiłował złowić kogoś wzrokiem. Dołgorukową z jej dzikimi tatarskimi oczami? A może piersiastą córkę Gołowinów? Ostatnio nieczęsto patrzy na żonę. Są na to lekarstwa, ale nie powinno się podsuwać ich za wcześnie. Monsieur Aleksander poczyni własne odkrycia, przekona się, co jest warte zachodu, a co można znieść. Queenie ma rację. Elżbieta do tej pory powinna już dać Aleksandrowi syna. Nie trzymałaby się tak kurczowo męża, gdyby jej myśli zajmowało dziecko.

– Dlaczego tyle to trwa? – pyta Paweł, chrząkając jak maciora.

– Aż tak ci się śpieszy? – warczy Katarzyna, ale natychmiast żałuje ostrych słów, bo Aleksandra kuli ramiona, jakby przygotowywała się na cios.

– Czy coś jest nie tak, babuniu? – pyta.

Już to słyszy, te narastające szepty, te urywane rozmowy. Oczy zwrócone na zamknięte drzwi, pragną zmusić je, by się rozwarły.

Myślą przebiega listę możliwości. Le Noiraud, który wie, że jest na niego wściekła, desperacko próbuje odkupić swoją winę, walczy o jakieś niemożliwe do odniesienia i zbyteczne teraz zwycięstwo. Niech Gustaw Adolf po prostu podpisze zobowiązanie intencyjne! Zapomnij na chwilę o swoich irytujących ambicjach. Później będzie na to mnóstwo czasu!

Jej oczy zatrzymują się na chwilę na głównym ministrze, który eskortuje księżniczkę Dołgorukową do okna, gdzie nie jest aż tak tłoczno i gdzie księżniczka może lepiej zaprezentować swoje wdzięki. Czy Katarzyna powinna wysłać Biezborodkę do sali, w której odbywają się negocjacje? Byłby zachwycony, mogąc wszystko naprawić, pokazać młodym, jak daleko im jeszcze do jego umiejętności. Ale to przelotna pokusa. Caryca jest zbyt doświadczona, by ulec niecierpliwości. Nie zamierza nazbyt wcześnie odkrywać kart. Jeżeli Szwedzi się zorientują, że Płaton przekroczył swoje kompetencje, ostatecznie zostanie to wykorzystane przeciwko niej. Zawsze tak jest.

Dzwoneczki? Już? Sowa znów się porusza. Kwiaty, które w rzeczywistości są młoteczkami, drgają, wywołując sekwencję łagodnych dźwięków.

Katarzyna przypomina sobie, jak była dzieckiem i bała się widoku cofanych wskazówek zegara. Myślała, że świat zapadnie się w ciąg niekończących się powtórzeń tego, co już było. Teraz, kiedy jest starsza, chciałaby, żeby mogło tak być. Ile by dała, żeby jeszcze raz przeżyć to, co minęło! Znać zdrajcę, jeszcze zanim ją zdradzi.

Ósma.

Opóźnienie, niezależnie od przyczyny, jest ciężkim przeżyciem dla biednej dziecinki. Aleksandra wygląda jak biała ćma zastygła w locie. Czy się modli? Czy rozpamiętuje pocałunki, łagodne pieszczoty dłoni kochanka? A może znów się obwinia, niemądra dziewczynka? Jakiś urojony występek? Drobne wykroczenie, wyolbrzymione?

Będę cię chronić, myśli Katarzyna. Dopilnuję, żebyś nie została przeoczona.

Kilka minut przed dziewiątą przywołuje gestem Queenie i poleca jej sprawdzić, co opóźnia uroczystość. Queenie wybiega z sali Świętego Jerzego najszybciej, jak tylko pozwala jej na to obfita tusza. Szmer podekscytowanych domysłów towarzyszy jej przejściu wśród dworzan, którzy rozstępują się, by zrobić jej miejsce.

Mechaniczna muzyka zegara rozbrzmiewa jeszcze w powietrzu, kiedy Queenie wraca z wyrazem wzburzenia i niepokoju na twarzy.

– Pojawiło się jakieś drobne nieporozumienie, madame – szepcze, wspinając się na palce. – Płaton Aleksandrowicz mówi, że nie potrwa to długo.

Paweł wychyla się naprzód, żeby lepiej słyszeć. Maria Fiodorowna unosi rękę, jakby miała zamiar się przeżegnać. Aleksander spogląda na babkę pytająco.

– Słyszałam podniesione głosy, madame – sapie Queenie.

Kochane dziecko spogląda na nich wszystkich, usiłując zrozumieć, co się dzieje. Ale wtedy drzwi się otwierają i z jej piersi wyrywa się westchnienie ulgi. Dworzanie przypominają własne posągi, wszyscy znieruchomiali, wpatrują się w drzwi. Orkiestra zaczyna grać, ale zaraz urywa.

Pojawia się bowiem tylko jedna osoba. To hrabia Morkow. Zbliża się do tronu, wchodzi na podwyższenie. W jego oczach błyszczy ponura satysfakcja. Ostrzeżenie, którego nie usłuchano, okazało się zasadne. Posępna przepowiednia znalazła potwierdzenie.

Zrozumienie słów, które Morkow szepcze jej do ucha, zajmuje jej chwilę:

– Król protestuje. Mówi, że okazuje mu się brak zaufania. Pyta, dlaczego miałby w ogóle podpisywać zobowiązanie intencyjne.

Przez następną godzinę posłańcy biegają tam i z powrotem, zapewnienia odbijają się jedno od drugiego, skręcają się, wiją, obracają wśród rosnącej nieufności.

Król mówi, że dał już słowo. Dlaczego nagle okazuje się ono niewystarczające?

Dlaczego musi podpisać przyrzeczenie, że dotrzyma słowa? Jest człowiekiem honoru. Nie złamie danej obietnicy.

Czy to nie wystarczy? A zatem jest niegodny zaufania?

Być może powinien o to samo poprosić carycę?

Oczy Aleksandry są coraz większe, pełne niewypowiedzianych pytań. Trzeba będzie się nią zająć, usunąć ją z tej sali. Sępy zaczną krążyć nad padliną. To dziecko trzeba zabrać sprzed wścibskich oczu.

Carycy żal jest wnuczki, ale ostatecznie lepiej doznać rozczarowania wcześniej niż później, prawda? Przeciąć więzy, póki są jeszcze słabe. Kiedy nadejdzie pora, wytłumaczy to Aleksandrze. Teraz musi zająć się gruzami.

Wargi ma spierzchnięte. Chce jej się pić, ale pragnienie będzie musiało poczekać.

O dziesiątej, kiedy paw obraca się po raz kolejny wokół własnej osi, ukazując srebrzysty ogon, zagraniczni ambasadorowie wymykają się z sali Świętego Jerzego, aby wysłać w ciemność nocy zaszyfrowane wiadomości o upokorzeniu Rosji, z nadzieją że wrócą tu po jeszcze smakowitsze kąski. Młodociany król Szwecji kazał czekać na siebie przez trzy godziny Imperatorowej Wszechrusi, starszej od niego o pół wieku. Jakie karykatury pojawią się teraz: król Szwecji, wypinający goły zadek w stronę starej, pomarszczonej wiedźmy? Dawid zwyciężający Goliata?

Ogarnia ją fala oślepiającego gniewu. Ten słabeusz, ten żałosny arogant z pełnymi wargami. Ten mały królik, ten bękart.

W Sali Tronowej zalega cisza, ciężka, czarna, dławiąca cisza. Aleksander spogląda na nią zatroskany, ale on także błaga, aby babka naprawiła to, co zostało tak bezmyślnie zepsute.

Zotow, stary dobry Zotow, pokojowiec doskonały, zawsze gotowy z właściwym remedium na każdą potrzebę, podaje jej szklankę wody. Katarzyna pije z niej, jeden chłodny haust za drugim, aż do dna.

W oczach Aleksandry widać przerażenie, paniczny strach dziecka, które wreszcie się dowiaduje, że tego, co zostało rozbite, już nigdy nie da się poskładać z powrotem.

To nie do końca prawda, Aleksandro, chce powiedzieć Katarzyna. Przegrana zniszczy cię tylko, jeżeli na to pozwolisz. Masz przed sobą całe życie. Pogratuluj sobie, że cudem uniknęłaś nieszczęścia. Jeszcze będziesz się z tego śmiała. Jeśli masz w żyłach chociaż kroplę mojej krwi, tak będzie.

Carycy udaje się zachować kamienny wyraz twarzy, oczy ma utkwione w żyrandolu, w migotliwych płomieniach świec, odbijających się w krysztale.

– Proszę przerwać negocjacje – mówi do Morkowa. – Powiadomić naszych szwedzkich gości, że caryca jest niedysponowana.

Na Pawła – który wciąż jest jej oficjalnym następcą – spada obowiązek powstania i przeproszenia arcybiskupa i gości.

– Z uwagi na nieprzewidziane trudności... przełożone... – słyszy, chociaż słowa Pawła zdają się dochodzić z daleka, jakby je podsłuchiwała. Książę Adam – zauważa – szepcze coś do ucha Elżbiety. Żona Aleksandra wygląda, jakby miała zaraz zemdleć.

Gdy tylko Paweł przestaje mówić, Katarzyna podnosi się z tronu z poczuciem, że jest ciężka i wiekowa, że wrosła w glebę jak ogromna skała, której nie da się poruszyć. Aleksander podał jej ramię, a ona opiera się na wnuku całym swoim ciężarem. Oddech ma płytki. Z wielkim wysiłkiem wlecze spuchnięte stopy, jedna po drugiej.

Za sobą słyszy okrzyk, jak głos zranionego ptaka, i pospieszny stukot butów na obcasach. Dziecinka zemdlała i wynoszą ją teraz przez boczne drzwi. Ojciec ją niesie, a matka drepcze za nim jak kura, machając rękami.

– Uważaj! Ostrożnie! Drzwi!

Tłum rozprasza się, by zrobić przejście dla rodziny cesarskiej. Na twarzach dworzan powaga miesza się z konsternacją. Zagubieni, rozważają konsekwencje, jakie może mieć to upokorzenie. Dopóki ona, ich caryca, ich matuszka, nie przywróci im dumy.

Nie teraz.

Później. Za kilka chwil. Jutro.

Tak właśnie robią ranne zwierzęta, wycofują się w gąszcz, liżą rany, by oszacować szkody.

Jeszcze kilka kroków. Potem będzie mogła opuścić się na fotel na kółkach. Na razie musi wystarczyć kilka słów otuchy skierowanych do Aleksandra.

Skurcz bólu w jej głowie jest jak cios. Jej szczęka sztywnieje. Słowa, które chciała wypowiedzieć, zamierają jej w gardle. Biezborodko odsunął Morkowa na bok. Mówi coś, lecz jego słowa rozpadają się w pył, zanim dotrą do jej uszu. Mniejsza o to. Katarzyna nie ma ochoty omawiać tego, co zaszło. Jeszcze nie. Pociechy też nie potrzebuje.

– Babuniu, dobrze się czujesz?

Czuje, jak dłoń wnuka czepia się jej ręki. Coś przemieszcza się w jej wnętrzu, jak głuchy odgłos sadzy opadającej w kominie.

– Pomóż mi się stąd wydostać, Aleksandrze – mówi.

Opierając się na wnuku, z Zotowem, który podtrzymuje ją z lewej strony, powoli wychodzi z sali tam, gdzie czeka na nią fotel.

Jeśli ja się rozpłaczę, myśli, inni zaczną szlochać; jeżeli ja zacznę szlochać, inni zemdleją, a potem wszyscy stracą i głowę, i orientację.

To, co martwe, jest martwe. Ja muszę myśleć o tym, co jest jeszcze możliwe.

W swoich prywatnych apartamentach, kiedy tylko zamykają się za nią drzwi, pozwala Aleksandrowi podnieść się z fotela i pokazuje Zotowowi, żeby wyjechał nim na zewnątrz.

Cztery pokojówki garderobiane czekają, by uwolnić ją z ubrań, zmyć makijaż, wyjąć szpilki z włosów. One także musiały już usłyszeć o tym, co się stało, bo wzrok mają wbity w dywan.

– Poczekajcie na zewnątrz, póki was nie zawołam – rozkazuje, a one znikają.

– Idź, odpocznij trochę – mówi do Aleksandra, którego twarz ciągle jeszcze zmienia kolor – z różowego na biały, potem na czerwony, i znów na biały. – Jutro będzie dość rzeczy do zrobienia.

Jej wnuk się waha, prostuje się. Jego myśli biegną pewnie do sali Świętego Jerzego i szlochów Aleksandry, bo zaciska pięści.

– Idź, kochanie – powtarza Katarzyna, która zbyt dobrze zna gorzki smak upokorzenia, i patrzy, jak Aleksander wychodzi.

Nadal ubrana w swoje ciężkie suknie, Katarzyna, powłócząc nogami, przechodzi do sypialni, wsparta na lasce, podanej przez Queenie – którą zauważyła dopiero teraz.

– Sprowadź tu Płatona Aleksandrowicza – rozkazuje. – I zostaw mnie samą.

Jak fale rozchodzące się po wrzuceniu kamienia ciśniętego do wody, tak jej słowa sprawiają, że stopy tupoczą, a drzwi otwierają się i zamykają.

Płaton Aleksandrowicz... Płaton Aleksandrowicz...

Próżny paw. Kremowa, miękka skóra i słodycz pochlebstwa. Jej szaleństwo, jej słabość.

Trzymaj go w sypialni, matuszko, na kolanach. Głos Griszeńki odbija się od arrasów, pokrywających złocone ściany, które tak bardzo lubiła caryca Elżbieta. Niech cię zabawia, daje ci przyjemność. Niech bawi się w złotego chłopca, ze swoimi porannymi audiencjami i swoją małpką. Ale nigdy nie powierzaj mu niczego ważnego.

Dlaczego nie posłuchała? Dlaczego pozwoliła dawno wygasłej namiętności zagłuszyć głos rozsądku?

Ciche stukanie do drzwi. Szept, który błaga o pozwolenie, by wejść. To Wiszka.

– Byłam w pokojach Aleksandry, Wasza Wysokość, ale może nie jest to dobry moment...

– Mów – warczy Katarzyna. Czemu wszyscy nagle tak bardzo się przejmują, czy moment jest dobry? Czy ona kiedykolwiek wzdragała się przed usłyszeniem prawdy?

– Wielka księżna nie przestaje szlochać. – Zmarszczki na twarzy Wiszki znamionują gniew i ból.

– Czy jest z nią Aleksander?

– Tak, Wasza Wysokość. I jej maman.

– Co jej mówią?

– Że nastąpiło nieprzewidziane opóźnienie. Nieporozumienie, które trzeba wyjaśnić. Ale wielka księżna nie słucha. To koniec, szlocha.

– Czy nie mogą jej czegoś podać?

– Rogerson puścił jej krew. Laudanum trochę pomogło, ale nie na tyle, żeby przestała płakać.

– Idź do niej – mówi caryca Wiszce. – Powiedz dziecince, żeby przetarła oczy lodem i przestała płakać. Powiedz, że ja się wszystkim zajmuję. I że chcę się z nią jutro zobaczyć. Dosyć łez.

Obcasy oddalającej się Wiszki stukają o drewnianą podłogę. Jeżeli Aleksandra ma jeszcze choć trochę rozumu, usłucha mądrzejszych od siebie. Pojawi się jutro w swojej różowej sukni, starannie uczesana, jakby nic ważnego się nie wydarzyło. Przeprowadzi kilka niezobowiązujących rozmów. Nie pozwoli wciągnąć się w spekulacje. Potraktuje to, co zaszło, jako mało znaczące. Będzie się zachowywać jak królowa i pozwoli królowi zobaczyć, ile może stracić.

Ciężkie drzwi znów się otwierają. Do pokoju wsuwa się Le Noiraud, mamrocząc usprawiedliwienia. Padł ofiarą kolosalnej perfidii. Przez cały czas był pewien, że wszystko ułoży się jak należy. Ale król zachował się całkowicie nieracjonalnie.

Słowa płyną, staczają się z jego języka, a każde z nich to napaść: Król... regent... podstępny... uparty. Arogancki... bezczelny... pomimo wszystkiego, co zrobiłem... pomimo wszystkiego, co mi wmawiano...

Usadowiona na łożu, podparta dwiema dużymi poduszkami, Katarzyna słucha i czeka.

Płaton nadal próbuje umniejszyć doznane szkody. Uznanie swojej porażki nie należy do strategii Le Noirauda. Podobnie jak przyznanie się do zaniedbania czy zwykłej oślej głupoty. Wlepia w nią wzrok, wypatrując znaków tego, co ona chciałaby usłyszeć.

Umiejętność zachowania nieprzeniknionego wyrazu twarzy bardzo się przydaje.

Nie znalazłszy żadnych wskazówek, Le Noiraud decyduje się na szyderstwo. Nazywa Gustawa Adolfa małym krętaczem i bękartem. Przywołuje plugawą historię o jego poczęciu. Plotkę o przyszłej matce, rozciągniętej na małżeńskim łożu, penetrowanej przez barona Muncka, którego z kolei penetruje król Szwecji. Dlaczego? Bo Gu Wielki nie mógł się zmusić, by dotknąć kobiety.

– To wszystko prawda – głos Le Noirauda stopniowo się podnosi. – Nawet w Szwecji wszyscy wiedzą, że ten mały król to bękart.

– Cisza!

Jej krzyk sprawia, że Płaton podskakuje. Twarz ma białą.

– Ośmielasz się przychodzić tutaj i mówić mi, że to nie twoja wina! – Wypowiada słowa na oddechu z przepony. Jej głos jest niski i głuchy, jak cios młota, którym ogłusza się bydło przed zaszlachtowaniem. – Awansowałam cię. Wyniosłam ponad twój stan. A ty robisz ze mnie i z Rosji pośmiewisko całej Europy!

Le Noiraud trzęsie się, wciąż nie mogąc uwierzyć, że został skarcony. Przypomina rybę nagle wyciągniętą z wody. Rzuca się w nadziei, że któryś z tych szarpanych ruchów go uratuje. Osuwa się na podłogę. Podbródek drga mu jak u dziecka, które zaraz wybuchnie płaczem. W jego tępym spojrzeniu widać tylko strach.

– Co oni ci o mnie naopowiadali? – zawodzi. – Czy to Morkow? Czy Biezborodko? Oni chcą mnie zniszczyć. Zazdroszczą mi.

– Tobie?

– Krytykują mnie, bo ośmielam się ciebie kochać. Zawsze chcieli zwrócić cię przeciwko mnie. Ale ja im nie pozwolę. Jesteś wszystkim, co mam. Nie obchodzi mnie nic poza tobą.

Czy zamierza rzucić ci się do stóp?, drwi głos Griszeńki. Ile jeszcze Twoich poświęceń oczekuje?

– Popraw mnie, Katinko – błaga Płaton. – Naucz mnie. Ty jedyna chcesz, żebym był lepszy. Bez ciebie jestem prochem.

Pies myśliwski zabija w gorączce pościgu. Tropiąc, nie szczeka, bo trudniej byłoby usłyszeć ukradkowe poruszenia w gęstwinie. Ściga królika w ciszy, przewidując jego nagłe zwroty. Nagrodą jest chrzęst delikatnych kości, smak krwi, jeszcze ciepłej, mięśni, i zapach wilgotnej sierści.

– Za dwa tygodnie masz urodziny. Ile lat skończysz?

– Dwadzieścia dziewięć – wyjąkuje Płaton.

– Suworow donosi, że we Włoszech Bonaparte zabiera armię w góry. Rozkłada swoje siły, aby Austriacy rozłożyli swoje. A potem koncentruje swoje wojska i uderza w ich najsłabszy punkt. Nie daje się powstrzymać.

Le Noiraud jest skonsternowany, nie ma jednak odwagi zapytać, o co jej chodzi.

– Bonaparte – mówi Katarzyna głosem zimnym i przeszywającym jak północny wiatr – ma zaledwie dwadzieścia siedem lat.

Garderobiane wracają, by ją rozebrać, zdjąć z niej sztuczne włosy i klejnoty.

Jak mogłam nie widzieć tego wcześniej? Bo sekwencja wydarzeń, które właśnie się rozegrały, jest równie niepojęta jak ich ostateczny rezultat: Imperatorowej Wszechrusi zagrał na nosie mały szwedzki królik.

Służące są szybkie i ciche. Katarzyna została unieruchomiona, zamknięta w zbroi galowej sukni, i teraz potrzeba czasu, by uwolnić ciało z pancerza. Sznur czarnych pereł zostaje rozpięty. Suknia zdjęta. Słoiczki i flakoniki otwierają się i zamykają. Tłusty krem usuwa nałożony kolor, który wygładza jej zmarszczki. Włosy zostają uwolnione ze szpilek i wyszczotkowane spokojnymi pociągnięciami.

Jeszcze kilka minut. Zaciśnięta pięść powstrzymuje drżenie palców. Każdy kolejny głębszy oddech odrobinę spowalnia bicie serca.

Wreszcie Katarzyna czuje zapach wody różanej i mleczka migdałowego. Miękki nocny czepek przykrywa jej głowę, a ciało otula biała nocna koszula, obrębiona koronką. Oczy carycy prześlizgują się po obrazie Sary, ukrytej w cieniu, podczas gdy Hagar stoi w świetle. Powinna pójść zobaczyć się z wnuczką, ale teraz nie ma na to siły. Jutro, mówi sobie.

Służące znikają jedna po drugiej, wzruszywszy poduszki i zdjąwszy kapę, by wyjąć z pościeli szkandelę. Ale teraz do pokoju kolebiącym krokiem wchodzi Queenie z wieczornym kieliszkiem malagi na tacy.

– Dziś w nocy będę spała w antyszambrze, na wypadek gdyby Wasza Wysokość mnie potrzebowała…

– Wyjdź stąd! W tej chwili!

Nareszcie sama, opada bezwładnie na podłogę. Jej myśli są nagie, skrwawione. Rozrywają ją na strzępy.

Zaufałam głupcowi. A teraz zdradziło mnie nawet własne ciało.

Na języku czuje smak popiołu. Obraca dłonie wnętrzami do góry w błagalnym geście, lecz myśli krążą nad nią jak sępy, spadają na nią bez litości.

Nie ma Griszeńki. Nigdy nie będzie nikogo takiego. Zbyt wiele już straciłam. Nie mam nic.

Ale nawet łkając, pamięta, że sępy żywią się tylko padliną.

CZĘŚĆ IV

6 listopada 1796

00.00

Kroki są coraz bliżej, obcasy się obracają, szurają o podłogę. Kościsty palec bada jej szyję, odciąga skórę pod jej oczami. Światło świecy ją oślepia, odbicie migoczącego płomienia pozostaje pod powiekami długo po tym, jak świeca znika.

Szkocki medyk cmoka językiem. Do kogoś skrytego w ciemności mruczy ze zdumieniem:

– Ludzkie ciało to zagadka. Pokłady ukrytej siły tam, gdzie można było się spodziewać tylko rozkładu. Wydzieliny z kobiecej macicy zmieniają przepływ humorów.

– Jak długo jeszcze, doktorze?

– Nie sposób powiedzieć, Wasza Wysokość. Organizm jest silny, podobnie jak puls. Serce wciąż bije.

– W Sankt Petersburgu – słyszy gardłowy szept Potiomkina – trzeba albo kochać noc, albo zwariować.

Potiomkin, jej najdroższy książę taurydzki. Jej kochanek. Mąż. Najlepszy przyjaciel.

Czy ja umieram, Griszeńka?

Czy nie zobaczę dzieci Aleksandra? Nie będzie mnie na ślubie Aleksandry?

Nie powącham już żadnego kwiatu na wiosnę?

Czy tak właśnie nadchodzi koniec?

00.05

Chudy mężczyzna, który siedzi przy jej łożu, nie jest już młody. Ma zadarty nos podobny do mopsa i podłużną twarz z ustami o opryskliwym wyrazie, w których widać szarawe, spiczaste zęby. W kąciku jego ust osiadła bańka śliny.

Mój syn.

Ma na imię Paweł.

Jej syn, sparaliżowany przez zazdrość, dziecko wymuszonych aliansów i czasów bezsilności, mamrocze:

– Oto, czym gardzę, matko.

Wylicza na palcach: dworzanami i pochlebcami. Tytułami i zaszczytami. Kochankami i ladacznicami. Światem bali maskowych, lubieżności i intryg.

Furii. Harpii.

Kobietami, które nie chcą przyjąć do wiadomości, że nigdy nie będą równe mężczyznom.

– Starożytni już to mówili, matko. Posłuchaj Platona i Arystotelesa.

Jedynie mężczyźni stwarzani są bezpośrednio przez bogów i otrzymują dusze... najlepsze, na co może liczyć kobieta, to to, że stanie się mężczyzną.

Kobieta to bezpłodny mężczyzna... Stosunek między mężczyzną a kobietą z natury jest taki, że mężczyzna jest wyżej, a kobieta niżej, że mężczyzna panuje, a kobieta poddaje się temu panowaniu.

Zamyka uszy na jego jad, na miazmaty zawiedzionych marzeń.
Jej syn nie ma żadnej władzy.
Nie może jej zranić.
Nie potrafi.

Czy podobałby się jej ojcu? Jego wnuk? Ten niezdarny człowiek, który obskubuje sobie palce ze skóry i ciężko oddycha, chrząkając jak mors.
Ktoś go podmienił, ojcze.
To podrzutek.
Dlaczego to nie on umarł, zamiast Anny? Może z córką miałabym więcej szczęścia? Owoc miłości, a nie zdrady. Kolejna caryca.

– Zawsze mnie nienawidziłaś, matko. Gdybym miał psa, którego kocham, uwiązałabyś mu kamień u szyi i go utopiła.
Oto przychodzi, nieproszony, ten sam pradawny ból, który chwycił ją tyle lat temu, zwiastun jego narodzin. Czy ciało pamięta? Główka dziecka, która ją rozdziera, rozpruwa jej wnętrze.
Czyjeś dłonie podtrzymują jej ramiona; czyjeś wargi wymawiają modlitwy, które każą się jej spieszyć. Dziecko się z niej wyślizguje. Rozrywa ją. Akuszerka klęczy między jej nogami, by odebrać to lepkie ciałko, które jest do niej jeszcze uwiązane.
Jęk. Błysk noża. Klaps, po którym następuje cichy krzyk, jak dźwięk dzwonka. Modlitwy ustają.

Jej syn, z głową umazaną jej krwią.

Wyciąga po niego ręce, rozpaczliwie pragnąc go zobaczyć poprzez pot, który szczypie jej oczy. Jej wargi tęsknią, by ucałować wilgotną główkę. Ramiona swędzą, by go objąć.

– Żyj – nawołuje go. – Żyj.

– Mój najdroższy mały książę – grucha Elżbieta. – Mój własny.

Jakby nie miał matki. Jakby ona, Katarzyna, była tylko łonem, naczyniem, które napełnia się i opróżnia na życzenie carycy.

A gdzieś pośród tego wszystkiego jest jeszcze jedno wspomnienie. Wspomnienie ciepłych palców rozplątujących jej mokre włosy, warg szepczących słowa otuchy.

– To tylko na trochę. Jest bezpieczny. Będzie żył. Będę na niego uważać.

Warieńka? Czy ty też tutaj jesteś? Powiedzieli mi, że nie żyjesz!

00.30

Nie myśl o Pawle. On jest już bez znaczenia.

W korytarzach Pałacu Zimowego rośli młodzi mężczyźni chodzą za nią, usiłując złowić jej spojrzenie. Plecy się prostują, piersi wypinają, dzwonią szable. Wysmarowane przez nich liściki miłosne pojawiają się między stronicami jej książek, pod jej poduszką, przywiązane do obroży jej psa.

Czasem igra z którymś z nich, najodważniejszym z całej gromady. Wzywa go do swojego buduaru, pyta o jego marzenia. Zwraca uwagę na ten pierwszy pocałunek na swojej dłoni. Czy dotyk warg jest pewny, czy drżący? Czy trwa nieco dłużej, pozwalając, by ciepło rozlało się po jej skórze, czy poddaje się pośpiechowi? Czy może ofiarować jej przyjemność tego pierwszego wspólnego, ciepłego oddechu na chwilę przed tym, jak ich języki się splotą, a oczy zamkną?

Jeśli mężczyzna chce, żeby go zapamiętała, musi znaleźć na to własny sposób.

Jednak rozkosz to nie wszystko. Kiedy namiętność się wyczerpie, czy zaskoczą ją jego słowa? Czy oszczędzi jej oklepanych wyznań długo skrywanej miłości? Aluzji do nieśmiertelnych boginek i młodzieńców, którzy je uwielbiali? Adonisa, Endymiona, Faetona?

Czy jest gotowy, by kochać kobietę?

Sypialnia jest skąpo oświetlona, miękka od cieni.

Oto jest, nagi w jej łożu, leży na brzuchu z głową opartą na rękach. Pachnie banią, brzozowymi listkami zgniecionymi na miazgę, skórą oczyszczoną przez parę. Katarzyna przesuwa palcem wzdłuż kręgosłupa, kształtnych pośladków, potem nachyla się i pozwala językowi podążyć tym samym śladem.

I czeka.

To wspomnienie przyprawia ją o chichot: stoi za grubą marmurową kolumną w pałacowej sali balowej, twarz zakrywa jej czarna maska. Luźno zarzucone domino odsłania jej przebranie, zieloną kurtkę preobrażeńskiego munduru z czerwonymi wyłogami, wysokie buty, wyglansowane do połysku.

Jej ciało rozkoszuje się wolnością od sukni z krynoliną i ciasnych gorsetów. Żadnych tiurniur, żadnych nieporęcznych fałd tkaniny, żadnych fiszbinów, wpijających się w brzuch. O ileż lepiej byłoby urodzić się mężczyzną. Nosić zawsze spodnie i obcisłe kurtki. Chodzić pewnym, swobodnym krokiem.

Kobiety w sali balowej trzepoczą jak gigantyczne motyle, zamiatając podłogę rąbkami szeleszczących sukni. Lisi zapach potu wznosi się ponad woń perfum i roztopionego wosku. Pozostanie w jej włosach i ubraniach jeszcze wiele godzin po zakończeniu maskarady.

W ochronnym półmroku pomieszczenia jej przebranie zwiodło gości. Kilka kobiet rzuciło już w jej kierunku szybkie spojrzenia, a ich wachlarze nadają sygnały zainteresowania. „Podejdź bliżej", kusi jedna. „Czy ja cię znam?", sygnalizuje druga.

Dla nich jest po prostu jednym z dziarskich oficerów gwardii, kręcących się wokół.

Przez chwilę przygląda się tańczącym kobietom, ich wdzięcznym ruchom, ukłonom, podskokom i krótkim półobrotom. Obcasy stukają na wypolerowanym drewnianym parkiecie, tancerze dają się posłusznie prowadzić muzyce. Postaci zlewają się ze sobą, przepływają obok niej, nie do rozróżnienia, dopóki jedna z nich nie zatrzyma się i nie opuści kręgu, dysząc z wysiłku. Wieniec na jej kruczoczarnych włosach roi się od ptaków, owoców i pawich piór. Jej srebrna maska błyszczy perłami. Jest zdecydowanie zbyt mała, by ukryć dzikie tatarskie oczy księżniczki D.

Pożądanie przychodzi nieproszone.

Czy mam do ciebie podejść? Zapytać: Jest pani pasterką czy nimfą?

Nie zrobię tego. Uznałabyś to za banalne.

Zamiast tego będę ci się przyglądać, dopóki mnie nie dostrzeżesz.

Ale D nie zwraca uwagi na uporczywe spojrzenie zamaskowanego oficera. Jej oczy przyciąga turecka odaliska, która tańczy sama. Jej twarz kryje się za czarczafem, giętkie biodra kołyszą się w rytm podzwaniania srebrnych dzwoneczków.

– Och, jakaż ona wdzięczna – wykrzykuje D.

– Ta, która chwali, jest znacznie piękniejsza od przedmiotu jej pochwał.

D posyła jej zaskoczone spojrzenie. Jej oczy szybko dostrzegają zieleń Pułku Preobrażeńskiego, widoczną spod domina.

– Wolne żarty, Masko. Kim jesteś? Skąd mnie znasz?

– Mówię prosto z serca, posłuszny jego nakazom.

– Ale kim jesteś?

– Jeżeli będzie pani dla mnie dobra, wkrótce się pani dowie.

– Powiedz, proszę, kim jesteś.

– Uczynię to, ale najpierw pani musi mi przyrzec, że będzie dobra dla tego, który stracił dla niej głowę.

To zuchwałe słowa. Impertynenckie. Zakładają zdecydowanie zbyt wiele. Ich autor powinien zostać upomniany.

D waha się. Przy jej pełnych wargach trzepocze wachlarz.

Czy po prostu jej to schlebia? A może intryguje?

Ale w tej chwili podchodzą trzy inne pasterki.

– Tutaj jesteś – mówią do księżniczki o tatarskich oczach, ciągnąc ją za rękę. – Chodź z nami, szybko!

Spojrzenie pełne żalu, uśmiech, szelest spódnic, i D znika.

Stracony moment?

Który przygotowuje miejsce innemu?

Katarzyna siada na krześle pod ścianą. Czeka.

Księżniczka powraca. Porzuciła swoje towarzyszki i ponownie dołączyła do kręgu, który otacza tańczącą odaliskę. Nie zapomniała także o zadurzonym „kawalerze". Niełatwo pozwolić odejść tym, którzy wyznają zachwyt tak odważnie.

Kiedy ich oczy się znów spotykają, wachlarz trzepocze zapraszająco. To jeszcze nie znak, ale zachęta, by podjąć przerwaną grę.

Teraz!

Katarzyna wstaje i zbliża się do tańczących, pilnując, by nie znaleźć się za blisko tatarskich oczu. Kiedy napotyka pytające spojrzenie, udaje, że go nie widzi. Lecz kiedy D wychodzi z sali balowej, idzie za nią. Obok gwardzistów, stojących na baczność.

Obok stolika z przekąskami, z którego D bierze plasterek ananasa i zjada go łapczywie, a sok ścieka jej po brodzie.

Z powrotem do sali balowej.

Zatrzymałaś się. Czekasz na mnie, ale ja nie podejdę za blisko.

Teraz to księżniczka nie potrafi trzymać się z dala. Manewruje tak, by być coraz bliżej, aż w końcu znajdują się ramię przy ramieniu, jakby przypadkowo.

Katarzyna milczy, dopóki pokonana D nie zwróci się do niej z zarumienionymi policzkami i rozszerzonymi źrenicami.

– Masko, potrafisz tańczyć?

– Tak.

– W takim razie zatańczmy.

Ten taniec to polonez, powolny i stateczny. Czas mija nieśpiesznie. Koniuszki palców w rękawiczkach można delikatnie uścisnąć. Musnąć w milczeniu ramię.

Wyobraź sobie, co myślę. Wyobraź sobie, co ci powiem. Wyobraź sobie, co zrobię.

Kiedy taniec się kończy, D zatrzymuje się i waha. Jest czas, by ściągnąć jej jedwabną rękawiczkę i ucałować wnętrze białej dłoni. Czas, by wymruczeć niskim, zmysłowym głosem:

– Jakież spotkało mnie szczęście. Zaszczyciła mnie pani, ofiarowując mi swą rękę. Nie posiadam się z radości.

Błąd.

Dłoń zostaje wycofana. Wachlarz, koźla skórka z pawimi piórami, upada na ziemię.

– Jesteś zbyt pewny siebie, Masko. Zapomniałeś, że wcale cię nie znam?

Nie ma czasu na odpowiedź, bo D już tu nie ma.

Czy wszystko stracone? Ale w takim razie po co wychodzić w takim pośpiechu? I po co upuszczać wachlarz? Żeby wybadać moją determinację? Czy żeby mieć pewność, że za nią pójdę?

– Jedno słówko, księżniczko, błagam! – W pałacowym korytarzu nie ma nikogo poza służącymi, czekającymi z pelisami w ręku na swe panie. – Proszę. Miej litość nad moim sercem.

– Nadal nie wiem, kim jesteś, Masko.

Nadal?

Czyli rozpytywałaś o mnie?

– Jestem pani pokornym sługą. Wypróbuj mnie, a przekonasz się, jak dobrze będę ci służyć.

– Jesteś wdzięczny i masz przyjemny głos, Masko.

– To wszystko jest hołdem dla twojego piękna.

– Czy naprawdę uważasz mnie za piękną?

– Niezrównaną!

– Powiedz, proszę, kim jesteś!

– Jestem twój.

– Bardzo pięknie, ale jak się nazywasz?

– Kocham cię i uwielbiam. Pokaż mi, że coś dla ciebie znaczę, a ja powiem ci, jak się nazywam.

– Czy nie prosisz czasem o zbyt wiele?

Pożądaniu jednak, kiedy już się je obudzi, zbyt trudno się oprzeć. W pałacu jest za dużo pustych komnat, za dużo przejść wiodących do ukrytych alków. W ciemnościach nocy pieszczoty nie potrzebują nazwisk ani rodowodów.

Rozkosznie jest słyszeć westchnienia zwiastujące uległość. Rozkosznie czuć drżenie wilgotnej miękkości kobiety. Rozkosznie zostawić ją omdlewającą, wyczerpaną, niewiedzącą, kto jej dotykał.

Na zawsze oszołomioną, na zawsze gubiącą się w domysłach.

Na zawsze moją.

2.05

Chłodne, pachnące płótno dotyka jej skóry, ocierając pot. Ręce Queenie drżą.

– Jeszcze najwyżej kilka godzin, Wasza Wysokość – mamrocze służalczy głos jakiegoś mężczyzny. – Jej Cesarska Wysokość nie cierpi. Powinniśmy być za to wdzięczni.

– Wyjdźcie – rozkazuje jej syn. – Wszyscy.

Tupot pospiesznych kroków, które stopniowo cichną.

Oczy jej syna wpatrują się badawczo w jej twarz, w sterczący brzuch przykryty kapą. Jego nos węszy za jej zapachem. Zapachem moczu i żółci.

Tuż obok niej leży poduszka. Miękka, sprężysta. Wystarczy jedno pchnięcie. Nikt nie zobaczy. Ona nie może się bronić. Jej ciało jest bezużyteczne. Ręce spoczywają bez życia na łożu. Nawet, gdyby udało jej się krzyknąć, byłoby to jak krzyczenie wewnątrz próżniowego cylindra.

Syn nachyla się nad nią, a ona widzi jego poczerniałe od tytoniu zęby.

Teraz?

Jej serce wali jak szalone. Ciepłe fale moczu wsiąkają w materac.

Teraz?

Syn oblizuje wargi. Chrząka.

– Zgrzeszyłaś, matko – mówi, a potem się prostuje.

Zalewa ją uczucie ulgi. Nie zabije jej. Nie odważy się.

– Bóg skarze cię za to, co zrobiłaś... już nigdy żadna kobieta nie będzie rządziła Rosją... przysięgam.

Jej syn mówi szybko. Głos mu drży. Zdaniami, które musiał ćwiczyć i powtarzać wielokrotnie, oskarża ją o „bezprawne przywłaszczenie sobie korony", która słusznie należała się jemu, o „zhańbienie swego dostojnego stanowiska", o „okrycie Rosji wstydem" poprzez niemoralne prowadzenie, o „podbieranie państwowych funduszy", by zapłacić za swoje grzeszne przyjemności. Ale jego lista krzywd jest zbyt długa, by dało się ją zamknąć w przygotowanych słowach. Sztywne zdania stopniowo ustępują miejsca urywanym wyrzutom.

– Śledziłaś każdy mój ruch... Śmiałaś się ze mnie za moimi plecami... Pozwoliłaś swoim kochankom, mnie upokarzać... Kiedy się z kimś zaprzyjaźniałem, ty go odsyłałaś... Nie pozwoliłaś mi walczyć na wojnie... Zabrałaś ode mnie moich synów...

Wracaj do Gatczyny, Pawle. Rządź swoimi wojskami. Tutaj nic dla ciebie nie ma.

– Czy caryca Rosji ma coś do powiedzenia na swoją obronę? – pyta Paweł donośnym głosem, który zapewne uważa za uroczysty. Jego głowa podskakuje, wargi drgają nerwowo.

Dałeś mi moje wnuki. Jedyne dobro, jakie kiedykolwiek uczyniłeś. Aleksander będzie rządził Rosją, kiedy odejdę. Ty byłbyś tyranem. Tak samo jak człowiek, który mienił się twoim ojcem.

Paweł zwraca się do kogoś za parawanem, do ukrytej w cieniu siedzącej postaci.

– Brak odpowiedzi – mówi tym samym afektowanym tonem.

Powieki Katarzyny się zaciskają, wymazując obecność jej syna, nie może jednak uciszyć jego głosu.

– Zapisz, że caryca nic nie odpowiada na zarzuty swego syna.

Za parawanem gęsie pióro skrzypi po papierze.

3.10

Światło słabnie. Ktoś zabiera od niej światło.

Są tutaj, w tym pokoju. Wpatrują się w nią z otwartymi ustami, podglądają przez specjalnie wywiercone otwory, przez lustra weneckie. Wsłuchują się w urywany rytm jej oddechu. Chcą, żeby była sama. W ciemności. Na ich łasce.

Jej wrogowie. Potwarcy.

Katarzyna boi się ich głodu.

Zawsze chcieli zabrać jej wszystko, co ma. Łoże, na którym leży, adamaszkowe fotele, złoty materiał. Chcą jej kufrów, jej obrazów, jej medali, wazonów i urn, jej zastawy stołowej. Chcą jej miękkich wełnianych dywanów, kryształowych żyrandoli, luster w szylkretowych oprawach.

Jej kamei.

Jej porcelany.

Jej wachlarzy ze strusich piór, rubinów z jej korony.

Chcą wszystkiego, czego kiedykolwiek dotknęła.

Chciwe, spocone ręce. Brudne palce. Chwytają, szarpią. Oczy mają tak samo wygłodniałe jak brzuchy. Czekają na moment, kiedy nie będzie patrzeć.

Naostrzyli swoje kosy i noże rzeźnicze na kamieniu szlifierskim. Wyobrażają sobie, jak podrzynają jej gardło. Albo zatapiają nóż w jej piersi, prosto w bijącym sercu. Sprawiają, że krwawi jak zarzynana maciora. Przebijają dzieci bagnetami, jedno po drugim.

Powstrzymaj ich, słyszy ostrzeżenie Potiomkina, dobiegające gdzieś z daleka. Teraz, Katinko. Póki jeszcze jest czas.

3.30

Co zaszło wczoraj?
Przed bólem. Przed upadkiem.

Wczoraj obudził ją chłód. Wszedł w jej kości, przeszył bólem. Noc musiała być przenikliwie zimna. Queenie, która zawsze obawiała się takich zimowych dni, zmusiła ją, by włożyła na siebie gruby pikowany szlafrok, oblamowany srebrnymi lisami.

Ktoś przyszedł się ze mną zobaczyć.
Le Noiraud!
Czego chciał?

Jej kochanek podpiera się łokciem i uśmiecha do niej. Jego dłoń przesuwa się figlarnie po pościeli, palce kurczą się i prostują jak u kociej łapy. Kiedy schyla głowę, kruczoczarny pukiel spada mu na czoło. Zawsze odgarnia go ze zniecierpliwieniem.

Włosy ma miękkie, a zarazem gęste. Przepyszne.

Podnosi coś z prześcieradła, jakby to był strup na zasklepionej ranie. Katarzyna ujmuje jego głowę w swoje dłonie i przyciska jego twarz do swoich piersi. On wije się, a potem mięknie w jej uścisku, całując jej obnażoną skórę. Mówi o bitwach i oblężeniach, o fortecach, wydających swoje skarby.

– Dlaczego nie chcesz pozwolić mi walczyć? – pyta stłumionym głosem, dobiegającym spomiędzy jej piersi. – Jemu zawsze dajesz robić to, co chce.

Jemu. Griszeńce.

Czy tego nie widzisz?

Kiedy Płaton wychodzi, Katarzyna chowa twarz w ciepłym miejscu w pościeli, wilgotnym i pachnącym piżmem, gdzie przed chwilą leżał. Teraz już pustym, coraz chłodniejszym, sztywniejącym od jego nieobecności.

3.32

– Płaton Aleksandrowicz czeka pod drzwiami. Czy mam go wpuścić?

– Niech poczeka – mamrocze Queenie. – Co dobrego może teraz zrobić?

W mamrotaniu Queenie słychać nutę mrocznej uciechy. Radości płynącej z patrzenia na upadek tych, którzy niegdyś byli potężni.

Płaton pada na kolana, przy samej krawędzi jej łoża. Ma szarą twarz. Najwyraźniej dostał krwotoku z nosa, bo na jego górnej wardze widać jeszcze smugę zaschniętej krwi.

A jednak nawet w tym pożałowania godnym stanie nie opuściła go jego patrycjuszowska elegancja. Rzymski nos, czysta cera, jakby wyrzeźbiona z najlepszego marmuru karraryjskiego.

Jej gładkolicy Płaton wie, co się o nim mówi.

Strach zagnieździł się w jego czarnych oczach, w splecionych dłoniach. Strach i żal za tym, co utracił.

Katarzyna wyobraża go sobie wyrzuconego z pałacu. Wygnanego na puste ulice, którymi przemykają grasujące tam szczury. Biegnącego obok zamkniętych na noc domów o kruszejących fundamentach. Miasto Piotra Wielkiego zostało zbudowane na chwiejnych drewnianych palach, wbitych młotami w mokradła. Jeżeli nie będzie się o nie nieustannie dbać, zawali się, ześliźnie z powrotem w błoto.

– Przebacz mi, Katinko – szlocha Płaton. – Zawiodłem cię, ale przebacz mi, proszę.

Światło świecy pada na jego piękną twarz.

Rzuca cień, a zatem Płaton jest prawdziwy.

8.15

Granice przemieszczają się, znikają albo pojawiają tam, gdzie nigdy wcześniej nie istniały.

Jej serce wali jak ogromny dzwon.

Wiszka, praktyczna jak zawsze, nieznosząca marnować choćby odrobiny czasu, wygładza falbanki na jej poduszkach. Queenie tylko patrzy na nią z przerażeniem.

Czy jest jeszcze w Carskim Siole, na swojej zielonej otomanie? W galerii, z widokiem na wiszące ogrody?

Ktoś śpiewa, po niemiecku.

„Ach, du lieber Augustine, Augustine…"

Ona nigdy nie potrafiła śpiewać.

W jej uszach wszystkie nuty brzmią podobnie.

– To jak zgrzyt kredy na szkle – mówi Potiomkin, usiłując jej opisać, co to znaczy usłyszeć fałszywy ton. – Jak to możliwe, że tego nie słyszysz?

Nie wiem.

– Czyli i ty nie jesteś mimo wszystko doskonała – szydzi Piotr.

Śpiew cichnie i teraz jej obcasy tupią po marmurowej posadzce. Każdy krok jest łatwy, mocny, wolny od bólu.

Lustra w korytarzach Pałacu Zimowego sięgają od podłogi aż do sufitu. Odbite w nich światło zmienia je w ogromne lśniące tarcze. Obfitością światła caryca Elżbieta miała niegdyś nadzieję powstrzymać śmierć. Ale w Rosji śmierć jest chytrą staruchą, którą niełatwo odstraszyć.

– Nie bądź taka wyniosła, Katarzyno – ostrzega ją Elżbieta. – Ona znajdzie i ciebie.

Czy życie to ruletka? Czy partia szachów, w której można przewidzieć kolejne posunięcia, wymusić ruch przeciwnika? Odpowiedz mi!

– Wybrałaś ją, a nie mnie, Zofio – w głosie matki słychać jadowitą gorycz. – Tego ci nigdy nie wybaczę.

Nie ma żadnej Zofii, matko. Spoczywaj w pokoju.

Pałacowi szpiedzy są wszędzie. Służącemu rozpalenie ognia w piecu zajmuje zdecydowanie za dużo czasu. Pokojówka, która wynosi naczynie nocne, grzebała w szufladzie sekretarzyka. Każda książka, którą Zofia czyta, została przekartkowana. Matka ufa kufrom z podwójnym dnem.

– Widzisz, nadal tu jest – oznajmia triumfalnie, kiedy włos, który zawiązała wokół zamka, okazuje się nienaruszony.

Szpiedzy snują się po korytarzach dla służby, zaglądają przez szpary w drewnianych ścianach. Czasem zapadają w sen, a ona słyszy, jak chrapią.

Rosjanie nie lubią cudzoziemców.

Ostrzegano ją już.

Życie to gra.

W szulerni trzyma się ręce w kieszeni.

Skoro każdy z graczy oszukuje, skąd wiadomo, komu można zaufać?

Kobieta, która się nad nią pochyla, ma na sobie niebieską kamizelkę z czerwonym kołnierzem. Wygląda mizernie, jej pomarszczona skóra ma barwę popiołu.

Warwara?

9.00

– Szybko... Każcie Biezborodce zaczekać... Nikt nie może opuścić pałacu bez mojej zgody.

Paweł wydaje rozkazy. Jego głos jest ostry, ale jeszcze nie do końca pewny siebie.

Czy syn nadal się jej boi? Czy nadal się obawia, że ona może jeszcze wrócić do zdrowia? A może lęka się Aleksandra?

Przez szparkę w półprzymkniętych powiekach widzi rosłą postać swojego najstarszego wnuka. Stoi wyprostowany przy jej łożu. Patrzy prosto przed siebie. Ma oczy pałacowego gwardzisty na warcie, któremu nie wolno się poruszyć.

Jej prawdziwy spadkobierca.

Światło pada na Aleksandra, odbija się od jego wypolerowanych guzików, od złotego warkocza epoletów. Pamięta jego twarz, kiedy był dzieckiem, jej niemowlęcą pulchność, dołeczki w policzkach, niecierpliwe podskoki.

Nadszedł czas, by uporządkować to, co nie może już dłużej czekać.

Dokument sukcesji jest złożony, zapieczętowany, przewiązany czarną wstążką. Sporządziła go sama, przepisała własnoręcznie: „Otworzyć w przypadku mojej śmierci, w obecności rady".

Nie wychodź, Aleksandrze. Musisz tu być, gdy go otworzą. Twój ojciec to tchórz, nie powinieneś go jednak lekceważyć.

9.20

W odległym kącie pokoju płacze dziecko.

Aleksandra!

Gdyby ciało było jej jeszcze posłuszne, przywołałaby do siebie wnuczkę. Pogładziła dłonią jej słodką twarzyczkę. Ucałowała zaczerwienione, wilgotne oczy.

Nigdy nie płacz.

Nigdy nie pokazuj nikomu, gdzie cię boli. Każ im myśleć, że jesteś silna. Odejdź. Wyprostowana i dumna. Jak królowa, którą powinnaś być.

Wyciągnij naukę z tego, co się wydarzyło. Drobiazg może zniweczyć nawet najlepiej ułożone plany. Zepchnąć cię na ścieżkę, na którą sama byś nie weszła. Nie sposób uniknąć wszystkich błędów. Czasem trzeba przegrać. Ale zawsze musisz ukrywać, co czujesz.
Ból to tajemnica władców.

– Czy zwierzęta wiedzą, że żyją? – pyta kogoś Aleksandra naglącym szeptem. Siostrę? Brata? – Czy wiedzą, że umrą? Czy pies może kochać jedną osobę, a potem przestać? I zacząć kochać inną?
Proste pytania, a jednak tak trudno na nie odpowiedzieć.

II.20

Griszeńka, książę Potiomkin, jej książę taurydzki, góruje nad nią, twarz ma opaloną południowym słońcem. Wsuwa ramiona pod jej pachy i podnosi ją z posłania. Obok niego Katarzyna widzi bezkształtne zawiniątko.
– Zabieram cię ze sobą, Katinko – mówi Potiomkin.
A więc nie umarłeś, Griszeńka. Okłamali mnie.
Nie mówi jej, dokąd ją zabiera, a ona nie pyta. Jest złamana: łatwiej jej być posłuszną.
– Masz na imię Apis – mówi Griszeńka i rozpina jej suknię, pomaga jej wysunąć się z ciężkich fałdów materiału, z łańcuchów złotych i srebrnych nici, ze zbroi haftów. Otwarte zawiniątko ukazuje miękką batystową koszulę, parę spodni i prostą aksamitną kurtkę. Ubrania pachną popiołem. – Załóż je – mówi, a ona posłusznie to robi.
Kiedy jest już ubrana, on podaje jej żółtą maskę na oczy, z czarnymi paskami, obramowaną brązowym filcem.
„Apis" to po łacinie pszczoła.

Luźna opończa, którą zarzuca jej na ramiona, ma kaptur. Zakrywa jej głowę, chroniąc ją przed popołudniowym światłem. Kiedy Katarzyna się potyka, Griszeńka zatrzymuje się i podaje jej rękę.

– Trzymaj się mnie! Nie chcę patrzeć, jak Apis spada ze schodów – mówi.

11.25

Musiała zasnąć, bo pokój, w którym leży, zmienił się. Ktoś rozsunął zasłony, wpuścił do środka blade jesienne światło.

– Widziałam ją, babuniu – szepcze dziecko.

Ty drżysz, Aleksandro. Co ci się stało? Czy ktoś cię skrzywdził?

To ważne, żeby wysłuchała wnuczki. Ważne, by wzięła pod uwagę każde jej słowo.

– Ksenia przyszła pod bramę pałacu, babuniu. Wygląda dokładnie tak, jak mówią. Płaszcz ma cały podarty i wystrzępiony. Jest na nią za duży, więc podwija rękawy. „Módl się za carycę", poprosiłam ją. „Żeby wyzdrowiała". Błogosławiona Ksenia skinęła głową, babuniu. Nic nie powiedziała, ale skinęła głową. „Daj mi znak", poprosiłam. „Żebym wiedziała, że wszystko będzie dobrze". I dała mi znak, babuniu! Rano poszłam do ogrodu i zobaczyłam tam Bolika. Przy bramie. Kiedy mnie zauważył, ruszył biegiem w moją stronę. „Bolik – krzyknęłam – to naprawdę ty?" A on podbiegł do mnie, drżąc i machając ogonem. Podniosłam go, a on polizał mnie po twarzy. Jest taki chudy, babuniu. Czułam jego żebra. Sierść ma zmatowiałą, pozlepianą błotem i krwią. Na łbie – głębokie rozcięcie, w którym roi się od robaków. Ale wrócił. Przeżył. Chciałam go tu przyprowadzić. Chciałam, żebyś go zobaczyła, babuniu. Ale maman mi nie pozwoliła. Powiedziała, że tak nie można, że jesteś zbyt chora. Ale ja wiem, że ty chciałaś, żeby on wrócił.

11.45

Czuć smażonymi kiełbasami, kiszoną kapustą i piwem. Służący przechodzą obok niej, niosąc półmiski z jedzeniem i rzucając szybkie spojrzenia w jej stronę. Widzi ich przez półprzymknięte oczy. Ściągnięte, zapłakane twarze.

Jej syn zebrał doradców w małym pokoju.

– Bóg działa w niepojęty sposób – oznajmia z irytującą powagą Maria Fiodorowna kolejnej osobie.

– Nic nie jadłeś, Aleksandrze? Będziesz teraz potrzebował dużo siły!

– Wszyscy będziemy!

– Usiądź, Konstanty. Denerwuje mnie, kiedy tak się wiercisz.

Nie przyciszają głosów. Czy nic ich nie obchodzi, że ona ich słyszy? Być może – ta myśl nie jest nieprawdopodobna – fakt, że jest ich milczącym świadkiem, to dodatkowa przyjemność. W miłości zawiść tych, którzy zostali wykluczeni, potęguje słodycz zaspokojenia.

Czasem słyszy głos Biezborodki, który coś wyjaśnia, ale może tylko jej się wydaje.

Ktoś powinien mieć na nich wszystkich oko.

12.00

Zegar dzwoni. Okiennice stukają. Listopad to wietrzny miesiąc.

Za parawanem poruszają się szare sylwetki, nerwowe i spięte, kukiełkowy teatr cieni. Katarzyna słyszy krzyk:

– Nie macie tu nic do roboty!

Cienie nabierają prędkości. Coś spada z brzękiem na podłogę; szkło się roztrzaskuje.

– Czy nikt nie stoi przy drzwiach?

– Co robią gwardziści?

Przewrót?

Parawan się chwieje, grozi upadkiem, aż w końcu łapie go czyjaś ręka. Na łożu ląduje ze skomleniem smukłe, wijące się ciało.

Pani bowiem, wierna Pani, zwiodła swoich opiekunów i oto jest tutaj, liże twarz swojej właścicielki ciepłym, gorliwym językiem. Policzki, wargi, powieki. Psy nie potrzebują wyjaśnień. Pani wie, czuje to przez skórę. Jej właścicielki nie ma tam, gdzie powinna być. Jej właścicielkę coś boli. Liżąc ranę, można ją wyleczyć.

– Won! Wynoś się stąd, Pani!

Queenie jest nieubłagana, ale Pani – zepchnięta z posłania – pojawia się z drugiej strony i wraca do obowiązków, które sama sobie wyznaczyła.

– Już cię tu nie ma, zarazo!

Znów przepędzona, suka skomli i wyje. Ktoś otrzymuje polecenie, by ją złapać i nie puszczać. Zabrać stąd tego przeklętego psa.

Dlaczego?

Nie mogę im pozwolić krzywdzić Pani, myśli Katarzyna, ale dłoń, którą usiłuje podnieść, zniknęła. Zgilotynowana, myśli, i to słowo wyłania się przed nią ostre i wyraziste, błyska czerwienią.

12.13

– Jak na razie ani słowa. Ale Jej Wysokość nas widzi, nie mam wątpliwości.

– Jak długo już?

– Cicho! Robicie za dużo hałasu.

– Kucharz pyta, czy ma przysłać jeszcze wędzonego bałyku.

– Zupa jest za słona. Czy oni do niej napłakali?

– Jej Wysokość nadal oddycha.

– Ciekawe, kto dostanie pelisę ze srebrnych lisów. Jest taka piękna.

– Słyszeliście dzwony? Rosja się modli.

– Jego Wysokość posłał po dokumenty. To nie potrwa już długo.

To twój czas, Aleksandrze. Weź mój list i idź z nim do rady. Postąp, jak należy. Nie wahaj się. Nie obawiaj.

Nigdy dotąd nie postawiłam na niewłaściwego konia.

14.00

– Dokąd idziesz, Aleksandrze? – pyta Paweł.

Jej syn wyszedł z bocznego pokoju z kostką od kurczaka w rękach. Szczęki mu się ruszają. Przeżuwa jeszcze obiad.

– Zaraz wrócę, ojcze.

– Nie odpowiedziałeś mi na pytanie.

Podbiega służący z tacą. Ląduje na niej kostka.

Paweł parska. Chrząka, jakby zbierało mu się na wymioty. Jak żałośnie wygląda przy Aleksandrze. Wydaje się taki nieważny. Nieszkodliwy, jeżeli ktoś jest na tyle ślepy. Jeśli się zapomni, że nie ma gorszej tyranii niż tyrania ludzi słabych.

– Baczność, kiedy do ciebie mówię, Aleksandrze. Czy chcesz zhańbić swój mundur?

Obcasy stukają; młode, gibkie ciało prostuje się.

– Czy chcesz przynieść hańbę naszym gatczyńskim tradycjom, Aleksandrze?

– Nie chcę tego, ojcze. Proszę o wybaczenie.

– Spocznij.

15.15

– Hospody, pomyłuj. Boże Wszechmogący, zmiłuj się nad nami – szepcze Wiszka. – Zbaw nas ode złego. – Jej oczy uciekają w tę stronę pokoju, gdzie ważą się losy carycy. W syczących rozmowach. W okrzykach niedowierzania.

– Amen – odpowiada jej Queenie zduszonym głosem, składając dłonie.

Jej dworzanie są mądrzy. Rozmawiają cichym szeptem. Słowami, które można jeszcze odwrócić, zaprzeczyć im, jeśli okaże się to konieczne.

– Prywatny kuferek Jej Wysokości… – słyszy.

Ktoś czyta jej papiery. Jej sekrety odsłaniają się jeden po drugim.

Chciałeś być cesarzem, Pawle? Chciałeś zniszczyć wszystko to, co zbudowałam? Zniweczyć to, czego dokonałam? Zobaczymy, kto jest zdrajcą.

Pięść wali w coś twardego. Szkło pęka.

– Jak mogłaś – syczy Paweł. – Moja własna żona!

– Nie podpisałam go! – zawodzi Maria Fiodorowna. – Chciała zwrócić mnie przeciwko tobie, ale ja nie uległam… Widzisz, nie jest podpisany!

Bezwartościowe słowa, z których nic nie wynika. To nie Paweł się teraz liczy, tylko twój syn.

Katarzyna przygotowuje się na to, co musi teraz nastąpić. Wrzawa. Głos Aleksandra, rozkazujący im wszystkim się nie ruszać. Wrzask Pawła, kiedy jej testament zostaje zaniesiony przed radę, by tam zostać otwarty w obecności świadków. Jej ostatnie słowa. Jej legat.

„(…) po mojej śmierci (…) w pełni władz umysłowych (…) przekazuję (…) memu wnukowi Aleksandrowi (…) car Aleksander I (…)"

Nie rozlega się jednak żaden wrzask. Zamiast tego Katarzyna słyszy stłumiony okrzyk, a po nim przyciszone głosy. A potem błaganie Aleksandra:

– Ja nigdy tego nie chciałem, papo. Babcia mnie zmusiła. Wiesz, jaka ona jest. Proszę, pozwól mi to spalić! Proszę!

Nie!

Ona, wciąż jeszcze ich cesarzowa, zdołała pokonać bezwładne mięśnie, by podnieść głowę.

Jej krzyk przeszywa powietrze.

Queenie ujmuje jej dłoń w swoje i okrywa ją pocałunkami. Wiszka sławi Boga za jego nieskończone miłosierdzie.

Drzwi bocznego pokoju się otwierają. Wylewają się z niego wszyscy.

– Cud!

Maria Fiodorowna szlocha. Biezborodko wyciera czoło, lśniące od potu. Policzek Pawła zaczyna drżeć.

Oczy Aleksandra rozszerza przerażenie.

Nie!

Ale jej krzyk zmienił się już w zduszone sapanie, a to, co powinno być rozkazującymi słowami, przechodzi w rzężenie. Głowy kręcą się i odwracają.

Tylko Queenie powtarza w kółko te same słowa:

– Jej Wysokość ścisnęła moją dłoń!

15.50

Wspomnienie wypływa na powierzchnię gdzieś z oddali. Wilgotne ciepło śliny pokojówki na jej plecach, pozostający po nim kwaśny zapach, jakby zepsutego sera. Szorstkość zimnych rąk służącej, palców, wmasowujących ślinę w jej skórę.

Łoże jest miękkie. Puchowy materac został wywietrzony i pachnie wiatrem, ale przyjemność, jaką mogłoby jej to dać, nie trwa długo.

– Zasznuruj ciaśniej – rozkazuje matka, głucha na prośby.

Skórzany gorset ma pasy, które wpijają się głęboko w ciało, obcierając skórę. Z pęcherzy sączy się ropa; czerwone pręgi na jej ramionach zmieniły się w otwarte rany.

– Leż spokojnie, Zofio – słyszy zniecierpliwiony głos matki. – Jeżeli będziesz się ruszać, ból będzie jeszcze gorszy.

– Dlaczego, proszę mamy?

– Ponieważ, Zofio, nikt nie ożeni się z kaleką.

Tylko że ona musi być już mężatką, ponieważ Piotr, jej mąż, stoi nad nią. Jest taki młody, niemal dziecko, na twarzy nie ma jeszcze dziobów po ospie. Dotyka zasłonek przy łożu, bawi się złotymi chwostami. Zaplata je w warkocze, a potem pozwala im się rozpleść. Palce ma długie i kształtne.

– Nie jestem potworem, Katarzyno – mówi. – Chcę tylko mojego fletu, mojego Murzyna i mojej faworyty. Czy proszę o zbyt wiele?

Kto cię tu wpuścił, Piotrze?

Gdzie są gwardziści? Przekupiłeś ich?

– Czy jesteś chora, Zofio? A może znów przy nadziei? – Piotr wzrusza ramionami i chichocze, jakby jego obecność przy jej łożu była jakimś psikusem. Powodem do ogromnej wesołości.

Jego ręce się unoszą, zasłaniają twarz. Patykowate ciało się zgina. Piotr kuca na podłodze.

– Nie chcę umierać! – szlocha. – Proszę, Zofio, pozwól mi żyć!

Pamiętasz, Piotrze? Pamiętasz ten walący się dom? Pamiętasz, jak szybko stamtąd uciekłeś? Mogłam wtedy zginąć.

– To ty chcesz to tak pamiętać.

Taka jest prawda.

– Prawda? Prawda jest taka, że zawsze chciałaś, żebym umarł, Katarzyno. I że zawsze dostawałaś to, czego chciałaś.

Nazywają ją rozpustną kobietą.

Nienasyconą w swej zachłanności.

Prześladują ją pogłoski. Okrutne, napastliwe pogłoski, które mają ją upokorzyć, pokazać jej, gdzie jej miejsce. Plotki o tym, jak się poniża, uwodzi z pomocą władzy, gdyż w jej starzejącym się ciele nie ma nic, czego można by pożądać w wolności. Jak płaci za pochlebstwa, które ją otaczają, za wymuszoną uwagę swoich kochanków.

Jak rabuje niewinnych, by zapłacić za swoje grzechy.

Imperator Piotr III nie żyje. Batiuszka. Dobry car. Ojciec swojego ludu. Ścięty w kwiecie wieku. Zanim zdążył przynieść szczęście i sprawiedliwość wszystkim swoim dzieciom.

Mówią w ten sposób o Piotrze. O jej głupim mężu, który co wieczór upijał się do nieprzytomności. Który przeprowadzał egzekucje szczurów, kiedy podgryzały jego woskowe żołnierzyki.

– Nigdy nie zapomina się swojej pierwszej zdobyczy – powiedział jej kiedyś ojciec po polowaniu.

16.05

Rogerson, z puklem rudawych włosów spadającym na czoło, podnosi jej rękę i bada puls.

Tu spoczywa żona księcia Andersona,

Która to ugryzła pana Rogersona.

Powinnam mu coś powiedzieć.

Czuję swój własny oddech. Ależ cuchnie.

Widzę baldachim. Spogląda na mnie z niego Minerwa.

Jak prędko rozpoczyna się rozkład. Róże pokrywają czarne plamy. Kwiaty piwonii zmieniają się w bezkształtną miazgę. Buty żołnierzy tratują klomby. W pałacowych korytarzach ktoś wyłupił oczy portretom, pochlastał namalowane twarze. Dzieci, bez życia, z ciałami rozdartymi przez kule, leżą jedno na drugim na brudnej podłodze. Włosy dziewczynek zlepione są krwią.

Przedmioty są wszędzie porozrzucane: krzesło z ułamaną nogą, wypalone do połowy świece, poplamione chusteczki. Srebrne szczotki z plątaniną siwych włosów. Książki o podartych stronach. Papier, stronice zasmarowane rozlanym atramentem.

– Jak możesz żyć w takim bałaganie, Zofio? Zapomniałaś wszystkiego, czego cię uczyłam?

Trzeba uważać na służące. Jeżeli nie złożą starannie tafty, pogniecie się i popęka. Wszystkie fałdy należy przekładać muślinem lub gazą.

Jedwab nie lubi światła słonecznego.

– Pozbieraj to wszystko!

– Tak, proszę mamy!

Zanim jednak zacznie, płomienie liżą już podłogę, pożerają dywany. Rozsadzają okna. Woń prochu jest wszędzie. Głos mężczyzny rozpoczyna modlitwę, dołącza do niego kobieta. Dzieci krzyczą. Muszkiety stukają i dają ognia.

Uciekaj, Katarzyno. Uciekaj, zanim będzie za późno. Uciekaj, zanim skradną ci duszę.

20.35

Wargi ma spękane.

Tęskni do prostych rzeczy. Zwilżyć palce śliną, żeby zgasić świecę. Patrzeć, jak promienie słońca igrają w lustrach w jej gabinecie w Carskim Siole. Do głębokiego, łagodnego smaku ciemnego porteru przyniesionego prosto z piwnicy. Ogórków umoczonych w miodzie.

Zapach, który dosięga jej nozdrzy, to przejrzałe jabłko. Krążą nad nim pszczoły, skuszone słodkim, pijanym aromatem pociemniałego miąższu.

Dwie pszczoły, jedna przy drugiej. Coraz bliżej, aż wreszcie zdają się zlewać w jedną.

„W miejscu Twego spocznienia, o Panie, tam gdzie przebywają wszyscy Twoi święci, daj odpoczynek także duszy Twej służebnicy, gdyż Ty miłujesz synów ludzkich".

Jej serce nadal bije, krew nadal krąży w jej ciele. Widzi światło i zamazane twarze. Niektóre łkają, inne patrzą na nią z drwiną i triumfem.

– Wreszcie będziemy mieli cara. Wystarczy już kobiecych rządów w Rosji.

– Nasza stara matuszka już się dość zabawiła, jak sądzę.

– Bardziej niż dość.

„Wyleję swoją modlitwę przed Panem, i Jemu wyznam swe troski. Moja dusza bowiem pełna jest cierpienia, a moje życie zbliża się do otchłani. I jak Jonasz będę wołał: Podźwignij mnie z zepsucia, o mój Boże".

Idzie po zasypanym śniegiem polu. Musi jak najprędzej znaleźć schronienie. W pewnej odległości widać światła. Może to wieś albo kilka chałup. Będą tam ludzie.

Robi krok, ale jej stopy zapadają się w śniegu. Są w nim zakopane różne rzeczy. Buty. Kości. Stalowy hełm ze strusimi piórami. Brzozowe pudełko, a w nim gęsie pióro. Kawałek bursztynu z dwiema pszczołami w środku, zamkniętymi w uścisku.

„Otwórz wargi moje i włóż w nie słowa modlitwy, o dobry Zbawco, za duszę tej, która teraz odeszła, by znalazła spokój, o Panie".

– Dziecię księżycowej poświaty – powiedział ktoś o niej kiedyś.

Jej skóra była wtedy świetlista, twarzy nie szpeciły żadne zmarszczki, a jednak jej serce przygniatał smutek. Jakie one potrafią być wyraźne, te obrazy, które leżą zatopione gdzieś w czeluściach jej umysłu. Podwodne królestwo, zniekształcone przez powłokę wody, która odbija światło, zarazem oślepiając i prowokując.

Chwyta za pościel, ale ona ustępuje, a Katarzyna przesiewa piasek na plaży gdzieś nad zimnym Morzem Bałtyckim. Piasek jest z wierzchu gorący i stopniowo coraz chłodniejszy, kiedy zanurza w niego dłoń.

Kawałek bursztynu, który trzyma w ręce, jest rzadkiej piękności. W jego środku spoczywają dwie pszczoły. Ich brzuchy się dotykają. Odnóża są splecione. Zamknięte w śmierci. Obezwładnione. Nierozłączne.

Kiedyś miała dokładnie taki sam bursztyn, przypomina sobie. Co się z nim stało?

Czy komuś go podarowała?

Przyjaciółce?

Twarz, która się przed nią pojawia, rozpływa się, przyjmuje wiele rysów. Blond kędziory, dołeczek w policzku. Mocna dłoń, trzymająca jej rękę, kiedy biegnie długimi, krętymi korytarzami na ulicę. Nie jest sama.

Warieńka? Jesteś tutaj?

Zima. Konie okryte są derkami. Z ich nozdrzy unosi się mgiełka. Gwardziści stąpają głośno po zaśnieżonej ziemi, wpatrują się w nie obie. Razem wybiegają na ulicę, mijają pałace oświetlone latarniami, zamarzniętą Newę, nad którą wartownicy palą ogniska, by rozgrzać się choć odrobinę.

– Chodź, Katarzyno – słyszy. – Pokażę ci, gdzie kiedyś mieszkałam.

Płynie przez czas, nad rzekami, lasami. Bezmiernymi przestrzeniami stepów, gdzie trawa jest pachnąca i słodka.

Zaciągnęli zasłony i żadne światło z zewnątrz nie przenika do pokoju. To nawet lepiej. Słońce przesuwa się nieubłaganie naprzód, a ona nie chce o tym myśleć . Woli patrzeć na malowany sufit swojego pokoju. Na nimfy, bogów, chmury, które się nie poruszają, nie zmieniają ani nie chcą niczego poza zachwytem dla ich lekkości, koloru i namiętności, które nigdy nie blakną.

Ja jestem z nocy, myśli Katarzyna.

Wewnątrz niej gromadzi się cisza. Słodka, ciepła, zwodnicza.

20.45

„Raz jeszcze zanosimy błagania o pokój dla duszy tej służebnicy Boga... aby odpuszczone zostały jej wszystkie występki, zarówno świadome, jak i nieświadome".

W żałobnym wzroku jej wnuczki jest śmierć. W oczach Aleksandra – wahanie.

Świat, który opuszcza, jest taki miękki. Pochłonie go noc. Wyobraża sobie dziki motłoch, który przychodzi po nich wszystkich. Wymachują pochodniami. Światłem, które nie rozjaśnia, lecz pali i niszczy.

Nie obchodzą ich jej przestrogi.

Bo choćby strata była najboleśniejsza, zdrada najbardziej niespodziewana, czyż życie nie odwraca się zawsze od umarłych?

Oto stoją, gotowi zdawać sprawę z niezliczonych uczynków ich codziennego życia. Aż nadejdzie ich koniec. Aż pustka i ciemność upomną się i o nich.

Na zewnątrz deszcz zmienił się w mokry śnieg, który spływa po szkle jak plwociny, rozpryskuje się na szybach.

Słyszy szuranie stóp. Czy to Queenie?

Queenie, która jest w niej zakochana. Jej miłość jest ciemna, lepka i dusząca. Ale niesie też ze sobą coś, czego nic innego nie zapewni: bezgraniczną lojalność.

W rękach ma aksamitną poduszkę, zieloną ze złotym brzegiem. Jej rogi są obgryzione do szarej wyściółki. Psy znów się do niej dorwały.

W oczach Pawła widzi szaleństwo, które sprowadzi na niego śmierć.

Będą też inne śmierci. Wielkie mnóstwo. Ściany jej pałacu zostaną odarte z kosztowności, płomienie będą lizać złoto i srebro, klejnoty się roztopią.

Próbowałam.

Światło także potrafi oszukiwać.

Aleksandra, to słodkie, piękne dziecko, klęczy przy łożu. Jej złote włosy są upięte stanowczo zbyt ciasno; perły mają matowy wygląd, jakby ktoś za długo je pocierał. Dłonie złożyła do modlitwy. Twarz ma białą, zupełnie jak mała Olga w swojej trumnie.

Zapach wokół niej to nie płatki jaśminu, tylko słodka, ciężka woń ladanu.

Próbowałam sprawić, być odwróciła się od śmierci, ale nie udało mi się.

Pies przychodzi z butem i upuszcza go u jej stóp, posyłając jej spojrzenie pełne smutnego wyrzutu. Czy to Pani? Nie, to Księżna

Anderson, jej charcica. Ale jak to możliwe? Księżna Anderson dawno już nie żyje.

Suka kładzie się na boku z westchnieniem i zamyka oczy.

Jak to możliwe, Queenie?

Ale kobieta, która stoi przy niej, to nie Queenie.

„Spójrz na mnie z niebios, o Matko Boga, i w swej litości racz zesłać na mnie swe święte widzenie, abym wpatrzona w Twe oblicze mogła z radością porzucić to ziemskie ciało".

Bez ciemności nic się nie rodzi, a bez światła nic nie zakwita. Klejnoty są ważne. Szmaragdy są kruche, nie wolno ich upuścić. Złoto przetapia się od zawsze. Ten złoty pierścionek, który masz na palcu, mógł kiedyś być złotym naszyjnikiem faraona.

Hermes, boski posłaniec, pisał na szmaragdowej tabliczce. Kiedy szatan spadał z niebios, z jego korony wypadł szmaragd.

Neron przyglądał się walczącym gladiatorom przez szmaragdową soczewkę.

Weź mój pierścień, Aleksandro.

Weź go teraz.

– Chodź ze mną.

Głos Griszeńki jest łagodny, kojący.

Katarzyna wyciąga rękę do pieszczoty. By pogładzić jego plecy, jego brzuch, uda. Bruzdy na skórze, sprężyste ciało, które leży obok niej. Jej własne ciało rozciąga się we wszystkich kierunkach, bezkresna żyzna ziemia ze swoimi rzekami, górami i dolinami.

– Czekam na ciebie, matuszko. Czekałem przez te wszystkie lata.

Ich ciała dotykają się na całej długości. On jest wilgotny, miękki i uległy. Jego wargi szukają jej ust, jak niemowlę piersi.

Na srebrnym półmisku przy łożu leżą plastry soczystego arbuza. Na pokruszonym lodzie, żeby pozostały chłodne. Griszeńka karmi ją tymi słodkimi, zimnymi, rozpływającymi się w ustach kawałkami. Rozmazuje czerwony sok po jej wargach.

Starałam się.

Jak tylko mogłam.

Rozproszyć ciemności.

Przynieść światło.

Krew pulsuje jej w skroniach, spływa w to słodkie miejsce między nogami.

Nic nie jest obce. Wszystko jest jednym. Ona jest wszystkim.

– Nic nie mów, Griszeńka.

Jego palec dotyka jej warg. Jest twardy i chłodny od lodu.

Sprawia, że ona się rozpływa.

Ona i noc są jednym.

Dziewczynka, która biegnie przez zaśnieżony park pałacowy, jest szczupła i zwinna. Ma czternaście lat, nie jest ładna, ale pełna wdzięku i energii. Przy wielkiej sośnie podskakuje, żeby strącić grubą szyszkę z najniższej gałęzi. Szyszka spada i ląduje na sypkim śniegu.

Dziewczynka podnosi szyszkę i wącha, zawsze bowiem lubiła zapach żywicy. Nie zważa na to, że poplamiła rękawiczki, które teraz się lepią. Kiedy matka będzie ją łajać za „przekorność", jak ma to w zwyczaju, spuści głowę i będzie myśleć o czymś przyjemnym. Na przykład o tym dniu, kiedy malarz, który przyjechał namalować jej portret, nauczył ją mieszać kolory na palecie, albo kiedy guwernantka zabrała ją na spacer do Zerbst i pozwoliła jej biegać po starych murach miasta i ciskać kamienie do fosy.

W ogóle nie powinna być teraz w parku. Powinna szykować się do noworocznego obiadu. Jej najlepsza suknia została w pośpiechu przerobiona ze starej sukni matki, i jest zupełnie nietwarzowa, bo w fioletowym jej cera wydaje się ziemista. Ale ile czasu zajmuje wciągnięcie sukni i upięcie włosów? Służące są wdzięczne, że nie muszą długo się z nią męczyć – inaczej niż z samą księżną.

Wejście pałacowe udekorowano wieńcami z gałęzi świerku i sosny. Dwaj lokaje w grubych niebieskich frakach i upudrowanych perukach stoją przy ciężkich rzeźbionych drzwiach. Jest pierwszy dzień nowego roku i wkrótce zaczną się zjeżdżać goście na uroczysty obiad. Nie aż tak znakomici, jak życzyłaby sobie księżna Anhalt-Zerbst, ale życie rozczarowało ją już na tyle sposobów. Barokowy portal został świeżo naprawiony, drzwi zreperowane, chociaż podmurówka pod gabinetem księcia się sypie, a nad mansardą brakuje kilkunastu czerwonych dachówek.

Posłaniec przejeżdża przez pałacową bramę z kutego żelaza. Służąca, która dostrzega go przez okno kuchni, krzywi się.

– Jeśli to niedobre wieści, pani będzie zła.

Kucharz myśli o pieczeni, która – jeżeli obiad się opóźni – wyschnie; książę lubi, żeby mięso było soczyste i lekko zaróżowione.

Posłańcowi kazano się spieszyć.

List z Rosji zaadresowany jest do księżnej Joanny Anhalt-Zerbst. Oczekuje na zaszczyt bezzwłocznej odpowiedzi Jej Wysokości.

POSŁOWIE

Panowie, caryca Katarzyna nie żyje,
a Jego Wysokość Paweł Piotrowicz
raczył wstąpić na tron Wszechrusi.

Caryca Rosji Katarzyna II zmarła o 21.45 dnia 6 listopada 1796 roku, trzydzieści sześć godzin po paraliżującym wylewie. Nie sposób ustalić, ile przytomności zachowała, choć relacje świadków mówią, że usiłowała coś powiedzieć i ścisnąć ręce jednej ze służących.

Z chwilą śmierci Katarzyny jej syn Paweł Piotrowicz został carem Pawłem I i przez następne cztery lata usiłował przekreślić wszystko, w co wierzyła jego matka. Pogrzeb Katarzyny stał się pierwszym znakiem jego determinacji, by wymazać pamięć o matce i jej spuściźnie. Początkowo Paweł nie chciał wyprawić jej pogrzebu państwowego, ustąpił dopiero, kiedy zasugerowano mu, że takie posunięcie mogłoby osłabić monarchię. Ekshumował ciało Piotra III, koronował go pośmiertnie i umieścił jego trumnę w Pałacu

Zimowym, obok trumny Katarzyny. Następnie obie trumny były wystawione w Twierdzy Pietropawłowskiej, zanim pochowano je obok siebie w katedrze Świętych Piotra i Pawła. Daty ich śmierci nie zostały wygrawerowane na grobowcu, co miało sugerować, że tych dwoje rządziło razem.

Kolejną manifestacją nienawiści Pawła była jego wizyta u uwięzionego generała, Tadeusza Kościuszki, którego nowy car przeprosił za działania swojej matki w Polsce i uwolnił go oraz innych polskich więźniów politycznych. Paweł wyprawił także posłańców do Grodna i zaprosił króla Stanisława Augusta Poniatowskiego, by przyjechał zamieszkać w Sankt Petersburgu jako carski gość, ofiarowując mu Pałac Marmurowy jako jego oficjalną rezydencję. Złamany polityczną klęską król zmarł 12 lutego 1798 roku.

Aleksander, który jako kolejny car, Aleksander I, zwyciężył w 1812 roku Napoleona Bonapartego, drogo zapłacił za to, że nie chciał czy nie mógł uczynić zadość życzeniu babki, by zostać jej następcą. Zmuszony przyglądać się coraz bardziej niepoczytalnym rządom swojego ojca, zgodził się na przewrót pałacowy, który zakończył się morderstwem Pawła – zbrodnią, której nigdy sobie nie wybaczył. Jako że historia obfituje w niespodziewane zwroty akcji, jednym z uczestników przewrotu był Płaton Zubow, ostatni faworyt Katarzyny.

Adam Czartoryski, przyjaciel, przed którym młody Aleksander ujawnił swoje uczucia dotyczące roli Rosji w polityce europejskiej, pozostał jego przyjacielem. Po wstąpieniu na tron Aleksander uczynił Czartoryskiego rosyjskim ministrem spraw zagranicznych. Za wiedzą i zachętą Aleksandra Adam wyznał miłość żonie Aleksandra, Elżbiecie, niespełnioną miłość, którą dzielili i pielęgnowali aż do końca życia. Po śmierci Aleksandra w 1825 roku książę

Adam odwrócił się od Rosji i wziął udział w polskim powstaniu w 1831 roku. Kiedy książę Adam umarł we Francji w 1861 roku, jako niekoronowany król Polski na wygnaniu, jego paryska rezydencja, Hôtel Lambert, była już centrum życia politycznego i artystycznego. Tam właśnie Fryderyk Chopin dawał koncerty, a George Sand odczytywała fragmenty swoich powieści.

Wielka księżna Aleksandra Pawłowna już nigdy więcej nie zobaczyła Gustawa Adolfa po jego wyjeździe z Rosji. Trzy lata po śmierci babki poślubiła arcyksięcia Austrii. Zmarła w 1801 roku, w wieku lat siedemnastu, urodziwszy martwą córeczkę.

Gustaw Adolf IV, król Szwecji od 1792 roku, ożenił się z Fryderyką Badeńską i został zmuszony do abdykacji i ucieczki z kraju po siedemnastu latach rządów, uznanych za niekompetentne i nieobliczalne.

Konstanty, który niegdyś miał rządzić Konstantynopolem jako cesarz nowego Bizancjum, w dalszym ciągu znęcał się nad swoją żoną Anną Fiodorowną, dopóki nie uciekła od niego w 1799 roku. Pomimo licznych wysiłków mających na celu pogodzenie tych dwojga, Anna (która wróciła do panieńskiego nazwiska Julia Henrietta Ulrika von Sachsen-Coburg-Saalfeld) nie zgodziła się na powrót do Rosji. Dożyła swoich dni w Niemczech jako rozwódka.

Konstanty ożenił się ponownie z Polką, Joanną Grudzińską. Aleksander uczynił go wielkorządcą Królestwa Polskiego, a Konstanty zamieszkał w Warszawie, gdzie często nocami sprowadzano do niego Chopina, by grał mu na fortepianie, łagodząc w ten sposób jego owiane złą sławą napady furii. Zmarł w 1831 roku.

Queenie, albo Anna Stiepanowna Protasowa, pozostała na dworze przez długie lata po śmierci Katarzyny, jako barwna i powszechnie kochana postać. Została powiernicą Marii Fiodorowny i zapewniała jej wsparcie i pociechę w trudnych latach po zamordowaniu Pawła. Queenie umarła w 1826 roku w wieku osiemdziesięciu jeden lat.

Wiszka, albo Maria Sawiszna Pierekusichina, służąca Katarzyny i jedna z jej licznych szpiegów, zmarła w 1826 roku.

PODZIĘKOWANIA

Cesarzowa nocy. Historia Katarzyny Wielkiej to wprawdzie fikcja literacka, ale nie mogłaby powstać bez istniejących biografii Katarzyny Wielkiej, i jestem zobowiązana ich autorom, zarówno żyjącym, jak i nieżyjącym.

Douglas Smith zredagował i przetłumaczył *Love & Conquest. Personal correspondence of Catherine the Great and prince Grigory Potemkin* (DeKalb 2004), fascynujące świadectwo związku carycy z mężczyzną, który był największą miłością jej życia. W swojej powieści wykorzystałam liczne wyrażenia i zwroty z listów Katarzyny do Potiomkina oraz jego odpowiedzi. Podobnie frapująca i bogata w szczegóły jest biografia pióra Simona Sebaga Montefiorego *Potiomkin. Książę książąt* (Warszawa 2006).

Sprawozdanie, które fikcyjna Katarzyna czyta na temat stosunków między wielkim księciem Aleksandrem a księciem Adamem Czartoryskim, opiera się na opublikowanych wspomnieniach księcia Adama *Pamiętniki i memoriały polityczne 1776–1809* (Warszawa 1986).

Podczas pisania tej powieści towarzyszyły mi stale liczne biografie ostatniej carycy Rosji. Dwie najnowsze, *Catherine the Great. Love, sex and power* Virginii Rounding (London 2006) oraz *Katarzyna Wielka. Portret kobiety* (Kraków 2012), były bardzo pomocne, podobnie jak dziewiętnastowieczne opisy Katarzyny i jej syna Pawła pióra Kazimierza Waliszewskiego.

Szczególne podziękowania należą się, jak zawsze, mojemu mężowi, Zbyszkowi.

SPIS TREŚCI

Ewa Stachniak

Ogród Afrodyty

Niezwykła historia życia Zofii Potockiej, najpiękniejszej kobiety Europy

Matka siedemnastoletniej Zofii, pięknej Greczynki o wielkich czarnych oczach, przyprowadza ją do ambasadora Polski w Turcji, prosząc o opiekę. Od tej pory młodziutka Zofia jest zdana tylko na siebie.

Jak to się stało, że z biednej greckiej dziewczyny przeistoczyła się w ulubienicę salonów osiemnastowiecznej Europy, polską arystokratkę, przyjaciółkę króla Stanisława Augusta Poniatowskiego i księcia Potiomkina?

Ogród Afrodyty to porywająca powieść o silnej i niezależnej kobiecie, która dokonała rzeczy niemożliwej – w patriarchalnym świecie podziałów społecznych, na zawsze określających życiowe szanse jednostki, odmówiła zgody na przypisany jej los i wygrała.

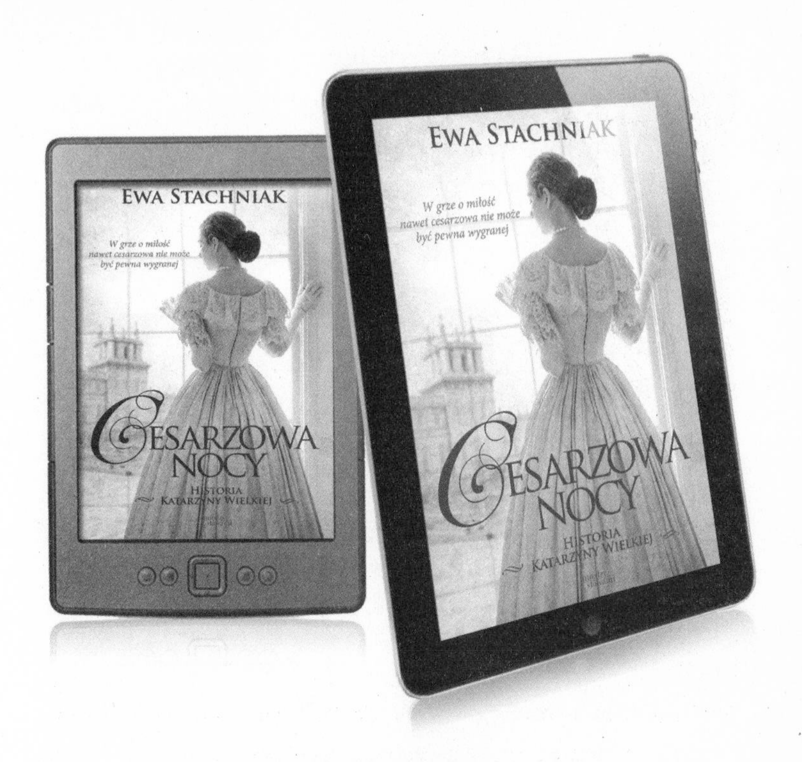
Ewa Stachniak
W grze o miłość
nawet cesarzowa nie może
być pewna wygranej
Cesarzowa nocy
Historia
Katarzyny Wielkiej
Ewa Stachniak
W grze o miłość
nawet cesarzowa nie może
być pewna wygranej
Cesarzowa nocy
Historia
Katarzyny Wielkiej

Ewa
Stachniak
Ogród
Afrodyty